艾雯全集10

小說卷五

未結集小說

未結集劇作

目次 Contents

未結集小說

◎一九四〇年代

9 意外
30 發薪水
33 薦
38 林薇娜
46 幸福的消失
51 髮的喜劇
55 小明的悲哀
61 難民
67 被歧視的人們
81 阿俞的保障
84 在車廂裡發生的小事情
88 生產
92 春雨之夜
99 議婚記
108 小草子
125 母與子
135 沙灘上
139 新女性
146 熱浪

149 風聲鶴唳
152 溫室裡的花
155 傻大姊

◎一九五〇年代

158 困惑
162 閃電夜
167 生活第一課
172 最後一班列車
176 心臟病患者
181 結婚禮物
186 乞婦
190 一見鍾情
201 克難英雌
205 結婚五週年
212 證據
220 晚會
228 鳳求凰
235 愛情的考驗
241 神人之間
247 一枚銀洋
252 遠景
257 貼除的一頁
267 一場電影
279 伊甸園
288 倔強的靈魂
296 戰鬥鴛鴦
306 白雲深處是伊家
319 女瘋子
325 小巷風波

331 蟲難
339 贖罪
351 醉人醉語
360 我數著青春和年少
368 風雨同傘
382 捕鼠機
391 十年如一日
399 姊妹行

◎一九六〇年代

405 無根的花
414 鋸樹的日子
435 青春長在
449 朦朧地帶
460 第一雙皮鞋
476 開一朵玫瑰的春天

◎一九七〇年代

498 一個爬梯子的人
516 荔枝成熟時

◎待查年代

545 一百五十元
548 橋
551 一顆珠子
555 生日禮物
560 願望之星
566 小凱利
572 酷戀
584 待產記

589 牆上的臉譜

未結集劇作

599 出路
610 燕爾劫
648 二十五孝
651 她們都去了

艾雯全集10

小說卷五

未結集小說

意外

深藍的天空高得有點神祕，好像是懼怕地球上瀰漫著的烽煙就會衝犯著她那偉潔的尊體似的，老是嚇得遠遠的避開來；又偷偷地從雲隙俯窺著自己腳下的大地，那些植物們正在向她點頭招呼哩！它們經過了一番春之培植與生長，已由嫩綠而變成蒼綠了。活潑地伸舒著椏枝，讓鳥兒們在它茂盛的枝葉下婉轉地鼓弄著舌簧，時或夾雜著數聲單調的蟬鳴和奏著；自然界上的一切都表示出現在是初夏了。

中山公園的一角，臨溪的濃蔭下，一對青年的伴侶——正在密切地說笑著；雖時已交夏，但在他們那健美的臉上，仍是春風滿面的愉快。

「琳！決定了沒有？怎麼老不作聲呢？」男的急促地問著，眼中閃爍著希望的光彩。

「哦！……不過……」被叫作琳的女孩子吞吞吐吐地回答，使他更著急了。

「是不是怕妳家裡不肯？」

「不！我家裡絕不會不肯的，不過我捨不得離開家裡。」

「哈哈！真是個小孩子，快回到母親懷裡去吃乳吧！」

「明！我不依，你再這麼胡說，我撕掉你這張油嘴。」琳嬌嗔著。

「該打嘴，是我錯了，別生氣吧！小姐，我在這兒告饒了，請妳下道懿旨，該派小臣何日去買船票。」明的厚皮賊臉引得琳笑起來了，用手指刮著臉羞他。

「好意思，虧你做得出，別教人笑掉了牙子。」

「怕什麼，只要妳不生氣就好了，我明天去買船票好吧？」

「隨便。」琳不再拒絕了，本來她是急他的，並不是不願意。

「那我決定明天去買吧，聽說買到美國去的船票期只一星期了。」明滿意而高興地說；挽著琳的手臂，兩人肩並肩地向大門口走去，他們的背影，漸漸地消失在樹林中。

林琳和邵建明都是××大學文科的高材生，因為他們對文藝的嗜好相投，常聚在一起促膝研究的緣故，因此便成了知己。在今年的暑假，他倆已由老師的獎勵和同學的惜別聲中，同時畢業了，因求識欲的衝動，他倆仍是渴望著繼續求學，經過幾星期的討論，遂決定下月乘船至美國投考××學校，以順著他倆的志願發展。

●

抗戰的巨幕逐日地擴大起來，敵寇如瘋狗般地四處去亂咬亂衝，東下幾個蛋，西放幾蓬火，只害得那些無辜的非武裝者，不是血肉橫飛屍骨成灰，便是流離顛沛無家可歸。報紙上每日所登的，總不出「敵機××架轟炸××縣，死傷甚巨」、「×日上午，敵機××架至××縣轟炸，歷×時，炸後慘狀不堪目睹」之類，這種記敘倭獸暴肆無忌的新聞，好像是家常便飯，隨時隨地都能見到，大路上，小巷中，到處都塞滿了緊張的空氣，只要有一分天良的人，不論是張三李四誰都關心地探聞著，議論著國事，一提到鬼子時，莫不氣憤於色，憤怒地咬著牙，握著拳，恨不能生咬鬼子一塊肉。此種激憤的現象，一天比一天熱烈起來，有勇氣的人，都紛紛的加入軍隊，救亡團，後援會……等獻身服務，歷年來忍氣吞聲飽受的恥辱，一旦都化為愛國的熱忱，準備為民族的解放，國土的完整，歷史的光榮，而用鮮血澆融出光明遠大的自由之路。

×縣的一間整潔簡美的小客廳裡，一個健美的少女，獨坐在沙發上蹙著眉看報，一對明媚的秋波，不住地一上一下閃爍著，銳利的目光，好像要透過紙上的鉛字似的，大概是報上的事太使她氣憤了，櫻桃般的小嘴，微微的有點嘟起，突然一陣門鈴聲，打破了死一樣的寂寞，接著便是小孩的嬉笑和皮鞋與石板清脆的接觸聲，直達耳畔，她放下了報紙默想，這該是誰來了。

「琳姊！琳姊！妳看明哥今天多麼神氣啊！」琳十歲的弟弟珉，從外面連跑帶跳地進來，一手指著外面高興的說，琳順著他的手指向門外望去，驀地眼前一亮，一個精神飽滿的少年軍官，雄糾糾地站在門口對她招呼似地笑著。

「啊！明！你……」琳驚喜地叫起來，倏地從沙發上站起來將手坦率的向明伸出。

「琳！妳覺得奇怪嗎？」明親摯的握著她的手說：「下個月的美行將取消了，我得上前線去。」

「真的?!你決定了嗎？哈！我真佩服你，明！你改變得太快了，想不到平時文質彬彬老握著筆管的人，居然能精神抖擻地掮起槍桿來，可敬！可敬！」琳興奮得臉紅紅地說，愛憐橫溢的眼光，不住價在他臉上掃射著。

琳的母親林太太正在房裡縫綴，聽到外面的熱鬧，便放下了針線，匆匆地走出來看個明白，猛見一個武裝的軍人正站在客廳中——與自己的女兒講話，不禁一怔。

「伯母，妳好！」

「哦！原來是邵先生，穿得這樣神氣，我竟認不得了。」林太太聽了明恭敬的問候聲，才明白過來。

「媽！明哥說他要到前線去殺東洋鬼子，我也去好吧？」珉天真地拉著他母親的衣角要求著。

「別胡鬧，乖孩子！等你長大了媽就讓你去。」林太太柔聲地勸著珉，一面又和顏悅色地同明講話。

「邵先生你真的從軍去嗎？真不愧是個好男兒，那一天動身呢？讓我們好同你餞行。」

「多謝伯母的盛意，但我明天早晨六時便要出發的，不及叨擾了，心領了吧，現在我還有點事要辦，就此告辭了。」

「現在就走？明！你不能多留一刻嗎？」琳懇切地望著明說。雖然她是很高興鼓勵著他，但一聽馬上就要離別時，想到不知那年那月才能相見，禁不住露出戀戀不捨的情態來挽留著。

「誰不想多聚一刻呢？可是還有許多的事正等著要做。」明惘然地說，心中也覺難捨，正是「兒女情長，英雄氣短」。

「既然你有公務，我也不敢相留，……走罷！我送你。」琳見明為了她而停步，覺得自己的話太卑私了，連忙忍著內心的痛苦，催他前進。

明只是緩緩地移著步，充滿著憐愛的目光注視著琳出神。

琳低了頭在想：該送一樣什麼東西給他做紀念品呢？不經意地注視到自己腕上的手錶時，微笑著點了點頭，迅速地把它脫下來繫在明的手上。

「明！這小東西雖算不得什麼，然物小意重，願你永遠地隨著它，一分一秒不斷地前進。」

「謝謝妳的美意，我絕不會使妳失望的，伯母！珉弟！我走啦！」

「邵先生祝你一路順風！」

「明！願你早日凱旋！」

「明哥！不要把鬼子殺光了，留幾個待我來殺。」

「好！再見！」

「再見！」

一輛巨大的公共汽車，載起了民族英雄之一分子，如飛般向爭自由解放的大路駛去，琳呆望著車後冒起的灰沙，隱約有一塊白色的東西在內揮動著，越遠越小，終於隨著灰沙消失了，琳怏怏地懷了一個若有所失的心房踱進去。

一天……一星期……明走後已經半個月了，當他在這裡時，他的談笑生風，喜悅的笑聲，常常塞滿了客廳的每一個角隅，而現在除了琳清早來看一下報外，整日都浸在清冷的空氣中，陰沉沉的像黃梅天。

琳在房中拿著本書無頭緒的看著，看著，黑色的字，成了模糊的斑點，漸漸地聚成了一團，大起來……大起來……一個年輕的軍官，微笑著映上她的眼簾，她低低地歎了口氣，把書照原闔了上，順手拿過支筆來，在淡綠色的稿子上亂畫著，半晌忽然像大夢初醒般地猛覺過來，定神看時，紙上不知不覺已畫滿了，什麼「從軍啦！愛人啦！勝利啦！……」亂七八糟地橫躺在那裡，自己看了不覺莞爾一笑。

「琳姊！我得到了一樣好寶貝，妳猜得著就給妳！」珉麻雀般跳進來，天真的音波，給這殘秋般森冷的房中，帶來了不少的春意。

「什麼東西？」琳懶懶地從藤椅上回過頭來，一個緊捏在珉手裡的嫩藍色信封，像是給她打了一針興奮劑，陡地揭去了臉上陰鬱的面幕，換上一層無窮希望的色彩。

「是誰的信？快拿來我看。」

「姊夫的信，我不給妳看。」珉調皮地把信高高的舉在頭上，逗著他姊姊。

「你這小鬼！那裡學來這油嘴，待我告訴媽揍你一頓。」一陣熱潮湧上了琳微黑的臉龐，桃色的紅雲，一直蔓延到鬢邊的耳根，板著未收斂起笑容的臉，嬌叱著。

「妳去告訴好了，我又沒有說錯。」珉仍是嘻皮笑臉地說：「拿去吧！別急死了妳。」丟下了信一溜煙便跑了，琳俯身把信拾起，急忙而又細心的把這戰地情書拆開：

琳：

我們的認識，已有好幾年的歷史了，可是像這樣長距離的分別，還是破天荒的第一次，難過嗎？當然囉！人非木石，誰又能忘情呢？但琳！為了愛，為了那偉大的愛，我終於硬著心腸向妳告別了！我愛妳，我愛那錦繡的祖國和同胞，可是眼見自己的所愛，將被摧殘毀滅，我能忍心不顧嗎？不能！雖赴湯蹈火，我亦要為我的所愛，予侵犯者以重大的打擊。

琳，我永不能忘了那臨別的一剎那，當妳送我出來時，我望著妳那依依不捨，欲言未能的情態，禁不住想停下來與妳暢言片刻，但又覺得無從說起。可恨那汽車上的催命鈴，又不住價地叫，使我不得不橫一橫心，跳了上去，叭的一聲，車子竟毫不容情地把我們拆散了。我將上身從車窗裡探出來，癡望著車後冒起的灰煙，隱約還見到妳的倩影，呆呆地靠在大門口，我拚命地揮動著毛巾，幻想著妳能跑過來，讓我們熱烈的擁抱著。突然車身一陣顛簸，轉了個彎，連最後的希望，都成了泡影，一路上只是垂頭喪氣，直到達到了目的地——營地——弟兄們那雄壯的歌聲，才把我喚醒了。他們那無畏的精神與忠厚的微笑，使我頹喪的精神，為之抖擻，他們一面手忙腳亂的工作著準備明天的出發，一面還引吭高歌，以表示他們的不覺得勞苦，融洽的心已鐵索般連成了一串，有這樣的聯合，還怕什麼跳樑小丑。琳，妳等著瞧吧！勝利就在我們不遠的前面。

雖說我們的行李很簡單，但文件啦、用品啦、捆捆紮紮直到午夜一點鐘才整好。等我把汗淋浹背的身體，放倒在軟綿綿的草鋪上時，絲絲的微風把我的倦與熱慢慢地趕跑了，一個般般的笑臉，閃爍著晶瑩的眼珠，闖進了我平靜的腦海中，起了陣美麗的漣漪，啊！琳，我又在想妳了，任是翻覆轉輾，總不能入睡，別處傳來弟兄們一呼一應的鼾聲，如歌如泣，如告如悲，使我哭笑不能，到雞啼後，才閉了一下眼，但不久起牀號又一聲聲的催敲著我的耳膜，連忙一骨碌爬起來，草草地盥洗後，便隨著集合號走去，自以為很早了，誰知跑到場上一看，已黑壓壓地站滿了人，心中暗自叫聲慚愧。等弟兄們點名後，便開始出發，浩浩蕩蕩直奔前途，走了六十里至N村息腳，大家席地而坐，有的啃著帶來的乾糧，有的到村中去買大餅同饃饃充飢。說也奇怪，我的食量竟比平常大了好幾倍，吃了四個大餅，五個饃饃，外加三大碗白開水，哈哈！琳，我想妳聽了一定會嚇一跳，這豈不是好做妳一天的糧食嗎？

休息了二十分鐘，我們又跋涉前進，預定至S鎮打尖，大約還有四、五十里的光景。可是當我走了一半時，兩條腿忽然作起怪來，好像繫了一條鐵鏈似的，又重又痛又疲，腳底裡只是熱辣辣的冒火，舉一步得費九牛二虎之力，但我又不甘心落後，只得竭蹶地掙扎著隨隊前進。這種面頭紅漲的狼狽樣子，終逃不掉同行的史君那鋒利的眼光，他從旁邊拉了匹馬來要我騎，我謙遜而又慚愧地謝了他的好意，可是他仍固執的說：「你是投筆從戎的，以前當然沒有經過這樣的跋涉，比不得我們是受過訓練的了。」當時我實在覺得疲乏不堪，便老實不客氣地騎了上去。抬頭向前望時，只見明亮的鋼盔，明亮的刺刀，閃耀成眩目的一片，與明亮的陽光，彼此誇炫著，在燦爛的國旗領導下，隊伍像長蛇般跟隨著前進，弟兄們都雄糾糾地踏著輕快而整齊的步伐。忽然間一陣慚愧閃電般滲入我每一根血脈，一種力量把我推下了馬背，譴責的鐵鎚，一記記地鎚著我的心扉。啊！琳！我是多麼自私呀！尚未為國家效寸分之勞，便先要苟安，且看弟兄們，那一個不是徒步，而且還負著行李，而我呢？……琳，那時我內心的痛楚，還勝過先前的疲勞，邊行邊想倒忘記了路途的遙遠，到了目的地，還是精神飽滿的與大眾討論著進行的問題。明天還有更多路要走，我得安息了，來一個親摯的握手

妳的建明於軍次

琳把它一口氣看完後，快樂地舒了口氣，滲著些驕傲的微笑，輕快地浮上了嘴角，暗地慶幸著自己眼光的準確，因為她的lover是變得如此的英勇了，真不愧為新中國的好男兒。

●

抗戰的嚴重，是一天勝過一天，各種服務的團體像雨後的春筍般，迅速而繁密地生長著，到處都洋溢著熱烈的情緒和緊張的空氣，琳也讓這救國的潮流捲了進去，拋棄了安適的小姐生活而奮身加入全國婦女慰勞總會，工作把各個不相同的婦女拉上了一條戰線，一致的目標，更聯絡起各個不同的心。在抗戰的烘爐中，中國婦女已認清了自己肩上的兩種求解放的責任，而做著種種的奮鬥。

茜是琳的同學兼好友，素以熱情在校中著名，此次中日開戰，興奮得她渾身的筋肉都在跳舞，義不容身的第一個加入了婦慰會，不顧疲勞地工作著；因各人繁雜的任務，她與琳已有數月未見面了，這次因為開宣傳大會，在會場中意外的邂逅，使她們非常高興，談了些國事與彼此的工作後，茜慢慢地吐露出她蘊藏著野心勃勃的志願：「人的欲望和志願是永遠不會感到滿足的，雖屢經挫折障礙等種種打擊，仍不能阻止它的發展。起初我只希望能在後方服務，便心滿意足了，可是目的達到後，又漸漸地覺得有一點遠水救不得近火的感想。在此工作，對前方作戰的將士雖略有物質上的援助，可是對於那些為國奮鬥而掛了彩、受了傷的英雄們，卻無法去減少他們精神上、肉體上所感受的痛苦，這在我永遠覺得是一件莫大的遺憾，未了的心願，這數月來的蓄志，何日才能遂願呢？琳，妳能告訴我嗎？」

「啊哈！我們真可算得是不約而同了，妳看湊得多巧，我亦正想到這一條路，就擔心著沒人作伴，既然妳有這個意思，那就好極了，等我再找幾個志同道合的人，不要多久，我們的計畫就可實現了。」

琳一手搭著茜的肩膀，一手掠起被風吹下來的短髮，半提高了嗓子說；語氣中滿貯著天真的成分，高興又把她拉回了童年。

「真的！琳！妳也去?!」茜出於意外地緊握住琳搭在她肩上那隻柔腴的手，將一對大眼探險燈般在琳臉上掃射著；像要搜尋出那上面的祕密似的，她幾乎對面前的老友——在校中綽號文學小姐的琳——罩上了個莫大的「？」。但是一個個性向外的人，臉上的表情往往會洩露出內心的作為，琳那誠懇的態度，終於使茜毫不遲疑的將「？」換上個「！」，雖然性情的變遷是人類的常事，不足為奇，可是在茜的心中，仍禁不住暗地裡劃上了一條讚美的驚歎符號。

「當然真的囉！妳幾時聽到我向妳說過假話來？」琳將鮮紅的嘴唇向鼻子翻了翻，眼珠朝茜一溜，顯然是有點不高興了，茜覺察到了這一點，連忙陪著笑臉，哄小妹妹似地拍著她的背脊說：

「妳又要多心了，我並不是不相信妳的說話，因為有點奇怪妳性情的改變，竟有這股勇氣，是不是跟妳的明哥學來的？」

「呸！人家正正經經的和妳商量，倒反惹妳來胡說。」像受了慈母愛撫的孩子般，經這輕輕的幾拍，琳索性放出小妹妹撒嬌的樣子來，將頭倒在茜的肩胛上，不住地用手去摸她的頭髮，還拿來鼻子上嗅嗅。

「別頑皮！」茜將頭稍為向右側了側，「話歸正傳，做事要來得堅決和迅速，休再拖泥帶水了，我們分頭去幹吧！過幾天再來接洽。」

一星期來的奔波，宣傳工作已告結束，琳舒泰地鬆了口氣，踏著輕快的步伐，跨進那闊別了幾天的家。

「媽媽！」她一看見母親那龍鍾的背影，便親熱地叫起來，林太太連忙掉過那蒼老的笑臉來，褶疊著的皺紋裡嵌滿了和藹的慈愛。

「啊！琳兒！妳回來了，這幾天辛苦了吧！」

「沒有什麼，媽媽！珉弟還沒放學嗎？」

「是啊！這幾天他們學校裡也鬧著節約救國啦！募捐啦！天天吵著問我要這樣，要那樣，不到天黑是不會回來的，妳還是到房中躺一下吧？當心別累倒了。」琳正感到有些疲乏，便安閒地向自己寢室中踱去。一進門，一陣撲鼻的清香直向她腦門中鑽去，困頓的心胸為之一暢，她貪婪地作了幾口深呼吸，伶俐的黑眼珠四面一溜，窗檻上的一盆蟹爪菊，正展長著身枝在歡迎她哩！她走過去又嗅了幾嗅，桌子上一堆疊齊了的信札，帶著誘引性躍入了她的眼簾。離開了花，她便坐下來開始拆讀那五色繽紛的來函，有的是討論一些工作上的計畫，有的是要她寫一點文藝或報告，有一封是她父親從昆明寄來的，大概說個人生活過不慣將派人來接取家眷等等……最後一個熟識的陸軍第××團的地址與生疏的筆跡，很快地被發現了，望著那既潦草又生硬的字面，引起了琳滿腹的疑惑，說是建明來的吧，又不像他寫的字，旁人是不認得了，不要是……遲疑的把信紙抽出來一看，林同志三個斜斜的字，第一個湧上她的眼膜，在一種莫名的驚異中，琳的心開始忐忑地跳起來。

林同志：

抗戰烘爐中鍛鍊出的索鏈，把年輕人的心緊緊地繫在一條戰線上，一個粗率的北方人——我——因此很榮幸地結識了精明幹練的邵君，彼此間的關切討論已超出了泛泛之交的範圍。從他讚美似的語氣中，更使我知道了巾幗英雄的妳，遙遠的我向妳寄出了欽佩的熱忱，但是，林同志！抱歉得很，這次要向妳報告的是一個不幸的消息，這對於妳確實是嚴重的打擊，我希望同志切不要因此而痛苦、消極，憑同志的力量、氣魄，我相信是一定會繼邵同志未了的志願做他的後盾者……

一些恐怖的陰影，在琳的眼前晃搖著，現實彷彿已指示她發生了什麼，但理想還是岌岌地掙扎著；她極力地鎮靜了一下，勉強再看下去。

在十六號的晚上，邵君率領全隊向猛烈的敵軍炮火陣地衝去，肉搏的結果——是大獲勝利，可是勇敢的邵同志，卻從此失了影蹤，六七天的搜查、尋找，得不到一點頭緒，想是……

天地在這時崩潰了，周圍的家具都變成猙獰的鬼魅，不住向琳擲來慘酷的冷笑，一陣昏黑，她頹然地倒在椅背上，霎時間心似乎停止了運動，顫抖的雙手不自主的把信紙拉扯得發出悉綷的哀叫，似乎是苦求人別這樣地作弄它。但她的耳是聾了，心是矇了，任何巨大的聲浪，都不能喚起她的聽覺，在她冰冷的手握中，鉛筆的字跡已讓皺紋掩摺得模糊了。

「琳兒！該肚子餓了吧？飯已燒好了，我還跟妳炒了點妳喜歡吃的蝦仁芙蓉蛋。這幾天在外面吃得總沒有家裡舒服，今天多吃碗飯吧！」林太太一路舞動著舌頭跨進房來，等待琳的答覆，兩隻手還不停地拍著身上的煤灰，直等到她發現琳靠在椅背上那慘白的臉龐時，才驚惶地叫起來，恐怖占有了她那慈愛的母心，只急得她失手無措，按著琳的兩肩，不住價地呼著、搖著，琳終於被這重大的擾亂驚動了，抬起那滿貯著悲憤、憤恨的眼光，幽幽地望了她母親因恐懼而現得更多皺的臉一眼，陰陰地歎了口氣，頹喪地將頭埋到握著殘信的手裡。

「琳兒！快告訴妳媽，什麼事使妳這樣難受，剛才還好好的！妳看妳臉都變了色，真把我駭死了！」林太太急急地問著。這恐慌的巨浪，也幾乎把她擊昏了。

「媽媽！……」琳的聲調有點哽咽了，眼睛裡似乎有一種晶瑩的發光體在閃爍著，在抑制中，很困難的在眼眶裡打著轉，她不會像旁的女子一遇到傷心的事便哮啕大哭，將心中的痛苦隨著淚珠的傾瀉而減少，她只是讓悲痛悶在肚裡，任它去絞嚙著心房。

「怎麼啦？琳兒！妳快說呀！」林太太焦急地催著琳，真把她急壞了。

「明他……他……」

「他怎樣了？」林太太吃驚地打斷了她的說話衝口而出，彷彿耳畔有一個摯誠而恭敬的聲音在說：「伯母！妳好！」

「他恐怕不是做了俘虜，便是陣亡。」琳費了很大的力量，才把這耗音傳出來。

「啊！……可惜！可惜！這樣一個少有的好青年，卻得到此種悽慘的結果。」林太太惋惜地歎了口氣。明那磊落的氣概，給她的印象太好了，平常她待他就跟琳、珉沒有分別，想不到竟有這樣不堪——至少在她心中是認為如此——的下場。

「媽！妳錯了！」琳嚴肅地說：「明要是真的陣亡了，這在他在我們都是光榮的事，他的死，是為國、為民，為了完成他偉大的使命而犧牲的，並沒有什麼悽慘。要是有一點因他的軀體不存在而感到可惜的話，那只有恨那殘酷的劊子手，恨那惡毒的日本軍閥，我恨、我恨那民眾的仇敵，我一定要手刃那鬼子為明報仇。」琳憤恨地咬緊了牙關，眼睛裡交射著悲憤、仇恨，痛苦的火焰，鼓睜著的眼珠，幾乎要奪眶而出，復仇的星火燃起在起伏的胸膛；渾身的血管、肌肉，緊張得快爆裂了。林太太見到她那激憤的樣子，也想不出什麼話來安慰，只是一連串地叫：

「忍耐一點！忍耐一點！」

「忍耐！我已經忍耐這麼久了，可是不能忍耐的事，卻接二連三地教人難以容納，現在我再也不能忍耐了，同時事情亦不讓我再忍耐。媽！我要走，我要離開妳、珉弟，離開這平靜的後方，到前線去，至少在那兒，我可以間接的完成明未了的志願。」在悲憤中，琳不顧一切地說出了她盤旋在腦中的計畫，這又使驚弓之鳥的林太太大吃一驚。

「琳！妳瘋了，一個年輕輕的女孩兒，慿說到前線去？槍都拿不起，休說殺敵了，我看妳還是躺一下靜靜心吧！邵先生也許沒有什麼危險，何苦來把自己的身體急壞了。」

「媽！我很清楚，一點都沒有瘋。槍拿不起，是可以鍛鍊的，沒有誰生出來就曉得，再不然我就當看護去，不論明的耗音是否可靠，這一點力量總應該盡的。」琳毅然地說，收尾時，更重重地加了些勁。

「妳真的一定要去嗎？琳！」

「真的，一定，我說得出就做得到。」琳堅決地回答。

「可是我不許妳去！辛辛苦苦撫養到妳這樣大，連一句好意的勸告都不能聽嗎？」林太太有點惱怒了憤憤地說。

「媽！這一點還要請妳原諒，並不是做女兒的故意違背妳老人家，『國破家何在』這句話想妳亦曉得，我一個人的力量雖然渺小得很，但過去已有許多姊妹做了前矛，我相信還有許多姊妹正準備著後拯。沙場上為國殉身的英雄，果然是作了光榮的犧牲，然那些掛了彩的弟兄們，有很多卻做了能夠挽救的無辜的犧牲；他們因得不到救護、醫治，逐日的讓輕傷擴大、潰爛，直延至喪命，他們尚未完結本身的責務，而受盡了痛苦，這是誰鑄成的錯呢？媽！妳別再多慮吧！我是非去不可的，誰不是父母的兒女？誰不是炎黃的子孫？倘不用熱血和頭顱來奮鬥，怎有這偉大的中華民國呢？」琳滔滔地將話從心坎中一句句的搬出來；這些沉痛的句子，又有力的向林太太的心坎中彈去，真義終於說服了頑固，在無可奈何的情形下，她黯然地低下了頭，無疑的她是默允了。

數天後，一捲捆紮得玲瓏的被鋪和一隻手提箱，靜靜地安置在琳家客廳裡，正作著跋涉前的準備，林太太淚眼惺忪地靠在沙發中，望著那二件似乎很安閒的行李出神，心中說不出是悲是喜，悲的是二十幾年來寸步不離的愛女，一旦勞燕分飛，怎不教慈母心酸；喜的是這為正義而奮不顧身的巾幗英雄，不是別人，真是自己一手撫養大的愛女，這在親友面前是值得誇口的，連做父母的都沾到了光榮。

從快樂的嬉笑中，大門裡送進了興奮的琳與茜，她們像一對春天的麻雀，跳躍、活潑，渾身都充滿著生的力，她們本身是耐久的燃料，生命之火從那裡點燃起強烈的火焰，照耀著自己的前途也照耀著旁人，造物者賦予她們那優越的熱情，她們將拿來布散在冷酷的人間。

對著那已提攜起行李的琳，林太太禁不住一陣辛酸，掉下兩串熱淚來，又偷偷地背著琳拭乾了。

「琳姊！不成，妳騙人，妳不是說帶我同去的，怎麼現在就走呢？」珉才從學校裡回家，書包都來不及放下，就過來拉住了琳的皮箱，兩隻烏溜溜的眼珠，炯炯地盯緊了琳的臉問。

「好弟弟！你太小了，還不能去，乖乖地在家裡陪媽媽吧！爸爸來信說，不久就要接你到那邊去讀書哩！」琳陪著小心和顏悅色的勸著珉，一面又懇切的對著林太太說話，雖極力的掛著強笑裝硬漢，但聲調裡已滲進了感情的顫抖：「媽！我走了，妳老人家要自己保重，別盡難過，我相信爸爸那裡就會有人來的。我不能去的原因，請媽到了那邊跟爸說一聲，女兒盡忠不能盡孝了，珉弟！快放手！讓我走罷。」珉無可奈何地鬆了手，戀戀不捨地向琳作著最後的注視。

「琳兒！妳自己……自己一切要……保重……」林太太嗚咽著說，枯乾的老眼裡，閃爍著水汪汪的淚珠，心中徒有千言萬語，亦無從說起，只好噙著滿眼熱淚，望著三個逐漸讓暮色吞沒的背影；黃昏到了，人們將從寧靜的甜夢中，嗅到黎明的芬芳。

●

在濃厚的灰雲中，太陽掙扎著從空隙裡射出一絲絲微弱的黃光，與地面上凋謝了的草木相映成一片慘黯的色彩。稻田裡只剩著禿禿的根桿，在無聊的曬太陽，風過處，不時捲起一片片憔悴的落葉飛舞著；瘦弱的烏鴉用沙啞的聲音在無力地嘶叫，一切都呈現著淒愴和荒涼，只有那奪目的楓樹，還是招展著她那鮮豔的紅葉，屹立在巍峨的山腰中，點綴著這肅殺的景象。

在一棵楓樹和苦連相交下，一座古老得滿身斑駁的破廟裡，正駐紮著陸軍第××師的野戰臨時醫院，一個個白色的人體，都忙得穿梭般在各個病榻前巡迴著；有的在換藥，有的在洗傷，弟兄們痛苦的呻吟，盪漾在狹小而陰暗的室內，空氣中混滿了肉的腐臭和血的腥味。雖然救護的工作是這樣勞苦，而那些甘心為受傷的英雄來減少痛苦的小姐太太們，除了恨自己不能多生出點手來幫忙外，沒有半句怨言，也沒有一絲厭煩。她們是一群明白了自己責任的新女性，為了求得自身與民族的解放，因此脫離了溫暖的家庭，拋棄了甜蜜的愛人，不辭勞苦地馳騁在戰線上，其中琳也是一分子。

太陽拖著疲倦的身體慢慢的向山崗後踱去，晚霞反照在楓葉上更增加了它的嬌豔，暮色帶著人們的辛勞襲擊著昏暗的病室，這時從遠處抬來了一具擔架，一個昏迷著的軍人被移放到一只牀上，那人的傷似乎很不輕，塗滿了血和泥的臉上，看不出是怎樣的容貌，眼睛是緊閉著；只有那高聳的鼻尖，還因微弱的呼吸而在作極小的運動。琳迅速的跑過去將傷者那被血泥浸硬了的軍衣解開，用熟練的手法洗清了傷口，一塊塊潔白的紗布，掩蓋了醜惡的創傷。為了便於手術上的施行，琳把他那彈傷的左臂，從衣袖中脫出來，像哥倫布的發現新大陸般，琳忽然驚異地叫起來，一隻銀白色的圓形手錶，正繫在那污穢的手腕上，黃皮的帶子已變為深褐色，與手上的皮膚成了本家。琳情不自禁地將纖手按在錶上，抬起那紛雜著無數種情感的眼光，向那張靜止著的髒臉上射去；僅分辨出一個似乎熟悉的高鼻子，經過了許久許久，眼光又落下來停在手錶上，不住的用手輕輕撫拭著，幾次的考慮，情感終於戰勝了理智。芳心忐忑的將錶解了下來，只一按，錶殼子便打了開來，裡面正嵌著一張半身的小影，這不是琳還是誰呢？她的心像一朵六月的荷花般怒放起來，這意外的驚喜反使她怔住了，拿著錶的手微微地顫抖著，不知如何是好，只是癡癡地望著牀上的他，似乎要透視他深藏著的心靈。

經過了一番施洗的他，亦漸漸從昏迷中甦醒過來，低低地呻吟了一聲，便試著睜開那倦乏的眼睛。當那無神的眼光才能分辨清東西時，眩目白色的琳，第一個衝入了他的眼簾，他疑惑地舉起左臂來想拭清眼睛，但只一轉眼，他便發現自己腕上的手錶已不翼而飛了。

「琳！這是妳？……」他驚喜地喚出了這一句，像通過了一陣電流般，他全身感到一種不可言狀的振奮，眼睛裡閃爍著歡樂的光彩。

「是的，明！這是我，想不到我們還有重逢的一日。」琳興奮地說。空出一隻手來熱情地緊握著明向她伸出的手，一道熱流通過了各個的神經，從指尖兒起，渾身都經歷著麻醉。這時室中已上了燈，一道金黃色的光，正照射著這對迷濛的人兒，一切的一切都沉入了靜肅的光海中。

編註：據艾雯手記，本文寫於一九四一年，為其第一篇習作，應徵《江西婦女》徵文，獲小說組第一名。

發薪水

雪斐一進門還來不及將外套脫下，性急的王媽便搬著一雙小腳蹬蹬蹬地跟了進來。

「太太，剛才姨奶奶來過了，說是老太爺叫送錢去，還有……」

「妳這就送去。」雪斐攔斷了她的話頭，蹙著眉從飽滿的薪水袋裡抽了八張五十塊的，給了王媽，一面將外套用力向牀上□□，把正在換拖鞋的文鈞嚇了一跳。

「真是，物價天天上漲，開銷卻越來越大，這生活怎麼過?!」

「不是我說一句苛刻的話，妳那位父親也太……」

「我父親怎樣？你說！我父親怎樣？」雪斐氣洶洶地趕到他面前。

「沒有什麼。」文鈞依舊恬靜地去解皮鞋帶。

「今天我非要你講出來不可！」雪斐用力震撼著他的肩頭。

幸好門外一聲「有信！」解救了這緊急關頭，文鈞出去接了信，趑趄地走進來。

「嘿！又是要錢的，不是我說句小氣的話，你那位老弟也太……」

「太什麼？難道我做大哥的，負擔弟弟一份學費都不應該嗎？何況他要錢又不是做不正當的耗費。」

「那麼我做女兒的贍養老父倒是過分的嗎？我父親拿了錢去是做不正當的用途嗎？真笑話！」

「並不是說妳過分，不過……」

「不過什麼，我又沒用你的錢，要不跟你結婚，我哪會平空地少拿六斗米？一六得六，三六十八，一個月少拿七百八呢！這損失不是你給我的？」

「結婚又不是我一個人的事情！」

「那麼馬上離婚好了，我拿這點錢去跟父親過活，總比現在舒服點。」雪斐倒豎著眉毛，恨恨地倒在牀上。

文鈞無可奈何地歎了口氣，執著信站在地當中發怔。

飯開出來了，空氣中依然嗅得出不愉快的氣息，兩個人都低著頭悶悶地吃飯，彼此避免著眼光的接觸，王媽袖著手站在一旁耐不住，顛動著嘴唇衝破了這難堪的沉悶：

「太太！米快吃完了，柴亦頂多只能燒三天，都要買了，還有油、醬油，今天炒菜的油還是向宋家借的哩……剛才挑水的說水要加價，不然他就不挑……還有……」

「讓我吃頓安意飯可以不可以？一天到晚錢、錢、錢，頭腦都搞脹了。」雪斐不顧王媽一臉的惶惑，憤憤地咆哮起來，將一筷青菜擱在嘴裡用力咀嚼著，像要把一切煩惱都由此嚼爛吞下去似的。

文鈞眩惑地抬起眼簾來瞟了她一眼，又低下頭去扒飯，整個的房間重新浸入沉悶中。

編註：據艾雯手記，本文原刊於《正氣日報》，一九四三年十月二十九日。

薦

辦公室的門輕輕地啟開了一條縫，探進來一頭光亮的頭髮與一對骨溜溜直打轉的小眼睛，接著是一個嫌太瘦削了的鷹鼻子，又是一張尖聳聳的嘴，臉的輪廓是狹長的，身上穿一件竹筒式的長袍子，渾身都透著尖瘦，一進門先向左首的辦公桌瞟了一眼，便堆著笑向右邊的王科長走去。

「王科長，忙！」

「咳？方先生，不忙，請坐。」王科長擱下筆指一指旁邊的空位子。

「你們這裡只二個人，工作很忙吧！」

「還好，不過有時緊張一點。」

「她呢？」方伯遠用嘴向對面呶呶。

「你說密斯何嗎？出去接洽一件公事了。」

「聽說她要辭職？」方將椅子挪前了一點，輕輕地說。

「誰說的？」王有一點愕然。

「你還不曉得？外面已經傳說得沸沸揚揚了。」方賣弄似地說，敬了一根香煙給王，自己亦燃了根，悠悠地吐著煙圈。

「怎麼我一點也不曉得。」

「裡面還有巧妙哩！」方將香煙在空中畫了個大圈子。

「巧妙？」

方伯遠把椅子更拖前了一步，在王耳邊唧唧噥噥搗了半天鬼，向後一靠，便曖昧地笑起來。

王科長用狐疑的眼光望望，又望望對面的空桌子，門吱的一響，何曼倩正在這時走進來，方連忙點頭晃腦換了副笑臉打招呼。

「密斯何真是能者多勞，近來都似乎瘦了點，不是有什麼心事吧？嘿嘿！」

「方先生說笑話了。」曼倩惱惱地低下頭去工作。

「嘿嘿！少陪，少陪。」方拍拍長衫搖而擺之地踱出去。

房裡靜默了半晌，王科長望了望壁上的鐘。

「密斯何。」

「唔！」曼倩吃驚地抬起頭來。

「聽說密斯何不滿意現在的環境，想離職他就是嗎？」

「沒有這樣的事，王科長聽誰說的？」曼倩詫異地睜大了眼睛。

「既然沒有這樣的事也不必追究它了，希望妳仍舊在此安心工作。」王科長一面說一面戴上帽子，匆匆地和著下班鈴聲走出去。

過了三天，××科裡又是王科長一個人坐著。門推開了，進來的依舊是方伯遠，奉承的笑容上還加上一點得意，王科長正蹙著眉看一件簽呈。

「方先生，真給你料著了。」

「什麼事給我料著了？」方伯遠假裝著懵懂。

「何曼倩真的辭職了！」

「是嗎？」方更得意了。

「據說是她的未婚夫張波，喝醉了酒跟她吵了一場，理由就是你那天告訴我的，現在她賭氣到桂林去了。」

方看了簽呈，心中暗自得意著，那些口舌終算不是白費了，前天請張波吃飯的費用也有把握了。

「我老早就說用女職員是不妥當的，尤其是年輕的少女，不是談情就是說愛，甚至於訂了婚解約，解了約又結婚，私事上鬧得昏頭顛腦，對於公事就難免有錯誤延擱等事發生，所以我就第一個不贊成用女職員。」

「老兄說得未免偏激了一點，其實年輕人鬧鬧戀愛是難免的，只要顧全大局，像密斯何平常辦事倒很認真的。」

「是，是，密斯何辦事倒的確還勤懇，現在她一走，王科長這裡真是少了個得力人才，她那份差事也不輕鬆，極需要個能者來接手，王科長如果要添人的話，兄弟倒有個人推薦，不知科長意下如何？」

「哦……老兄推薦的當然是大才，不過我想把密斯黃調過來。」

「密斯黃？」方微微地震了一下，但轉念仍堆上了狡猾的笑容，「那倒很好，不過密斯黃的所學與個性，恐怕都不適合這份工作吧！同時她又是女性，嘿嘿……」他說到最後一句，放低了嗓子，接著又是一陣乾笑。

王科長躑躅了半晌，覺得方說的亦不無理由。

「那麼你要薦的是誰呢？」

這一問正中了方的心懷，「那人王科長亦見過的，就是舍弟方叔遠，本來在××，家母覺得在那邊隔得太遠了。老人家總是盼望兒女們能聚在一起的。所以想在這裡謀個位子。」

「這樣說來方先生還是個孝子哩！失敬，失敬！」

「哪裡！哪裡！」方的臉紅了一紅，「這還要仗王科長成全，在王科長不過費吹灰之力，在下一家便受惠多多了。」

「好說，好說。那麼你過天把他的履歷片帶來看看。」

「不消科長吩咐，我已經預備了，」方從口袋裡掏出一張履歷片，恭恭敬敬送到王科長面前，一面在他肩上諂媚地拍了二拍，「一切總要請王科長鼎力玉成；拜託，拜託！」

編註：據艾雯手記，本文原刊於《正氣日報》，一九四三年十一月九日。

林薇娜

夜幕像一大幅無邊際的黑色蟬翼紗，輕柔地掩護了大地。都市掙扎著躍起來了，輝煌的燈炬燃亮了又一個白晝，流線型的、轎式的、寬敞的、小巧的……汽車像一群銜接著尾巴的便殼蟲，速疾地馳遍平滑的柏油路，熙攘的人們蠕蠕地在人行道上蠢動著，那陳列在飾著五色電燈、紙彩的玻璃櫥裡的綢緞、裝飾品，炫耀地招徠著行人，靡靡的歌曲，尖利地從收音機裡播透出來，和著笑談聲、喇叭聲……混合成一支嘈雜的聲流，在污濁的空氣中洶湧，澎湃……

在達繁華頂峰的南京路上，一座富麗堂皇的大廈，巍然地屹立在路畔，霓虹燈紮成的「百樂大旅社」五個大字，誘惑地向路人們做眉眨眼，渾圓、白膩的手臂，緊貼著考究的派力士，一對對被吸進大張著的門口，電梯穿梭般忙碌著；附設的舞廳內，新打蠟的地板像一面白銅鐘，尖瘦、雪亮的皮鞋靈活地在上面溜滑；□壇上，爵士樂惑人的播奏著。甜蜜的言語伴隨著暱昵的溫情，人們浸浴在白熱化的氣氛裡，縱情地歡樂，盡情地陶醉，淫蕩地豔笑，軟錫的眼波，酡紅的酒液，嶄新的紙幣，交織成一個緋色的白日夢——這裡是紙醉金迷的世界，是銷魂的大本營。

林薇娜跳完了一場華爾滋舞後，離開舞伴的手臂，微微有點暈眩地坐進安樂椅，結實的胸脯在淡紫色的衣服內輕促地躍動著，一種略帶虛矯的歡悅，掩飾了皓眸中流露著的厭倦，但卻擋不住那裡面蘊藏□□智慧而機警的光芒。

「密斯林跳得真好極了！」那個舞伴——一個馬臉□肩胛的西裝架子——堆著臉阿諛的笑，在薇娜身邊坐下，「和妳跳舞簡直是一種休息哩。」

一個矜而謙遜的微笑彎曲了薇娜的嘴唇，她伸出那看去好像老象牙雕成的纖美的手指，在西裝架子遞來的煙盒裡拈起了一支香煙，那人連忙殷勤地將打火盒送上去。

「王先生每天都在這兒消遣？」薇娜悠悠地噴出一口煙，捲起眼簾，濃密的睫毛像羽扇般展開來。

「不，我前天才來的。」

「是從……」

「從南京來。」

一種抑制著的興奮，輝朗了薇娜的臉頰。

「真巧，我也是去南京哩……你在這兒沒有多久耽擱吧。」

「不一定……要等阪田中將回來才曉得哩。」王恩抑低了嗓子，迅速地向四周掃視了一遍，語氣有點誇耀和賣弄：「我這次是負有一點使命來見他的。」

「那你還是一位大使哩，失敬！失敬！」薇娜撩起了一綹鬈髮，嫵媚的倩笑像四月的薔薇，綻開在頰上。

「哪裡，哪裡，如果密斯林不見棄的話，我還可以兼任你的小使。」王恩嘻咧了嘴，馬臉拉得長長地蠢笑著，身子從椅子那端慢慢地滑過來。

「那可不敢當。」薇娜讓笑意顫動著眼皮，借著拋煙蒂的姿勢，略微挪了挪身體。

音樂由狂歡、喧騰的急奏轉入沉綿、柔曼的低彈，浸沉在迷離的夢境中的人們，也漸漸地由陶醉而疲倦了，像鰻魚般軟綿綿的女人，秋波惺忪地偎進男人懷裡。姍姍地步出舞房，跨上流線型的轎車，或放身到旅館裡溫柔的席夢思了。

「晏了哩，得休息了。」薇娜用手帕掩著嘴打個哈欠，婀娜地站起來。

同別的人們一樣，薇娜將手搭上王恩遞過來的臂膀，走出舞廳，走上樓梯，在二〇五路的門畔停下來，揚一揚手，含著微笑說聲：

「古拜！」

隨著燈光一閃，窈窕的身影消失了，剩一片淡雅的幽香，還留在走廊上。

望望緊閉著的門，王恩悵然若失地踅進隔壁房裡。

●

一片燦爛的霞輝，從黃昏的都市裡泛起，又是一個紫堇色的夜晚。

夜花園裡，一盞盞淡青色的霓燈，巧妙地安嵌在樹梢上或花叢間，像一隻隻碧藍的海的眼睛。做夢般幽柔地、脈脈地凝視著花朵、草地，以及在光波裡渾凝成珍珠的噴泉，從前面飄來纏綿、曼妙的音樂，在牛奶般柔和的空氣裡顫抖著，夜來香給感動了，頻頻地吐出芳冽的幽香……藍色的光輝似一片縹緲的煙靄，景物在它的籠罩下都抹上了一層神祕的色彩。而那佇立在噴泉池畔的維娜斯像，亦就是神祕的化身。

喃喃的細語和嗤嗤的軟笑，像秋蟲的在園中彩唧。幸福的人們一對對、一雙雙地並步在如茵的草地上，偎依在沁甜的花叢下，或靠在巧緻的藤椅裡，呷一杯甜甜的可口可樂——好心的人是專為幸福的人設計著享受幸福的環境的。

「薇娜！妳真的同我一起去南京？」王恩兩肘貼在桌上，眼睛牢牢地盯視著薇娜。她正緘默沉思中，那慧黠的夢幻似的眼光，從長長的睫毛間揚射出來；正直的鼻子和抿緊的嘴唇，使美麗的臉部有一種肅穆堅定的神采。淺藍色的長袍裹著苗條身材。承受著一綹綹纖柔的鬈髮，一襲月白色的披肩柔滑地披在肩上。淡青的光線融和了這一身淡雅的裝束，更襯出了她的豔麗、溫雅。

「誰說騙你呢！」薇娜側過臉來，嫣然一笑，潔白的牙齒像一排珍珠貝。「南京，那一代繁榮的首都。現在不知變成了什麼樣子？在那兒，我曾度過我輝煌的黃金時代，雨花台嵌著紅紋的小石子，我曾無邪地拾取過，秦淮河無邊的綺麗的風光，我亦無數次的領略……現在我這樣地渴念它、惦記它——就像漂流在異鄉的兒女，惦記著曾經撫育過自己的慈母——可是幾時才能動身呢？你那討厭的任務。」

「明天，明天一定可以辦妥。」

「你那文件依舊鎖在鐵箱裡不要緊嗎？」

「要緊？要什麼緊？」王恩貿然大笑起來，像笑一個小孩子多餘的謹慎，「在這裡誰敢怎樣？除非他有三頭六臂，跟孫行者一樣的神通。」

「那也難說。」薇娜眨一眨眼，一個神祕莫測的微笑，浮漾在唇畔。

「沒有那麼多值得顧慮的；我的薇娜小姐。來！為慶祝我的成功再乾一杯！」王恩舉起了高腳杯，酡紅的葡萄酒在杯內盈溢著。

「慶祝你亦慶祝我成功！」

輕脆的玻璃撞擊聲，振盪在清涼的空氣裡。玻璃杯空了，蒼白著臉悠閒地佇立在桌上，而那酡紅的液汁，一起注入了兩人的臉頰。

柔曼的音樂開始轉為舞曲，人們一對對地從幽靜的夜花園裡走進了充滿著煙酒氣、汗味，和醉人的巴黎香水味的舞廳。

「去舞一回吧！薇娜。」

「好。」薇娜歡悅地答應著，興奮燃亮了她狡黠的眼睛。「可是我還得去換雙舞鞋哩。」她抬起一隻纖美的腳來，那上面正套著一隻銀灰色的高跟鞋。

「叫僕孩去拿吧！」

「他們不曉得。」

「那麼我陪妳去？」

「不，我自己去。」薇娜站起來緊緊披肩，跨出迅速穩定而又輕快的腳步。

「你得好好地待著，要不，我回來找不著你可會怪哩。」說著，輕盈地一轉身，優美的身影在花叢裡隱沒了。

一個幸福的滿足的微笑，像苔蘚般固執地凝結在王恩的嘴角上，他那全神集注的眼光，一直等薇娜的背影消失了半晌，才緩緩地收回來，於是重新給杯子裡斟上了紅色的酒液，一個人閒暇地啜著。

一曲舞曲快終了，薇娜還沒有回來，王恩開始焦灼起來。焦急的眼光不斷地在那條隱約□花木間的小徑上搜尋著，站起來走了兩步，又躊躇地踅回原處，最後，第二場舞曲又奏起了，他忍不住衝出花園跑上樓去。

二〇五號的門關著。裡面黑黝黝的也不見有燈光，扭了一下門柄，顯然地，司必靈是鎖上了。他正待喚僕孩，卻聽見背後有人叫他：

「林小姐走了，這是她留給你的信。」僕孩帶著點曖昧的樣子，遞給他一個淡藍的信封。

王恩惶惑得像一隻跌進了陷阱的狐狸，匆忙地把信撕開。

王恩先生：

當你還在做著榮華富貴的白日夢時，我卻已踏上了現實的征途。也許你正為我的遽然出走而在傷腦筋，但，且慢點兒傷感，教你心痛的事還在後面哩。

你到這兒來是負有使命，同樣地，我到這兒來亦負有使命。只不過你的任務是完成陰謀，我的卻是破壞你們的詭計。試想：我們——偉大中華每一個正直的人民——能容忍無辜的同胞，做你們求榮計畫下的犧牲品，讓神聖的土地，做你們無恥勾當的代價？就像清楚顯微鏡下的微生蟲一樣，你們什麼記什麼□的賣國獻身求榮的行為，完全在我們的監視下，這次不過是小小的一次懲戒。

我不是三頭六臂，也沒有孫行者的神通，可是你那視為生命至寶的計畫書，已安然在我手中了。

渝信十五號留字

一陣死樣的慘白，浮上了王恩的臉頰，昏亂地打開自己的房門，拉開鐵箱，天地頓時在他面前崩毀了……

編註：據艾雯手記，本文原刊於《青年報》，一九四三年十二月。

幸福的消失

「今晚你要不要去？」白蘋抑鬱的眼光從碗邊抬起來。

志文沒有作聲，默默地扒完最後一口飯，擱下了筷子。

「看你這一陣飯量都減少了，勞神傷財，何苦來呢？」白蘋半憐半怨地注視著志文蒼白的臉色，也陪著放下了碗筷。

「這是因為我早晨吃得太飽了。」避開了對方深湛的目光，志文搭訕著站起來點燃了一支香煙。

白蘋不以為然地瞟了他一眼，開始收拾桌上的殘肴。

「人家會做生意，撈外快，有的是錢輸，你，一個窮光蛋，將來拿什麼來還賭債？」

「所以囉！輸了不去翻本，這筆帳又從哪裡出呢？」志文理由充足地笑著說。

「可是你屢次說翻本翻本，結果總是墊本的時候多。志文，聽我說，你不要去了好吧？欠下的債我們可以慢慢地拔還，生活再苦點我是能夠忍受的。」白蘋停下工作，誠懇地望著他。

志文被她誠摯的態度與語氣感動了，思忖了一下，顯得無可奈何的樣子，「那有什麼辦法呢？朋友們再三再四的邀我拖我，要是我不去，人家會說我搭架子，瞧不起他們。」

「那麼你一定要去？」失望使她的聲音有點異樣。

志文慚愧而窘迫地低下了頭。

白蘋不勝痛苦地喟歎著，沮喪地端了碗出去。

志文偷偷地望著她楚楚的背影消逝在門口，將身子用力的坐向牀上，讓自己墮入沉思中。

半晌，白蘋眼睛盯著鞋尖進來，鋪上了桌子上的檯布。

「白蘋……」聲音有點顫抖。

「唔！」沒有抬起頭來。

「親愛的，妳過來！」志文拍著牀沿懇求著。

白蘋緩緩地走過去坐下。

志文緊摟著她的腰圍，把臉伏在她頭髮上。「蘋，妳恨不恨我？」他覺得她在搖頭。

「我曉得妳心裡一定在恨我，妳在家裡忙碌著吃苦，我卻到外面去亂賭，我真太對不起妳了，蘋，今晚我不去了，在家陪妳好不好？」他看到她眼裡的懷疑，溫柔地在她額上吻了一下，「真的，不但今天，以後一直這樣。」

「真的？」

「當然！」

她莞爾地笑了。「那多好！志文，我們又可以恢復以前那甜美的生活了。你曉得近來我對這環境竟感到了厭倦，尤其是有幾晚為你等門的時候，多可怕呀！那無隙的黑暗包圍著我，彷彿裡面有無數的魔鬼，向我作著獰笑，有時又清靜得教人疑心是走出了人世。我的血在脈管裡一下沸騰到了極點，一下又涼得幾乎要凝固了。那時我只想要接觸一樣溫暖的東西，一個有血肉、有呼吸的人體，而你……」

「別講了，這都是我不好。蘋，妳說晚上除了一頓愜意的晚餐外，還做點什麼消遣？去看電影好嗎？」

「好！」白蘋像頭小貓般依靠在他肩膀上。

「那麼我上班去了。」志文看了看手錶，站起來，走到門口又用三個手指在嘴上按了按，遙遙地拋給白蘋。

白蘋彷彿又恢復了初戀時的年輕，快樂而活躍起來。青春的活力在她身上擴張著，輕快地哼著歌曲，把房間仔細的打扮，似乎要將所有的家具都收拾得同她一樣的有生氣。

又是燒飯的時候了。她想起了志文的食欲，特意添了樣他最愛吃的菜——火腿蛋，四點四十分時，她已經把熱氣騰騰的菜飯上了桌，五分鐘過去了，「這只鐘快了一點。」她想。長針又換了個位置，「大概有什麼公事的糾紛吧！」她自己慰解著，時針儘管無情的變更著地位，光線逐漸黯淡下去，菜上白濛濛的熱氣也消滅了。她惘然地望著窗外，那裡一片茫茫無際的夜幕正在發動攻勢，她感到一種從未經歷過的空虛，彷彿她與她自己脫離了關係，像一座沒有知覺的石像般癡立著，黑暗慢慢地襲進了房裡，吞噬了一切。

清晨，志文拖著個疲倦的身軀，從濃霧裡踉蹌地走回來，臉上慘白而油污，眼珠網著紅絲，無神地凝滯在沉重的眼簾下，想著自己又背約賭了個通宵，良心不住的受著譴責，雖然那並不是出於他自動的，但見了白蘋怎樣說呢？可是到家時房門卻意外的反鎖著，他吃了一驚，直覺地感到一個不好的預兆，急不容待的把門打開，房裡什麼都整整齊齊地，連牀上都好像昨晚就沒有人睡過，在桌上一本《良心的存在》裡，他發現一截露在書外的白色信封，那是白蘋留下的。

志文：

我忍受了一切，為的是愛。可是當我發覺我所愛的人已與我背道而行時，還有什麼值得留戀呢？我不得不走了。但我依舊是關心你的，當我知道你生活改善時，也許會來看你，再會了！祝福你。

白蘋留言

志文惶恐地抬起頭來，像一頭待斬的羔羊般，神智昏迷的走到懸著的白蘋相片下，跪了下來，臉沉痛地埋在手裡。

編註：據艾雯手記，本文原刊於《正氣日報》，一九四四年三月十七日。

髮的喜劇

在生死線上掙扎了一個禮拜，她——潔如的病總算脫離了危險期，從擔憂和焦急中解放了的任遠，感到無限的喜愉，一下班，便去搜購了一束她最愛的白玫瑰，匆匆地直趨醫院，輕輕地推開十六號病室，潔如正擁著棉被靠在牀上，一個護士正坐在牀前侍候她喝著什麼，見到他，病人在沒有血色的唇邊浮上了一個微笑。

「好啦！」任遠報她一笑，將花束撒在她胸前。

她無力地點點頭，用纖細的手指拈起花束，愛惜地吻遍了每一朵花。

「插起來吧！」

任遠接過花束去安插，眼光卻依舊遲疑地逗留在她臉部：臉色是蒼白得如同一個瓷像，為他所熟悉的酒渦，因肌肉的瘦削而消失了。凹陷的兩腮襯出了從前看不見的骨頭，眸子無神的凝滯在眼皮下，失去了原有的光彩。尤其是最為他愛好和讚賞的披肩的柔髮，不知到什麼地方去了，現在，蓬鬆的髮覆在耳畔，乾枯而帶褐色，整個的她，像一枝被棄遺在路旁的薔薇，委靡而悴憔，彷彿在她病中已逝去了一大串歲月。在她身上搜索不到一點從前的可愛，在這一剎那，他對她的愛已不復是純粹的眷戀，而由同情進為憐憫。

療養期過去了。任遠僱了一輛汽車去接潔如，他對她的出院雖感到一點高興，但那感覺卻跟辦完了一件繁難的公事所得的輕鬆與愉快，沒多大的分別。潔如回家後，依然是那樣的羸弱，滿頭的頭髮，脫落得露出了青黃的頭皮，梳子是根本用不到了，任遠上班下班時，雖然照例還在她額上吻一下，但那是逐漸成為一種機械的動作了，再引不起他熱烈的愛情，有時他自己覺得對她太冷酷了。良心本能地驅使他去和她溫存，可是當他習慣地舉起手去撫摸那失去了光滑的、烏雲般的一大片禿髮，又反感地離開了她，他怕見到那一塊黃蠟蠟的頭皮，像有些人懼怕軟體動物一樣，速速地避開了。

慢慢地，潔如終於發覺了他的改變，不但一天天的對她冷淡，最近更遠遠地在離開她，於是由恐懼而懷疑，由懷疑而憤恨，兩人間不時有了糾紛，最後情感終於破裂了。潔如憤然地離開了他。

●

撩人的春色，逗起了人們對大自然的愛戀。桃紅柳綠，遊人如織，任遠蟄伏在屋裡看了一回書，覺得總不是味兒，便順著腳步，踽踽地向公園走去，沿途只見對對雙雙，悠閒踱步，談情說愛，相形之下，他感到無限的孤獨，那一陣陣盪漾在春風裡的豔笑，更挑撥起他滿腹的感傷，他妒嫉地轉入一條小徑裡躑躅著；忽然眼前一亮，一個熟悉的背影在他前面掠過，髼髮長長地披在肩頭，微微的盪漾著，一路披花拂柳，姍姍地向河邊走去，任遠趕上幾步，看見她正倚在樹畔，望著淙淙的流水出神，那正是潔如，雖沒有從前的丰腴，但比他們分手時已紅潤了許多，任遠的心忽然不安地跳動起來，青春之火重新點燃了他的胸膛，她那隨風飄蕩著的美髮，更撩起了他的情愛。

「潔如！」

潔如吃了一驚，抬頭看到是他。臉上呈露著意外的欣喜，但馬上又變成惱恨，掉頭不顧。

「潔如，妳不能原諒我嗎？是我錯了，請看在過去的情分上，饒恕我一次吧！潔如，沒有妳，我簡直不能生活下去。」任遠用唸台詞的口吻，沉痛地加重了每一個字音，忞勢像在上帝面前懺悔的基督徒，潔如被感動了，緩緩地回過頭來，眼睛裡閃爍著晶瑩的淚珠，任遠溫柔地遞過臂膀去，兩人挽得緊緊地走出來，和那些成雙作對的人擦臂而過，現在他們不再孤獨了。

一進門，潔如又套上主婦的身分忙碌起來，首先將一束白玫瑰插入摒棄在桌畔的花瓶裡注入清水，其次打開從她哥哥家裡搬回來的行李，將五色繽紛的化妝品擱置在淩亂的書桌上，衣架上掛起了花花綠綠的旗袍，牀上安放了漂亮的枕頭，房間立刻又由單身漢的寄宿舍，恢復了溫暖的安樂窠，任遠愉快地當著她的助手，不時深情的瞟她一眼，他覺得幸福又回來了！最終，工作□告完畢。潔如□鏡前卸妝，鬈髮柔滑地在背上波動著，又黑又亮，在燈光下迷人地□著眼，散出□惑性的香味，他情不自禁地撲了過去，就在這一瞬眼的工夫，頭髮像一隻打死的烏鴉般墜下來，露出一個毛茸茸的東西，那上面，不及一寸的短髮，正勃然屹立著。

編註：據艾雯手記，本文原刊於《青年報》，一九四四年三月十七日。

小明的悲哀

太陽暖洋洋地爬過屋脊，路旁的楊柳一起軟軟地垂下了頭。風過時，懶吞吞地扭動著腰肢，就像玩具店裡扭緊了機器會跳草裙舞的洋娃娃。天熱了哩，眼皮重甸甸地只想往下蓋，連一天到晚東跑西找尋食吃的黃狗都閉上了眼睛，伏在牆裡打瞌睡。街上靜悄悄的，只有一陣陣孩子們嬉笑的歡笑聲，從鄰園飄出來，拋落在街心。

小明沒精打采地坐在門檻上，小小的心裡充滿了孤寂與悲哀，凝視著嫩綠的柳梢，像一個大人一樣思索著，雖然小伴們的嬉笑是那樣富有誘惑，但他一點也不想去玩，他恨透了那個總是側著臉看人的獨眼龍，那個不愛臉的壞蛋，老是向別人討東西吃。早晨張家婆婆拿了一包雲片糕給小明，獨眼龍饞得像黃狗一樣，一隻白眼一瞬不瞬地盯住了小明。小明嘸一口糕，獨眼龍就嘸一口唾沫，後來，後來獨眼龍伸出一隻像端午節吃的赤豆粽子一樣，生滿了斑斑點點的疥瘡的手，碰一碰那包糕：

「給我一片。」

「不！」小明看看那隻髒手，趕快把糕收在背後。

獨眼龍紅著臉怪不好意思的拍拍手，呶呶嘴，一會兒又沒頭沒腦的傻笑，遠遠地跑開去，拍著手唱道——

沒爺仔
野小鬼
爸爸不要
媽媽不愛
嘻嘻！小明是個野小鬼。
……

「獨眼龍算得個屁。」小明想：「媽媽是個懶婆娘，爸爸是個臭皮匠，他自己，自己是個爛疥瘡。」想呀想的就好笑起來：「懶婆娘，臭皮匠。羞個爛疥瘡。臭皮匠還會打爛疥瘡哩！……小明的爸爸好，會帶小明出去玩，會講故事。還會……哼，小明不跟獨眼龍玩，小明要找爸爸玩……噢……可是爸爸呢？」小明想起幾天前，媽媽和爸爸狠狠地吵了一架，爸爸便不見了。媽媽哭了一天，就一直沒有露過笑容。臉上的肌肉像鼓皮一樣繃得緊緊的，白天開始同爸爸從前一樣的出去工作，把家事託給後面張家婆婆，回來又忙著燒飯洗衣服，再不同小明有說有笑了。過去媽媽不出去的，要吃飯了，她叫小明到門口去守著；遠遠地看到爸爸，小明就奔過去往他身上一撲，雙手環住了爸爸的大腿，那時爸爸就會高高地把他舉起，像王嫂家織布的梭子般修長的眼睛笑成狹細的一條，讓潤濕的唇印在那紅潤的小頰上，或者將糖果什麼的塞在他手裡，頂有趣的是晚上，爸爸讓他跨在自己的膝上當馬騎，講著故事，當他快睡熟時，就會把他放在媽媽溫暖的懷裡，而第二天早晨醒來，卻總是在牀上。爸爸是疼他的，可是現在他到哪兒去了呢？真想不透，去問媽媽，媽媽卻說：「死了！」死是怎麼一回事，小明不清楚，只記得隔壁李先生緊閉著眼睛，臉孔蒼白得同蠟人一樣，不聲不動地躺在門板上，後來就裝進了一個木盒子裡，大人就說：「李先生死了。」難道爸爸也這樣了嗎？不，不會的，小明就沒有看見爸爸閉著眼，臉孔慘白著，不聲不響地躺在門板上，更沒有看見爸爸裝進木盒子裡。……但爸爸究竟哪裡去了呢？他偷偷地看看媽陰沉的臉孔，不敢再問下去……

「小明，怎麼一個人待在這兒吹風。」張家婆婆擺著雙小腳摸索出來。伸出乾癟的手，輕輕地摸著小明的頭髮，就像小明摸貓咪一樣。

「婆婆，妳可曉得爸爸哪裡去了？」小明抬起頭來說，眼睛裡閃爍著光。

「唔，到很遠很遠的地方去了。」

「怎麼還不回來？」小明彎著嘴問。

「你那個不好的爸爸要他回來做什麼？」張家婆婆乾嗆起來眨眨眼睛不看小明。

「我要！我要！爸爸頂疼我，爸爸頂好。」小明緊扯著張家婆婆的衣角搖拽著，眼眶裡充溢了熱淚。

「噢。好爸爸，好爸爸。你這可憐的孩子！」張家婆婆苦笑著拉起衣角來抹眼睛，「進去吧！外面有風。」

「我不！」小明這時也倔強起來。說他頂喜歡的爸爸是壞爸爸，這是怎樣地傷了他的心呀！他想，張家婆婆也是壞人。

●

今天的日曆紙上印著紅字，小明知道，這是禮拜天，禮拜天，爸爸總不出去，會陪他玩各種遊戲，或和他去逛街，但這一切歡樂在現在看來彷彿都成了夢，爸爸不見了，媽媽呢？和藹的臉上罩了層冷水，永遠像隻螞蟻的忙碌著，只有一隻沒有生命的木馬，來伴他打發這悠長的日子。

午餐時，小明悶悶地吃了一碗飯，不吃了，媽媽關心地望著他。

「小明，怎麼今天只吃一碗？」

「飽了。」小明淡淡地說，坐進自己的小椅子。

媽媽憂愁地皺了皺眉，小明在媽媽光滑的額上，發現跟張家婆婆一樣的皺紋。

「媽媽等下帶你到公園去！小明。」

「好！」小明立刻高興起來，有著綠茸茸，像絨毯般可以打滾的草地，有著圓石子的清澈的小溪，還有鞦韆和盪船……想著，想著，就快活了，他耐心地等媽媽做清了零零碎碎的家事，將小手塞在她溫暖的手掌裡，一起跨出了大門。

明媚的春光像溫暖清柔的溫泉，人們在裡面浸浴著游泳著，多麼地舒暢而歡朗呀！彷彿連媽媽愁苦的臉都開朗了，喜悅在小明的小心眼裡綻放了一朵鮮花，像一隻出了樊籠的小鳥：活躍地跳著蹦著，用好奇的眼光打量每一樣好玩的東西。呀，什麼？他的眼睛忽然明亮地擴張開來，從喉際迸出一聲驚喜的歡呼，作勢想奔過馬路的那段，但握在媽媽手裡的手卻被捏緊了，另一隻手驀地掩住了他的嘴。一瞬間一對偎依著的男女冉冉地走馬路，那花花綠綠水蛇般緊貼在男子臂彎裡的女子，正滿臉嬌媚地向同伴笑說著什麼。那男的略微俯下頭傾聽著，梭子般修長的眼睛笑成狹細的一條。這時小明身不由主地被拖進一條小巷，他拚命地掙扎著，企圖擺脫媽媽的手，但終於是徒勞的。他忍不住頓著腳「哇」地哭起來：

「我要爸爸！我要爸爸！」

「小明乖，別哭，媽媽帶你去買糖糖。」媽媽抱起了小明，眼眶也濕了。

「不，小明要爸爸。」小明抽抽咽咽地說，眼淚大顆的滴在媽媽臉上。

媽媽柔聲地拍著哄著，抱著他走過了幾條偏僻的巷衖，小明哭著哭著，疲倦了，慢慢地伏在媽媽肩睡去。斷續的哽咽還不住阻塞了他的呼吸。

黃昏了，茫茫的暮色逐漸圍住了這伶仃的母子倆。

編註：據艾雯手記，本文原刊於《青年報》，一九四四年四月四日。

難民

春節邊，賴四爺做了件功德無量的好事……

那天，約莫傍晚時分，他老人家正捧著那只相依為命的白銀煙袋，從茶鋪裡一搖三擺的踱出來，身體給裡面的喧譁和迷糊的空氣弄得暖烘烘的，裹在軟軟的老羊皮袍裡有點飄然之感，當他一腳轉過東大街時，卻見同□昌對面的坪上黑壓壓地圍聚了一堆人——那坪是K鎮的公共娛樂場，經常有些西洋鏡、變把戲、賣膏藥等走江湖的在那裡招徠行人，「又有啥子東西？」賴四爺暗自嘀咕著，便擺著八字腳一搖三擺地向那堆人走去。「哈！賴四爺；你佬來做做好事囉！」一個酒糟臉上長滿了疙瘩的毛頭小伙子，一見賴四爺更冒失地嚷起來，臉孔築成的牆便不約而同的朝向了這邊。

「唔！」賴四爺似應非應地從鼻孔裡嗯了一聲，威風地從容不迫地踱進人們給他□出的一條棧道。

圈裡是三個襤褸不堪的難民，一樣地骯髒，一樣地憔悴，一個中年女子奄奄待斃地倦臥在稻草上，還有一個中年男子和一個少年女子蹲在旁邊。

「老爺子，做做好事帶她去吧！她會服侍你佬的，可憐她媽媽快要病死啦！賞點錢給買藥吃。」那男人舉起無神的眼睛，指著一旁的少女，用瘖啞的聲音，操著廣東腔的普通話懇求著。

賴四爺這才明白是賣女娃子的，於是他掏出那副古銅色的眼鏡，像鑑辨貨色的真贋般，仔細地打量起那待沽的小生命來。

那個少女只是漠然地毫無表情地蹲著，看樣子不過十六、七歲，幾十塊分不出顏色的破布，掩遮了瘦小的身軀，手指活像雞爪，而那一雙腳就似泥裡才掘出來的山藥，臉盤倒生得很端正，只可惜太瘦了，一對大而無神的眼睛茫然地瞪著地面，飢餓、凍寒、辛勞、困苦……這些接踵而來的災難、折磨就只剩給她一副峻峻的骨骼。

賴四爺皺著眉搖了搖頭：「太瘦了，簡直像隻板鴨。」

「沒餵食，偺會肥？」

「可憐，怕有幾天沒吃了。」

「豬食糟糠，人要飯粑，餵上三兩個月，包你長一身肥膘。」

「餵肥了當被當褥偺不錯……」

「嚼舌頭的！」

眾人七言八語的笑談著，有憐憫，有同情，但更多的是戲謔和嘲弄。那男人卻像沒有聽見似地，依舊喃喃地哀求著：

「老爺子，帶去吧！只當撿條狗，撿條貓……」

「好！你跟我來。」賴四爺突然慷慨地說。傲然地向周圍環視一遍，便向那男的頷一下首，撇著八字腳，昂然地擺過了大街——

就這樣，梅香——賴四爺跟她取的名字便帶賴家登了下來。

●

六個多月奴隸生活在梅香強盛的發育期中溜去了，也許南國少女是早熟的，辛勞的操作捺不下青春的活力，豐滿的胸脯在薄薄的單衫裡鼓了起來，每飯兩碗糙米飯居然亦培養了一身白肉；那渾圓膩滑的一截臂膀，如果安置在背心般花花綠綠的旗袍裡，正不知要羨煞多少人，一對烏溜溜的大眼睛，就似兩顆晶亮的黑鑽石，小嘴怪逗人愛地微嘟著，蛋形的臉上經常浮泛著兩團紅暈——渾身都透露著樸實而壯健的美。

「噯喲！梅香姊，才幾月不見，可出落得真標緻！」整天穿門入戶，靠兩張薄而快的嘴唇混了一輩子的張大嫂，這天忽然降臨了賴府，一進門就拉住梅香的手臂，從頭到腳打量了一遍，然而用皺紋疊起了一臉的笑，阿諛地向著賴四爺：「四爺，你佬可真交了財運，撈得這一注活財餉。」

賴四爺只是矜持地帶著微笑，讓賴四娘招呼她坐下。

「這一陣子可真把我這兩條老腿搬瘦了。這家託找媳婦，那家託買丫頭，累得人就像熱石頭上的螞蟻，團團轉。」張大嫂往椅子上一靠，雙手拍下大腿，便滔滔地賣弄起自己的能幹來。

「我說囉！偺這一陣子都沒見妳……今朝偺有工夫來這裡？」「無事不登三寶殿，一來是給你兩佬請安，二來呢？想給梅香做一頭好媒。」

「還早哩！」賴四爺悠悠地吹落個煙蒂，自在地架起了二郎腿：「要留著幫個手腳。」

「噯！囡大心野，你佬又留得幾年？」張大嫂誇張地煽動著：「如果你佬肯脫手，眼前倒有個千載難逢的好戶頭。」

聽說好戶頭，四娘心裡動了一動，「那麼妳說是哪家呢？」

「就是西街王財紳要討個小的，他曉得你佬在鎮上亦算得一個，想結一門親。」

「哦！王財紳，」是倒確是個好戶頭，四爺想。忖思著，撲落落、撲落落慢條斯理地抽了幾袋煙：「梅香，妳曉得，是個難民，我是看她可憐收留下來的，可不是想販賣人口，……不過……王財紳既是想結這門親，我也不能說太不近人情……他出多少呢？」

「要照價講呢！外面原只四百花邊一歲，不過你家梅香是一顆色子擲七點的貨（註），他老人家肯出六百花邊。」

「那個……太少了，至少也得一千二百花邊一歲，而且又是做小，更要多出些遮羞錢，反正他老人家是牯牛身上拔一根毛，不在乎此。」

「唷！四爺你佬真是一口氣吞得下牛頭，你買來只花了幾百花邊哩！」

「話不是那樣講，那時破破爛爛的偺沒人要？花了那些本錢心血，不賺幾個我做冤大頭！」賴四爺一本正經地說，心裡在盤算一筆贏利。

張大嫂做好做歹地跑了幾趟，憑著她那生花妙舌，交易終於成功了，身價是一萬八，外加小豬一頭，糕餅兩箱，做為禮金。

十九那天，賴家客廳裡點起了一對小蠟燭，在炒豆似的一陣爆竹聲裡，梅香穿上了王家送來的紅衫綠褲，胡亂磕了一頓頭，便木偶般上了小轎，被一溜煙抬走了。

賴四爺返身轉來，見四娘撫著那堆鈔票，直愛得眼睛裡出火，不禁老興勃發，在她滿是皺褶的臉上擰了一把。

「唷！死鬼！」四娘陡地驚叫起來，不知是興奮還是燭光的反映，老臉上泛上了淡淡的紅雲，小豬亦湊著熱鬧在桌下「咕」起來。

註：出色。

「這買賣是好做，養口豬還要人餵牠，侍候牠，也抵不了這些錢。」賴四爺踢踢那口小豬，高興地捧起了水煙袋。

「是囉！再去帶一個吧！」

「我已託了張大嫂……不過……最好還是難民。」賴四爺輕輕地吹落一個煙蒂，笑咪咪地看四娘小心翼翼地把鈔票收進了箱子。

編註：據艾雯手記，本文原刊於《青年報》，一九四四年五月。

被歧視的人們

一

抱著一股熱忱，紫茵靦腆地走進了××局。王科長——她從前的同學指定給她的座位，顯然是別人坐過的，桌上還遺留著殘墨與敗筆。新環境使她感到孤獨而陌生，她無措搭地拿一支筆在手裡旋弄著，辦公室裡人還到得不多，可是每一個進來的同事都用好奇的眼光向她打量著，一遍又一遍，她憎厭地把頭俯得更低了。

像一個小孩子初試爆竹般，她膽怯而又欣喜地接過一疊表格，這還是她踱進社會首次所接觸的工作，但當她謹慎而輕快地把它抄完後，稍些感到一點不能滿足的失望：「這就是工作嗎？如是地依樣畫葫蘆，豈不是用非所學？」但另一個念頭馬上又征服了她：「大約因為初來，他們還不敢把更重要的工作託付給我吧。」「從工作中去學習並充實自己的經驗」，以後一定要本著這句話來堅持自己的工作崗位，那麼，未來的工作自然會使自己感到滿意的！想到這裡，一點剛萌的不滿情緒，立刻消散了。

可是，一天、二天……二個多星期過去了，紫茵每天的工作依然是抄表造表。而且在幾個鐘頭就能做了的事，放在一天來做，實在太空閒了。望望別人桌上都堆積著凌亂的公事，慢條斯理地閱著寫著，工作欲在她心裡強烈地燃燒起來，她自信自己的能力並不遜於那位同學科長，可是她卻只是個造造表格的事務員，「工作，工作，在校時視為偉大神聖的事業，原來不過如此，還說什麼以實驗來印證書本，這樣究竟拿什麼來印證呢？」她憤懣地想，於是一種厭倦心理逐漸地滋長起來了。

為了表格上的一點錯誤，她去詢問擬辦的許科員，並請他糾正，意外地，許科員卻只不耐煩地瞟了她一眼，冷冷地說：「小姐：妳的責任是照表抄寫。」羞憤的紅潮迅速地湧上了雙頰，她氣得半晌說不出話來，依她過去倔強的性格馬上就不幹這撈什子的事，可是一想到進來時的困難與母親借貸供她求學的一番苦衷，不禁又氣沮了，只得含著一肚皮的委屈，趑趄地回家。

一進門，房裡意外地坐著一位客人，黝黑的肌膚訴說著風塵的凌虐，憔悴的面容刻劃下生活的磨折，這是雲莎，紫茵的中學時的同學。

「雲，妳怎麼會到這兒來？」

「唉！說來話長啦！」雲莎放開紫茵的手，像一只發條突然鬆弛的時鐘，頹然地倒在椅上，「妳曉得，起初我原在××省教育廳做得好好的，還有曉英他們也在那兒，忽然一聲青天霹靂，那悖時的××省省主席下了個停用女職員的通令，女職員說說也有不少，可是沉痛的呼籲終究敵不上頑固的權勢，成千成百有為的女性，就被摒棄於政府大門之外。在失業的威脅下，一部分女子沒奈何實行了反時代者的三K主義，還有一些意志薄弱的，為環境壓迫而至於墮落，我潦倒窮途輾轉了許多，碰了不知多少釘子，總算僥倖在重慶找到了一個位置。」

「那怎麼又到這裡來呢？」

「我受過失業的痛苦，當然懂得工作的珍貴，盡量地在職務上我貢獻出了自己全部的力量，可是有什麼用呢？社會對女性始終是保持著傳統的歧視，這次各機關緊縮裁員，雖然沒有明文規定，事實上似乎約定了一律先將女職員開刀，我是女性之一，當然亦免不了罹難，總而言之，我們在社會上總是隨處被虐待的，可是誰教我們是女子，又誰教我們是生於今日中國的女子呢！」她悻悻地說到這裡，換了口氣：「茵，像妳這樣能與伯母在一起安舒的過活，可說是幸福極了。」

最後二句話像把刀子般，在紫茵胸口戳了一下：這算幸運嗎？人們的輕視，工作的枯燥，還有無限述說不盡的痛苦，雖然比起雲莎她們總算尸位素餐，有一口飯吃，但這種生活有一點快樂，半分幸運嗎？平等的高調唱了幾十年，社會上卻依然對女性加以排擠與摒棄，婦女們的命運難道永遠是慘澹的嗎？她困惑的眼光向雲莎射去，遇到了二道交雜著憤恨與苦惱的視線，而又帶了點迷惘，像在找尋什麼答案似的。

二

半個月了。

是陰天——

紫茵緊隨著一串慘澹的行列，默默地穿過街巷，投入荒涼的郊野，沒有哭號，也沒有吹打，架在四人肩上的棺材沒有上油的皚白的顏色，引起路人的厭惡的情緒。三兩個送葬的人，嚴肅地蹀躞在後面，紫茵拭著微紅的眼眶，哀默地本能地走著。

棺材裡躺著的是××機關附屬醫院的護士——王小姐，十九歲的芳齡便結束了一生，生命在口是多麼短促呀！可是這短促的一生，卻包含著人世間殘忍的悲劇。

十九歲，正是青春的菁華，生命最活躍的時候，王小姐，是摯誠、熱情、活潑而天真的姑娘，舔吮著人生果甘美的一面，追求一切真善美的事物！不知道人世間所有的醜態和罪惡，整天嬉笑著、跳躍著，白色的外衣跟著她飄揚在每一個病房，於是「小白鴿」的綽號便替代了她的名字。

黃股長——××機關的主管外甥，不知患了什麼病，足足在醫院裡躺了二個月。他是中等身材的青年，一對圓圓的眼珠，非常引人注意；兩片嘴唇，能畫出世間無窮的美事，他日夜糾纏著「小白鴿」，「小白鴿」正如她的外號般純潔、馴良，不懂得人類的險詐與虛偽，人家對她笑，她笑，人家對她哭，她也哭，怎曉得偽善的外表下會藏著醜惡的心呢？糊裡糊塗的竟被這個中等身材、大眼睛的青年的花言巧語騙去了少女的貞潔，過了幾個月的時間吧！小白鴿要變成老母鴿了，肚皮不自然地隆起來，風聲傳到主管耳朵裡，頓時大發雷霆，原來他外甥已訂了婚，而且還是他做的介紹人，於是馬上下了個手諭：

查本機關附屬醫院護士王××品行不端，應予免職，此令。

事情一揭穿，黃股長就佩上了隱身符，什麼誓與咒，一股腦兒付給了流水，「小白鴿」正為這事氣憤地臥病在牀，免職的事情一發表，更不啻是催命符一道，當時一瓶安眠藥水便結束了這苦惱的生涯，而黃股長亦由局長調升到別處當課長了。

黃泥砌起一座土堆，一個青年的生命被埋葬在裡面。

「安息罷！朋友，妳才舉起生命的火炬，別人卻從妳手裡奪下來踩息了，我是同情妳的，可是同情本身卻沒有力量，只有勇敢地活下去才能對抗那班文明的劊子手。小白鴿，妳是死得太軟弱了。」紫茵沉痛地默禱著，將一束白玫瑰獻在墓頂，花朵憔悴地垂下了頭，似乎在悲悼這夭殤的生命。

近來紫茵患著牙痛的病。

牙痛雖不是重病，可是痛起來卻也教人難熬，紫茵按著左頰在屋內躑躅著，她怕去醫院，為的是怕勾起「小白鴿」的遭遇，更怕聽人們對死者無情的誹謗，一個弱者的遭殃，一個被歧視被凌辱的人的苦難，在這勢利的社會，除了領受人們的誹謗之外，還有什麼呢？

服了一顆痛必靈後，牙痛似乎好些了。為了排遣那無限寂寞的時間，紫茵想到隔壁的局裡的同事房裡坐坐。

那是叫靜萍的少女，因為年紀差不多，性情也很合得來，所以有了空閒的時候，她們便常常在一塊兒。

房裡黑黝黝的，靜萍仰臥在牀上，怔怔地瞪著天花板，暮色在周圍投下一層濃暗的陰影。

「沒出去！」

「唉！」靜萍吃驚似地呆了一下，當紫茵在她旁邊坐下時，忽然神經質地□嚷地、高聲地喊道：「往哪裡去？到處都是欺詐、虛偽、貪婪、齷齪，這社會，什麼都是一團糟，還不如躲在家裡乾淨點。」看看那憤憤的神色，紫茵不豫地想到什麼事情發生了！一向溫文柔順的人，現出這般粗暴的姿態，實在是使人難以置信。

「怎麼啦？妳？」紫茵輕聲地問。

氣憤燃紅了她的眼睛，昨天的一幕又搬上了靜萍的腦膜——

為著趕辦一件速件，下班不免遲了點，那位主任便在旁邊東扯西拉的糾纏著，起初就誇說自己怎樣富有，怎樣有勢，可惜缺少了一樣最緊要的東西……

「萍小姐，我了解妳的環境，那的確太清苦了，像妳這樣漂亮的小姐，正該享受享受，……只要妳願意，什麼事情都可辦到的……」主任獰笑著靠近了她，眼睛裡閃爍著貪婪的欲焰。

「你這話是什麼意思？」靜萍惱怒地退後了一步。

「萍，我覺得我們的感情不應該隱藏的……我覺得……萍……我實在不能再安靜了……萍，妳得答應，我——愛妳……」

「夠了！」靜萍掙脫了他伸過來的那雙魔手，心頭跳得很厲害，把桌子一推，什麼都不顧地衝回了家裡。

……

「茵，妳說這侮辱教人怎受得了！」

「怪不得他還想妳做他的私人祕書呢？」紫茵有所悟地說，並把早晨王科長要她轉詢靜萍，主任需要個寫寫私信的人，問她願不願去。

「哼！這不過是他籠絡人的手段罷了！」

紫茵想不出一句適當的說話，默默地讓血流迅速地打著轉，不知什麼時候下的雨，單調的淅瀝聲伴著深沉寂寞。

休息日，紫茵從悠長的夢中醒來時，朝陽已爬進了屋內，牀頭，平放著一張白色的信箋，是靜萍的筆跡：

親愛的茵：

我走了，望著睡得真香的妳，我不忍來攪醒妳的甜夢，反正總是要分離的，我們萍水相逢相處快半年了，在友誼上可說是超過了一般泛泛之交，可是環境的壓迫又驅使我離開了妳，茵，我寧可是一隻翱翔高空的孤雁，卻不願做金絲籠裡的黃鶯，從此我又得開始那流浪的生活了。

茵，在這社會上到處都安排著看不見的香餌伏弩，好好地留神罷！情緒既亂，時間又局促，不多寫了，祝妳永遠像今晨的陽光般美麗，健康！

紫茵連忙趕到隔壁一看，除了幾件家具外，只有細雨初霽的陽光，格外絢爛地射在滿地狼藉的紙張上。

三

愛撫著靜萍留下的幾本書籍，紫茵讓自己浸沉在無端的惆悵中。

晚快了。

一片皎潔的銀光，悄悄地從窗際傾瀉到室內。四圍是那樣地靜謐。只有幾葉衰老的黃葉，在園中低低地訴說著自己的衰老的命運。

突然一種笨重物件的落地聲響，劃破了寧靜，接著瓷器的碰擊聲、咒罵聲、哭泣聲，像燃著了的一串鞭炮，連續地震抖那死寂的空氣，樓房在混淆的聲波裡顫抖；紫茵不給腦子有思索的機會，便一鼓作氣衝下了樓梯。

廂房裡，房東的家人正在扮演一齣全武行，方桌、長凳、圓椅，狼藉地拋擲一地，再沒有了可摔的東西，那所謂丈夫——一個生著獅鼻的中年男子，就兇狠狠地抓著一根木棒，向躲閃在角隅裡的妻子衝去。

「妳這目空一切的賤胚，今天非死揍妳不可！」

木棒只打到了一記，便給趕來解勸的鄰人們攔住了。

「天哪！我一天給你們做到晚，難道自己的母親死了，回去送喪都不能多息幾天，你們也要放點良心出來啊？姆姆……」

「放屁，誰沒有良心？」公公吼叫著，要衝過去幫著兒子打。但也被人拖住了。

站在一旁的婆婆，對著乞憐的媳婦，顯著毫無所措的神色。她的手顫抖著，衰老的起了皺紋的臉皮，現出痛苦的表情。好久，她才邁過腳步，拉了一下兒子：「阿定啊，打了幾下也夠了啊，人家也是肉包骨頭的人，你……你的心……你不要這麼狠心……」

「混帳王八蛋，回去一息就半個月，這樣目無大人還得了！」

公公把桌擂得價天地響：「我們下田去做活，妳躲著去送喪！送喪！送喪要送他媽的半個月，妳難道不知道我們家裡吃在田裡，穿在田裡，用在田裡的嗎？妳要享福就莫嫁到我們的人家。做太太也要一點太太福氣啊！二十畝田，一棟屋，我們就掙來給妳一個人生活也不夠！」講到這裡，他把手一摔轉身又對著鄰居們嚷起來了：「哀喲，請你們評評理，她也不是不知道現在就是收晚稻的時候！卻送喪，送喪的躲去享福了……」

「好了，好了，小輩做錯了事，大人責備一頓就完了，大家都是家裡人。」鄰舍們做好做歹地勸解著！

背上像澆了盆冷水，紫茵不等到這小小的悲劇完結，便沒精打采地回到樓上，底下還不斷地傳來瘋犬般狺狺地咒罵聲與幽靈般低低的哭泣聲，她困惱地將自己深深的埋在毛毯裡，腦際掠過了一句從什麼書本看來的「格言」：「知識是惡魔撒下的種籽，無知才是幸福的根本。」這被禮教的陳腐觀念所統治的社會，無知的公公和無知的丈夫，不折不扣成了傳統教條的執行人，而無知的妻和無知的婆婆卻註定了是為人妻、為人母，失了自由的高等奴隸！所謂幸福與痛苦的分野又在什麼地方呢？

大約晚上睡得早些兒，第二天紫茵一早就醒了，她站在窗前的時候，東方還只現出一抹淡黃，晨曦的青光將大地從黑暗裡救了出來，遠山叢樹雀噪鳥飛。這是一幅多麼幽雅的景致！

忽然對面的屋角邊□出一個人來，水擔重壓著肩上，腳步很有節奏的慢慢近來了。是一個少年婦人。「嘿！不是昨晚被虐待的人嗎？」紫茵一面想，一面輕輕的招呼一聲：「阿定嫂，早啊！」

少婦抬起了頭，那一臉的青紫，在晨光中隱隱可見。她腫起的嘴角，勉強地裝出笑容，帶喘謙遜地道：「哪裡，小姐可早啦！」說著，壯健的身材，已閃進了樓下的旁門了。

吃了早飯，紫茵預備上辦公去了。她將衣服理理，滿身都是皺摺，便決定換一件淡青色的長褂，雖然已是半舊了，卻很合身。褂子剛穿好，樓梯一陣急響，接著房門開了，進來一個年紀彷彿的少女。

「怎樣？」親切地迎著她問。

「老的人真不少！」少女擱下了筆墨，撩起一綹短髮，「不過試題不算難，我交卷的時候，退出試場還只有兩三個人哩！」

「那妳一定有錄取的希望。」紫茵和愛地拍拍她的肩，嘴角盪漾著喜悅地微笑。

少女憨笑著，將頭偎在紫茵肩上，她是紫茵的表妹——黎輝，這次××處登報招考職員，她特地趕來應徵的。

在期盼中日子總似乎格外漫長一點，好容易過了一星期，通知書終於來了，黎輝考試成績及格，於是只剩下口試及體格檢查的手續了。

當然錄取是毫無問題，紫茵她們看著表妹的健康的身體，大家都興高采烈地向她慶賀：

「嗳，要請客啦，黎輝！」

「自然，自然。」黎輝自身也非常興奮，覺得職業有了十分之十的把握，生活也活潑得多了。

×月×日到了。

在一間空廣的辦公室裡。坐著個戴眼鏡的中級人員，大模大樣地詢問著來口試的人。語氣永遠是冷冷的，一字一頓，像一個患傷寒的病人似的。

人們不斷地進去出來，總輪不著黎輝，她等得有點不耐煩了，便擠前一步，通報了自己的姓名。

「不用試了。」那人從眼鏡底下瞟了她一眼，漠然地說。

「為什麼？」黎輝詫異地睜大了眼睛。

「說不用就不用了。」依然是冷冷的口氣。

「這不是你們的通知單嗎？」黎輝掏出那張通知書給他看。

「是倒是的，不過……這裡不收女性。」

「什麼？」黎輝像給黃蜂螫了一口般跳起來，「既然這裡不收女性，廣告上為什麼不註明，又准我報名，准我考試，還發了這鬼通知，簡直在開玩笑了！」她將那通知書揉成一團憤憤地摔在桌上。

「對不起，我只是遵照上峰命令辦事。其他……其他就不管了啦。」那人挪一下眼鏡，逕自招呼另一個人進來。

黎輝氣得兩頰通紅，眼裡冒火，當時原想發洩一頓，再瞧那人那種滾水泡不熱的態度，心裡更不受用，便頭也不回地搶出了大門，昏昏沉沉地衝回家裡，想起父母親友對她熱切的期望，自己整個的希望一起落了空，悲憤的熱淚不禁奪眶而出，忍不住傷心的伏在牀上痛哭起來，蒼茫的暮色逐漸包圍了抽縮著的身軀，漫漫的黑夜又來臨了。

四

「表姊——」房裡黑洞洞的，也沒有點燈。黎輝的悲憤的神色雖平靜了些，但語句間仍掩飾不了，充滿著無限的感慨：

「表姊，社會留給我們的路太窄了。」

「《聖經》上說，通往天國之路要經過窄門的……」

「表姊，我不想爬上天國，現在生活在地上也夠使人掙扎了——窄門？那麼這是不是專為女性們存在的呢？男人往天國之路是不通過窄門的……」

紫茵有口無心地答著，她的心早已為這利勢欺詐的社會所撕碎，為這男人們所統治的無理性的社會所冰冷了。她輕輕地呼了一口氣，捉住黎輝的手，高聲地道：「窄門，不錯，窄門是為我們女性而設的！但是，我們雖不上天國，但也要衝過窄門的——黎輝，衝過窄門的！」

「……」

「生活鞭著我們不得喘息，但我們也得堅強地活下去的！黎輝，不必喪氣，昨天××對我提起過，這裡托兒所還要找一個保母，妳委曲點吧，去當名保母吧，只要啃得起菜根，衝得過窄門，我們新女性不再會永遠受著社會歧視，人們欺凌。黎輝，社會要我們馴服，我們卻應該倔強，知道嗎？倔強！」

房裡漆黑的，外邊也漆黑的；夜沒有風，也沒有聲響，只有紫茵的沉重的高亢的話聲，給這死寂的夜掀起一陣激動。

編註：據艾雯手記，本文原刊於《凱報・大地副刊》，一九四四年九月。

阿俞的保障

當〈修正兵役法〉行文到××局時，一班少壯的職員都議論紛紛，一變往常「愛國」「救國」的論調，而向能夠緩役的各方面去鑽營。無法可想的便急得愁眉苦臉，到處訴說自己的困苦。

「我確實是個獨子，可是卻拿不到證件，真傷腦筋！」老張搓搓手，苦著臉說。

「你有什麼傷腦筋？抽籤不一定抽得中的，倒楣的是我，怎樣都得去服役。」恰滿二十一歲的小李誇張著自己的嚴重。

「服役難道不是每個人應盡的天職嗎？」阿俞一股正經地插進來說。

「別大帽子壓人了。」

「什麼是大帽子壓人？」阿俞嚴肅地摸一下鼻子，聲帶因緊張而趨高音：「國家是大家的國家。可是在前線拚命流血的，卻只有一班農人，而中堅分子的士大夫、知識分子，卻只會躲後方唱高調求享受，一旦責任落在自己身上便想法逃避、推諉，所以我說中國壞就壞在這一班養尊處優的懦夫手裡。」

「那麼你自己為什麼還蟄伏在大後方呢？」老張早不甘心地頂了一句。

「嚇！要是我八點鐘中籤，絕對不說九點鐘走。」阿俞硬朗地拍拍胸脯，於是得意地燃起了一支香煙。

每年一屆的服從抽籤期又將來臨了。小李考慮了一陣，終於加入了遠征軍，老張亦在一個軍營裡謀了個文書缺，在他們離局之前，還意外地吃到一頓喜酒，素來主張「國恥未雪，何以為家」的阿俞，神不知鬼不覺地結識了一個小女人，同時用閃電戰的方式締下了良緣。

婚後的生活該是恬甜地、安舒地，可是人們卻不能從阿俞身上找出一絲幸福的痕跡，「生活」過早地在他額上刻下了縱橫的紀錄，兩眉似深鎖著無限隱憂，那懸河般滔滔不絕的高談闊論，亦收斂了原有的鋒芒。

一個下午，阿俞正沒精打采地從局裡出來，在路上驀地逢到了闊別數年的老友，為了歡敘一串離情別緒，兩人跨進了一家小酒樓。

「阿俞你怎麼變得這樣蒼老了？要不是你先叫我，真不敢招呼你。」那朋友講了一頓自己的經過，問題轉到了他身上。

「生活的鞭子原是摧殘青春的。」阿俞不勝感慨地乾了杯酒，蒼白的臉上泛起了緋色的酒暈。

「有家總是累，所以我主張遲一點結婚，等經濟建下了基礎，才談得上精神生活，我記得你一向亦主張遲婚的，怎麼這一次竟開了特別快車呢？」

「這裡面也有難言的苦衷，」阿俞微喟著搖了搖頭。「苦衷？」友人詫異地睜大了眼睛。

「什麼愛情！什麼家庭！老實告訴你：結婚只是使生命多一重保障而已。」酒是掘發祕密的鋤頭，一點都不錯的。

「保障？」友人更摸不著頭腦了。

「你真的不懂了，那麼請你去查查〈兵役法〉（註）就得了。」阿俞狂笑著仰起脖子，又灌下了一杯，只覺得喉頭一陣腥膻，天地在他四圍轉動起來……

註：〈兵役法〉第二十條第五款：如有家庭負擔者，可以緩役。

編註：據艾雯手記，本文原刊於《凱報》，一九四四年九月。

在車廂裡發生的小事情

鈴聲響過後，才平靜下去的車站上又揚起了輕微的騷動，逗留在月台上的旅客們匆匆地鑽進了車門，而送行的人也依依不捨地向月台上退去，站員將紅綠旗懶洋洋地揮著，鐵道夫們便都迅速地離開鐵軌，掏出煙捲來悠閒地抽著。

在尖銳的長嘯中，車身猛烈地震動了一陣，鋼鐵磨擦著奏出嘈雜的交響曲，車頭噴著白氣，開始喘息起來了。這時一個帶眼鏡的中年男子匆忙著繞過木柵，向列車跑去，當他躍上車梯時，車身又顛簸了一陣，他一手緊緊握住門環，迅速地向車廂裡掃射了一眼，所有的坐位都已塞滿了，他焦灼的眼光不經意地落在左邊，卻見靠車門的一個女子大方地挪一挪身軀，空出半個鋪蓋卷來，他急不暇擇地說聲：「對不住！」便將自己的皮包置在鋪蓋橫頭，蹲身坐了下去，透了一口氣，從制服袋裡扯出一塊手巾，輕輕地抹著鼻尖上沁出來的幾顆汗粒。

列車老人似地拖出了車站，一投進大自然的懷抱，便風馳電掣地奔馳起來，村莊、樹林、山峰……一幅活的風景畫急疾地滑過車窗，人們彷彿忘卻了自己是在為生活奔波，看來是那樣地舒閒而恬靜。這時，那中年男子打開了一份報紙，似乎有點疲倦了。眼光遲鈍地在鉛字上移動著，猛地一股廉價香水的氣味，飄進了鼻腔，側過臉，才記起坐在他身邊的原是個女伴，她正照著手鏡在鼻子上撲粉，燦爛的金指環一閃一閃地放著光，微笑的顴骨上洋娃娃似的敷著兩塊胭脂，尖聳的鼻尖點綴了六七個雀斑，薄而闊的唇上，不留餘地的塗著鮮紅欲滴的唇膏，一對水汪汪烏溜溜的眼睛，雖說眼梢已疊起了皺紋，但還非常動人。電燙的烏髮紮了一朵杏黃的緞花，紫紅的旗袍配著墨綠的司惠脫，腳上套一雙棗紅膠底鞋，衣服式樣裁製都很摩登，可是就像小學生水彩畫一條，一筆深紅，一抹濃綠，看起來總有點不順眼。

「二十五……三十……二十七……唔！這女人的年齡真是個謎！」中年人從報端斜睨著那女人，暗自在腹內打量：「打扮得這樣妖豔……是個怎樣的女人呢？……少奶奶……×種女人……姨太太……」他下意識地盯一眼身下的鋪蓋與她手裡飽滿的皮夾，忽然憶起一段在什麼小說上看到的故事：是一個闊佬的姨太太，因不滿於自己的丈夫，偷偷捲了一大批款子逃出來，在路上逢到一個男子，一談之下，非常投機，便實行同居……後來那男子還利用她的資本做生意而發了大財……。想到這裡，他心中一動，忍不住又瞟了她一眼：「要是她也是什麼捲逃的姨太太呢……她怎麼會將自己的鋪蓋讓給我坐……」幻想把他引進了夢境，彷彿自己與那女子真的搭上了，拿她的資產去做生意，當然也發了財……車子猛地一顛，震碎了他的白日夢，想起那一頓胡思亂想，自己不禁啞然失笑，再瞧那女子秋波惺忪，正靠著車板假寐，於是重新端起報紙來看下去……

車廂裡不知什麼時候進來了兩個檢查員，翻箱倒筐地搜查著，在寧靜的人群裡撩起了騷亂，灰塵不安分地瀰漫了車廂。

一個穿蹩腳西裝的男子哭喪著臉發怔，他捲在被筒裡的數十打毛巾、襪子被檢出了，同時還扣留了行李；另一個婦人在歇斯底里地啜泣著，塞在箱底十餘條香煙給充了公。

檢查員一個個地搜查過來，走近了車門，中年人從容不迫地從皮包裡掏出了一札文件，檢查員望一眼他胸前的證章，很客氣地遞回了他。當他正待收起時，似乎覺得肩上重甸甸地，有什麼東西壓上來了，而那股廉價香水的氣味濃烈地直竄腦門，原來那女人的頭正擱在他肩頭哩。

檢查員起初疑惑地望著那女子與龐大的鋪蓋，一見如此這般狀況，略一停頓，便似笑非笑地向同伴眨了一眼，逕自找別個乘客去了。

中年人怔怔地瞅著那油膩膩、毛蓬蓬的頭顱，窘迫得不知怎樣是好，心頭似小鹿般怦然不安，向全車乘客窺視一眼，幸好大家都慍慍地在整理著自己的行李，並沒有注意到這一幕。

列車一進站，就像翻倒了的蜂巢似的，囂鬧成一團，車上的人急著要下去，站上的人又爭著要上來，誰都不肯吃一點虧。

「請給我叫個腳夫來好吧！」女人俏聲小氣地請求著，中年人義不容辭地滿口應承了，費了好大力氣，才擠到窗口，半晌喚來了一個粗壯的小伙子，困難地挪了幾挪，才紅漲著臉挑起那笨重的鋪蓋。

「裡面是什麼？」中年人忍不住問了一句。

「布！」女的狡猾地笑著說。臉上堆疊著勝利的得意。接著揚一揚手，道聲「再會！」便押著腳夫擠出了密密的人叢，越走越遠，最後只剩下了一團濃豔的色彩，中年人歎了一口氣，悵然地走下了車廂。

編註：據艾雯手記，本文原刊於《正氣報》，一九四四年十月二十九日。

生產

太陽伸出千萬隻手指，溫和地愛撫著大地；原野上瀰漫著粗獷的乾草的芬芳，山林裡樹葉婆娑，枝葉扶疏，在冬陽下投下了森鬱的陰影，杉樹竊竊地私語著。槲樹不甘寂寞地抖響它的大葉，一枝古松斜斜地伸展出滿是疙瘩的粗臂，彷彿想扯下頭頂的白雲，小鳥在枝葉間跳躍著，喜悅地互相呼喚、追逐；松鼠拽著大尾巴從樹這端溜到那端，像一個吝嗇的老人似的，嚴密地收藏起幾粒松仁或一枚乾果，一隻華麗的山雞在樹下悠閒地爬爬泥土，啄啄小蟲，從樹隙漏下的陽光，在牠身上交織成一片奇異的光彩，一條山澗淙淙地穿過樹林，流向無垠的田野——山林是恬靜的。

在田裡褐色的小徑上，一隊灰色的人像條青蟲蠕蠕地移近了山腳，爬上了山坡，終於走進了樹林，恬靜的林中立刻揚起了不安與騷動，山雞驚惶地鑽進了草叢，松鼠也躲進了樹穴，鳥兒們拍拍翅膀飛走了，一切生物都嚇得蜷首貼尾屏住了呼吸，只有不□事的槲樹啦啦地聒吵著……

灰色的人群揚起了斧頭，樹林裡立刻充滿了「叮冬」的伐木聲，山谷低宏的回音在空中迴盪著。

「嘩啦！」老□樹晃了幾晃，陡地倒了下來，接著小杉樹又在一陣抖索中跌坐在蒲公英身上，暗綠的針葉散落在地上。一個佝僂的老農夫顛蹶著從山後趕上山來，一種捺不下的憤怒把菜色的、深刻著辛勞紀錄的臉龐歪曲了，冒著火的眼睛像一隻噬人的野獸，但當他瞥見這一群灰色人時，□地一震，本能地放慢了腳步，那股兇勁像一層蟬殼般地從他身上蛻去——「嘩啦！」又一株樹砍倒了，那一記記笨重的斧頭就像砍在他心坎般，一陣酸疼使他痙攣了，他終於硬著頭皮趑趄著、怯怯地走近一個四方臉的灰色人。

「老鄉，這……這樹是我的。」

「你的又怎樣？」四方臉將粗黑的三角眉往上一挺，看也不看他一眼，依舊使勁地砍著樹幹，白色的充滿水分的碎木片，從斧底飛濺過來。

「我……我只有這一座林子，一家都……靠它……它活命，老鄉……請你……呃！請你們……不……不要砍……」老農夫笨拙地哀求著，眼眶裡充滿了淚水。

「□！老傢伙，少嚕嗦！我認識你，它可不認識你。」四方臉惡狠狠地舉起斧頭來在他面前晃了晃，只嚇得他哆嗦著慌張地往後退去，腳不留心絆著了一根，一個踉蹌，他趕緊抱住了一株松樹……林中像投下了一枚炸彈般爆發起一陣粗□的狂笑。

像一個被判決了無期徒刑的囚犯，老農夫□□地□在一邊，盯視著斧的起落，樹的傾倒。

「叮冬」聲終於停止了，灰色人紅漲著臉，氣喘喘地收拾起東西，兩人扛一根粗的，一人肩兩根細的，滿載著勝利的斬獲，又像一條青蟲爬下山崗，蠕蠕地消失在田野盡頭。

山林像一座給敵人洗劫過的村莊，凌亂、淒涼，砍下的枝椏殘屍般棄遺在地上，老農夫望著一段一段雪白的樹樁，兩顆老淚從瘦骨峻峻地頰上滾下來，跌落在枯草叢裡。

澗水，嗚咽著，□樹在抖索。

城內，一幢巍峨的老屋屹立在××街畔，在斑駁褪色的紅底金字的「大夫第」匾下，新貼了一張×××站××倉庫的紙條，一行灰色人穿進大門在後面卸下了砍來的樹木。

兩個低級軍官模樣的人談著話，悠閒地從月洞門裡踱出來。

「不錯哩！」一個穿草綠軍服的伸出長統靴來踢踢木材，側臉向同伴說：「一擔木柴六十元，作它五十擔吧！五六得三十，半天工夫就賺進三千元了。」

這叫作自力「生產」，那個聳一聳黑色的皮大衣，從微笑而皺歪的嘴角噴出煙來，「反正弟兄們閒著沒事做，每天這樣生產生產倒也要得。」

兩個人笑了，挾著笑聲一齊跨出了門檻。

園子裡洋溢著一片鋸木劈柴的交響曲……

上猶・民國三十四年一月九日

編註：本文未明出處。

春雨之夜

雨像無數斷了線的珍珠，零亂地，撒向無邊的黑暗。時而大雨滂沱，時而細雨飄零，雨腳沉重而纏綿地落在屋脊，又從簷際溜下了天井；單調的淅瀝聲，響在這岑靜的長夜，更顯得無限的淒涼，荒漠——

從窗罅，從壁縫，冷風頑皮地鑽進了窄窳的斗室，風翼玩弄著桌上的油燈，晃出了無數黑黝黝的陰影；潮濕的空氣沉悶地盤桓在室內，凝滯笨重，像是孕育著暴風雨的雲朵，在一張簡陋的半桌前，黃納強正咬著筆桿支頤凝思，濃而粗的眉毛冷峻地蹙在一堆，臉上的肌肉因苦思而繃得更緊了，堅韌的牙齒□齧著創痕累累的筆桿，彷彿要從那裡面嚼出煙士披里純來似的，面前展開的稿紙卻依舊潔白得沒著一點墨。

桌子橫頭，他的太太——梁秋英遙遙地湊著昏暗的燈光，在趕製一雙小鞋子，近視眼瞇成了一條線，雖說僅二十幾歲的人，艱辛的歲月卻已在她橢圓形的臉上刻下了縱橫的紀錄。一個正直的鼻子配著稍厚而略帶圓形的嘴唇，是一個慈和耐勞的臉型。

「媽，小英要睏覺。」一個三四歲的女孩子從牆角一堆紙盒子邊站起來，惺忪著一對大而無神的眼睛，沒精打采地伏在梁秋英的膝上。

「小英乖，媽媽做好了，明朝給小英穿新鞋鞋。」梁秋英柔和地哄著小英，手裡卻仍舊迅速地縫綴著。

小英下意識地翹翹腳來，鞋子做要吞食什麼似地張開了嘴，光腳趾偷偷地探出□□，似乎想吻一吻膩濕的地皮。

「媽，鈴子有新皮鞋，小英也要。」

「等爸爸寫多多文章，換了錢，也給小英買。」

「不，小英要媽買，明天就要。」小英不信任地瞥了一眼黃納強緊繃著的臉、蹙成一堆的粗眉，仍舊扭股糖似地纏著梁秋英撒嬌……

突然桌子「磁」的一震，黃納強陡地站起來：「吵死了！一天到晚咭咭括括，鬧得人一點事都做不成。」

小英給這兇猛的舉動嚇怔了，像寒風裡的樹葉般瑟縮在一角，牀上的小強亦湊著熱鬧狂哭起來，梁秋英連忙丟下鞋子，抱起孩子來拍著、哼著；慍懣地抱怨著丈夫：「孩子都給你嚇壞了，發什麼神經病！」

「神經病？這樣的家庭真會把人逼出神經病來，要吃、要穿、要住，什麼都向我一個人要，可是連一個可以寫寫文章的地方都沒有，這種家庭教人怎麼待得下去，怎樣待得下去！」黃納強憤憤地捶著桌子，筆、墨水瓶、小鞋子……一起受驚地跳起來，潔白的稿子上無辜地被抹上了一大塊墨跡。

「又不是我偷圖安逸，不去工作，兩個孩子絆住了我，教我怎麼走得出呢？」梁秋英抑低了嗓子。滿腹委曲地抗辯著，第一個孩子出世後，她都還在小學教書，現在兩個孩子就像兩副桎梏牢牢地囗住了她的行動。

「妳就只會拿孩子做藉口。」黃納強冷冷地嗤著鼻子完全瞧不起她，「看小方多能幹，工作能力強，又能寫得一筆手文章，而妳，連一張文憑都拿不出——如果我早有那樣的內助的話，文壇上早就有名了，還會在這種小報館混飯吃？」他無意識地拿起筆來又摔下，腦際掠一個身長玉立的倩影，那一對黑鑽石似的皓眸，明媚地閃爍著智慧的光芒。那光芒就像兩點星火，燃起了他心底的愛欲；耳畔彷彿又繞繚著新出窠的雛燕般清脆的聲音：「黃先生，你看這樣編排是不是可以？」……

「別人能幹你先為什麼不去找別人？」梁秋英放下小強，直氣得渾身發抖，近年來鬱積著的委屈悲憤，一起湧上了心頭，像心中燃燒了許久的火山般，遇著外力一壓，陡地暴發過來。「從前你不是不曉得我的底細，當時那樣死求活求的求我，現在苦也跟你受夠了，孩子也生了兩個，倒來嫌我了。只怪我那時瞎了眼，揀中你這個沒有良心的人。」

「要是當初妳真的不揀中我，那真是我的運氣，我的幸福，現在像條螞蟥一樣，把我的血都快吮乾了。」

「別自以為了不起，我跟你又度過幾天好日子？從前我一個人不也生活過來了，既是生活在一起不痛快，還不如分開了好。」

「妳的意思是說要離婚？」黃納強猝然回過頭來，深陷的眼睛像發現了山羊的猛虎般，悶爍著一口凶焰。

「離婚！」梁秋英緊咬著下唇，從喉頭堅決地迸出了這兩個字。

「好！這是妳自己說的。」黃納強乖戾地冷笑著，在桌前忙亂了一頓，將一則離婚啟事截釘絕鐵地往梁秋英面前一摔，像一隻戰勝的雄鵝般，昂前頭，猛地拉開門走出去，急雨像炒豆似的，「嘩啦！」撒落在傘上。

梁秋英覺得心坎似刀口般一陣疼痛，一直由氣憤支持著的自尊心驟然傾圮了。她忍不住伏在桌上啜泣起來。

雨更密了，急促地捶打著屋頂，室內像冰窖般；顯得那樣地幽暗而慘淡，一聲聲哀怨的低啜更增加了無限的淒愴，滲雜著風雨的交響曲，從遠處飄來曼妙的凡亞琳聲、歌聲與暢朗地歡笑，陶醉在青春的歡樂中，青年人正用燃燒著的青春的熱力燃燒著一個綺麗的春宵。

……

湖水活潑地流著，柔弱無力的柳枝輕拂著水面，團月撒下一大匹銀光燦璀的縠絹，柔滑地展鋪在大地：遠山，近樹……浸浴在銀輝裡的一切都顯得那樣的柔媚、明澈，融合成一整個靜穆，和諧的美。

一葉小舟悠然地盪漾在平靜的水面，舟子輕一槳慢一槳地撩起了纖綺的漪漣，挾著青春的笑、美、力，一對青年人偎倚著坐在船中。

「多幽美的月夜！但願我能一輩子逗留在這樣的景色中。」

「可是我卻什麼也不見……英，我是給妳的美眩惑了，如果妳能在這景色中逗留一輩子，我卻希望能在妳身邊逗留二輩子。」

「瞧！你……」

船身搖進了一叢柳蔭，未了的語言給吻掩蓋了……

往事像演電影般一幕幕映上了梁秋英的腦際。「當女人還在憧憬初吻的情景時，男人卻連過去的一切都忘懷了。」——追求、戀愛，於是結婚。「結婚是愛情的墳墓。」過來人的話是不錯的，婚後兩情相投的恩愛生活，只是那麼短促的曇花一現，孩子便出生了，香醇的愛情就像出了氣的葡萄酒般變了味。接著第二個孩子又來了，自己不得不擱下工作，守在家裡忙著照顧孩子和料理家事，負擔加重，收入減少，經濟上自然拮据起來。告貸、賒欠、忍飢、耐寒……一長串困苦的日子，不但剝奪了物質的享受，更扼殺了人類的第二生命——

愛情，生活的艱苦是能夠忍受的，只要精神有所慰藉，靈魂有所寄託。豐富的生命畢竟優越於豐富的生活，原望在困苦中彼此的生命能偎依得更緊湊，不想他的感情反在這時變得淡漠了。脾氣卻與情感成了反比例，乖戾得就像一頭野貓，動不動就大發雷霆，為著顧及過去的感情，自己總是極力容忍著，近年來的日子，可說都在忍氣吞聲中打發過去——男人是怎樣的善變！等艱辛的歲月侵蝕了自己的容顏，瑣屑的家事剝奪了自己的青春時，倒像秋扇般被憎嫌了。唉！男子的心，男子的心哪……

梁秋英越想越悲痛，越想越難過，熱淚像兩股泉源，滾滾地湧出了眼眶，過去的一切宛似做了一場春夢，現在夢給無情的棍棒搗碎了，青春、愛情……一切亦隨著似泡沫般消逝，剩下的只是一片無法填塞的空虛和怨恨。

以一□沉□地，訴說著事事都完了的歎息，結束了哭泣，用手帕擦一擦眼睛，拉開抽屜拿出一方紅色桃源石的□□章——那還是結婚時託人到湖南去鐫刻的，不想那時雙雙地印在結婚證書上，現在卻又要雙雙地印在離婚啟事上了。她心裡一酸，舉起的手又軟下來，但一轉念仍咬著下唇，手抖慄著瞄準了自己的名字蓋下去……忽然一隻冰冷的小手搭上了自己的腕臂。

「媽，抱小英。」聲音是哀求的，充溢著悲愴的情緒。

像垂死的人突然打了一支強心針般，浸沉在悲憤中的梁秋英給這一句喚醒了，圖章重重地墜在桌上。

「啊！孩子，這一來孩子怎麼辦呢？」她迅速地俯下頭去，看見小英一對洋溢著淚水的眼睛，正困惑地凝視著自己神情，像一頭被棄的羔羊那樣地倉皇，她感到一陣酸楚，連忙抱起她來緊緊地摟著，吻像雨點般瘋狂地落在小英臉上、頭上、身上……兩個相似的臉龐塗滿了凌亂的眼淚，分不清是母親還是女兒的。

「可憐的孩子，寶貝的孩子，媽怎麼能捨得你們，怎麼能離開你們呢？不，我不能，沒有母親的孩子是會讓人欺侮的，哪怕再大的委屈，再大的艱苦，我也不能丟下你們，我要扶植你們長大，長大……」梁秋英□動地呢喃著，摺起離婚啟事，給小英擰去了鼻涕，在淚光閃閃的臉上閃爍著一種崇高聖潔的光輝……這是耶穌為人類受難時的神情，偉大的愛的流露。

單調淒涼的雨聲，不知道何時停止了，一片皎白的月光從窗際傾瀉進來，淡淡地、柔曼地給斗室抹上了乳白色的銀輝，遠處，凡亞琳正抑揚地□弄著柔曼的〈月光曲〉……

編註：據艾雯手記，本文原刊於《凱報．大地副刊》，一九四五年五月。

議婚記

老王從菜場裡回來，一進門就聽見樓上一疊聲地喚著：「老王！老王！」不禁一陣不高興襲上了心頭，直口喉嚨應了聲「來了！」便將菜籃子重重地往桌上一放，提起壺來，倒了盆臉水，送上樓去。

吳老先生惺忪地從牀上垂下腳來，伸進鞋子，將兩隻指甲蓄得尖尖長長的小手指往眼角裡一插，熟練地彈出兩顆黃綠色的黏液，然而伸開手來在臉上一陣亂抹，還伸一個懶腰，搭拉著鞋子，邊扣著白竹布單衫，走向欄杆邊去清理嗓子；黃濁的濃痰一口接上一口，在走廊邊的溝裡積成了一灘，老王望著皺一皺眉頭，放下臉水，正轉身走得幾步。

「老王！」

「嗯！」

「沖一杯茶，要濃一點。」

「嗯。」老王陰陽怪氣的，先提起掃帚在房裡掃了一陣，這才走下樓去。

「把今天的報紙拿來。」

「他媽的，不曉得哪裡撞來的老光棍。來老子面前擱什麼太爺架子，俺老王拿公家的餉，做公家的事，可不是服侍他這幾根老骨頭的。」老王心裡暗暗地罵著，鐵鍋、鉛壺弄得一片聲響，卻聽得樓上拖鞋搭拉，又是一疊聲地喚「老王」，接著房門「呀！」的打開了。

「早！吳老先生。」聲音是卑恭的。

「嗨，早……」

老王抬起頭來，正見吳老先生大模大樣吐出個水煙蒂，從眼鏡框上注視著站在面前未盥洗的楊先生。

「早，你們早，俺可倒楣，稀飯沒煮滾又要臉水又要茶，楊先生也是肉骨頭打鼓，有點葷（昏）懵懵，老婆沒討成，倒先養起老丈人來，天天肉□酒地供奉他。」老王一肚子不服氣地嘀咕著，不由得想起了吳老先生的來源。

是上個月的某一天，楊先生照例去外面點局竹戰，回來時卻同隔壁方先生陪了一個風塵僕僕、蓄著兩片仁丹鬍子氣派十足的老頭兒，他們一進來老王可就忙壞了，打臉水、買香□、叫菜……直到嘉賓樓送了菜來，他才透過一口氣端著酒壺站在一旁侍候著。

主人楊先生本來是不大會說話的，今天的舌頭似乎更加不靈活了，只是嚅嚅地一次又一次地端起杯子來讓酒，一面卻不住拿眼睛去瞧方先生。

「請請——不客氣。」方先生滿臉堆著從容不迫的微笑，不住地點著筷子。一盆白斬雞剩下了幾塊頭頸，炒肚尖只餘得茭白，眼看糖醋桂魚快要翻身了，方先生還是一味地讓著菜打著哈哈，楊先生忍不住乾咳了一聲，不自然地舉起杯子。

「……楊先生為人很不錯。」方先生擱下筷子，動動手腳，似乎想伸個懶腰，但馬上覺得有生客在座，連忙收攏來，卻打了個飽噎。「的確不錯，過去我在南雄公路局工作時，那一批青年呵，都是油嘴滑舌，輕浮躁急；一個不對，就老三老四的教訓你一頓，說你思想落後，保守，虛偽……我一氣，就索性不睬他們，那時只有楊先生卻沒有他們那樣不老誠，他□□是攬『滑凍雞』、『贏金』(註)的，但很有些古文根基——現在大學生而有古文修養的，簡直是鳳毛麟角，因此我們一□一少，倒居然談得很□□，一個大學畢業的青年而沒有時下一般青年的惡習氣，□□是難能可貴的。」

「少年老成，難得，難得。」吳老先生捋著短鬚，嘉許似地向楊先生點著下巴。

「哪裡，哪裡，實在是方先生過獎了。」楊先生不好意思的咕噥著，不知怎樣一來，把筷子都□下去了。

「像楊先生這樣持重可靠的青年，將來一定是大有作為的……只可惜有一點美中不足，

註：發動機、引擎。

就是中饋尚虛，如果有一個賢慧的內助的話，那，那就更有辦法了。嘿嘿嘿……」方先生挾了一大塊鴨脯，塞住了乾澀的笑聲。

「楊先生今年貴庚是……」

「虛度三十了。」楊先生連忙擱下放進嘴裡的肉片，謙恭地欠一下身子。

「三十而立，好一個年紀！」

「吳老先生，幾位令媛？」方先生趕緊嚥下鴨脯，捉住了機會。

「二個。」

「過去在南雄工合工作的大概是二小姐吧！楊先生見過幾次，羨慕得很；今天，趁這個機會，我想冒昧做個月老，不曉得老先生意下如何？」

「這個……」吳老先生吟詩似地摸著鬍鬚；猝然間眉毛一動，笑開了口：「這個你老兄不說，我早已有心了，只是不好意思先開口，既然楊先生已見過小女，那更好了，不過……」

「是不是令嬡那邊有問題？」

「那個……大概不成問題，只要我去信徵求她的同意就得了。不過目前我的行蹤還不定，這事只有先緩上一緩。」

「現在外國通行什麼『閃電戰』，我看我們最好亦來個速戰速決，反正你老先生寶眷不在這裡，到別處去還不是耽擱在朋友那裡，我看就在這裡玩上一月半旬，等令嬡回信來了再講；楊先生這裡有的是房子、勤務。楊先生又沒有什麼公事，住下來得了，□沒有差兒。」方先生真不愧是個媒人，哩哩啦啦一說就說了一大串，說完還對楊先生眨眨眼睛。

「是，是！」楊先生馬上接過嘴來，臉上紅紅的，聲音裡洋溢著抑制不住的興奮：「我這裡空房子很多，反正也沒有什麼公辦，我馬上叫老王給老先生清一間出來。」

「那太打攪了！」

「沒有關係，沒有關係；要不是戰事，請還請不到呢！老王，老王！你馬上把樓中間房間打掃打掃，放好牀鋪桌子來，還有去把老先生擱在裕成客棧的行李搬來，快！」

就這樣，這位不速之客就在楊先生的辦公處兼住宅中住下來了。

現在快一個月，×城仍沒有信來。

「一定是個老騙子。」老王想。

●

又是一星期過去了，消耗在煙酒茶飯上的費用，足足花去了楊先生一個月的薪津及其他。一天清晨，老王終於從郵差那裡接過一封署著「吳伯軒」的信，他連忙討好地報告了主人。楊先生又立刻去隔壁告訴了方先生，方先生馬上又來到吳老先生房裡。

「吳老先生，說是你家小姐來了信！」方先生一進門就開門見山的問。

「唔！有的，有的！」吳老先生連忙捲起桌上的書，有點慌張地說；一面站起來將桌上的報紙掀掀，開開抽屜來看看，枕頭邊翻翻，又回到桌子上找找。

「咦！信呢？……我剛才看過的……放到哪裡去了，奇怪！」

方楊兩人看他找了半天找不著，也幫著來找；桌角牀底都找遍了，就差地板沒有翻身，還是不見

吳老先生氣喘喘地倒在藤椅裡，用始終握在手裡的書卷敲著桌子。

「老王！老王！」

「喏！」

「你有沒有掃到一封信，我房裡的。」

「沒有。」

「你看見沒有？」

「沒有。」

「該死的東西，這到哪裡去了！」

方、楊兩人也停止了尋找，一個抹著額角，一個在拍去身上的灰塵。

「找不著就算了，吳老先生把裡面的大意說一說也是一樣的。」方先生這才想起了重要

的是信中的意思，並不是信本身。

「哦！大意嗎？……小女只說戰事結束了，她馬上就同拙荊動身都到贛縣來，關於她自己的事……卻一句都……沒提什麼，姑娘家總是吞吞吐吐的，不好意思。」

「別的沒說什麼？」方先生望一眼臉色逐漸陰沉下去的楊先生，追問了一句。

「沒說什麼……唔！她只說其他到了贛縣再說；……兩位放心，老夫說話向來一是一，二是二，這樣一位，這個……乘龍快婿，老夫豈能輕易放過？嘿嘿嘿……」吳老先生健朗的笑聲，把兩人臉上的陰影完全掃除了。

舒適的生活，良好的營養，是很快就能填補起風塵的侵蝕的；吳老先生比來時少嫩了，柿子臉飽滿光潤了些，神采亦更豐盛了，老王數數，恰恰撕去了五十張日曆，吳老先生說要走了，去贛縣等女兒去。

老王把捲小鋪蓋，一個小提箱，和一些楊先生孝敬吳老太太、吳小姐的禮物，放置在楊先生備下的轎子裡，於是吳老先生笑得無比誠摯的向方先生拱拱手，又親切地拍拍楊先生的肩膀：

「到贛縣，一定把小女的意思親自通知你，請安心！」說著跨進轎子，走了。一副懇摯的笑容還在轎側搖晃著。

老王輕鬆地舒了口氣，暗暗地罵了聲「吝嗇鬼！」

一天、三天、五天……日子流水一般逝去，楊先生就像熱石上的螞蟻一樣，焦灼得坐也不是，立也不是，清早一起來就是問老王「有沒有信！」老王心裡明白，不覺暗暗好笑：「生單思病才划不來呢！」

信總算來了。

「信不知是『喜訊』還是『死心』？」老王估量著那潦草的封面，暗忖著，遞過信，裝作在房裡收拾東西，眼光卻偷偷地越過主人肩胛，落在信紙上：

思仁兄大人閣下……嘿！好客氣；……山城一別，寸心菀結；比想……什麼沒齒難忘，容圖後報。嚕嗦！……不日將率眷返粵……肅此……怎麼？就完了，那話兒呢！哦！有了，這角上一行小字！……小女因工作故仍留×城……

「撕拉」一聲，信撕碎了，碎片揉成一團給用力地摔在地上，楊先生憤恨地頓著腳，拳頭重重地打在桌上。

「混帳！老騙子！拿女兒來做幌子，騙飯吃。不要臉的東西！……你在這裡鬼鬼祟祟做什麼？給我滾出去！」楊先生猝然一回頭發現老王，一股無處發洩的冤氣不禁一起出在他身上，猛地把他轟出門外，房門「碰」的一聲關了起來。

「自己上了當，冤氣出到俺身上來了，這是哪來的晦氣！」老王一氣衝上樓梯，滿肚子的委屈，禁不住恨起來：「我老早就說是個老騙子，自己想老婆昏了頭，祖宗一樣的去孝敬他，什麼老先生老前輩，分明是嘴上抹石灰，『白吃』的老祖宗！」

寫於上猶・民國三十四年十一月

編註：據艾雯手記，本文原刊於《民國日報》，一九四五年十一月。

小草子

是雲高氣爽的秋天。

一枝衰老的勤草曬在溫暖的陽光裡，輕輕地、緩緩地給他們那一群兒女們講述一個故事……

「後來怎樣呢？」小草子擠在一群哥哥姊姊間，睜大了眼睛問，她跟他們一樣，是個圓圓的淺褐色的身體，不過她的更小，顏色亦最淺。

「後來，後來就生下了你們，我也老了。」勤草翕動著皺嘴，用一句惋惜的感歎，結束了漫長而動人的奮鬥史：乾枯的老眼潤濕起來了，美麗的往事，燃起了她褪失的青春，哀憊枯黃的身肢醉了似的在微風裡搖晃著。

「媽媽的一生多偉大呀！」小草子想：「她獨個兒給風公公發脾氣拋到這裡來，沒有媽媽，哥哥、姊姊、弟弟、妹妹能夠活下來……哦！媽媽，風公公現在可會發脾氣呢？」

「那個……會……不會吧！我想。」勤草遲疑地說，她不敢斷定，但她希望永遠不再有那麼一回事。

「我猜不會，」小草子望望天空，肯定地說。天空是一片藍，輕風正伴著朵白雲，就像母親推著她躺著小寶貝的坐車，緩緩地在藍寶石的坦路上徐行著，有時也伸隻手下來，摘幾片樹葉，讓他似蝴蝶般滿天飛舞；或抓一把灰沙，教他們盲目地奔馳，翻著觔斗，但這不能就算是他的壞脾氣，不是嗎？有時誰都愛開一下玩笑的；就是媽媽有時也會藏起一件玩具或打一個哄騙來逗她親愛的孩子。小草子不相信風公公就有那麼壞的脾氣，你看他平時多和善：那樣輕輕地拍拍樹木，樹木就快活得全身晃起來，枝葉軟軟地在空中飄呀飄的，輕柔地吻著花朵，花朵就笑得更顫抖了，甚至抖下了瓣瓣粉淚。就連芊綿的小草在他的撫吻下都高興得軟綿綿地跳起舞來，媽媽都曾經情不自禁地陶醉過幾次哩！小草子記得，他還有一種能耐，就是替善唱的鳥兒播送音樂。將那婉轉、清麗的歌曲抖抖地送進每一隻能聽的耳朵。還有，還有布散花姊姊的芳香……哦！這不僅是和善，簡直是可愛，可愛極了，小草子就喜歡他，這麼一個好風公公，怎會有這壞的脾氣呢？不，不會。「他一定不會的。」

「要是風公公把我們拋了，那該怎麼辦？」好奇的哥哥瞪眼向大家發問。

「那我一定會急死去的。」膽小的四姊把臉都嚇白了。

「還有地鼠呢？牠會把我吞進肚皮。」怯弱的五哥說著緊緊地貼住了媽媽。

「要我，我就學媽媽的樣，奮鬥下去。」大姊昂然地很得意自己的膽量。

「我呢？」頑皮的三哥抓抓頭皮，一眨眼出了主意：「我就抓住風公公的衣角，讓他帶我玩個痛快。」說著搭拉著臉，叉開手做了個滑稽的姿勢，小草子忍不住捧著肚皮笑起來，忽然耳朵痛辣辣的，那隻叉開的手神不知鬼不覺的又落在她頭上了，真不作興！三哥老是欺侮人，她正在想叫起來，卻聽現大哥的聲音在喚她：

「小草子，要是妳，妳怎麼呢？」

「她嗎？她還不是哭著喚媽媽？」三哥搶著答。

小草子可急了，腮幫子漲得像只大紅柿子，心裡就似有只灌了氣的汽球頂住喉嚨，不知怎樣說才好，一抬頭，卻見大姊那對亮晶晶的眼睛，正鼓勵地望著她，胸脯一挺，勇氣可就上來了。

「我跟大姊一樣，學媽媽。」

「好一個小英雄！」

大姊高興地笑了，二哥向她伸出了大姆指，媽媽連忙一把把她攬在懷裡，連稱著「好寶貝」，小草子驕傲得從心眼裡笑出來，一頭直往媽媽懷中鑽去……忽然身體那一晃，大家不約而同地驚訝起來；趕緊立穩腳步站起來一看，喲！怎麼搞的？天上的小白雲正惶恐地奔逃著哩，就像被獵犬追逐著的小白兔兒一樣，後面一大片黑壓壓的烏雲窮凶極惡地衝上來，一面呼嚕呼嚕地怒吼著，趕過藍天，趕過太陽，眼看白雲就要給吞沒了。正在這時，小草子腳下的房子強烈地顛簸起來，媽媽全身震顫著，臉上的立刻像給風雨摧謝的花朵般收斂了，哥哥姊姊們也嚇得屏聲懾氣，不敢亂動，小草子覺得就像乘著一葉小舟，在波濤萬丈、風浪掀天的海面上簸蕩。呼嚕呼嚕的聲音越來越大，顛簸亦越來越厲害，小草子的頭馬上暈起來；二條腿晃呀晃地直往下墜，昏亂間她看見媽媽的臉色駭得黃裡泛白，渾身都索索地顫慄著，猝然一個猛烈的大波動，她就什麼都不知道了。

小草子醒來時，覺得身上哪裡很痛，而且冷得手腳都痲了，她擦擦眼睛向四面一望：噯！這是在哪裡呀？那麼黑黜黜的，到處都是高高低低的褐色巴巴，四周一群看起來那麼冷漠而乾瘦的陌生人，小屋子沒有了，媽媽哥哥姊姊也都不見了，這是怎麼回事呀？小草子糊塗了，迷惘間忽然覺得臉上癢癢的，一轉臉，卻見一個全身穿黑制服的大螞蟻，正用兩根觸鬚觸她。

「螞蟻先生，你有沒有看見我媽媽？」小草子輕輕地、軟軟地問。

螞蟻聳起觸鬚，瞪著她。

小草子又輕聲軟氣地問了一遍。

「什麼？誰知道；我工作還忙不了，還管媽媽！」螞蟻驕矜地昂著頭，跨開大步走了。

小草子心裡一陣難過，想哭了，但馬上記起媽媽的話：

「好孩子是不哭的。」於是眨了眨眼睛，又輕輕地去推著靠近她的一枝蒼老的莞草。

「好伯伯，你能告訴我媽媽在哪裡嗎？」

莞草垂下眼簾，高高地俯視著小草子，皺紋的臉皺得更厲害了。然後從鬍子裡擲出了一句生硬的答話：

「我不曉得。」

「又是一個給風公公放逐的孩子嗎？」一枝瘦長的菅草問。

「可不是！」莞草搖搖頭，很不耐煩地。

「什麼？給風公公放逐的孩子？」小草子警覺地震了一下，她記起來了：先是媽媽在講故事，講完了，大家就說著玩兒，忽然間天上的白雲就奔逃起來，呼嚕呼嚕地，他們的房子也就動搖了，越搖越厲害，越搖越厲害，一下子，小草子可就糊塗了！醒來卻在這裡……那麼這，這一定是跟媽媽一樣，給風公公發脾氣拋到這裡來了。天！我現在可不是獨個兒了！哦！沒有媽媽哥哥姊姊，一股腦兒剩我獨個兒，多可怕呀！小草子心裡一急一怕，就忍不住閉住眼睛傷心地哭起來！

「荷荷荷、荷荷荷！」

「不要怕，小寶寶，有我在這裡呢。」一個柔和的聲音像音樂般在小草子身後響起。小草子停止哭泣，驚異地睜開眼來：四面仍舊是一堆堆的褐色巴巴和一群漠然的陌生人，小草子想是自己聽錯了，於是又闔上眼哭起來。

「別哭了！好孩子是不哭的。」柔和的音樂又響起來了，彷彿是在身體底下，又彷彿四面八方都是，小草子擦擦眼睛東張張，西望望，仍舊什麼也不見。

「是誰在說話。」

「是我，肥沃的土地。」

「妳在哪裡呢？我看不見。」

「在妳身後，你試把臉轉過來，這樣……對了。」

一轉臉，小草子看見一副慈祥的笑容，正親切注視著她哩。臉是棕褐色的，和藹、安詳，一見就教人感到她的親切可愛，在她和善的臉上，結實的胸脯上，壯健的身軀上，綠絨似的草叢，星星似的小黃菊，密密地布滿著，就像人身上的汗毛一樣。

「妳不用怕，在這兒我會好好的招扶妳，跟招扶別的孩子一樣，」肥沃的土地輕輕地給小草子拭去了眼淚，安慰著她。

「別個孩子？」小草子有點不相信自己的耳朵，「妳不是說同我一樣，被放逐的孩子吧？」

「怎麼不是呢？」

「那麼他們也是給風公公的脾氣拋到這裡來的嗎？」

「是的，好孩子，風公公每年都要給我帶許多許多像你這樣的孩子來。尤其是在秋天，他那壞脾氣才開始的時候。」肥沃的土地說，望了一眼在草叢上滑過去的風的裙角。

「妳怎樣招扶他們呢？我是說那些放逐的孩子。」小草子靠近一些，土地那新奇的述說和溫和的，一直暖到心窠的聲音，使她暫時忘記了自己的悲傷和疼痛。

「我嗎？我□飽他們的小肚皮，用我的乳汁：當嚴寒的冬季來臨時——那是很冷很冷的天氣，你們如果裸露在外面一定會凍死的，我讓他們住在我的屋子裡，用我的體溫供他們取暖。這樣一直到春姑娘來敲冬佬佬的大門時，他們才重新活躍起來，身體也慢慢地長大了，過了不久就同他們一樣；」肥沃的土地說著用手指了指爬滿在她身上的叢草：「在我身上一個一個地鑽出來。」

「他們統統都會大起來嗎？」

「不，他們不會個個都長大的，有的給風公公拋在邦硬的崖石上，冰冷的水裡，或者瘦得要死的瘠地中，他們便會枯死或腐爛了，身體孱弱的也不容易萌芽，還有生病咧！受寒咧！壓傷咧！都能妨礙你們的生長，就是最強壯的孩子，長得滿好滿好的，半途有時也免不掉給地鼠吃掉。講起來，你們能夠從草子長大成草，也很不容易哩！」說完，土地深長地吸了口氣，彷彿走完了一段漫長的路程似的。

「唔！」小草子聽呀聽的，聽出了神，半晌才大大地透了口氣，心裡跳呀跳的，又喜歡又害怕，眼睛亮得像一滴朝陽裡的露珠，久久地望著土地。身子不由自主的貼得更近了些。

「妳是多麼的多麼的好啊！肥……的弟……」

「肥沃的土地。」土地糾正她，「不過孩子們都喚我作土媽媽。」

「土媽媽：妳……妳可許我這樣叫妳？」小草子紅著臉迫切地望著土地，怯怯地試問著。

「當然可以。」肥沃的土地微笑著，輕輕地撫著小草子。

「呵！土媽媽，土媽媽！」小草子的眼睛潤濕了，她伏在土媽媽溫柔的胸脯上，熱烈地吻著，小鼻子撞呀撞的，原是悲哀的心裡，像闖進了一大堆陽光般，熱辣辣的，眼淚就像一群頑皮的小精靈，一個追逐著一個……從小草子的眼眶裡溜出來，浸潤了她的臉頰，也浸透了土媽媽的胸膛。

天一天比一天冷了，太陽慢慢地減低了他的溫度，風的脾氣亦越來越大了，成天揪著樹葉，拋著灰沙，碧綠的青草凍得去了顏色；小黃菊美麗的花容凋謝了，抖著僅有的幾片枯葉在寒風裡瑟縮著；寒冷阻塞了大自然的音樂家——鳥兒們的歌喉，不再在枝頭播送美妙的歌曲。永遠忙碌的螞蟻停止了工作，躲進地底的王國，各種禽獸都為自己安排下各種各樣躲避風雪的洞或巢，乖乖地躲藏起來。

冰雪封□了大地。

土媽媽寬廣的懷抱是多麼地溫暖呀！小草子舒服地躺在那裡，沒有風雪的欺侮，也沒有寒冷的虐害，靜靜地躺著躺著，夠寫意的，只有一樁事有點不痛快，第一是要提心吊膽地提防地鼠的侵害，那真是狡猾，可惡透了的壞蛋，好心的土媽媽常常為孩子給那貪婪的壞東西偷吃了而傷心，或是害怕孩子被□盜去而憂愁，小草子雖然沒有見過，可是土媽媽給她說過，尖嘴巴，稀稀的鬍子，小得一點點的眼睛和一條細細的、長長的尾巴，還有一個圓圓的永遠填不滿的肚皮，總是偷偷摸摸，鬼頭鬼腦想騙搶一點東西來填牠的大肚皮。小草子把土媽媽形容的話在小腦袋裡描繪了一個輪廓，那可真醜極了！就是牠不會吃草子，小草子亦不會喜歡牠。何況，何況牠又是那麼惡毒呢！小草子恨死牠了。大姊說過：「欺侮弱小是不作興的。」她記起了大姊講的「原子蛋炸醜倭子」的故事，要是有個原子蛋多好！頂好還要多點：轟隆轟隆！統統把牠們炸光去，炸得牠們跌跌衝衝連一條尾巴都不剩，看牠們還敢吃草子不？小草子想著想著，好像真的下了個原子蛋，真把地鼠給炸死了，死地鼠鼓著個大肚皮直硬硬地躺了個滿地，這一下可忙壞了螞蟻們；一大批一大批像去開什麼紀念會似的，奔來奔去，統統爬到了死鼠身上，東拱拱、西嗅嗅，搬又搬不動，咬又咬不下，只急得直打轉轉，小草子想呀想的，好笑起來，忽然切立擦拉地一陣吵鬧，還夾著嚶嚶的哭聲和悽慘的嗅聲，死鼠不見了，螞蟻亦不見了，小草子直覺地知道地鼠又在吃她的同伴了，心裡只覺得「嗶卜嗶卜」的跳起來，屏住氣，連呼吸都不敢透，半晌，直到切立擦拉的聲音沒有了，才透過一口氣來，手和腳，已冰冷的了，這時土媽媽又眼眶紅紅地哭喪著臉跑來說：

「唉！可憐的孩子；又去了七個。」

這是一樁提起來就使小草子頭痛心慌的事，還有一樁叫小草子打不起勁的，就是寂寞，沒有人玩也沒有人講故事，只獨個兒冷清清地躺著，雖然土媽媽的愛護足以溫暖她的小心，但她要照料的孩子是這麼多。而那些孩子又完全被分別安置在各個小房子裡，小草子從來不曾見過他們，他們也從來沒有見過小草子，幾番三次小草子要求土媽媽讓她見見那些小伴伴，但土媽媽總是搖搖頭說「不妥當」，而且，而且在一起地鼠吃起來就更容易了。多麼地寂寞呀！獨個兒只是獨個兒；小草子常常想起媽媽，想起媽媽那黃顏色的頭髮總是軟飄飄地披覆在他們身上，扁嘴扭呀扭的，老像在嚼東西，笑起來，眼角就皺起了兩條魚尾巴，她又想起同哥哥姊姊在一堆擠著玩著的情景，三哥總是欺侮她，揪她的頭髮，扭她的耳朵，定要弄得她哭喊著起來，頂疼她的大姊就立刻跑來，罵著嘻皮笑臉逃開的三哥，一面著她說故事，唱歌子……哦！多有趣呀！她寧可讓三哥來拉她扭她，只要他們能在一起……她又想起那藍得像要滴下來的天空，亮得像眼睛的太陽，常常替她洗浴的小雨滴……哦！哦！多好玩多可愛啊！她想著想著，好像自己又回到了家裡，小雨滴正把她洗得清清潔潔後，悄悄地走了。太陽從藍藍的天空中伸出千萬隻溫柔的手指來，輕輕地給她抹拭著，覺得渾身暖洋洋軟綿綿地，連一絲勁都沒有，閉上眼，身子就像給小白雲駕在半空中，一塊塊淺藍淡紅的雲彩，那樣慢慢地展開來，展開來，都變成成了鮮美的花朵，□□一點點閃來閃去的金□□那可真美極了！小草子動都不敢動，生怕嚇走了這般美境，可是忽然間那些花呀星□□晃起來，搖呀搖的，從那裡又鑽出一個人來，唉！是媽媽哩！看她揚起手，扭著扁嘴正要向小草子說什麼，從她背後跳出一個老頭兒來，長牙齒，大嘴巴，黑鬍子就像一把媽媽洗衣服的刷子，多可怕呀！小草子正要喊起來警告媽媽，可是張開了喉嚨卻發不出聲音來，只那麼一撲，媽媽就給老頭兒抓去了，只見一塊墨黑墨黑的東西又向她壓下來……

「媽媽！媽媽！」小草子頓著腳狂哭起來；昏亂間好像聽得有人低低地喊著「小草子、小草子。」接著一隻溫暖的手按□□她的額角。

小草子猛地睜開眼來，透過模糊的簾子似的淚水，發覺自己還是在漆黑陰暗的小房間裡，土媽媽正彎著腰俯視著她。

「怎麼了？小草子，做了惡夢嗎？」土媽媽柔聲地問，輕輕地給她拭去了眼淚。

小草子沒有回答，只是傷心地抽噎著；眼淚像泉水般湧出來，湧出來……

日子一天一天在沉悶中打發過去，小草子越來越抑鬱，成天悶悶不樂地不吵也不笑，有時整半天都不開聲，食量也減少了，豐滿的兩頰逐漸凹進去，一天，土媽媽覺察了這點，把她攬在懷裡，憐惜地吻著她的額角。

「好孩子，不要不高興，春天一來，妳便可以出去玩耍了！」

「要幾時來呢？春天。」小草子好像在黑暗裡發現了一顆星星般，絕望的小心眼裡亮起了一點希望。

「快了，當妳聽到地面上有嘈雜的聲響，而氣候不再這樣寒冷時，那便是美麗的春姑娘挽著裝滿新生，喜悅和溫暖的大籃子來播散了——那是個用虹霓的嬌豔，太陽的金線，天壁的藍輝，花朵的瑰麗和許多許多深、淺、濃、淡的綠彩織綴的籃子。非常非常的好看，那時所有被放逐的孩子，都要換上他贈送的翠綠色新衣，一個一個地鑽到地面上去，哎，那上面真熱鬧極了，我說都說不上來。」

「好玩，好玩！」小草子拍著手叫起來，喜悅輝朗了她愁苦的臉蛋，「那時我當然可以看到我媽媽囉！」

「不，妳媽媽因為帶你們太辛苦了，要休息休息哩。」

「在哪兒休息？」

「在天上。」

「要休息好久好久嗎？」

「要休息好久好久。」

「那我不是一直都看不到媽媽了！」小草子心裡一酸，又要哭出來了。

「別急！還有哩！」土媽媽看見她要哭，趕緊安慰她。「妳媽媽會看得到妳的，當妳睡得甜甜的時候，她會悄悄地來吻妳的臉頰，給妳祝福有一個愉快的明天。而且，而且妳真的要見她時，亦可以在有月亮的晚上，什麼都睡熟了的時候，妳口裡低低地唸著她，心裡想著她的模樣，這樣唸著想著，妳便可以看見妳媽媽輕悄得像輕微的微風，柔和的空氣般，出現在她心裡，也出現在妳眼前。」

「噯！我曉得了，我曉得了……」小草子像發現了什麼寶貝般，眼睛明亮起來，「媽媽一定是做了仙子了，跟大姊故事裡講的一樣：住在頂高頂高的天上，穿著雪白雪白的衣裳，走起路來輕輕的，一點聲音都沒有，是不是？」

「對了，差不多是這個樣子。」土媽媽順著她的口氣說，瞇著眼睛笑起來。

「啊哈！媽媽做了仙子了，我頂喜歡頂喜歡仙子了。土媽媽妳可喜歡仙子？」

「喜歡。」

「是了！我相信沒有什麼人會不喜歡仙子的。哦！土媽媽！那我大姊他們可會同我一樣，在妳身上玩耍呢？當春姑娘來了的時候。」

「會的，不過有的在好遠好遠的地方，妳看不見罷了。」

「要是妳看見了，告訴我好不？」

「當然好，睡吧！好孩子，我將去照料別個孩子了，妳的身體很壞，也該弄好來，這下不要再發愁了，春姑娘可不喜歡孱弱的孩子哩。」

小草子果真不再愁苦也不再做惡夢了。每天只是想著許多美麗好玩的事情，唔！她穿上翠綠的新衣，不跟媽媽、菖伯伯、茜姨一樣是大人了嗎？那她一定要學得更乖更懂事些⋯⋯

當壓蓋地面的冰雪融化成水流滲入泥土後——土媽媽說那是春姑娘在解除冬佬佬的武裝，天氣又一天比一天溫暖口來，小草子的身體彷彿亦隨熱度膨脹了，那件舊的褐色小衫緊緊地裹在身上，捆得她連氣都喘不過來，在一個清晨，她從睡眠中醒來，大大地伸展一下手腳，忽然擦拉一聲，襖子從頭腳裂了一條小縫，結實的胸脯像被手指捺下的皮球般，卜的凸了出來。

「好舒服呀？」小草子大大地舒了口氣，望著那袒露在外面豐潤淺黃的胸脯，臉上浮起了一層羞慚而又驚喜的紅雲。

「土媽媽、土媽媽，這是怎麼搞的呀？」

「怎麼了？小草子？」土媽媽趕緊跑過來問。

「我的⋯⋯衣服破了。」小草子不好意思地埋下了頭，想拉攏敞在兩旁的衣服，然而足足差了一大截。

「嗨！多漂亮呀！小草子，恭喜妳長大了。」土媽媽高興地俯下頭來吻她美麗的胸脯，小草子感到一陣幸福的微癢，就像拿一根鵝毛在她身上輕輕地拂拭似的；她忍不住跳起來挽著她的頭頸，在額上、臉上、眼上印下了無數的吻。

春姑娘終於來了，不是嗎？聽那淙淙的溪水掙脫了冰雪□固的活躍聲，清麗的黃鸝初試歌喉的歡唱聲，剩雪的融解聲，爬蟲的悉索聲，種子萌芽的輕微得只有土地聽得見的「嗶剝」聲……各種各樣聲音匯成了一股輕流，歡喊著春天來了，春天來了！小草子豎著耳朵，摩摩頭皮，試試健朗而尚有點怯弱的腳步，心裡直癢得難熬。

「土媽媽，讓我去外面罷！看我的腳已長得結實了。」小草子苦苦地向土媽媽懇求著。

「外面冷哩。」

「我不怕，我會抵抗，那怕是大風還是冰雪，我已經長大哩！」

「那麼去罷！心急的孩子。」土媽媽憐惜而略帶責備的允許了，給剝下了小得不成樣子的褐襖。

小草子望望自己長得茁壯的胸脯，高興得跳起來，接受了土媽媽的祝福與吻，便閉上眼，用力往上一挺，土媽媽趕緊抱住了她那些白嫩的小腳。

「輕點咧！別一股腦兒竄出去了。」

小草子吸口氣再用力一竄，猛可寧丁覺得頭上一空，要不土媽媽抱住腳，那收不住的一股力準會把整個的身體射到不知哪兒去。這時嘈雜的聲流就像剛剛倒翻了一大桶蜜蜂一樣，轟然湧進了耳門，強烈的光線亮得直刺眼，小草子覺得有點昏眩，閉了陣子眼再打開來看時，哎喲！哎喲！多…多…多麼地可愛呀！那碧藍碧藍的天空藍得那麼嬌，那麼明□輕柔的白雲就像一個個皎潔的仙女，駕著她懸白帆的小舟在平靜的藍海裡飄游；太陽的圓圓臉比去年更紅了，他的情感是多麼地熾熱呀！一見面就是熱烈的擁抱：風這時看起來一點脾氣都沒有，偷偷地吻吻這個又調皮地扯扯那個，柳樹伸長婀娜的腰肢，吐出一個個嫩綠的新芽，桃樹亦興奮得露出淺緋的笑靨，嬌小的翠鳥，玲瓏的金絲雀，善唱的黃鸝，以及頑皮愛吵的麻雀，滿天的追逐，滿地的跳躍，讓成串銀笛似的歌聲，在沁涼清新的空氣裡浮沉，周圍那些漠然的陌生人和褐色的巴巴都不見了，只見綠汪汪的一片都跟小草子一樣的小同伴。這一切的一切都那麼生氣勃勃，那麼親切可愛，再看自己也不知在什麼時候披上了一件淺綠的衣衫。小草子，只興奮得身體直哆嗦，怔怔地像鄉巴佬進城一樣，連個好都叫不出來。那些同伴見了她一起微笑著向她點頭招呼：「好呀！小妹妹！」

「你們好呀！」小草子靦腆地點點頭又彎彎腰。

「妳這一冬在哪兒歇呀？」一枝長得頂高頂綠的小草問。

「在土媽媽那裡，你們呢！」

「我也是。」「我也是。」「還有我。」「還有我。」許許多多聲音，嘰哩喳拉地爭著回答。

「你們都是土媽媽的好孩子，我的好寶貝，相親相愛地在一塊兒玩耍，一塊兒學習罷！我會教你們功課，帶你們遊戲，直到你們長大的時候。」春姑娘——打扮得像土媽媽所說的那樣美麗，踏著悄然的腳步走來，溫柔地輕吻著他們中的每一個，又輕盈地走了，走去忙著她的工作。

小草們彼此點著頭，擺著腰，快樂得像什麼似的，看哪！小朋友，那一片碧綠的絨氈似的草原上，盪漾著輕微的波濤，不正是他們一起彎下腰，一起抬起頭，在春姑娘的領導下做柔軟操嗎？

編註：據艾雯手記，本文原刊於《大地月刊》，一九四五年。

母與子

戰火逼近了上海，陸皓匆忙地拜掃了母親的墳墓，便飛來台灣依靠一別兩年的父親。剛巧父親出差去了台北，一個人在人地生疏的B市，真感到百般的無聊。

父親服務的糖廠裡，借給他一輛自行車，讓他漫無目的地在大街小巷裡東衝西闖。第三天的晚上，他無可無不可地在一家電影院門口停下來，放映的是〈風月恩仇〉，要是在上海，他會根本不屑一顧的。可是，管他呢，反正是排遣時間，他買了票子走進鬧哄哄的影院。他脫下了派力士的西裝，隨手擱在旁邊空位上，展開說明瞧著。隔不多久，覺得眼角彷彿有什麼在晃動著，隨著一陣陣馥郁的香味送進鼻子，他猛然怡起頭來，一位女士正站在面前驚異而熱切地打量著他。豐滿的胸脯，健康色的皮膚，橢圓形的臉上配著一副勻稱的嘴鼻，靈活柔媚的眼睛上羽扇般展開著一排長長的睫毛，藍色的綢衫上束著乳白的皮帶，渾圓的腳踏著一雙白色高跟鞋，有著熱帶女子的範型，卻沒有她們那濃豔的裝扮，雍容端麗，別有一種神韻惹人注目，她碰見陸皓審視的眼光，略為局促地掠一下鬢髮，收斂起突兀的表情。

「請問，有人沒有？」是很清脆的國語。

「沒有，沒有。」陸皓有點慌亂，連忙拿起外衣，讓那位漂亮女士成為芳鄰。

「謝謝！」

陸皓假裝著環視全場，一次、二次、三次地用眼角睥睨著她，她顯得那麼矜持地凝視著說明書，睫毛像含羞草般微闔著。

「很美，尤其是眼睛。」他想。

片子可不大好，演不了多久一定有一段空白。

「怎麼這片子這樣壞！」陸皓忽然自語著。

「這裡總少看得到好片子。」她同感地說，「上海一定好得多吧！」

「那自然，新片子，外國片子，首先就在那裡開演——密斯去過上海沒有？」片子的好壞在他正是不相干的事了。

「不曾，但那十里洋場我一直憧憬著。」

「單在上海玩玩尚還不錯，一切享受，應有盡有，不過住久了卻使人厭膩，還不如這裡來得清靜。我雖只來了三天，美麗寶島的盛名是久已傾慕了。密斯是本地人吧？」

「是的，但我祖上是從福建遷移過來。先生來這兒是？……」

「探親，家父在這兒糖廠工作。」

在黯淡的光線裡，陸皓看見兩顆炯灼著熱情驚喜的黑眼珠，又似星星般盡在自己身上閃爍不停。

「尊姓？」

「陸。」

「哦！」她似若有所得的低喚了一聲，眼睛裡流閃著親暱欣忭的光彩，就像要奔流出來擁抱誰一般；但一轉念又止住了，只是神祕地望著陸皓一笑。

姓陸有什麼好笑？但笑得可真嫵媚，笑得陸皓有點心旌不定，正待動問她姓名時，戲完了。人群騷動著像攪翻了的蜂窩，他拿著外衣跟著她向人縫裡擠去，才走過二排座位，斜刺裡卻衝進三個軍人來，眼看同她的聯繫給隔斷了。他狠狠地瞪了他們一眼，悵然若失地朝停車處走去。正在他向車童交出號牌時，一個女郎推著自行車緩緩地過來，藍色的衫裙在晚風裡飄揚著，不是她是誰？陸皓黯然的臉部立刻輝朗了，他點點頭，她也點一點頭，他緊一步推著車子迎上去。

「沒什麼意思。」迎著她的意思說。

「現在一般國產片子老是拿什麼人情味號召著，在我看來，倒反有點不近人情。你看那做母親的有多愚昧！」

「的確愚昧，妳一定很愛看電影吧！」

「不一定是愛，只是這裡沒什麼娛樂，三天一次電影就成為唯一的嗜好了。」說著一隻腳試了試車踏，是準備上車了，陸皓左右一望，有了主意。

「肯賞光去吃點冰不？」

她遲疑了一下，輕微地點了點頭。

戲院對面一排好幾家飲冰室，女侍全像花蝴蝶般忙碌地穿梭著。他們揀一家幽致些的進去坐下。

「妳吃什麼？」陸皓把牆上的條子都看遍了，決不定叫什麼好。

「鳳梨冰。」

陸皓對站在旁邊的女侍伸伸指頭，要了二個鳳梨冰。

「你也愛吃這個？」

「跟著妳吃總不會上當的。」陸皓調皮地說：「其實連鳳梨是什麼我還不知道哩。」

「鳳梨就是波羅蜜。酸酸的，很夠味。」

「凡是有酸素的東西，都是妳們女性眷愛的。」

她的臉彷彿因他的孟浪而泛紅了。她瞅了他一眼，不作聲地俯下頭去攪杯裡的冰屑。

「對了，我還不曾請教妳尊姓大名哩。」

「姓名只是人的符號，你認得我本身就得了。」

「那妳為什麼又問我呢？」陸皓不服氣地責問。

她低下頭笑了，笑得又那麼神祕。

這是怎樣的一種女人？他在上海交結的女朋友也不少，有驕傲的、有柔媚的，也有矯揉造作的，但這樣的女人，混合著少婦的風情和少女的尊嚴，神祕得像一個謎似的女人，卻真教人難以捉摸。

「一個人對一個人。總該有個稱呼，妳既不願告訴我妳的姓名，那麼讓我替妳取個我認為是最適合於妳的符號可不可以？」

「你是說替我取個綽號？」她頗感興趣地問，「可不許罵人。」

「叫……叫……叫白玫瑰。皎俏、美麗，卻滿長著刺。」

「你是在唸讚美詩了。」她顯然給他的諂諛弄得有點不好意思。

「告訴我，」陸皓堆著一臉懇求期盼的神情，把頭湊近她，「怎樣才能不觸犯那尖利的刺呢？」

「別惹她。」

「但她的美麗誘惑著我，迷醉了我。」

她顯得那麼不安地用銀匙敲著冰塊，兩頰湧上了可愛的紅霞。

「那我只有不惜犧牲的攀去，讓刺刺得我鮮血淋漓。」他喃喃地，擺著一副信徒們預備殉教的神氣。

她試著擺出尊嚴來想阻止他的囈語，但沒有成功，只有裝作不曾聽見，避重就輕地想出了另一個問題。

「哦！陸先生，最近國內的情形怎樣了？」

陸皓想不到她有這麼一著，頓了一頓，只得收拾起正待發展的羅曼史，心神不寧地說：

「這個，一言難盡。」

「我只希望有一天能回中國去遊歷遊歷，領略一番上海的繁華，蘇杭的風景，北平的古蹟，首都的名勝，還有還有……我們的國家實在太大了。」

「福建離這兒很近，要回去也不難。」

「是的，去國的機會也許很多，可不一定回福建，或許先拜會你們貴省哩！」她含笑挑逗地望著他。

「那我一定無條件地充任特別嚮導。」陸皓也笑著說。

「如果去你府上呢？」

「更十二分的歡迎，準使妳賓至如歸，再不想回台灣了。」

「當真嗎？」銳利的眼光像要洞穿對方的心胸似的。

「傻子才會推卻無比的榮幸。」

「我記著你的諾言。」滿臉的興奮，一種孩子氣的熱情，使她看來更年輕了些，「是回去的時候了。」

「不可以多待一會？」想著返旅社後的寂寞和她的風趣，陸皓懇求。

「不。」

「家裡有人等？」

頭輕輕地搖了搖，手裡已提起了皮包。

「那麼，可許我送妳回府？」

睫毛那麼眨一眨，像一個母親允許她兒子的要求般：「也好。」

走出冷飲室，二人並駕□□地馳□□□滑的馬路上，行人已經稀少了。一路上，陸皓不住暗暗地欽佩她的騎術，看她身輕如燕，操縱自如，經過僻靜的馬路時，就像從□嶺滑雪般，飛似地溜滑過去，他的自由車在內地也算騎得不錯了，可是跟她一路還得費一點勁，他心裡默記著經過的路線和路名。

轉過幾條大街便折入南京路，這一帶全是住宅區，路畔蔥鬱地長著樹木花草，兩旁都是一幢幢日本式的小巧的住房。周圍是那樣地幽靜，靜得只聽見車輪磨擦地面的「嘶嘶」聲，朦朧的月光更給這情景增添了無限詩意，陸皓不由得感慨萬千地降慢了速度。

「多美，多美的島國之夜！」

「有什麼感觸？詩人？」她側臉望了他一眼，亦緩緩地踏著。

「不僅感觸，竟然是陶醉了。」

「究竟是學文學的。」四分誇讚，六分嘲諷。

「妳怎曉得我是學文學的？」陸皓有點愕然，這個神祕的女郎還是個精靈不成。

「從你的言語和態度上看出來的，」她狡黠地笑著，又加快速度一溜煙的馳去，消失在一個抹角處。待陸皓趕去，她已在一家門口下車了，綠門裡是一個小小的庭院，柔和的燈光透過緋色的窗簾，灑落在牆頭一排排小燈籠似的紅花上。她按一下電鈴，隨著一陣木屐聲，下女拉開了門，她一手扶著車，有點兒躊躇，片刻的沉默逗起陸皓無限惆悵，他伸出了手，乞求似的。

「可否允許我下次的拜訪？」

「當然可以，隨便什麼時候。只要你高興，你可以隨時獲得允許，門總是為你開著的。」她忽然顯得特別和藹溫柔，完全以一個主婦的熱誠向著他。沒有□他的手，卻舉起來揚了揚。

「再見！」

「再見！願好夢伴妳到天明。」

翌晨，陸皓特別仔細地修飾了一番。照例驅車去糖廠探詢父親的行蹤，可是那裡沒有人能答覆他的詢問，他忘了今天是星期日。去她那裡吧，這樣的清早不嫌冒昧嗎？中午是人家吃飯的時候，下午，迫切的心情可不容他等待，去！她不是親口說，「隨便什麼時候。」

應門的竟是她自己，今天換穿了黑色的派力司旗袍，頭髮長長地披在肩背上，鬢角還斜插了兩朵茉莉，更現得婀娜、嫵媚，她親切而帶著匆遽地，引他進入整潔、雅致、榻榻米鋪得厚厚的小客廳裡，親自為他端了杯茶。

他被她的殷勤和禮貌弄得局促起來，還不曾開口，她已閃電般來了突擊。

「還不曾見到令尊吧！」她在他對面的椅子坐下來，但馬上又站起來投入另一只沙發裡。

「是的，我剛才從糖廠去來。」陸皓訝異地說。

「你準是想說妳怎麼曉得，其實一個人內心的苦悶是掩飾不了的，不過自己有時不覺得。」

「妳倒成為福爾摩斯了，善於察貌辨色。」

「是真的，一個人跑來異鄉，找不到熟人是最寂寞了。對啦！我給你引薦一個人，準教你一見如故。」她說著活潑地跳了起來，走到掛著門簾的寢室外，輕輕地喚了兩聲，隨著一陣拖鞋「梯搭」聲，一個身材魁梧，穿著寢衣的中年人揭開門簾走出來，就在這一剎那……

「爸爸。」陸皓像觸了電般倏地站起來。

「咦，皓兒！你哪天到的？怎麼曉得我住在這裡？」驚喜興奮極了的父親，不等兒子期期艾艾的答覆，馬上又向他伸出手來：「過來見見，這是你繼母！」

陸皓無地自容地陷落在窘迫、惶悚中，聽見父親的吩咐，頓了一頓，漲紅了臉，趑趄地移前兩步，鞠下躬去，一個「媽」字在喉嚨頭打了十七、八轉，才吐出一點點聲音。

她咬緊了嘴唇，還下禮去，但彎下了腰卻直不起身子，迸住一口氣逕向房裡跑去。

「又孩子氣了，叫一聲媽就高興成這樣了。」目送著她的背影，做丈夫的半笑半惱地責備著。

從房裡轉出來的是一種被遏止的，躲在被窩裡的笑聲……

編註：本文原刊於《中央日報・副刊》，一九四九年五月二～三日，第五版。

沙灘上

沙灘靜靜地伸展著，從一個拐角處到另一個拐角處，蜿蜒地偎依著河流。

這裡雖不像專供人憩息的，像游泳池畔的沙灘般柔軟、細緻，會誘人在上面睡一睡懶覺，伸展一下肢體；但這裡除了洗衣婦與挑水夫，也不少悠然蹀躞的閒人，和削著水片的孩子，不過這都在傍晚罷了。而當驕陽當空時，它總是更加靜穆安謐的。

今天，當午的春陽一樣的矯健，沐著陽光的河水一樣的潺潺而流，然而該安靜的沙灘上卻不安靜了。嘈雜的聲浪吸引著人們，吸引去人們更擴大了的嘈雜，瀕水的一角就如同發現了蟲殼的螞蟻般，麕集了黑壓壓的一大堆，岸上仍繼續地投來好奇的探詢與腳步。不是賽龍船的端節，不是玩龍燈的正月，一泓緩緩的流水，豈又能吸引那麼些顆給生活磨蝕得庸漠的心？然而圍集的人群自動地分開了一條路，讓出一些踉蹌凌亂的人來，又復湊合攏來跟在後面，形成了一大隊行列。

行列的開端是兩個莊稼漢模樣的抬著一個垂斃的中年人，慘白的臉透著青紫，深陷的眼睛緊闔著，嘴唇開著歪向一邊，彷彿是想做生命最後的呼聲卻給無情地扼窒在喉頭，一串水沫細細地從嘴角上掛下來，整個給死神扭曲得醜陋的臉是一個痛苦、絕望的記號。水從他髮上，破爛的衣服上滴下來，被扛得高高的二隻腳有一隻是赤裸著。在他的後面，一個揹著小孩的婦人和一個患貧血的少女在掩面哭泣，二個菜色面孔的齷齪小孩瑟縮地跟隨著，行列拖延著來到岸上，又燃起了嗡嗡營營的詢問、歎息和唏噓。目送著悲慘的一行，停下的人又自集成一堆，紛紛議論著。

「我親眼看見他下去的，」一個粗脖子的女人亢奮地重複著她的報告，像一個發現奇蹟的探險家般，「我在搓衣服，看見他走下水去，我以為是一個挑水的，先也不在心，後來看見他走了沒幾步，爬下去浸一浸水，又搖著頭站起來，再走前幾步，爬下去，到第三次就打了個滾，給水頭沖得走了……」

「妳怎麼不拉住他呢？」放下空桶的挑水夫插進來問，斜白眼盯視著白胖胖的粗脖子。

「哪！我一個婦人家怎樣拉得？我一看樣子不對，就趕緊沒命地叫喚起來，等阿祥哥下去撈起，已是只有出氣沒有進氣的了。」

「又是落水鬼找替身，一年一個，準沒錯。」挑水夫說：「好好的不活，做啥要尋短見？」

「說是二口子鬥了嘴。」提著一籃衣服的女人搶著回答，那個在餵孩子乳的少婦，還得意向四周瞥了一眼。

「懦夫！」一個小學教師模樣的青年，不屑地在旁邊咕嚕了一聲，許多眼光一齊轉向了他。為了顯得自己悲天憫人的慈心，同情在這裡是廉價地表現著。他們未必全懂得了小學教師的話，但他的語氣和態度卻破壞了那濃厚的氣氛，他們有點憤然了，氣憤他的缺乏同情。

「螻蟻尚且貪生，好吃好過哪個又去找死？」擺花生攤的麻鬍子義形於色地說，手指在空中比劃著，口沫四散飛濺，「紙票不抵錢，哪個也難活。你想想看，在局裡做個工友，一個月拿上十來萬，一斗米倒要九萬十萬，一家五六口子吃，就是喝米湯亦漿不硬肚子呀。他女人在做月子，家裡已三四天沒米吃了，大人熬得過，小孩子可熬不得。個個餓得皮猴子似的，今天哭，明天愁，不曉得怎麼一下慭不過來就尋了短見。」

「死了就算得了嗎？他的老婆兒女又丟給誰養？」小學教員依然不以為然地張著嘴。

「說是有人出五十萬要買他的毛娃子，他做什麼不賣？」粗脖子臉朝著麻鬍子，隨手撿了粒花生來剝。

「嘿，講得那麼輕鬆，人家自己養的，那個捨得剮下自己一塊肉來！」少婦譴責地瞟著粗脖子說。這時孩子在懷裡一蹦，吐出奶頭哭起來，她連忙拉開前襟，換了另一隻塞到孩子的嘴裡。

小學教員望了一眼少婦肆無忌憚袒露著的胸脯，無聲地走了。挑水夫亦忽然想起了什麼般挑起桶來，默默地走了。粗脖子動動嘴再想說什麼，看見大家的注意力都已鬆弛，便吐一口口水逕自跑下河去。

「這年頭，好好地活下去可比什麼都艱難。」一直沉默著的一個穿褪色灰制服的小公務員，凝視著水面，喃喃地感歎著。麻鬍子望了他一眼，喟然俯下頭去。

是誰投了顆石子在河裡，平靜的水面激起了迴旋的漣漪，但馬上又消失了。

編註：本文原刊於《中央日報・副刊》，一九四九年五月八日，第五版。

新女性

周璐算不得十分美麗，但那圓圓的臉龐和烏溜溜的一對眼睛，是很合時代型的。她受的雖只普通的教育，可是她的智識卻足夠應對四周接觸的人。她熟悉茅盾、巴金、張恨水等作家，她會告訴你一些蔣夫人、伊麗莎白、藍蘋的逸事，她可以與你縱談電影話劇，和你批評一切新流行的東西，她會唱幾支流行歌曲，哼幾聲程派的青衣花旦。當你與她談及婦運時，她一定牙恨恨地強調那些豪夫人貴小姐的奢侈、腐敗，那些專事打牌的少奶奶們的墮落……

她，雖然生長在這個時代裡，生活在這個社會中，但她曾抱定主張，不為奢侈習慣所感染。她只愛一份安逸、舒適，如她自己所說：「三分詩意、七分散文的生活。」她愛修飾，愛看點言情小說和電影。總之，她的好尚與娛樂全是「高尚」的，不僅她自己認為她是一個不同流合污的新女性，就是她的丈夫也默認她是思想前進的新女性。

這新女性可不像電影歌曲〈新女性〉裡所歌詠的那樣：「天天眼不見陽光趕做工」，「心掛著家中樣樣空」。命運鋪給她的路是平坦的，縱使有點高低，也不過像公路上的土坡罷了！從學校裡出來，做父親的就替她在金融界安排了一份優裕的工作，接近的人物多半是知識分子型的小布爾喬亞，工作時可以傳傳紙條，評評影劇，下了班更是花天酒地的胡玩，與她共一個房間的楊小姐就是個十足的舞迷。

「一個初入社會的青年，就過著這種奢侈無聊的生活！」她在心裡一百分看不起地說。一看見楊打扮好了等男同事來邀約，就不屑地拿起書來跑上陽台去。

可是日子一久，她們來邀了。

「去玩玩罷？密斯周。」

「年輕輕的可別做迂夫子喲！」

她總是搖搖頭說不會。

「跳舞並不是純粹的消遣，也是一種健身運動哩！」

「是一種藝術，一種交際必備的條件。」

「妳不是喜歡音樂嗎？去擺個測字攤聽聽音樂也好。」

一次、二次……她有點動搖了。

這天，恰好是經理邀請的派對，眼看別個都翩然起舞，自己卻冷落地待在一角，這在自尊心極強的少女，確是莫大的羞恥。

星期六晚上，我們的「新女性」便盛裝坐在「白樂」舞廳了。經不起她和他們的慫恿，她下池去由楊教了四步和三步的基本動作。

這晚上她上了牀，耳旁還響著「蓬拆」「蓬拆」的餘波。

第二天是星期日，原來是她寫信的日子，可是這天總不能集中思想，攤著信紙看看已到黃昏。

「今天到百老匯去。」楊小姐一陣風似地捲進來，後面隨著吳、陳二個全副「風流小生」打扮的青年。

她連忙檢起紙筆，換上了綺裝。

半個月後，周璐只要一聽到音樂，就會溜步子、聳肩膀，舞伴已不是楊而是陳，他倆狂熱地跳著、跳著，一直跳到交換了戒指，跳到有了小璐。

戰爭把他們送到了B城，這是個「未開化」的城市，周璐這樣稱呼它。休說沒有舞廳，電影院亦只有二家三等貨，新小說更不易降臨到這裡來，沒有了工作守在家裡是怪苦悶的，雖說多了個解悶的玩意兒——小璐，但一天的工夫還是那麼漫長，她真想不出怎樣來排遣。

陳注意到周璐變了，不僅活潑的態度變得有點遲鈍，連接吻擁抱都差了勁，一天，他憐惜地撫她的肩頭說：

「璐！苦了妳了，我又沒空陪著妳玩。」

周璐覺得一股酸勁由心底直衝下喉頭，似隱有無限難言的委屈，倒在他懷裡，流下淚來。

「這樣好不？」陳偎著她的頭髮溫存地問：「明天找張太太她們打八圈去。」

「你叫我打牌？」她倏地轉過臉來。

「打幾圈解解悶不好嗎？」

「用盡心機，只為的是覬覦別人口袋裡的錢，這與盜賊又有什麼分別？哪怕悶死，我也不幹這墮落的勾當。」周璐推開丈夫，使氣地把自己擲入沙發裡。

「妳又來了，這不過是逢場作戲，解解悶罷了……妳這番議論要讓竹林裡的英雄們聽到，可得當心向妳興師問罪哩！」陳想不到碰這麼一個釘子，只有自己解嘲地詼諧幾句，從此再不敢提起。

是初夏的午後，周璐睡了個懶覺起來，看看日頭還不曾偏西，便喚過四歲的小璐，取下她頭上緋色的蝴蝶結，將鬈髮分開打兩條辮子，紮上大紅緞帶，一面叮嚀著：

「別跟小明玩，他髒得很，不准弄泥，不要弄齷齪衣裳……。」

看著小璐走出了房門，空虛和寂寞包圍了她，她抓起一本馮玉奇的小說，靠在椅上沒精打采地翻閱著。

高跟鞋咯咯聲，一個滿臉堆砌著脂粉的徐娘，姍姍地走進來。

「喲，康太太！怎麼這一陣都不來玩，可把人想死了。」周璐迎上去，熱誠而誇張地拉著來人的手說。在沙漠中那怕是一株猶草，也為人當作珍寶。

「我哪一天不想來，偏偏張家拉搭子，李家三缺一，弄得我一點空都抽不出來。」康太太摸出小手巾按了按鼻尖，把眼光丟在椅子上的書，「瞧妳好像瘦了點似的，還是老登在家裡看書打扮小璐？」

「不要說起，我快要悶死了。」周璐頹喪地回答著。

「這也虧妳的，要我三天沒牌打，飯都不想吃了。說真話，陳太太，跟妳邀幾個搭子解悶兒好不好？」

周璐本想發揮幾句，但一想當康太太可不成了「當著和尚罵賊禿」，只得搖搖頭說「不會」。

「那還不容易，我負責教妳。」

「可是我不感興趣。」周璐喃喃地說。

「我從前還不是看到就頭痛，可是在有些不得不應酬的場合中開了手，這一來才曉得其中趣味無窮呢。來，我給妳打電話去，省得妳悶出病來。」康太太那份熱心可真感人，不管周璐的攔阻，邊說邊逕自接通了電話。

不一會汪太太、李太太、張太太全來了，七手八腳地拉開桌子，便把汪太太帶來的一包東西打開，原來是一盒麻將牌，綠白分明，精緻玲瓏，周璐不由得拈起幾只來揣摩著。

周璐小時原已看慣了母親打牌，如今一上桌潛伏在意識中的學識可全活躍了，這使坐在一邊教導的康太太忍不住捏了她一把。

「妳這精靈鬼，明明會打，還要推說不曉得！不曉得！」

周璐得意地笑著。俗說：「鴨腳手，牌來湊。」打不上幾圈，她面前的籌碼已比哪個都高了，她更聚精會神地打著。

陳回家看到這局面不由得一怔，周璐驀然地想起上次說的話禁不住連耳脖子都紅了，虧得康太太插嘴說：

「小陳，看你把你太太都悶壞了，好得我來想出這個方法。」

「謝謝救苦救難的康太太，我這廂有禮了。」陳嬉皮笑臉地向康太太作下揖去，引起了哄堂大笑。

這天周璐大獲全勝，客人在豐盛的晚餐上，又約定了第二天的局。

此後，再聽不到那位「新女性」寂寞的呻吟了，連小璐亦擺脫了什麼管束似的，更加活潑地在弄堂裡同小明一起玩著石頭、泥沙，手上臉上常常塗得污黑，蝴蝶結老是歪歪扭扭的，美麗的服裝也再沒有那樣整潔了。當你問：

「小璐，妳媽媽呢？」

她立刻毫不思索地告訴你：

「媽媽在打牌。」

編註：本文原刊於《中央日報・副刊》，一九四九年六月三日，第五版；一九四九年六月四日，第六版。

熱浪

這擁有豐富日光的寶島，本來就洋溢著亞熱帶的風光，更何況是貼近北回歸線的南部，離端午節還有那麼些日子哩，熱浪卻一陣緊一陣的襲劫著人們。椰樹軟洋洋地垂下了頭，狗兒都縮在角隅裡滴口涎，那光塌塌的柏油路上，簡直可以烙得餅熟，望一眼渺無遮攔的一片耀眼的光海，沒有一個不把眉頭皺上一皺，只有賣冰和西瓜的，雖然不住在百忙中揮一下直溜的汗珠，看看逐漸少去的貨品，心裡就像全□自己解了渴似的舒鬆。

林教員太太提著重甸甸的一籃菜，邊走邊盤算著用去的數目，籃子彷彿越提越重了，那裡除了點莧菜缸豆，大半倒是番芋，如今就像受了吸力般逕往下墜，旗袍的脅下和背上已全讓汗浸透，吹著風濕漉漉地黏貼在身上。她在一棵樹蔭下放下籃子，喘了口大氣，瞟一眼攤上黃澄澄的西瓜，舔了舔嘴唇，唾沫都乾了，可是三千塊錢一塊哩，家裡統共只剩一個袁大頭了，離月底還有十來天，要不一分一文的捺緊了用，那就……她重新提起籃子衝進烈日裡，但也許是早晨來不及吃東西的緣故，只覺得口裡冒火，頭腦發暈，連腳步都有些趑趄，看看日頭已不早了，還得趕回去弄午飯，二個孩子一定吵得不得了了，叫輛三輪車吧！

「二萬元。」車夫雙手抱在胸前，瞌睡矇矓地答覆她。

沒多久還聽說四千元，一下就漲了這麼多，真熱昏！她一氣作勁，總算快挨到家門了，遠遠地好像就聽得小明的哭聲，她正要加緊腳步，突然背後「嘟嘟」一聲，一輛小吉普急疾地擦過她身邊，在隔壁停下來。

陶太太挾著玻璃皮包，婷婷地走下吉普，背後跟著個下女捧了一束鮮花和滿滿的一籃雞魚肉蛋，勤務兵趕緊捩開電扇，從冰箱裡端出一杯桔子水。

陶太太放下皮包，將自己往沙發裡一擲：

「累死了，這鬼菜場裡的氣味可真難受。」

當林太太汗淋夾背地把一頓午餐趕好，端著盆衣服來後門洗時，陶家已上局了，綠紗窗裡釵光鬢影，笑語盈盈，電扇加速度疾轉著，銀叉在冰西瓜盆裡閃閃發光。

「媽！我要瓜瓜。」小明倚在廚房門口，饞涎欲滴地瞅著傭人在大西瓜裡剜著。

「哪！小明給你吃。」傭人拿一塊瓜遞給小明，顯得慷慨無比的。

「不要，他鬧肚子。」林太太紅著臉想來阻止，但小明早已接過來，連皮帶子地啃了一口。她想起在這大暑天孩子還不曾嚐過一點解暑的東西，不由得黯然俯下頭去，有二滴水珠從臉上滴到盆裡，不知是汗還是淚。

到晚上，僅有的一點海風也絕跡了，空氣沉靜得令人窒悶，陶家索性把牌桌端到後園裡，茶几上，擱糖食的彩碟和盛汽水的玻璃杯互相爭豔鬥麗。一疊疊的銀元在潔白的桌布上不停地流動著；這時對手和了副滿番，陶太太從傭人手裡接過香噴噴的手巾，憒憒地咕噥著。

「斷命天氣，熱煞哉！」

站在旁邊看著的陶先生連忙湊過去涎著臉說：

「好太太，讓我替妳打幾副好不？」

陶太太睨了他一眼，尖尖的手指逕自在牌上搓著不放。

這時林太太收拾清楚了家事和孩子，拿起針線來在燈下縫補，林教員伏在桌上改卷子，汗顆就似斷線的珍珠般掛下來，凝思間疏忽了抹拭，一顆滴在卷子上，墨跡立刻漾化開來，他禁不住恨恨地將筆一擲。

「媽的！這鬼天氣可真熱！」

編註：據艾雯手記，本文原刊於《中華日報・海風副刊》，一九四九年六月十八日。

風聲鶴唳

迭連自王家竊去了兩牀毛毯，金家被偷走了一輛腳踏車，隔不上三天陶家又讓賊兄光顧一次後，整個院子裡頓時緊張起來。就彷彿災難在冥冥之中伸展著銳利的毒爪，只要人們給睡眠帶進了另一個世界，誰家都有被抓的危險。於是全院十幾家一起展開了防禦工作，這裡「蓬蓬蓬」在修理門戶，那邊「叮叮叮」給窗子配上搭鏈，鎖在箱子裡的手槍搬到了枕頭底下，生了鏽的指揮刀亦磨利了懸在牀頭。先生們討論的是防賊，太太們閒談的則是描繪著賊的恐怖。

有些人建議四圍該架上電網，另些說還不如僱幾個守衛，有幾個卻主張拚幾晚不睡，捉得賊來打斷他的狗腿。自然，這都是先生們的高論，主婦們卻是道地的實行家；就似劍俠小說裡巧設下陷阱機關般，每晚都在各個門口堆上些椅子、臉盆、鉛桶，在窗下凌亂地擱下些瓶瓶罐罐。如果哪個來推推門伸伸足，哼！那一片聲響不把賊嚇跑，至少也驚醒了夢中的人。然而抱憾的是，這裡提心吊膽期待著的奇蹟，一星期來還不曾有機會表現過。雖然警報仍不斷相傳，譬如四天前張家聽見狗吠不已，拿電筒去後門一照，兩條黑影子飛也似的跑了。前晚傳太太打轉回來，說是有一個人蹲在路畔茅屋的陰影下，旁邊有三輛腳踏車，一定是潛伏在那裡待機發動的。昨天中午黃太太又看見一個帽子壓在眉梢，形跡可疑的陌生人，到院子裡來東張西望……儘管風風雨雨，七天來卻總不曾出過事兒。

這天四號的楊先生摸了十一圈回來，已是十二點多了。他照例前後門察看一遍，正準備上牀，聽忽得隔壁二號裡一聲響動，接著是女人的尖叫，他本能地從枕頭底下抽出手槍，打開車一個箭步跑到院子裡，四處探望一下，院子裡是灰黝黝的一片靜悄，二號的玻璃門依然關得緊緊的，他輕輕地躡著腳步正走到牆角，卻不知從哪裡滾出一團黑影，倏地掠過他面前，他陡地吃了一驚，趕緊扣住了手槍扳機，但等他一定神，卻什麼也不見了。這時「克嚓」一聲，二號的電燈亮了，接著門一開，鄧先生橫著把尺來長的指揮刀，慌張地出現在門口。

「老鄧，是那一路嗎？」楊湊過去悄悄地問。

「你看見沒有？」楊搖搖頭，鄭又瞪著眼在滿院搜索，「準是那一路，臉盆鉛桶一股腦兒給碰翻在地上，他媽的，跑得可真快，你一點影兒都沒瞧見嗎？」

「我卻看見啦，」對面三號裡忽然插出個聲音來，那是章先生，從半開的門裡探出頭來說：「跑得可快極了，那麼一蹤一跳，就越高了木牆——敢斷定還有四條腿哩。」

楊先生聽了章先生抑制著的聲音，靈機一動，想起了方才掠過的一團黑影，四條腿……他想忍住笑聲，但那早像突破皮球冒出的空氣般，震盪在深夜的天空中，章先生的笑聲馬上融合在一起。

「那是一……一隻貓兒。」

鄭先生楞了一會子，聽這麼一說，不禁亦捧腹大笑起來，一面卻還喃喃地告誡著別人：「別那麼笑，回頭人家以為我們在搗鬼哩。」

編註：本文原刊於《中央日報・副刊》，一九四九年九月十三日，第六版。

溫室裡的花

衛瑛把自菜場購來的花束，仔細地插入一只雨過天晴的碎瓷的花瓶裡，這邊增一瓣葉子，那裡剪短一截枝梗，本來已是鮮妍嬌豔的花朵，經她纖巧的手指一番撥弄，更顯得疏朗有致、婀娜生姿，她把修飾好了的瓶花擎得遠遠地，側著頭端詳了一會，又擱在鼻子下輕輕地撫摩著這才放在精緻的抽花桌布上。

那些嬌滴滴粉嘟嘟的花兒，有的培養自溫室，有的生長在沃土，也有的來自深山曠野，它們群聚在一起果然豔麗的可愛，獨翹一枝亦各有各的神韻，各有各的性格。衛瑛扶著桌沿那樣聚精會神地逐朵欣賞著矜傲的菊，軒昂的雞冠，狷驕的薔薇，亭亭玉立的美人蕉，愛嬌嬌的剪秋蘿……逐漸地，枝葉在她的凝視下擺動著，花瓣盈盈地展開了一個個笑臉，一個個當她在花苞般嬌嫩的時候最熟稔的臉龐。

那淺緋色的多刺的薔薇，不就像夏茵，狷傲美麗，多情卻善於猜忌，性子好勝，偏偏肺部又不大健康，因此常愛使點小意氣，對人生總抱著點悲觀，一受點刺激就悲憤幾天，追逐她的人沒有不給她那鋒利的刺扎得鮮血淋漓的，但她聰明過人，多才多藝寫得一筆清麗流利的散文，對美術有一點天才，鋼琴也彈得滿好，「既然曉得不能和旁人一樣活得長久，活著時就得更多的享受人生，領略人生。」這便是她的生活宗旨。

那傲岸的白菊花卻似王凌云，是個經過困苦奮鬥的女郎，高潔而有點冷僻，對一切都很淡漠，生活嚴肅，事事有條不紊，當別人玩笑吵鬧時，她總是捧著本書靜靜倚在牀上，別看她平時老是沉默寡言，卻志願做一個能言善辯的大律師。

那豔麗的美人蕉宛如交際皇后莫麗娜，漂亮、自負、愛出風頭，現代青年的玩藝兒她都有一手，但最關心的還是裝飾，拜倒在她旗袍角下的臭男子不知其數，她卻視如路畔野花，高興時隨便折一朵嗅嗅，不呢，高跟皮鞋任意踐踏過去。她有演劇的天才，說得一口清脆的「京片子」，老希望有一天能跨上「明星」的銀座。

那軒昂的雞冠花，就如帶幾分男子氣的楊醒華，灑脫不羈，直爽豪放，熱心而有一點囂華，明朗的笑聲永遠追隨著她。當她決定了做一樣事，任何困難都不能使她挫折，不要一刻鐘，她可以使一個陌生人毫不拘束地暢談一切，大家公認，可以當名出色的新聞記者，她卻願意為婦運奔走。……她們都如花般的燦爛，她們都各有各的抱負，各有各的生活方式，可是如今呢？那些抱負有的是曇花一現，有的始終沒有兌現的機會，而各人的生活卻步調一致——奢侈的太太或是老媽子式的主婦，全是那家，那用愛情的韌絲，和責任義務等鐵箍所牢密圈成的，小圈圈裡的點綴或奴隸……

「我的小鴿兒。可是在與花爭嬌？」

隨著這熟悉的聲音一股溫暖的呼吸觸近了臉頰，那些由回憶和想像造成的幻覺頓時一陣輕煙般隨風消逝，呈現在衛瑛面前的依然是一瓶紅奼紫色，芬芳馥郁的花束。

衛瑛沒有同往常般回過臉去接受那溫存，卻將炙熱的臉龐埋進花叢，眼角那兩顆微妙的淚珠滴落在花瓣上，分不清是剛才澆上的水，抑是清晨遺留下來的露珠。

編註：據艾雯手記，本文原刊於《新生日報》，一九四九年十月二十一日。

傻大姊

傻大姊並不完全像《紅樓夢》中那個檢得繡荷包的傻大姊，因為那只是個低賤的小丫環。而我們的傻大姊雖沒有稱她小姐，至少也不是丫頭，她是介於兩者之中的。她依靠她姨母生活，做的卻是傭人的事。

傻大姊天生成一副胖得得的福相，兩頰的肉抖呀抖的，眼睛擠成一條縫，一個蒜形的大鼻子和兩片厚嘴唇，胸脯赫然隆起，因為過分挺胸，竟有點兒凹背了。走起路來二面一搖一擺，就似一隻軒昂卻是蹣跚的鵝，她有一條不大肯靜伏的舌頭和一副唱黑頭的嗓子，永遠掛著那副透著點尷尬的笑容，什麼人都要兜搭，什麼事都愛探問。只要哪個跟她扯上幾句，她那滔滔不絕的廢話永沒個了結。當然，她自己是不會承認傻的，有時她還笑別個「傻裡傻氣」哩！

別看傻大姊傻，她對自己的終身大事卻非常關念。真的，「誰個少女不善懷春」？已是二十開外的女孩子了，你能怪她迫切嗎？她平常告訴人家是芳齡二十。那天一急，可把真年齡說出來了，她告訴李家的何媽：

「我姨媽說等我到二十四歲才教嫁人，我今年已經二十二了，再等二年老都老了，還有哪個要？」

前些日子李家來了個勤務兵，是個伶伶俐俐的小伙子。傻大姊一瞅就全心眼向他發出歡笑，她趁著何媽在洗衣服，悄悄地趕去打聽。

「這小伙子滿漂亮的，他結婚沒有？」

「漂亮嗎？我替妳做個媒好不好？」何媽故意逗她。

「不曉得他，他要不要我？」傻大姊紅著臉嗤嗤地說。很希望何媽能接下去，偏偏李太太一聲喚又把話打斷了。

這天傻大姊一天都沒心沒緒的，她穿起了她最漂亮的紅綢旗袍，臉上著意搽抹得紅是紅，白是白，頭髮梳得晶光的滑，鬢邊三五朵白蘭花香噴噴的。她不時故意搔首弄姿地擺過李家門口，不是嬲何媽瞎扯，就是放開嗓子喚她那個頑皮的小表弟。可是那小兵真是個傻蛋，老是埋著頭一本正經地蹲在地上忙什麼，縱是抬起頭來也像沒有看見她似的。

傻大姊覺得有點傷心，這晚她洗碗時打破了二只飯碗，給主人痛罵了一頓。

第二天勤務兵走了，傻大姊顯得很抑鬱，眼泡腫腫的，一天都沒跟何媽講話，卻向張家的□女大訴其衷情：

「我又不是丫頭，又不是下女，動不動就罵人家，看我明天跑掉去，跑到廣州去，廣州多好玩，女人漂亮，男人更漂亮，不像這裡的男人那麼笨。我們一起逃走好不好！」

傻大姊果然逃走了。在上一夜為了燒焦一鍋飯而挨了二記打後。但過了一天她姨丈便從船埠頭把她找了回來，蓬頭垢面，樣子很狼狽，原來她想混上船去，卻讓船上摔了下來。

有好些日子傻大姊變得稍稍沉默了些。

這幾天，傻大姊又戴著一頭白蘭花，紅綢衫滿院飄揚著，宏亮的笑語聲從院裡飛揚到街心，不知是為了張家的那個高個子司機，還是為了莫家又來了個年輕的炊事兵。

編註：據艾雯手記，本文原刊於《中華日報・海風副刊》，一九四九年十二月十四日。

困惑

小穎正做著夢，夢見自己在放一個跟飛機一樣大的紙鷂。放著放著，身子忽然跟著紙鷂升起來，升起來，啊！觸著太陽了，多亮多熱喲。猛一睜眼，可不是陽光正透過玻璃窗射在自己臉上，空中還響著翕翕的風笛聲，準是張家哥哥在放風箏了。昨天不說好帶小穎去放的嗎？

他一個翻身掀開了被窩……討厭的，還有一只襪子哪裡去了呢？枕頭底下，被窩裡面，找來找去統統沒有。先穿衣服吧！……嗯，怎麼搞的，鼻子眼睛都讓刮掉了……袖口呢？嗐，不穿了。小穎氣咻咻地把絨衣從頭上拉下來，狠狠地往牀裡一擲，又鑽進了被窩。

風笛忽遠忽近地唱著，撩得人心癢癢的。討厭的王嫂，還不來，還不來，小穎正待舉起腳來敲一頓牀板，從前房卻傳來一陣急遽的咳嗽聲。

「又是媽咪在咳嗽了。」小穎想。一想起媽咪，他小小的心裡彷彿打上了個結。過去，總是媽咪自己招扶小穎的。每天每天，當太陽哥哥送走了月亮姊姊後，小穎在矇矓中就會覺得臉上癢希希、軟潤潤，就像拿根鵝毛在那兒拂拭似的。他不用睜開眼，就曉得媽咪在吻他。他一抄手就挽住了她的頭頸，他的頰偎貼著她的頰，他聽見她慈愛的心在和緩地跳動。他只覺得自己迷迷糊糊又想睡去。卻聽見媽咪柔聲地說：「會受涼哩，起來吧！」

「起來囉！」喚他的卻是王嫂，粗聲粗氣地。一雙稀濕的手還在圍裙上抹擦著。

小穎穿好衣服，便躡手躡腳走到前房。

「不曉得媽咪起來沒有？」他想。卻見媽咪已靜悄悄地坐在窗口了。陽光從窗外的樹隙漏進來，圓一塊方一塊地在她頭髮上跳舞。多麼蒼白的臉喲！眼睛又是一瞬不瞬的，襯著那一身白絨衣，就像……就像在街上櫥窗裡站著的石膏人。小穎一面歡呼著「媽咪」，一面迅速地跑過去爬上她的膝頭，攀住她的頸脖，熟練地將小嘴湊上那淡紅色的嘴唇……可是，媽咪的臉忽然那麼一側，卻吻著了冰冷的臉頰。小穎怔了一怔，但仍舊熱情的再將嘴湊過去。這下他看清楚了，媽咪是故意將臉別過去，不讓他親著嘴唇。小小的，充滿了溫情的心立刻像給黃蜂螫了一口，一鬆手，便滑下了膝蓋。

「小穎！」媽咪歉疚地喚他。他俯著頭不響也不動。

「小穎！」媽咪的聲音有點顫抖，伸出手來握住了他的手臂。他生氣地一摔，就頭也不回地跑出房間，跑出客廳，來到小院裡。

小院裡一院陽光，亮得耀眼。小穎的玩侶——阿花，正同著牠新生的孩子在簷下草堆裡曬太陽，看見小穎走來，「咪嗚」叫了一聲，仍舊伸出舌頭來舔者懷中的兩隻小貓——一隻還在吮奶，一隻已經睡著了。小穎一屁股便在阿花旁邊的草堆上坐下來。

「阿花還這麼疼牠的小寶貝，小穎的媽咪卻不喜歡小穎了。」小穎鼻子一酸，差一點掉下眼淚來。

媽咪當真不喜歡小穎嗎？媽咪從前都是頂疼小穎的呀！天天陪小穎一起玩積木、講故事、唱歌、看小朋友，還做遊戲哩。倦了時，就在媽咪溫暖的懷裡睡去。醒來時，媽咪又總是微笑著伴在牀畔……可是現在為什麼親都不同小穎親親了呢？……媽咪變了。打前些日子起，媽咪就變了。不再同小穎遊戲，不再招扶小穎睡覺，總是冷冰冰的一個人發呆，一個人偷偷地淌眼淚，連吃飯都是獨個兒躲在房裡。跟爸爸也沒有早時那麼親熱了，一到晚上總是咳呀咳的咳個不停。媽咪一咳嗽，爸爸就把眉毛皺攏來。有時小穎正站在旁邊，他就用著惱的聲音輕輕喝他：「走開！走開！」

媽咪當真變了，從前她吃什麼總要剩一份給小穎，可是前天，媽咪端著杯子，一口一口在呷牛奶，小穎說：「我要呷一口。」媽咪想了想說：「是我吃過了的。」可是吃過了的也要吃呀！過去不總是這麼著。媽咪又說牛奶裡擱了藥，吃不得。幾時又看見那個牛奶裡擱藥的？只是不肯給小穎吃罷了，媽咪變得多小器呀。可是從前小穎吃什麼，她總叫「分點給小朋友吃吃，不要那麼小器。」

媽咪變了，媽咪不同小穎親親，不同小穎遊戲，也不剩東西小穎吃。媽咪變得不愛小穎了。頂好頂好的媽咪為什麼會變壞呢？記得張家哥哥有一次講了個故事，說是從前有一個妖怪，吃掉了皇帝，自己又變成皇帝……會不會從前的媽咪也給妖怪吃掉了……不會的，媽咪不說過，這種神話都是瞎說，不要相信。那麼媽咪為什麼變了呢？為什麼不疼小穎呢？……小穎越想越想不通，越想越難過，喉嚨口像是塞了只汽球，眼眶熱辣熱辣的——好孩子是不哭的——他拚命用手揉著眼睛。忽然聽見草悉悉索索地響，一件白色的衣角停留在他面前。可是他不想抬起頭來——白衣裾拖在地上了，一隻手輕輕撫著他的頭髮——他依然不抬起頭來。突然，一滴水滴在他頰上，這麼大的太陽會下雨嗎？又是一滴滴在他鼻端，雨不會是溫熱的呵？他陡地抬起下頦，卻見一對淚水模糊的眼睛，正俯視著自己。

小穎只哽咽著叫了聲媽咪，便「哇」的哭出聲來，趁勢倒在遞過來的臂彎裡，熱淚紛紛湧湧地從眼眶裡滾墜著，彷彿要把日來鬱積著的委屈、困惑，一起融化在熱淚裡洩流出來。

編註：本文原刊於《中央日報・副刊》，一九五〇年三月二十六日，第六版。

閃電夜

仲春夜，多幻善變。適才是星月輝朗，滿地疏落的椰樹蔭影，堪耐人躑躅；頃刻間卻又是斜風驟雨，長空黯淡。我踅進一家咖啡室，揀一個靠窗的角隅坐下，裸露的手臂上已沾濕了雨水，透著涼沁。我叫下了杯熱咖啡，順手打開手頭的雜誌。

我對面那個空座上有人坐下了，我不經意的瞥了一眼，是個白皙華貴的女郎，黑色緊狹的長袍裹著個豐腴的身材；長長的鬈髮上，水珠在滴。隨即聽見侍者殷勤的詢問，回答的是「冰可可」三字，悄悄的。

不一會侍者端來了二只細瓷杯，一杯是她的「冰可可」，一杯是我的「熱咖啡」。全神貫注著書中的故事，我只憑本能伸出手去端杯子，一次、二次……也不知是第幾次，我伸出手去卻摸了個空。抬眼一望，自己面前當真空空如也，面對面的她，一手端著一杯在呷，桌前還擱著另一杯。我怔了一怔，隨即擱下雜誌好玩地注視起她來。這是個高貴、端莊，有著古希臘美的臉龐，白得就像大理石雕像；微笑的大眼睛裡潛藏著女詩人薩芙那種纏綿濃烈的熱情，弧形的嘴唇有著性感明星嘉賓那種執著的愛欲。然而這一切，現在都蒙在一層似憂如惱的迷茫中；她對著一張紫堇色的信紙，可不是讀，也不是看，而是整個身心的浸沉。我久而久之的視線終於騷擾了她，漆黑的眸子越過信紙迷茫地瞅著我。

「不覺得燙嘴嗎？」我笑著問她。

「哦……」她如大夢初覺般發現了這個錯誤。「對不起！是我錯拿了妳的杯子。幸好不是妳錯拿了我的苦杯。」她漠然帶著一絲揶揄的笑，吩咐侍者再端一杯咖啡。

雨似乎下得更大了，窗外的棕櫚急驟地晃搖著。是誰，在留聲機裡放下一張柴訶夫斯基的〈寂寞之夜〉，憂傷的音節給室內帶來了黯淡的情調。看她時，仰靠在絲絨的椅背上，眼睛半啟半闔，長長的睫毛上有淚水閃爍。一曲終了，她緩緩掏出手帕，拭拭眼睛，望了我一下。

「太淒涼了，妳倒似乎很能欣賞這憂傷情調？」我說。

「不是欣賞，是領略。」她嚴肅地糾正我。

「這有什麼區別嗎？」

「自然，欣賞只是欣賞曲中的節奏、旋律，而領略卻是體會其中的感情。譬如方才那一曲，妳只覺得調子淒涼，而我，卻覺得那響的不是琴弦，而是我的心弦。」

「妳的心弦？」

「是的。如果我的心弦能彈奏，發出的音節正同方才那一曲。只是，只是我的心弦卻不能彈奏也無處彈奏。」

雨是更大了，遠處有窒悶的雷聲，一道閃電掠過窗外。

「呵，閃電！我又看到了你，閃電！」她驚喜地抬起頭來，癡癡望著窗外，嘴裡喃喃地自語自讚。「閃電，閃電，迷人的，美麗的閃電！」半晌的浸沉，半晌的迷醉。「呵，太美了！是嗎？」她不曾轉過臉來，卻用嘴角問我。

「美是美，不過那太短促了，閃爍得有點詭譎，有點虛幻。」

「是的，太短促。但縱使短暫的一刹那，它點亮了整個宇宙……」

「是的。一個電閃是太短暫了。要捉住許多許多電閃，許多許多的……」她雙手緊握在胸前，咕噥著似夢中囈語，聲調越來越興奮，臉上那一層霧煙消褪了，蒼白的頰上有淡淡的紅暈，黑眼睛那麼明，那麼亮，像一支熾熠的火焰，要燃灼窗外深沉的黑暗。突然她以一個急驟的動作，疾速地跑出雅座，走向大門。

我給她失常的舉止駭呆了，困惑地望著她窈窕的背影消失在門口。回過頭來，卻瞥見座下躺著一張紫堇的信紙，我撿起來，並且讀了：

親愛的：

謝謝妳給我那一串難忘的、可愛的日子。那一串比蜜還甜的甜，比酒還醇的醉。在那些日子裡，我的心靈得到了最大的歡樂。在那些日子裡，我的生命獲得了最高的享受。二十幾年來，第一次，我忘記了自己，忘記了一切。二十幾年來，第一次，我消失在愛的風暴裡，融解在愛的火焰裡。這是一個電閃，生命的電閃。在一大段沉悶窒息後，倏然地燃亮了，燃亮了我的眼、我的心、我的靈魂。

親愛的，那點電閃教我認識了生命，也是那點電閃，使我產生了貪婪。不是嗎？電閃的美、力、光，就在那極迅疾，極緊湊的一閃。只是一閃。可是我卻想用閃來填滿我，充實我，我願意閃打得我昏暈，我願意閃衝激得我失卻一切，我已經領略了春天裡有著玫瑰芳馨的電閃，我還要嘗試深秋肅殺獷蠻的電閃，第一個閃曾逗留在妳猩紅的唇上，第二個閃該輻輳在腥紅的血裡，呵！親愛的，我已經嗅到了電，我已經看到了光，在那遠方，在那酷熱的炮火裡，在那猛烈的戰爭裡，我感到它的召喚，我要去了，我要去了！

請把我當一個電閃，曾經掠過妳身畔。

愛妳的閃

我讀完信，趕緊跑到門口，門外。大雨滂沱，一片黑暗包圍著風聲雨聲，遠處，掠過一道長長的，長長的閃電，那銀色的美麗的虹光，倏忽地在漆黑的天空盤旋、蜿蜒、遊舞！驀地又消失了。接著是一聲沉重的巨雷。

我為這莊麗情景所震懾，握著信，呆立在門口。

編註：本文原刊於《中央日報・副刊》，一九五〇年四月二十一日，第六版。

生活第一課

匆匆地和著冷水吞下了昨夜留下的幾團飯糰，黃學禮便踏著三輪車出發了。一個新的生活開始，一場與現實的搏鬥展開，小心眼裡混雜著靦腆和亢奮。短腳腿坐著還搆不著踩腳踏，他只得站起來一蹎一蹶地踩到四岔路口。停車處已排列著好些車子了，他怯生地挨著後面歇下來。街上行人還不多，滿天黑壓壓重甸甸的烏雲直壓著頭頂，看樣子，有場大雨哩。

「三輪車！」一個少婦提著菜籃向這邊叫喚。黃學禮本能地推動車子迎上去，才走得兩步，猛聽得背後一聲吆喝……

「這小子，你懂不懂規矩？」

他一回頭，只見十幾對眼睛都朝他射著仇視和揶揄的眼光。一排車子動都不曾動地讓第一輛拉著那少婦走了。他不由得臉上一陣熱辣辣地直紅過頸脖子，原來是排著次序的，不像內地那樣地爭先恐後，你搶我奪。這時雨頭已經撒拉拉地撒下來了，落在他單薄的身上透著涼沁，他索性拉下油布簾，躲在車裡靜待。

雨越下越大了，風接著也來助威，人行道畔的樹木給吹壓得彎曲著腰肢，枝條在風裡掙扎亂舞，看著彷彿要推斷了。眼看歇著的三輪車一輛一輛被經不得風雨的路人喚去，再來主顧，該輪著黃學禮的了。他不自主地緊張起來，像從前在學校臨到考試時聽到預備鈴似的，全神貫注地觀察著每一個路人，要來的終於來了，是一個體面的紳士挽著個摩登女郎來喚車了。

「這麼點兒大就拉三輪車！」紳士打量著迎上去的黃學禮，就同看猴子耍把戲似的。

「不要緊，先生，可以拉。」黃學禮避開他的眼光嚅嚅地說。

「得啦，你的小命不要緊，我們可要緊呀。」紳士嘲弄著挽著女郎登上另輛三輪車，車子拉動了，還聽見他在對女郎大發高論：「我要叫當局注意，不能讓十六歲以下的孩子拉三輪車，這不但不人道，而且……」

黃學禮快快地空拉回去，心裡有點懊惱，眼看一上午快過去了，還不曾做成一注生意。捱餓不算，別連賃車錢都交不出才糟糕透了。他焦灼地等著等著，總算又盼來了一個主顧，粗魯地跳上車，只說了聲：「勝利路。」便讓拉走了。

黃學禮振一振精神踩動車子，冒著劈面的風雨前進，一股勁兒的踩，踩，踩，才駛過一條馬路，便覺得有點吃力了。究竟三輪車要比腳踏車難踩些，從前在學校裡參加腳踏車比賽不還得過亞軍來著。這馬路可真彆扭，左一個水坑，右一個泥窪，再不就是別別剝剝的石子，站著踏，震得腳直麻，又得留心四面八方那些橫衝直闖的汽車。才一個疏忽，一輛十輪大卡車迎面碾過一個大水坑，噴濺了黃學禮一身的水。他還沒作聲，車裡的乘客卻憤憤地詬罵起來：

「龜孫子，你怎麼踏！濺人一臉的髒水。」

只濺了點水罷了，也用不著這樣侮辱人喲！依照黃學禮早年的性子，早就摔下不拉了；可是，現在，現在，他恚然地嚥下了一口口沫。

……

我們

我們

我們是三民主義的少年兵……

隨著嘹亮的歌聲，迎面又是一輛敞車駛來，這是空軍子弟小學用來接送學生的專車，幾十個小朋友披著雨衣，打著雨傘，冒雨站在車上。歡笑、高歌，突破了風雨聲。這情景，又勾起了黃學禮的感觸。一年前，自己在家也不正是這快樂天使中的一個，十三歲便念上了初中，親友們卻盛讚他聰明。可是就在那一年，大家打著紙旗迎來了「解放軍」。從此，全家靠著活命的一爿布店，在萬稅苛捐和不景氣的影響下倒閉了。媽一氣一急得了個心痛症，爸成天緊鎖雙眉歎著氣，一天，悄悄地拿出僅有的一點積蓄，塞給黃學禮說：

「去吧，也替黃家留下個清清白白傳種接代的人。」便打發他跟堂兄偷偷地來到這自由的寶島。可是堂兄考大學沒考成，便不知怎麼得病去世了。他去考中學，證件不全，保人又沒處覓，結果也是到處碰壁。在自由祖國的懷抱裡，黃學禮卻變了個流浪的孩子。眼看快瀕絕境了，終於給他急出了個主意，於是典盡所有，像頭稚牛套上了笨重的耕犁般，只落得在這裡踏三輪車……

「快點！快點！」

黃學禮正想得入神，突然身後的踏板上皮鞋似擂鼓般頓得「逢逢」價響，那莽漢一疊聲地催促著。黃學禮咬緊牙根，使出渾身的力量，俯身向前衝去。驀地一輛流線型的小汽車風馳電掣般，開足馬達對著三輪車駛來，眼看要撞上了，黃學禮撥轉車頭往旁邊一竄，不防斜刺裡又衝出輛大卡車，前輪來不及剎住，剛好不輕不重吻著卡車車身，震得三輪車跳了一跳，黃學禮的心亦差點從喉裡跳出來。

「他媽的！你要找死可別拖累上老子！」司機探出頭來衝著黃學禮惡狠狠地罵著，隨即放一個車屁噴了他一臉。那個乘車的莽漢也盡在嘀咕著罵黃學禮不顧死活。

好容易到達目的地，黃學禮雨汗交淋，全身已是透濕透濕。他從顧客手裡接過四張五角票時，竟不能自己地迸出了二滴熱淚，一個苦笑：

「這便是『有錢出錢，有力出力』！」

寄自屏東

編註：本文原刊於《中央日報・副刊》，一九五〇年五月二十三日，第六版。

最後一班列車

承好心的友人強邀著看過最後一場電影，再趕到車站時，只剩末一班開P市的火車了。我只得懊惱地耐心守候著，一聽到列車進站，便同往常一般，急急忙忙地穿過地道，跑過月台。等攀上車廂一看，又不禁暗喜，想不到這班車竟是這般空廓，整個二等車廂統共還不到二十個人。我隨便揀了一個自以為舒適的座位坐下。不一會，又有一個穿嶄新灰色凡立丁西裝的青年，臂下挾著個大公文包走進來，他逡巡片刻，走到我面前溫恭有禮的說了聲：「對不起！」竟也在我對面坐下來。這次汽笛一聲長嘯，車身震了震，列車便緩緩地駛出燈火輝煌的車站，進入蒼茫的黑暗中。

要是在白天，俯伏在車窗上，遠山近樹，良田茅舍，那樣迎面撲來又迤邐逝去，就似一卷瀏覽不盡的風景片，展現在旅客眼前，令人心暢神怡，忘卻了旅途的勞頓。而如今，在這黑沉沉的深夜，縱目四望，只是一片撫摸不著，透視不見的黝黑，列車急遽的行進中，晚風拂面，竟有點春衫嫌薄，我索性拉下玻璃窗，讓背貼著軟軟的沙發靠背，舒適一會。

車廂裡一片靜穆，不變的車輪和鐵軌輾碾聲，像一支單調的催眠曲，我覺得眼皮重甸甸地有點帶澀。全部意識逐漸離我而去到車外無限的黑暗中，身子接著虛靈飄飄地懸空提起來……□的一隻看不見的巨手把我往下一□，又是一聲尖銳的叫嘯——原來火車到了一站，我略一寧神，暗自叫聲慚愧，坐著竟自睡著了，不僅有失儀態，何況身邊還擱著些零碎哩！於是振作一番精神，又正襟危坐起來，審視車廂中，依然寂無聲息，旅客都失去了醒時的尊嚴莊重，墜入一種心神解放的昏迷中，只有我對面兩位瀟灑自若的青年，兀自手執一卷，湊著黯淡的燈光看得津津有味。我的眼光從他手中的雜誌落到擱在膝蓋上的一本電影雜誌，封面上七彩的琪恩茜蒙絲做著誘人的媚笑——我竟這麼疏忽，在車站上不曉得買本雜誌來排遣這寥寂的旅程……

「密斯要看看嗎？」那青年就似猜中了我的懊惱般，謙虛地微笑著說，就手拿起那本電影雜誌遞給我。

「謝謝。」我接了過來。

「她這次和勞倫斯奧利佛合演的〈哈姆雷特〉，真可說是演得入情入微，恰到好處。」

他不待我打開雜誌，又指著封面上的琪恩茜蒙絲說，帶著詢問和徵求同意的表情。

「是嗎？電影我不曾看過，但哈姆雷特這一角演來相當吃力。」

「是的，很吃力。莎士比亞的劇本有一些過於著重心理的描述，都不大容易演。」他道及那位偉大的劇作家，熟悉得就似他的老相知。「其實〈哈姆雷特〉雖是他的代表作，我總覺得太沉悶了點，不及〈羅密歐和朱麗葉〉來得富於詩意。其次是〈奧舍羅〉，最近上演的〈死吻〉，就是〈奧舍羅〉編譯的，密斯看了沒有？」

〈死吻〉，不正是為了貪著這部金像獎巨片，才使我熬著疲倦來坐這夜車，那故事和情節在我的印象中，還新鮮得如同才印上布匹的花朵。於是從劇本又扯上電影，他從劇情說到演技，說到藝術氣氛，說到明星的造詣，說得那麼娓娓動聽，頭頭是道。彷彿又是個對電影很有研究的。

「薩口莎哈從前還是默默無名的，就是這一劇使她成了名。她人長得不算漂亮，可是那張嘴的輪廓可真美，真精神。我說她是靠化妝的，很多人卻不相信，以為化妝的總不能老保持這般明顯完整。不是嗎？在宴會常可以看見一些很摩登的小姐太太，姍姍而來時又何嘗不是美麗的櫻桃口或是愛神之弓。可是一吃飯一喝咖啡，不是變成個血盆大口便是白瓷杯上滿沾著紅斑，那樣子真是……」他的話就像上了潤滑油般，一轉又轉到化妝術上來。不等我接口，他又熱心地翻著雜誌上的明星照片給我看，一面又數家珍般道出一串她們的名字。

「妳看，琴蕙曼、白蓓蘭史丹妃、瓊克勞頓……她們嘴的輪廓看來都那麼臻善臻美，真像上帝傑作……其實拆穿了說，這也沒有什麼特別，她們用的便是這個，」他說著很自然地在大皮包裡掏出件小東西來——那是支口紅。「用這種曼克斯佛佗的唇膏，不但色澤鮮明，芬芳滋潤，而且永不脫落。如果用了這種唇膏再擦上些三花胭脂，」他又從皮包裡摸出盒胭脂來。「更是相得益彰，美豔無比，且有使皮膚光滑細膩的作用，好萊塢的明星全抹用這種。要是再……」他的手又一次探進皮包裡，我忍不住向那裡瞥了一眼，嘿！滿滿的一皮包竟全是花花綠綠，瓶瓶罐罐的化妝品。

「……這些名貴的化妝品，如今市面不僅價格昂貴，而且難買。可是我這個都是從香港順便帶來的，只要市面上一半價錢。……」他還在滔滔不絕地說。原來，原來這個瀟灑自若，同我從莎氏樂府談到戲劇，談到藝術的青年，卻是個化妝品走私者！

編註：本文原刊於《台灣新生報・副刊》，一九五〇年五月三十一日，第九版。

心臟病患者

「我有心臟病。」陶太太閔芬自己這樣向人宣稱，她今年剛好三十出頭，頎長的身材不太豐腴可也盈勻，橢圓形的臉上有一雙靈活有神的深黑眸子，瘦削的鼻子，薄薄的嘴唇，抿緊時的嘴角透著堅定和毅力。按整個輪廓構造來判斷，該是個幹練的人，可是她卻一直讓惰性支配了自己。她看不起那些耽於打牌跳舞的太太們，輕視那些只曉得柴米孩子的主婦，她更詛咒這死水似的生活，卻又沒有機會——也可以說是缺乏勇氣建造更理想的生活，她變得消沉，變得淡漠，對一切都不感興趣，身心的活動只限於看書、幻想，精力的消耗也是幻想、看書，慢慢地，連多跑二趟樓梯，習慣於平靜的心也要忐忑半天，在太陽下走一程路也會眼睛發黑，於是她斷定自己患了「心臟病」，這藉口更好做為她避免一切煩惱的有力的理由。

蔣夫人領導組織的中華婦女反共抵俄聯合會的成立，像一支火炬照亮了負有復興民國重任的自由之島。溫暖了萬千戰士豪壯的心胸，熾燿起了萬千婦女蘊蓄著的熱情，火花更迅疾地傳揚到各市各縣……分會、支會，都以閃電的姿勢展開了實物勞軍，捐米救災，組訓婦女的工作，報紙以顯目的地位登載著這美舉，閔芬自然也從報上看到了這回事，不過她還同往常看那些什麼會、什麼宣言的新聞一樣，漫不經意地瞟一眼標題，可是同院有幾位主婦，卻給激動了，晚上納涼時一改往日物價家事的瑣談，而把這事當作了談話的中心。

「蔣夫人到底有一手！」

「畫報上不還登著她編草鞋的照片，真不愧是能文能武的全才。」

「說也是，這次戡亂我們簡直沒做過什麼事，過去抗戰時那股忙勁不曉得哪裡去了？」

「那時，那時是小姐哇，如今一天到晚忙吃的、忙孩子，誰又能有那個工夫喲！」

閔芬一旁聽著在心裡暗笑，少打二圈牌，少聊幾句天不就有工夫了，可是有了工夫又做什麼事。大不了縫二件衣服，做二雙鞋了，這便算救國救民了，真是撿到雞毛當令箭，無聊！

「我們部隊上亦在籌備成立分會了，陶太太，聽說妳會當常務委員哩！」消息靈通的王太太將話鋒轉到閔芬身上，她的心猛地一跳，但馬上又淡淡地說：

「那不能吧！我心臟衰弱，什麼社會活動也不能參加。」可是說這話不到三天，那天陶先生下班回來便給她帶回了一個信封——婦聯××部分會的一件通知和聘函，閔芬一看就不高興地皺緊了眉頭。

「誰有那份傻勁去攬這套賣膏藥！」她不屑地隨手將信封往桌上一擲。

「也許不僅是賣膏藥吧！」陶先生搭訕著說：「我看了組織章程，如果辦得好，可與二次世界大戰時英美的婦女輔助隊媲美哩。」

「人家是人家，我們是我們。」閔芬撇一撇嘴又拿起那本《生活的藝術》來。

「那麼妳是不去？」

「當然不去。」斬釘截鐵地。

「好太太，不管怎麼說，好歹妳就去開一次會吧，主任委員是我們長官太太，別人都去，妳不去不好意思。」

「你忘記了我有心臟病！」

「妳只去開開會，不要擔任實際工作好了。」

閔芬在陶先生敦勸下，只勉勉強強屈尊地出席了籌備大會，主任委員是上了點歲數的，看樣子原該在家裡享享清福老太太，然而她卻和藹而熱情的在會場裡招呼著，好些早到的會員在彼此在口找識的人悄語著。一個說：「我丟下菜籃子，氣都來不及喘一口就趕來了這裡。」一個說：「我提早一刻鐘餵了小玲的奶，溜出來時她還在哭哩。」又一個公務員模樣的說：「我向上面告了半天假，他說告假可以，那些表妳仍得按時造出來。」閔芬看著聽著，首先就讓一肚子的不耐煩消退了。

會開始了，起初有點滯澀，慢慢地發言人多了，情緒逐漸高漲，空氣也就緊張起來。在那種氛圍的逗撥和渲染下，閔芬情不由己地放棄隔岸看火的態度開了口，而意見又那麼透闢切要，以致在選舉股長時她竟被提名擔任組訓股，不管她怎樣婉辭力辭說有心臟病，大家始終不肯推翻這個決議，會散後回家，她免不了又埋怨陶先生幾句，要她去，要她去，這下可去得好，捏了一手的濕麵粉，可是她自己多言惹下的事，卻不能怪誰。

熱忱，這是件很微妙的東西。它深藏在心的一角，就同油礦藏在地殼下一樣，上面密蓋著世故、惰性等等的堅硬積層，如果能在這積層上鑿一個孔，它不僅是細流源源不絕，甚至會湍湍噴湧。第二次開成立大會，閔芬很早就去布置，第三次開始辦公，帶去了一疊籌組戰時婦女輔助隊的計畫。第四次編選教材……一陣子沒見閔芬「西子捧心」的姿態，也好久不曾聽見她嘮叨「這種死水樣的生活，真膩死人！」陶先生有點感到失去了什麼，又像增加了什麼的感覺。

昨天閔芬一個友人意外地在路上逢到了閔芬，脅下挾了一大捆講義什麼的，匆匆地穿過大街。寶島特有的炙人的太陽烤得臉紅紅地，她喚住了她。

「喂，陶太太去哪兒這麼匆忙？妳的氣色真好看，心臟病好了嗎？」

「心還是跳的很快哩。」閔芬抹抹額上的汗珠，幽默地按住胸口說：「只不過從前是病態的，現在呢？」她愉快地拍拍那捆講義，「卻是為了亢奮。」

編註：據艾雯手記，本文原刊於《台灣新生報・每週文藝》，一九五〇年六月。

結婚禮物

梅太太一手提著一蒲包菜，胸有成竹地走進委託行向店夥指了指玻璃櫥裡的東西。打開鮮紅精緻的電木盒，裡面擱著一套金光燦爛剃鬚刀，她數出一疊新台幣，帶著滿意地笑走出了委託行。又在花攤上選購了一束康乃馨。冒著驟雨趕回家去，雨借著風勢，著實有勁，橫射斜劈，四面夾攻，偌大的油紙傘也只遮得一個頭面。不一會梅太太那件舊得發白的藍布旗袍已打濕了大半件，濕漉漉地貼緊在身上。「在台灣沒有件雨衣真不方便！」做一次落湯雞梅太太便怨惱參半地想一次。可是今天她卻意外地沒想起這件事，三腳二步地趕回家裡時，雨又稀疏了，西邊推出了一大塊青天，陽光僾從雨隙裡穿出來。「這神經病的天！」她脫下那件水裡撈起來似的衣服，便一窩蜂地忙起來，先從牀上著手，將一牀乾淨被單連被帶挾一股腦兒罩住了，又用一條紅布條紮成個蝴蝶結繫住昨天才洗淨的蚊帳。這樣雖是一張不黃不綠的竹牀，一眼看去卻也鮮明整潔。弄好牀，她又將那張派百用的板桌上堆滿的瓶瓶罐罐，拉拉雜雜的東西，全朝各個隱蔽的角隅裡塞去。也給鋪了牀摺疊了白被單。用一只醬油瓶插上緋色的康乃馨，最後才小心翼翼地擱上紅色電木盒，上面還放上一個手編的，周必德的箭穿連著的「同心」。這一切都弄好了，她退後幾步，用鑑賞的眼光審視了一遍，又在牆上黏上二張從畫報上剪下的彩畫，配一葉棕櫚，三五點銀星。這才透露出滿意的笑容，這一間鴿子籠似的小房間經她這一番匠心的布置，已顯得整潔美觀，煥然一新了。

梅太太為這一天的來到，已籌劃了一個多月了。這是他倆的結婚週年紀念，一年前，他倆在南京為這一天來的來臨，半月前就發出了粉紅的喜帖。可是時局驟亂，共匪的廝殺聲漸臨石頭城下。原該是賓客盈堂，喜氣洋溢的一天，他倆卻揹上簡單的行囊，跟著一群不願做奴隸的人們，輾轉來到了反攻基地——台灣，他們如願以償地呼吸著自由的空氣，他們的生活卻在積蓄地減少下越來越艱苦，前個月梅先生總算找到了個戶籍錄事的職位，靠著那微薄的收入勉強支撐著，可是不管怎麼艱苦，這生命史上最燦爛的一天，這兩人開始攜手並肩走上崎嶇艱鉅之路的一天，梅太太是忘不掉的，她想著要給梅先生一個驚喜，一件禮物。她盡量偷空替人家縫點針線，積下一筆手工錢，為的是買這盒剃刀。這對他是多麼需要喲！他的鬍鬚又密又長得快，用剪刀剪總剪得參差不齊。用銅板夾又夾得鮮血淋漓，因此年輕輕地老是滿臉于思于思，看著更是落魄了。

梅太太收拾好房間，又到簷下那一角廚下忙碌起來，她今天買了半斤肉，還有一尾黃魚，晚飯是吃麵，這是她自己想出來的，她記得家裡做壽什麼的總是吃麵，麵寓有「壽」

「永」的意思，那麼她為什麼不好取這個意思呢？洗好燒好菜，把下麵的水煮上，她趁空自己打扮一下，梳光了頭髮，薄施脂粉，從箱子裡找出那件逃難時唯一帶出的紅衣銀星的旗袍穿上，對鏡顧盼，自己覺得容光煥發，年輕了幾歲，這時對面的楊太太正燒好了菜走到院裡來透一透，一眼看見梅太太，便遠遠地嚷著走過來。

「喲！梅太太打扮得這麼漂亮，是作客去嗎？」

「這件衣服紅的真豔，是新做的吧！」隔壁呂太太聽這麼一嚷，也過來湊熱鬧。

「還是嫁時衣哩！不穿也要變古董了。」梅太太只得這般笑著說。

她們兩人還在你一嗎我一句地評頭評腳，忽然呂太太拍一下楊太太的肩頭：「看妳們先生回來了。」

楊太太一看果然，便搭訕著跑了過去，不一會呂先生也回來了，呂太太自然也踅了回去。這時梅太太的心弦繃得緊緊地，突然緊張起來，去門口迎他嗎？不好，首先他看見了這身打扮就沖淡了喜劇味，還是躲在廚房裡等他進來，先看到房裡的陳設，驚奇之下，自己再像名角亮相的姿勢，出現在廚房門口，以一個甜蜜的微笑說：「記得嗎？今天……」，於是重新溫習那違別一年的舊夢，那心靈合一的長吻，那些無言的親密……驀地驚覺，卻見夕陽已西墜，鍋裡的水也停止沸騰了。她心神不安地端下鍋子一看，酒精爐裡的火迴光返照般跳了二跳，便沉熄下去。她順手提起酒精桶來，預備加一加滿，心主卻焦灼地想著：「怎麼他還不回來，莫不是……」就在這一剎那突然「逢」的一聲，一股火焰從爐底冒上來，直竄上她手裡的酒精桶，一朵朵的火焰立刻跳躍四飛，一瞬眼工夫，梅太太的胸前，肩臂，都已燎熾著火舌，她慘叫一聲，丟了桶衝到門外，撲在地上翻著滾著，四鄰聞聲馬上擱下碗筷跑出來。有的迫切中端起門口的洗澡水便向她身上潑去，但這邊澆熄，那邊又迅速地竄出火焰來，火像妒嫉那件紅旗袍的鮮豔，頃刻便給噬毀無餘，蓬鬆的頭髮須臾便萎縮成一團膏狀的渣滓。這時火舌已貪婪地舔著了臉部和皮膚，嗞嗞咄咄地發出獰笑，楊先生冒險將一牀棉被浸濕了水往她身上一蓋，這才把猖獗的火勢窒熄了。

掀開棉被，梅太太已是奄奄一息，嬌好的面目，只片刻工夫便變得醜陋不忍目睹，一隻右手就似燃殘的枯柴，胸前也是一片焦黑，一股惡濁強烈的焦臭，替代了她半點鐘前灑上的明星香水，從她身上散發出來。

已是黃昏了，一個商人模樣的中年人，挽著一件蘋綠色的雨衣，按著門牌走進了梅家，他喚了幾聲卻引來了隔壁的呂太太。

「妳是梅太太嗎？」他不容人家否認又急促地接著說：「梅先生讓汽車壓了，他剛從我家買了這件雨衣，不知怎麼走出店就給對面來的一輛大卡車從腿碾過去，他在迷糊中還囑咐我送這件雨衣來，說是給太太的結婚禮物。他現在送去醫院了。」

「哎！」呂太太怔忡了一會，半晌才慘然說：「他太太讓酒精爐灼傷了，現在亦抬去醫院了。」

「哦！這直是禍不單行。」中年人歎息著將雨衣往桌上一撩，又匆匆地走了。

那件蘋綠色的雨衣給撩在桌上沒按著實，一會子便帶著給蓋在下面的紅色電木盒一起滑落下來，周必德的箭穿連著的同心給壓在中間。一剎那夜色四沉，紅豔綠翠，便悄悄地埋葬在無邊的黑暗裡。

編註：本文原刊於《時代婦女》第六期，一九五〇年九月一日，頁六～七。

乞婦

「太太，對不起，請大家行好吧！幫幫我一個難婦吧！」

陶太太倒抽一口氣，向來人看了一眼，又坐的著著實實的，一個襤褸的婦人，蹣跚地踱到我們這條巷子裡來。

這時候鄰居的幾位太太們正聚在陶太太的院子裡，聊著天，織著毛衣。

「我們是從大陸上逃來！」那個婦人已經走近我們的身前，又哀求著說道：「可憐我家已有二天沒有東西吃，大人挨餓還不打緊，二個孩子餓得可憐啦！我男人又病得厲害也沒有錢吃藥……」那婦人哽咽說。低下頭舉起手來直擦眼睛，我這才看到她手裡還捏著一卷鈔票。

「妳曉得這年成大家都艱難，多了呢？我們幫不起。少了又……」陶太太透露著為難的樣子。

「多少總隨太太的善心啦！」她陪著笑說。

陶太太躊躇著，吞吞吐吐掏出二張一元的新台幣，一想，又給添上一張。這才摺了幾摺，塞在那婦人手裡，「唔，這一點……」大家也隨著掏出二三張新台幣遞給她，如果打發叫化子三毛五毛，人人都會感到施主的慷慨，可是給了她三元二元，反覺得有點拿少了的歉疚。

「謝謝。」她隨手將鈔票塞進那一卷裡，又堆上個卑諂的笑說：「太太們行好到底啦，還有什麼穿剩的衣服捨兩件。」

「妳的孩子幾歲了？」汪太太顯得關切地問。

「男的六歲，女的八歲。」

汪太太進房摸索了一會，拿出二條小莊穿破的藍布布裝褲，陶太太也不甘落後地找出一件海莉小時的舞衣。那婦人接過去又道聲謝謝，這才拖著出去。

過了兩天，我正靠窗台上沉浸在《她的一生》那本書裡，園裡有蟋蟀聲。

「太太……」那個女人又在窗外出現了。

「妳男人好了沒有？」我不等她說下去就攔著問，她怔了一怔，帶著些微惶惑向我打量了一眼，這才低下頭不勝悲愴地說：「沒有囉，就是沒有錢給延醫服藥哩。」

「妳老這樣東對西求也不是辦法，要不擺個攤子做點小生意什麼的。」我試著跟她出主意。

「那來的本錢喲！」她懣怨地攤開了雙手。

「為什麼不出來幫人家呢？現在內地傭人可吃香啦！」

「我是有小孩子纏著走不開身。」可是我記得她說過一個八歲，一個也有六歲。

「再不給人家洗洗衣服也好。」

「誰讓我洗呢？有錢的僱了下女，沒錢的也捨不得拿給人家洗。」

我只得默然了。

「唉！窮人就是難吃飯哪！」她怨天尤人地歎了口氣，「這裡就是妳太太一家住嗎？」

「唔。」我含糊答應。

「這附近全是空軍眷屬區吧！」她環視著牆外，更進一步探詢，獲得了答覆，便懶洋洋地從我門口出去，又踱進了隔壁。

這天晚上我偕非去逛露店，這是最熱鬧的夜市。在一個食品攤的旁邊，我突然聽到一個似曾熟識的聲音：

「喂！再來一碗。」

我本能地朝聲音的方向望去，卻是那家擺滿了魷魚、雞鴨的料理店裡，正端坐著那個藍灰色布條繫著雙辮的女人。她手裡舉著筷子，用貴夫人在大飯店裡使喚僕孩的神態招呼著店伙。在她對面坐著一個吊兒郎當的中年男人，手裡夾著支香煙，顯現著飽啖後的悠閒神情。

兩端是二個七八歲的孩子，猶自全副精神集中在面前熱氣騰騰的碗裡。

我迅疾地轉過身去，耳畔彷彿還響著那婦人悲愴的聲音：

「可憐我家裡已二天沒有東西吃了，男人生著重病，又沒有錢延醫服藥……」

編註：本文原刊於《中華日報・副刊》，一九五〇年十一月二十一日，第六版。

一見鍾情

一

海灣裡萬頭攢動，臂腿交錯，幾乎把個裡海擠成了「人海」，柯甯游泳了一陣，便換個仰游的方式，離開人群，悠悠地向另一個僻靜的角度泅去，那嘈雜的聲浪逐漸落在後面，他吸一口氣，猛地用一個衝刺竄向前，不提防頭部卻撞著一件什麼軟軟的，有彈性的東西，他急忙一個鯉魚翻身，頓覺眼一亮，一個紅豔的身材亦正衝著他轉過來，二人的臉恰好斜斜相對，淺紅色的嘴唇驚愕地微啟著，像一朵綻開的海棠，羽扇般修長的睫毛下閃爍著一份嗔怪。

「哦！對不起，撞痛了哪裡沒有？」柯甯歉疚地致慰。

「真冒失……唷！」紅衣女郎嬌嗔未了，突然雙眉緊蹙，痛苦攣痙了豐腴的臉龐。

「怎麼啦！撞壞了哪裡？是腳抽筋，前面就有個淺灘，去歇一會吧。」柯甯也顧不得唐突，一手挽著紅衣女郎的腰肢，向不遠處一個伸展在水裡的沙灘划去，他托著她讓她攀上那一塊凸出的岩石，自己也跟著攀登上去。

「啊！多美麗的所在！」紅衣女郎赤足踩在砂礫上，欣喜地環顧著四周，忘記了腳抽筋，就像一個孩子發現了一大堆新奇的玩具般，來不及的東顧西盼。

「我給它取了個名字，叫小蓬萊。」

「小蓬萊！真有點兒仙氣哩。」她隨手摘了朵開在岩石上的小黃花，隨便地坐下來，一面又招呼柯甯：「不休息一會，你……哦，我還不知道怎樣稱呼你呢？」

「柯甯。」柯甯邊說邊蹲下來用石子在沙上劃著，她跟著他的筆劃唸了一遍，那平凡的二個字從她嘴裡吐出來就像加上了美妙的樂譜。

「那麼妳呢？可以讓我知道妳的芳名嗎？」

「梅妮。」

「梅妮，梅妮……」柯甯重複地背誦著這美麗的名字。

「喂！我可不是大慈大悲救苦救難的觀世音菩薩。」

「唔？」柯甯楞著二眼望著她。

「你盡唸幹嘛！」

柯甯忍不住笑了起來。

「可是，唸唸不一定是祈福、求祐，有時是表示敬慕，有時是衷心崇仰不自覺的表露。」

「看不出你倒是個信徒。」

「是的，我是個信徒，可不是對虛無的神，而是對現世真實，和善和美麗。」

「好一個真實美的信徒！」梅妮縱笑著，一側身側臥下來，優美的曲線，嬌豔的衣飾，襯著近山凝翠，海天泛藍，竟是一幅絕妙的水彩畫，柯甯看著有點出神，偶爾抬起眼光，正好逢著二道在自己臉上搜索的視線，無限機智裡滲著狡黠和一股不可捉摸的神情，隨著他的視線，掩飾地一笑。

「請問，你是偶爾來這裡小遊，抑是這城裡的長客？」

「不久不暫，有一陣子逗留。」

「那就好了！」她若有所得的歡嗅。

「好什麼？」

「那個麼，」她似乎是自己的失言感到羞恧，搭訕著站起來。「你去猜！」說著輕盈地聳身一跳，水嘩然歡躍，立刻伸出千萬隻碧玉指擁抱了梅妮的身軀，那鮮麗活潑的姿態，使人聯想起玻璃缸裡的金魚。她側過頭來，向猶自兀立在石上的柯甯招了招手，柯甯應聲躍下，一路追逐著梅妮游去。

暢游返程，已是日暮時分了。梅妮走到停車處，靠在一輛藍綠色的別克旁邊，嬌慵地按著額角。

「糟糕，今天曬多了太陽，頭暈得很。」

「那麼，讓我替妳暫充一次司機吧！」柯甯自告奮勇地說，先讓梅妮在左邊坐下，自己去海濱小店轉了轉，回來遞給梅妮一盒萬金油，一包人丹，腳在引擎發動機上一踩，車緩緩地轉上公路，便風馳電掣地向城裡駛去。

梅妮打開萬金油，用塗著寇丹手指蘸著輕輕地搽在額畔。

「你不但是個好騎士，不想還是個好司機哩。」

「謝謝妳的封贈，從今天起，我將以妳的騎士自命。」柯甯以一個敏捷的動作，閃過了對面直衝來的十輪卡，不一會，車子在一幢綠蔭圍繞的小洋房前停下來，聽見喇叭響，司機馬上打開正門出來。

「星期六下午，我家裡舉行一個派對，你一定要來。」梅妮熱情地握住柯甯的手說，隨即走下車來讓司機坐上去，自己還在門口揚著手叮嚀：「一定要來！」

二

華貴的客廳裡，女主人打扮得更華貴，黑色的夜禮服緊裹著窈窕的身材，晶瑩的珠子繞著潔白的頸項。髮髻盤繞在頭頂，顯得無比的高貴、莊麗，看見柯甯，她便放下對眾人的周旋，笑著迎下來。帶著他一路介紹著，還特地在一堆圍談著的人叢裡喚出一位頎長身材，儀表優美，有著一副堅定臉型的青年紳士來為他介紹：

「這是我的騎士，柯甯。這是優秀的工礦工程師，未來振興自由中國的實業家，裴德。」

「將來我若競選，一定要拉妳做我的吹鼓手。」裴德笑著說。

梅妮嘴角一撇，瞟了他一眼，轉手卻在桌上花瓶裡折了朵康乃馨按在鼻端聞了聞，插在柯甯口袋裡，一舉手便扣住了柯甯的手臂，柯甯受寵若驚地漲紅了臉，一抬眼，卻見裴德正望著他們，碰著柯甯的視線，裝作不經意地轉過臉去。

在茶桌上，梅妮讓柯甯坐在自己左邊，故意地問東問西，顯得特別親熱和殷勤，節目包括很廣，他記得最精采的是裴德朗誦薩芙給她那位詩人情侶的情書，和女主人獨唱〈初戀〉，柯甯自己背誦了一首普式庚的詩。

茶會後接著是跳舞，柯甯接受了梅妮的暗示，連跟她跳了三次，摟著纖柔的腰肢，滑著輕盈的步伐，舞著舞著，柯甯不自禁地陶醉了，他只記得裴德彬彬有禮的來向主人告辭，只記得梅妮送自己到門口望著他的眼睛悄悄地說：「記得，明天下午來看我。」

雞都啼過了的深夜，柯甯獨自睜大了眼睛躺在牀上，指向拈弄著那朵已是憔悴的康乃馨，那對勾魂的熱情的明眸，不住在眼前熾灼，那像一粒火星，爆著他年輕的心馬上燃起難以壓抑的火焰。那麼高貴、豪華、聰明、美麗的小姐，卻對自己這樣一個飄零的窮小子遽然施情，世上果真有「一見鍾情」嗎？

第二天柯甯捧著一束鮮花，一進梅妮家的園門，便聽得一陣抑揚的樂聲，是〈教我如何不想他〉。他輕輕推開綠紗門，堆上一臉春風。

「哦！多漂亮的花！」梅妮擱下凡亞琳，欣忭地接過花去，在笑靨上摩擦著。

「為什麼不拉下去。」

「你來了我就不想拉了。」

柯甯像飲下了一杯醇厚的葡萄酒，抱起凡亞琳來，凝肅地撥了撥弦線，眼睛裡洋溢著即將奔放的情熱。

「為我奏點什麼。」梅妮望著他說。

柯甯一往情深地望住那一雙明媚深邃的皓眸，弦琴在顫抖的手指下響了，〈小夜曲〉幽悄地訴說著戀情，門外遠遠地傳來了腳聲，梅妮挪一挪身子，緊偎在柯甯身畔，二手托著臉腮，眼睛閃爍著愛慕深情的光輝與柯甯交換著無言的心的融貫，進來的是裴德，他看到這情形那麼匆遽地在臉上掠過一道陰影。但馬上又堆上紳士們那種幽雅的笑容，悄悄地坐下來欣賞著。

「啊！太好了！」梅妮歎著氣從忘我的境界找回了自己。

「柯先生真是位提琴聖手。」

「哪裡哪裡！」柯甯搓著手歉虛著，「裴先生昨晚的朗誦可真動人，聽得人血液都沸騰起來了。」

「真的，裴德，你昨晚怎麼想起唸她的東西來，而且唸得那麼熱情澎湃，想不到冰山下也會爆出火花來。」

「那只是一時來不及準備，偶爾記起了妳書架上有這麼一本書。」裴德站起來燃了一枝煙，「這雖說是逢場作戲，我倒想試試自己有沒有表達這種感情的技巧。」

「你認為這是技巧？」梅妮不放鬆地追問。

「不是跟演戲一樣嗎？」

「依你說愛情只是一種做作和矯揉？」

「我是指淺薄的談情說愛。」

「淺薄的談情說愛！那麼像你這樣深博的人，自然是沒有愛情的了。記得蕭伯納說過：『有真事業的人是不會花時間去搞愛情這套玩意兒的。』不用說，你當然是他的信徒嘍！」

梅妮連刺帶諷地說，裴德咬著嘴唇佯笑著，一會突然擲掉了煙蒂站起來。

「真的愛情不一定要掛在嘴上，唱在歌裡。所謂情如水，淺水低咽而深水啞然。」但說過後他似乎又覺察自己的激動，馬上又溫彬有禮地走到梅妮身邊，「哦，梅妮，跟妳一扯幾乎把正事都丟了，這個星期內我去香港，有什麼帶給令尊大人嗎？」

「你去香港？幾時回來。」

「恐怕不回來了。待一陣便去美國。」

「你放棄了一年來研究的心得。」

「唔。」

「就這麼匆遽地離開？」

「毫不留戀。」

梅妮若有所思地垂下了頭，柯甯覺得這空氣對自己不宜，推說有事告辭了。走出大門，心裡說不出的不舒服，望著星月下自己孑孑的影子，沒精打采地移著腳步。突然背後一個親暱的聲音在喚他，一回頭，卻見梅妮正站在門口歉疚地望著他。

「有什麼事麼？」他轉過身來想踅回去。

「沒有什麼。」梅妮溫柔地囁囁地說：「只是，只是祝福你今晚有一個好夢。」說著舉起手來在嘴上按了按，敏捷地送結他一個飛吻，便一溜煙跑了進去。

三

這一夜柯甯果真做了一夜的夢，只不過不都是好夢，卻是顛倒的亂夢。第二天不做想便向梅妮家踱去，可是僕人卻回他個不在，第二次去還是不在，接連著第二天、第三天都沒見著，這晚他又失望地踏著星月回來，苦惱地在斗室裡徘徊著。是故意避不見面嗎？那麼一開頭又為什麼對我那麼多情，是玩弄嗎？又不像那種濫施感情的女人……「咚咚咚」門上突然響了起剝啄聲，進來的是梅妮家的司機，捧了一個大包上面有一個淺藍色的信封。

「小姐叫我送來的。」司機放下包裹彎彎腰很快地退了出去。

柯甯緊張而迅速地抓起信來，一筆秀麗的鋼筆字下寫著自己的名字，他用顫慄的手拆開了封口，一股幽香隨著信紙的抽出，瀰散在空氣中：

甯：

一個人的一生不總是會做好多夢的嗎？有時在夢裡會得到許多有趣的事物，有時在夢裡會遇到神奇的境界，可是待一剎那夢迴而發覺一切都幻滅了時，起初雖有點惆悵，過後卻又啞然失笑，夢是空的，但是多做一次夢卻給平淡的生活多添一份回味。甯，請把我們這一次相識當做了一次夢吧！而把我當作夢裡那荒唐的女郎。雖然，在今後的生涯中，我有一份幸福都將……

裴德，這個博學優秀的青年工程師，我們認識已有一段歷史了，他曾以騎士的風度追隨我左右，曾以哲學家的口吻與我論說愛情，更以紳士的作風，隨處顯示著殷勤，但他始終未曾表示過自己真實的情感。而我，我愛他的情熱日復熠熾，只是少女的矜持和自尊，不容許女性在情場上做為主動者，那天無意中遇見了你，你又那麼瀟灑出群，我忽然起了個奇突的念頭：不是嗎？愛一定是自私的占有的，容不得第二者覬覦。我想試試他究竟是不是愛我，也就是看看能不能激發他的嫉妒，因此，我親愛的朋友，恕我竟利用了你。如今我的計策果成功了，裴德不再放棄他在這裡的成績。而今後，我將永伴著他鼓勵他從事那振興自由中國的實業，掘發全國無窮盡的寶藏。

這只凡亞琳曾經伴隨了我六年的歲月，留著做個紀念吧！甯，夢裡的聲音也許能給你慰藉，讓我給你抄一段泰戈爾的詩句：

只管走過去。

不必逗留著去採了花朵來保存；

因為一路上，

花朵自會繼續開放。

虔誠地

為你祝福

梅妮

信箋驟然揉作一團，柯甯粗暴地撕開了包裹，弦琴便露出精緻的身材，閃耀在月光下。他舉起的拳頭鬆弛了。半晌，顫慄的手輕觸著光滑的琴身，輕輕撫拭著像撫摸愛人的柔髮。

琴弦幽哀地嗚咽了……

編註：本文原刊於《暢流》第二卷第十期，一九五一年一月一日，頁五十～五十一。

克難英雌

午後絢麗的陽光投射在P市一角，一帶柳樹竹籬圍屯著六七間板屋收拾得整潔素雅。綠樹迎風招展，蝴蝶追撲迴旋，雞聲啾啾，碎語絮絮，一隻混種的半狼狗帶著飽啖後的滿足，舒泰地將四肢伸展在陽光下。院落裡洋溢著恬適、悠閒的氛圍。然而這只是一些收入微薄的小公務員之家——敢說也是千百個公務員住宅的類型，主婦們緊張地忙過了早餐、買菜、洗衣及午飯，在這時有份屬於自己的時間，三五個聚在一處，閒話便似一道源源不斷的溪流，淙淙向前奔流。

「這一陣老聽見怎麼克難，怎麼克難的，著實熱鬧。其實這年頭哪一家又不在克難！要不，靠一個小公務員的收入……」說話的是幹練的鍾太太，在番茄旁邊拔起一支莠草，順手一撩，顯得不服氣似的。

「真是，人家就不曉得做主婦的怎樣和困難在搏鬥，三個錢要當作四個錢用。光買菜就夠傷腦筋的了，又想便宜，又想好吃。」這是瘦弱的余太太，正利用一只破鉛桶在改裝煤爐。

「我做小姐的時候，自己連襪子都不曾洗過一雙哩！」做主婦資格最淺的林太太誇張地說。她坐在鍾家瓜棚下一只三塊板拼成的矮凳上織毛衣。「可是現在，一家大小粗粗細細的事全是一個人包辦。現在肥皀貴了，我洗衣都用灰水洗。看我手上洗起多大一個泡！」

「我來台灣就不曾製過一件衣服。我身上這件旗袍還是窗簾染了縫的。昨天我又拆下一件舊夾袍的裡子給阿洪改衣裳。」程太太挪著矮胖的身軀在打掃雞塒，她又拍拍那方方的雞窩逞著得意說：「我這個利用人家不要了的榻榻米蓋的雞房，不也是克難？」

「我這個破鉛桶改的煤爐又省錢，又省煤！」

「講起生產來，我們早就不是新花樣了。」鍾太太從菜畦畔站起來，傲然以一個女皇環顧她的轄地般審視周圍。扁豆沿著竹籬一路的蜿蜒伸展，黃澄澄的南瓜大模大樣地高蹲在瓜棚上。黃瓜則羞答答地露出苗條的身材。紅的番茄、紫的茄子掩映在綠葉下互相爭輝。四季豆壓得纍纍墜墜的，就像掛滿了無數鈴鐺。包心菜圓楞楞的透著點憨相，兩棵風信杆似的向日葵居高臨下地俯瞰著這生氣蓬勃的一角。鍾太太滿意地掀起了薄薄的嘴唇笑了：「別說自栽白菜味兒好，這瓜棚夏天還管著遮蔭哩。有這麼幾畦蔬果，給孩子們也添了一份差使，放學回來也沒有那麼撒野了。」

「像我給人織毛衣哩，」林太太抖一抖手裡即將完工的嫩綠色毛衣，柔軟、精緻、嬌豔，看著都逗人愛。「偷一點空暇便打幾針，掙的錢可不遜我們先生坐八小時辦公廳。而且這還是利用空暇呢。」

「瞧我買來時只是兩隻母雞、一隻公雞，現在已是子子孫孫一大群了，吃掉賣掉的還不算。我就不信那些什麼科學養雞要吃魚肝油吃牛奶的。我一天餵下三頓糠米飯還不養得肥肥壯壯的！噢，大紅冠，別欺侮小白呀！咯咯咯，來這裡！」程太太就似托兒所裡的保母般，慈藹地照顧著包圍住她的雞群。她攔住一隻強橫的大公雞，用手托著米送到雛雞面前。

「古人說，齊家而後治國，先生們當個公務員，大小也總是為國家做事。要不我們在家移東補西，開源節流的克難，講起來還不是國家的功臣！」鍾太太索性大模大樣地講起國家大事來。

「而且還是克難的始祖。」程太太說。

「明兒個也照些養雞、種菜、織毛衣的相片去報紙上標榜一番。」余太太說。

「還上個報告，也讓總統賜宴請請我們這些克難英雌……」說著，大家全格格地笑起來，笑出了眼淚，笑彎了腰，笑得母雞也驚惶地「喀大喀大」的啼叫，笑得熟睡的黃狗聳起耳朵，睜大了眼睛莫名其妙的向四面張望。

「哎，算是瞎扯扯昏了頭，都快下班了，還不曾生火哩！」余太太大笑甫定，忽然望一下牆頭的日影發出了警報。馬上鍾太太放下了鐵鎬，林太太收拾起絨線，程太太也向雞們叮囑著告別。

「別克難英雄、克難英雌的了，還是老老實實做灶娘吧！」

太陽跟著她們的腳跟懶洋洋地爬下樹梢，廚房裡竄出一股股淡青的炊煙，竄上多高，便滙聚成一大股，向西面飄颺開來，片刻便瀰漫了全院。接著是一片炒菜聲，黃昏伴著先生們下班回來了。

編註：本文原刊於《中央日報・副刊》，一九五一年一月二十日，第六版。

結婚五週年

孩子們盼望著那一天，康先生惦念著，那是康太太為那一天勾引起甜蜜的回憶——那一天他們的結婚五週年。他們已經討論了好些日子了，怎樣慶祝這生命開花的紀念。第一、二兩年由於工作的羈絆，沒在一起。三週年在困頓中，四週年又因受著共匪的迫害，在奔台的僕僕旅途上。只有將屆的五週年，生活雖是艱苦，卻有一份安謐。何況恰巧有一筆年終獎金到手，恰巧那天又是星期日，康先生終於說服了康太太自動休假一天。不能說是隆重慶祝，只是讓終日囚禁在油鹽柴米中的身心，也在自己的節日舒鬆舒鬆。

週末晚上又來個決議：先照相，溜公園，吃過午餐看電影，進市場，晚飯過後再回家。大事決定，孩子們全歡躍呼嘯，康太太蒼白的雙頰也泛上了五年前的倩笑，康在熱吻三寶時忍不住在她唇上偷吻了一下，這一晚大家睡得比平常遲些，卻都做著美甜的夢。

值得紀念的一天終於來臨了，當晨曦才給玻璃窗抹上層光輝，康太太便懷著亢奮的心情起來生爐子，煮稀飯，接著三寶醒了，餵了奶又收拾房間。吃過稀飯，替三個孩子換好衣服，正在洗那一疊碗盞，偏三寶又撒了尿了，等她拭呀抹呀的一頓忙下來，同院去買菜的太太已有好幾個回來了，她這才舒了一口氣，翻箱倒籠地撿出件藍底白花的綢衫。又去牀底下拖出雙上了霉的高跟鞋，她用溫手巾抹平了旗袍上的皺紋，找出一盒龜裂的鞋油擦了頓鞋子，於是對著把圓臉拉成長臉的鏡子，先把用絨泉繫得像鴨屁股似的頭髮打開，梳得蓬蓬的還留一綹覆額上，畫上弧形眉，塗出「愛之神弓」唇，還戴上一副蔚藍色的耳環，末了才穿衣換鞋，這時康先生已帶著孩子來催了，二個大孩子一見，馬上就嚷著：「姆媽好漂亮！」康含著讚賞的笑欣賞著。雖然旗袍大了一點，高跟鞋的式樣有點古老，但淡雅幽逸，風韻楚楚，依然很動人哩。

康先生抱著三寶，康太太帶著大寶、二寶，高跟鞋咭咯咭咯地敲著馬路，她意識到附近的太太們一定帶著好奇心在評頭評腳的看她，腰肢挺得著實比平時婀娜，可是才走了一截路卻突然腳一頓，停了下來。

「糟糕！院裡曬著衣服哩。」

「青天白日還怕賊偷嗎？」

「前天張家睡一個午覺還把毛氈偷了，你說不怕！」說著一個向後轉。

「我去，我去，真嚕嗦！」康先生把三寶往康太太懷裡一塞，三腳兩步地往回走。

許久不曾穿高跟鞋，抵達照相館時，康太太已是香汗涔涔了。她氣都不曾喘一口，便先將價目表瀏覽了一遍。

「一起照一張二寸的算了，」康太太回頭望著康先生說。可是康先生卻不曾理會她的暗示，反說：「兩個人也要合影一幀，而且二寸的也太小了。」一邊說邊就囑咐攝影師要二張四寸美術照。康太太心中暗暗叫苦，卻又不便爭執，她把三寶安頓在旁邊椅子上，整一整容，對著鏡頭坐下來，頭緊貼著康先生的肩胛，竭力模仿著陳雲裳、言慧珠的姿態，使微笑顯得嫵媚可愛，正在攝影師手扶鏡頭目不轉睛的一瞬那，突然「逢冬」「哇……」康太太立刻收斂了一種嬌媚的表情跳起來去抱滾在地下的三寶。

好不容易等三寶把奶吮夠了。又排戲一樣排了一陣，總算把相片照了，康太太卻還在唧噥著兩人合影時，襟上的鈕扣不曾扣好，照全家福時三寶又在懷中打鼾。

算算時間只有改變計畫，看電影，大家隨著長蛇陣向戲院裡一步一步的擠，正擠進池座，大寶慌張的聲音在人縫裡喚起來：

「爸爸，鞋子擠掉了。」

康先生抱著二寶彎下身去，給後面的人一推，湊巧將二寶的頭撞在椅子靠手上，這一哭把康先生哭上火來，一個人給了一把毛栗子。這裡才止哭，三寶卻又在他母親身上執拗地吵起來，怎樣也哄不住，康太太乍地摸摸耳朵，驚惶地喚起來：

「不得了，三寶把耳環吞下去了。」

灰。

「真的？」

「剛才他在玩的現在不見了。」

大家連忙蹲下去，連左右的人都驚動了，雖是抹著脂粉，康太太的臉色也驟然變成青

「喂！是這個不是？」從後三排伸過一隻手來，掌心裡躺著蠶豆大一粒藍色的東西，康太太喜得連謝都不記得說，接過來也沒載上，反將另一只一起捋下來放進皮包裡。

燈光一黑三寶哭得更凶，後面有人在「噓」，康先生沒奈何的抱了過來對太太說：

「妳看吧，我帶他外面溜溜去。」

可是戲還不曾散，康太太也懊惱地挾著小的攜著大的跑了出來，一見康先生便說：

「不看了，兩個小鬼吵得要命，一歇嚷肚子餓，一歇又要解大便，根本演些什麼都看不清楚。」

「吃飯去，吃飯去。」康先生換一換痠痛的手臂，打岔道。

小飯店太不清潔，大酒家又不敢問津，兩人選擇了半天，結果才擇定了一家門面適中的北方館子，不想一進去場面也不小，花枝招展的女侍應生連忙殷勤地送上香噴噴手巾，一身白制服的茶房持著菜單恭敬地等著吩咐，這一來，弄得康先生更不好意思盡透著寒酸，斟酌著點了幾道菜還要葡萄酒。

「還記得五年前的今天嗎？」康先生望著高腳杯裡鮮紅的酒汁，泛起了甜蜜的回憶。

「也是這個時候，我披著白紗，你穿著禮服，在綠松氈前會合了……」康太太張著眼，用著做夢般的聲音。

「妳望了我一眼，沒敢笑。」

「你還不是作古正經的！」

「多快！已是五年了，來！讓我們為這寶貴的紀念乾一杯。」康先生舉起了杯子，康太太也舉起了杯子，四隻眼睛凝視著，二顆心兒擁抱著，疏冷了幾年的熱情，又在二人的血管內奔騰，激流……他們忘卻了周圍，忘卻了孩子，就是這一剎那的忘卻，孩子馬上來懲罰他們了。二寶原來把著只醬油瓶在端開，見茶房端上盆熱騰騰的菜來，趕著用匙去舀，不想站起來一蹬，椅子往後倒了，人也跟著栽下去，手一伸，醬油瓶恰好磕在菜盆上，盆碎了，滾燙的菜，濺在也正湊過來搯的大寶頭臉上，褐色的液體卻迅速地沿著白桌布直奔康太太。

一頓忙亂，恬美的氛圍攪得粉碎，愉快的情緒就像笛子上蒙著的竹衣，一碰就破了。而沒有它，再也吹不出和諧的曲調。大家勉強把一頓飯吃了，茶房開上帳單來，連吃帶賞，一共五十五元。康先生盯了一眼噤住了，康太太咬著嘴唇在皮包裡掏，一年辛勤的獎金，就這麼一半天化為烏有，康太太懊惱地沉著頭衝下樓梯，衝出飯店，臉上的脂粉已給油污沖走了，露出常年操勞的痕跡——皺紋和褐色的雀斑。旗袍又皺又髒，下擺還是濕濃濃地印著一大塊淺褐色的地圖，皮鞋給灰沙蓋得分不出什麼顏色。大寶臉上塗著一堆堆醬油，二寶擺著副犯了事的哭喪臉，二人衣服上都斑斑駁駁地沾滿了油漬，康先生更少不了一身孩子的鞋腳印，樣子著實透著狼狽，大家默默地走著，罩著一股子濃厚的陰影和窒悶，倒像一群送喪的行列。

大寶走過鞋子店，記起昨晚允祥許他的諾言，看看神色卻沒有開口。二寶覺得二隻小腿重甸甸地，也不敢要抱，康太太的腳在高跟鞋裡脹熱欲裂，還是悶著氣拖曳。走著走著，還是康先生打破了僵局。

「回家還是怎樣？」

「不回家又怎樣？」康太太憤憤地說。

康先生的火往上冒了一冒，想著這是街上重新又捺了下去。

「走不動了。」二寶終於忍不住蹲了下來，大寶也停立了。

康先生喚來了一輛三輪車，車夫掃一眼，這狼狽的一群被大大地敲了記竹槓。

「又是一天小菜錢。」康太太想，可是腳卻不由自主地跨了上去。等到孩子們安頓好了，車子一動她才想起康先生還站著。

「你呢？」

「妳別顧我了。」康先生苦笑一聲，退到人行道上。

車子一拉走，三個孩子又緊緊地壓著她，偎著她，二隻腳動都不能動，康太太捺著一肚子的懊惱、心疼，只望著快點到家，放平一下疲憊不堪的身子。但一轉念，猛又想起一大盆衣服還擱著不曾洗。晚上還得燒晚飯，而小菜一點都不曾買……

編註：本文原刊於《中華婦女》第一卷第八期，一九五一年二月，頁十六～十七。

證據

杜倫像一根柱子般，抬著下頦，直挺挺地站在屋子中間讓他太太給他繫領帶，杜太太呢，也是一本正經地，全副精神傾注在領帶上，她已許久不曾弄這一套了，手指顯得有點生疏，已經抽下重繫過二次。她的個子又矮小了點，仰著脖子挺著腰，怪累的，可是她仍是毫不鬆懈地在指間盤弄著那條芝底子有著白點點的領帶，顯得有點躁急。

「我想他既然寫了信來要我到他家裡去談談，事情大概總有點眉目。他不會不買父親這份交情的。」杜倫從太太手裡解放出來，活動活動脖子十分肯定地說。

「我也這麼想，老人家多半是執拗而喜歡奉承的，你得順著他的意思，多戴幾頂高帽子。」杜太太搬出了她的處世哲學，諄諄地教給丈夫。

「不曉得公司裡的待遇怎樣！」

「我說不管他給你什麼位置，你且答允下來再說。別再顧恤什麼博士學士的頭銜了。」

「唔。」杜倫溫順地應著轉過身來穿上杜太太為他持著的大禮服——那套唯一的淺灰色凡立丁西裝。今天兩人都顯得特別，先生特別溫馴，太太特別賢惠，就似回到了新婚期似的，只差沒有接個告別式的吻！杜先生走出大門，杜太太還充沛著無限熱望，望著他的背影消失在黑暗裡。

仲春的晚上。人們不知從哪些黑暗的角隅裡一起匯集在這白熱化的市街，男的悠閒、瀟灑，女的炫耀、矜傲。仔細地打量櫥窗裡的貨物，敏捷地審視過往的仕女，好像夜的時間專為眼睛的享受而安排。可是杜倫卻沒有這份閒情逸致，他懷著一種去考學校時的心情，匆匆地走去。人物滑過他的眼角，可並沒有腦中留影響。他只想著事情的可能性和預備些什麼話。這是一個對他的命運有決定性的會晤，不是嗎！來台灣一年多，長日的賦閒不僅在生活上是一種威脅，在精神上更是莫大的苦悶。從前在工作繁忙的時候只盼望有個假期。如今終年在假中，身心卻閒散得沒處安置。一封封求助信寓著希望發出去，起初還有友人告訴他某大公司要一個能力強幹的推銷員，叫一個經濟學士去當推銷員，這簡直是侮辱！他自然沒予置理。可是以後的覆信卻是出於一貫的婉辭，惹得杜太太那褪色的核桃嘴常是嘟得圓圓的耳邊聒絮：

「坐吃三年噻，山也要空。」

「老這麼閒蕩下去不說生活成問題，骨頭都要鬆散了。」

「這年頭，只要錢拿得實惠，管他什麼名義不名義！」……

杜倫聽得煩膩，總是往圖書館裡一溜。那天他照例又坐在圖書館裡，持著一份《中央日報》從國家大事看到尋人廣告，當他看到一則××公司的招標啟事時，精神抖然為之一振，招標自然與他沒有關係，可是那經理的名字，如果他記憶不錯的話，恰是他父親的一個朋友。他亢奮地把這個喜訊帶給了杜太太，杜太太當即慫恿他馬上寫封信去：

「不管是不是，先寫封信去試試看：萬一錯了，蝕本也不過蝕掉幾毛錢郵票。」

信發出去了，果然第三天就來了回信，約他星期一晚上至寓所一談。

杜倫一路上從腦子角落裡搜索著關於這位父執的模樣、性格。輪廓是模糊，只依稀記得是個很嚴肅古板的人。這時他已走到鬧市中段一家宏大的百貨公司門口，五光十色的貨品，灼麗的燈光耀得人眼花，他望一眼那掛在門側的大鏡子，下意識地舉起手來摸摸領帶……驀地眼前驟然一黑，接著揚起一片驚訝呼喚聲，整個光明燦爛的世界立刻像沉落在十八層地獄般，浸在無極的黑暗裡。就在杜倫怔愕無措的一瞬那，猛覺得皮鞋上給什麼用力蹬了一腳，隨著一聲嬌脆的「哎呀！」一聲，一個溫軟的身子直傾入他懷裡，右頰蓋上一大堆什麼毛茸茸的，一股濃郁的熱香由鼻際竄入腦門。他本能地伸出手去，去觸摸到一隻膩滑的手臂，又嚇得趕緊一縮手，那人也就掙扎著站起來了，輕微而急促的喘息聲頓了頓，他似乎覺察到一個驚魂甫定的心跳震盪著他面前的空氣，一會兒這聲音使同著細碎的腳聲轉過他左邊遠去。這時正巧有一輛汽車揚過二道白光。他寧一寧神回過身去，隱約看見一個紅豔秀盈的身影，迅疾地鑽進歇在路旁的一輛藍色別克，僅留下一陣幽香瀰散在夜空。

正在大家猜疑、困惑，一片傳嚷著，「手電，手電」之際，電燈又亮了。頓時又是光明燦爛的繁華世界。

「真是開玩笑！」杜倫嘀咕著，俯身撣去皮鞋上被踐踏的泥沙。

按地址找去，那是一帶僻靜的住宅區，三二盞路燈在濃密的樹隙裡投下幽暗的光線，每家一例地圍一道半人高的磚砌圍牆，牆內是小院落，而門牌全釘在院內的門框上，必須走進去才看得清。杜倫好不容易十五號、五十號地找到了六十三號，走進大門，院內沉寂寂的，他輕輕咳嗽了二聲，立刻一個沉著的聲音從左屋出來：

「誰？」

「請問嚴經理在家嗎？我姓杜。」隨著一陣拖鞋梯搭聲，一個瘦小嚴峻約莫五十來歲的男人啣著煙斗走出來。

「姓杜，是杜倫杜賢侄嗎！」

「正是小侄，嚴老伯！」杜倫恭恭敬敬彎下了腰。

「裡面坐，裡面坐。」嚴經理帶著那種長輩的和藹和矜持的親熱，把他讓進簡單的會客室，一面關照一個十三、四歲的女孩子端茶，自己便在杜倫對面一只藤椅坐下來。從容地打量著來客。那對銳利的眼睛滲著藹然的笑意，從杜倫臉部往下落……突然，眉頭一聳，微笑收斂了。像看見了什麼使人憎嫌的蛇蠍般，猝然避開了眼光，清癯的臉上抹掉了和藹的表情，只剩下使人生畏的嚴峻。杜倫心裡一震，不知有什麼缺點落在他眼裡了，只是振作一下背脊骨，盡可能筆挺地坐在椅子邊緣上，囁嚅地：

「先不曉得老伯在這裡，要不早就來請安了。」

「唔，不敢當。」聲音裡已消失了感情。「來台灣多久了？」

「一年多。」

「令尊同來！」

「他老人家起初為著點產業猶疑不決，後來要來已是鐵幕封鎖了。」

「不在一起倒好！」嚴經理猝然不勝憤慨地說。杜倫不知他什麼用意，沒接言。他又敲敲煙斗接著說：「老的一代與新的一代多半是合不攏的，看著不順眼反而嘔氣。現在的青年哪……」頻頻地搖著頭：「太不知自愛、自重。」

這叫什麼話呢？指桑罵槐的，可是杜倫嘴裡卻不得不是是唯唯地敷衍著。

「譬如這次戡亂，」嚴老頭子越說越憤激了。「自由中國剩下這一角反攻基地，按理做為國家命脈的青年，便該奮發自勵，把興國的重任忝為己責。可是眼看還有好些肝腦塗地的青年，猶自耽迷於歌榭酒樓，酗酒狂舞，真教人痛心疾首！」

「是的。這種……這種都是青年的敗類。」

「敗類！」嚴經理迅速地向他一瞥，似乎說那正是你！

片刻的沉默，杜倫坐著只感到忐忑不安。只得硬硬頭皮來一套開門見山：

「今天小侄一來是給老伯請安，二來呢？還要請老伯栽培栽培……」

「唔。」嚴經理垂下眼瞼逕自敲著煙斗。「按理呢？不看僧面看佛面，叨在與你父親這份交情，總不能眼看下一輩沉淪，可是這個敝公司範圍狹小，十分清苦，而目前也沒有什麼優缺，如果日後有機會的話，定當借重這個……閣下。」

……

走出嚴宅，不僅來時的希望摧毀無存，更惹得一肚子氣惱，真是哪來的灰氣！沒來由送給這老頭子來冷嘲熱諷地教訓一頓。杜倫越想越氣，心頭像灌足了氣的皮球般，只想漲、竄，他索性破戒走進一家冷飲店。

「檸檬水！」他向走過來的女侍應生說，她瞅了他一眼沒作聲，卻帶著神祕的神色走到櫃台前笑向另一個侍應生說些什麼，接著另一個侍應生端來了檸檬水，也帶著那種神祕的神色瞅他一眼，立刻又掩著嘴走開。

杜倫狠狠地回瞪了她們一眼，埋下眼睛呷自己的檸檬水，冷飲室裡顧客不多，收音機播送著沉緩的音樂，室內的氛圍透著鬱悶，這時坐在杜倫對面的一桌，談話的聲忽然響亮，一個突出的聲音蓋過了音樂。

「要是我是當政者，我一定要把那些生活腐化，醉生夢死之輩，驅逐出這一塊神聖的反攻基地。中國所以弄不好，大半全壞在這班登徒子手裡，還讓共匪藉此詆毀政府。如今這塊乾淨土上，絕不能再容許這些細菌繁殖！」

說得那麼激烈、響亮，顯然是故意影射著什麼人。杜倫不由得從自己的氣惱中抬起頭來，卻見那發言者——一個退伍軍官模樣的中年壯漢，二道輕蔑的視線正從自己身上移去，旁邊坐著的一個還從茶杯邊上窺看著他。

「今天真是碰到了鬼！」杜倫一氣喝乾了檸檬水，憤憤地將杯子一擲，轉身便往外走。悶著頭一逕走回家去，才走走上門口那二級石階，杜太太就像守候在門後般柔聲地問了聲：「是倫嗎！」門便打開了。「怎樣，見著了沒有？」說著掩上門隨著杜倫走到房裡，殷勤伸出手來和他寬衣，但一抬眼，臉上驟然變了色，蛾眉倒豎，嘴唇緊咬，預備為他寬衣的手臂改變方向，手指直戳上他的額角：

「你究竟到哪裡去的，你在外面幹什麼勾當？你說！」

「我在外面打牌、跳舞、上特種酒家！」杜倫在外面受了一肚子氣惱，經這麼一燃，便忍不住像一串鞭炮般燃放起來。

「我跟你受苦受難，你一個人到外面去尋歡作樂！你這個沒良心的東西！你好……你……」杜太太氣得聲音直發抖，眼淚在眼眶裡打滾。

「真是沒來由的事，人家為了生活在外面受氣，妳還來疑神疑鬼的。」杜倫一屁把自己擲進一張破藤椅裡。

「我疑神疑鬼！」杜太太又一個虎勢竄起來，「你自己去照照鏡子看，蓋了屎可蓋不了臭味！」

「照鏡子就照鏡子，難道還照出個三頭六臂來！」杜倫跳起來一股勁衝到桌子畔抓起那面脫殼鏡子，鏡子裡除了那張漲成豬肝色的長臉還有什麼？他正想擲下鏡子，忽覺得眼角一亮，就手將鏡子往下一移，嚇！在淺灰色西裝的右反領上像，〈紅字〉裡那個犯了不貞罪的少女，在胸口烙上的紅字般赫然印著一個鮮豔、清晰，菱角般彎彎有致的唇印！

他理一理紊亂的神思，想起了瞬那間的停電，百貨公司前的一撞，紅豔秀盈的背影。又想起了嚴老頭子的冷嘲熱諷，女侍應生的竊笑，座客放肆的漫罵，以及現在妻的誤會。這一切只為了這一個「罪惡」的烙印——

杜太太尖利的聲音猶自在他背後冷笑著：

「哼！憑你滿謊包天，證據確鑿，還有什麼說嘴的？」

編註：本文原刊於《寶島文藝》第三年第三期，一九五一年四月十五日，頁二十二～二十三。

晚會

「瑜！妳看這是什麼？」洪澤一進門便走進廚房，像報功似地向妻子美瑜揚聲喚著，美瑜正俯著身軀在生煤爐，一股股往上直竄的濃煙薰得她眼眶紅紅的，聽見丈夫的聲音，她拭拭眼睛順手撩起一綹搭在眼角上的頭髮，透過白漫漫的煙霧，瞥見拿在洪澤手上的是一張粉紅色的請帖，便又回過頭去用火鉗在爐裡撥著，淡淡地問：

「又是誰結婚？」

「結婚！妳再看看清楚。」洪澤趨前幾步，將帖子直送到美瑜面前。美瑜這才看清楚原來是精緻的燙金帖子，面上是這樣印著：

謹訂於本月四日舉行聯歡晚會，恭候光臨。唐翊德・梅茵敬訂。

唐翊德？這不是洪澤服務那個機關的處長！真是意想不到的榮耀，那些「長」字派的太太們生活一向是夠奢侈闊綽的，平時跟自己同級的太太們只有同講《山海經》般撩著豔羨的份兒，不想居然亦有一天能廁身在這所謂「上級社會」。而這又是怎樣一個顯身手的機會，想到這裡，讓油煙薰得頻蹙的眉頭舒展了，愛不忍釋地盡執著帖子欣賞著。

「四日恰是週末，星期放假一天，至少得跳個通宵，這下夠妳過癮的了。」洪澤覺得給太太帶來這麼一個高尚的娛樂機會，又值投其所好，也十分光耀，他卻沒有覺察一個不愉快的思想倏然掠過美瑜臉上，微笑收斂了，隨手將請帖往油瓶鹽罐間一摜，像要藉此發洩怨氣般，一股勁地搧著爐子說：

「教我穿什麼去！」

「去做一件怎樣。」洪澤瞪一眼她身上那件舊得發白的藍布旗袍，不肯定地說。

「錢呢？」美瑜冷冷地說著眼都不曾抬一下。這下又勾起了她滿腹牢騷，不是嗎？一個小公務員那份微薄的薪俸，光拿來吃、用，還得動動腦筋，自己要添件陰丹士林的旗袍熬了一年多還沒有著落哩。

「要不去想法預支一點。」洪澤猶疑地說，美瑜不則聲，一個月薪俸也許剛好做件衣服，家裡便算餓一個月肚子，房租要欠上一個月，房東可要下逐客令了。

「噢！妳不是還有件結婚時穿的紅夾袍，上次說要拿去委託行的，不好拿來改一改穿嗎？」洪澤搔了半天頭皮，忽然給他搔出這麼個主意來。連忙貢獻給太太，美瑜考慮著這提議，這倒是變通的辦法。只是那樣從頭改一下的裁縫工錢，恐怕足夠縫得一件藍布旗袍了，而藍布旗袍是急需要穿的，綢旗袍改了一年也難得穿上二回。可是，晚會，那音樂悠揚，舞影翩躚，華貴的紳士美女如雲的晚會，是那樣不可抵抗地向她遠遠地做著誘惑，而身為窮公務員妻，已經一二年不曾領略箇中趣味了。難得遇有這樣的好機會，她下決心將旗袍送進了裁縫鋪。

帶著綺麗的遐想入夢，以愉快的心情迎著白天，一連幾日，平凡的生活裡像摻入了什麼新的元素，忽然顯得有生氣，有活力了。雖然每天仍脫不了油鹽柴米，燒飯洗衣這枯燥煩膩的一套，做來卻似充滿了生趣。美瑜在早三天就請隔壁周太太幫忙把髮梢都快直了的燙髮一卷卷用夾子捲起來罩上髮網。又把一直收藏在箱子裡的，也是結婚時穿的紅麂皮高跟鞋拿出來仔仔細細地刷了一番。還向王太太借來了水鑽耳環。週末，那無比燦爛榮耀的一天，終於在盼望中來臨了。美瑜一早便滿懷興奮地了理清家務，從裁縫鋪接回修改好的旗袍，試著穿載起來，鏡中頓時換了個人——終日操勞的主婦，變成雍容煥發的貴夫人。她從鏡中望見了在背後端詳她的洪澤，嫣然一笑，愛嬌地回過臉來：

「澤，許多沒跳，我怕步法都生疏了。」

「試試看！」洪澤溫柔地挽住她的腰，肩頭隨著鄰家收音機裡的快四步聳起來，美瑜盈盈偎在他懷裡，眼睛望入他的眼睛，生活凝成的鏽溶解了，重新恢復年輕的心頭，洋溢著幸福，彷彿又回到了戀愛時期。

「澤，記得嗎！在張家的派對。接連四次舞沒輪著你，只急得在旁邊乾瞪眼。」甜蜜的回憶燃亮了美瑜的眸子。

「要不是妳用眼睛命令我等著，我一氣可真要不辭而別了，那時真魯莽！」

「現在便不魯莽了嗎？」

「現在當然不會這樣了。」

「自然，現在就無所謂了。」美瑜嘴一撇，嬌嗔道。

「哪裡。現在已是屬於我的了，還怕人搶去嗎？」洪澤笑著用嘴唇在她頰上摩了摩，她顯得那麼不勝嬌羞地俯下頭去。突然「噗嗤」一聲，把一隻套在高跟鞋裡的裸腿翹了起來。

「真是！就這麼光著腿去嗎？」

雖然台灣南部氣候盡可常年不穿襪子，但為了符合時令，摩登女郎卻不會疏忽了腿的裝飾。

「去買一雙那叫什麼尼龍絲襪好了。」

「那恐怕很貴吧！」

「不管它。反正沒事，早點吃了飯出去溜一趟看看。」皮夾裡還剩四分之三的一月借支跟洪澤撐著腰。

百貨公司的玻璃櫃台從淺到深，一並排陳列了五六種絲襪，美瑜目不暇給地在玻璃外鑑賞了一會，最後才叫店伙拿出那只滿是英文字的紙袋，裡面是一雙目下最流行的深棕色玻璃絲襪，比蟬翼還要纖柔透明。

「這賣多少錢？」

「七十四元。」店伙機械地回答。

美瑜不由得倒抽了一口冷氣，跟洪澤對望了一眼。這不抵得半個月薪俸！她裝作不中意的樣子，隨手將它納進紙袋朝櫃台裡一推。

「顏色太深了點。」

「對不起！」美瑜推出去的手還不曾縮回，那店伙卻很快地抓住紙袋的襪子抖出來，「這樣子我們可買不出去了。」他冷然地說，指著襪統上一條二寸來寬的斷痕，被抽出的一根絲猶自蜷縮著掛在一端。

「什麼？」洪澤瞪著眼把頭湊過去。

「是這位太太的手指勾了絲。」

「你胡說，明明東西有毛病，還想訛人！」

「你可以去打聽打聽，我們公司裡從來不賣有毛病的貨色！」店伙理壯氣直地放大喉嚨嚷起來。「我親眼看見這位太太那麼一推，手指往回一抽，就抽出絲來了。」

「美瑜妳……」洪澤憤然側過臉來，奇怪她一言不發。

美瑜癡癡地站著，覺得左右前後不少眼睛全向這邊望來，她本能地紅了臉將擱在櫃台上的手縮下來，她想起來，方才抽回手時食指確是輕輕地勾攀了一下，只是食指的一節，並不是指甲，難道就勾成了這麼一長條斷痕？她偷偷地捻一下指頭，覺察到上面浮著些扎手的枯皮，她的臉更紅了，想叫洪澤不要跟他爭論又不好開口。更又羞又急，鼻子上都沁出了汗珠，聽見洪澤招呼她，更恨不得連人帶手一起鑽進地皮底下去……

「這要帶累我們做伙計的賠可賠不起……」店伙猶自憤懣地咕噥著。

「別嚕嗦，買你的。」洪澤想是發現了美瑜跼蹐的窘態和向這裡集中攏來的目光，突然捺下怒氣，喝住了店伙，淡然地掏出一疊鈔票，原不豐腴的皮夾顯得更單薄了。

兩人俯著頭匆匆地走出百貨公司，來時的情緒都已消失殆盡，心頭就像堵上了一團濕棉絮，大家都不想開口，悶悶地踅回家時，已是黃昏時分了。洪澤將那個小紙包往桌上一丟，美瑜拿皮包朝牀上一摜，兩人彷彿渾身力氣都使盡了似的，頹然將自己重重地擲進椅子裡。暮色悄悄從四圍襲來，黑暗統轄了斗室。

「時間不早了，還不開始化妝嗎？」洪澤耐不住沉悶的空氣，終於搭訕著站起來捩開了電燈，美瑜仍是凝視著足尖，一聲不響。

「我替妳去打臉水去！」洪澤說著果然去端了盆臉水來。美瑜不好意思再僵持下去，強自振作著在鏡前梳捲了頭髮，塗抹上脂粉，末了坐在牀上拿起那雙痛心疾首的絲襪，緩緩地穿上一只。第二只襪子才穿上一半，那抽了絲的陷痕地方，就像無形中有一支犀利的刃鋒劃了一下，猝然嘴般張了開來，吐露出一塊白色的肌肉，美瑜驟然一怔，等她明瞭是怎麼一回事時，猛然將兩腳用力往空中一蹬，身體便倒進了牀裡。憋了半天的悶氣，方才的窘辱，以及年來積壓著的委屈，一股腦兒湧上了胸頭。這雙手，這罪魁的雙手，她舉起自己的手到眼前，短短的指頭顯得那麼笨拙。薄薄的手掌，粗而硬的紋螺，掌心還腫起蠶豆大一塊硬塊。指甲剪得傻楞楞地嵌在肉裡，上面那半月形的指暈全剝離了。指甲二旁及指尖上還蹺著毛茸茸的枯皮——多麼粗糙醜陋的手！這便是從前讓多少愛慕者握過吻過的，有著玫瑰花瓣般嫣紅的指甲，象牙般潔白細膩的手，這便是幼時母親和親戚們讚為福氣的象徵的，豐潤厚綿柔若無骨的手！這樣的手連碰一下絲襪都會抽了絲（多麼讓人心疼的七十四元錢！卻換來這廢物）。這樣的手還能被握在紳士們修潔的手裡去跳舞！全是生活，貧窮的生活，把她的一雙手以及青春、嫩芽……全部摧殘磨蝕了。她用力絞著雙手，掐著雙手，胸部劇烈地起伏著，眼淚終於帶著無窮的怨恨憤懣奔瀉出來。

「這算什麼，這算什麼！」洪澤用力抓著頭皮，不安地在室內蹀躞著，好容易給凡士林壓下去的頭髮全抓得刺蝟般矗立起來。

粉紅請帖上的燙金在燈光下更顯得絢麗眩目，彷彿是在向人做著誘惑。

編註：本文原刊於《暢流》第三卷第七期，一九五一年五月十六日，頁二十三～二十四。

鳳求凰

「還不曾打扮好嗎？娘兒們似的。」老于邊說邊推開賽張飛的房門跨進去，卻見賽張飛還赤著足坐在牀上補襪子，經老于這麼一催，偏生線又打了個大疙瘩，死活扯不過，反把線扯斷了，只得又重新起頭來穿針。那枚可憐的小針在把慣電羅盤機扭、執慣操縱桿的巨掌裡，竟顯得那麼渺小不可捉摸，棒槌似的指頭只一搓，針便不見了。賽張飛粗莽地在身上搜搜，牀上翻翻，把東西揉得一團糟，結果終於發現它安逸地躺在牀底下，不想撿起來時動作又太猛，「咯」一聲，鐵頭可碰上了鐵牀架，直震得眼前冒火花。他索性連針帶襪憤憤地往牀上一摔：

「什麼鬼榻榻米，害死人，一點兒破綻都不讓隱蔽。」說著又在牀肚下一堆衣物裡七翻八翻出一雙雖是齷齪卻是破在腳底裡的襪子，胡亂往腳上套。

老于在一旁看著，覺得可笑又是可憫，微微搖著頭道：

「看你這副寒傖相，不搞個老婆怎麼得了：今天可得拿點勇氣出來，別又像上二次般，縮手縮腳，比人家姑娘家還羞。」

「可是我……」賽張飛聽這麼說，又端著皮鞋躊躇起來。

「可是你什麼？你是瞎一隻眼，跛一條腿見不得人嗎？二十世紀的男子漢大丈夫，又是堂堂飛將軍。別這麼扭扭捏捏，走走走！」老于半推半搡地押著賽張飛走出宿舍，向自己家裡走去。

賽張飛在隊上算得個出色的飛行員。當他同著他那個最密切的伴侶——銀色小野馬馳騁在天空時，顯得那麼翩躚。一會兒驟然俯衝，猶如蜻蜓點水；一會兒凌衝霄漢，就似神鷹展翼。每次出任務，他總有輝煌的戰績，就憑他那一個拈不住針線的大姆指，卻不知毀壞了敵人多少實力，殲滅了多少匪徒！他是遼寧人，有著東北人特有的豪放、直率與熱情，有時還逞著點魯莽。個兒高高地，濃眉毛配著炯炯有神的深黑眸子，隆準的鼻子，方方的嘴，著實透著英武。可是就有一個毛病：一見娘們便發窘。若是同著年輕的小姐，更是嚅嚅吶吶，手足無措。因此今年雖已三十有五了，卻還是光棍一個。老于是他的同事也是同學，他關心著這位老朋友的生活，總想給他介紹一個終身伴侶，也讓他在倥傯的戎馬生活之餘，享受一份家庭生活的溫暖。這次于太太在朋友家認識了一位王小姐，這一對熱心的夫婦又想起了光棍老友賽張飛，於是決心為他們撮攏。

老于同賽張飛抵達于家時，王小姐同于太太坐在客廳裡閒扯著，瓜子臉，頰上有幾點雀斑，嘴小小的帶點兒甜。年紀約莫二十五、六，見他們進來顯得更矜持莊穆。于太太為他們介紹了一番，王小姐依然莊矜地坐下，賽張飛卻像怯場的初上舞台的演員般，手足沒個安排，拘拘束束地退到沙發畔正想坐下，不想肘子一拐，恰把茶几上一杯茶給撞翻了。這下更弄得他窘態百出，杌隉不安，就同坐在針氈上似的。老于故意繞他背後去捩收音機，手指在他背上悄悄地彈了一下。

「嘿，這兒的天氣可真熱！」賽張飛極力鎮持著，榨出這麼句話來問王小姐攀談。

「是的。」

賽張飛頓了一頓又問：

「王小姐府上是……」

「湖南。」

「哦！」他沒有表情地應了一聲，又是半晌沉默。于太太眼看他們這樣發展下去準要成僵局了，於是馬上岔進來提議道：

「今天演〈月宮寶盒〉很不差，大家有沒有興趣！」老于第一個拍手贊成，賽張飛自然同意，王小姐推辭了一下，也就默允了。在電影院裡，于太太故意讓賽張飛同王小姐坐在一起。王小姐在開幕前說了二句話，顯然是給賽張飛機會，可是一下子頂普通的話賽張飛腦筋裡突然轉不過來，等到了喉嚨口，又像給什麼梗了梗，沒等他來得及搭訕，于太太便接過嘴去了，於是說話便成了一面倒的傾向，他只有暗暗地惱恨自己嘴鈍。開幕後，自然大家都閉上了嘴，但賽張飛全身的神經感官局促緊張得猶如弓上弦，眼睛雖是死盯在銀幕上，搬演的什麼他卻一無所知。

事後，老于徵詢賽張飛的意思，他紅著臉只說個「好」字，看王小姐雖沒有什麼表示，但女孩子崇拜飛將軍的心理使賽張飛占了優勢，自此以後，四個人又連袂出遊了幾次，只是賽張飛跟王小姐的交情，似乎並不比初識時進展了多少，一個還是這麼木訥，一個依舊那樣莊矜。于太太決定要給他們一個單獨相聚的機會。

星期日，一個島上常有的晴朗而炎熱的天氣，他們這一群清早便坐上了赴高雄的公路車，事先，老于便諄諄地囑咐賽張飛：「對女孩子要殷勤至上，小心第一。成不成，就看你今天上不上勁！」

到高雄，他們先在車站附近的餐館進餐，于太太臨時宣布他們要去看個朋友，並約好四點再在這家餐館聚會。

于家夫婦倆故意延宕到四點半鐘才去赴約，可是走進餐館一座，卻依然不見二人的影子，于太太輕輕地撞了老于一肩，做一個示意的微笑，老于也滿意地笑了笑，正待坐下，卻見胖胖的掌櫃滿面堆笑地送上張條子來：

「兩位是于先生、于太太吧！這是上午同來的那位小姐叫留交的。」一條紙上只潦草地寫了一行字是：

于太太：我先回去了，別找我。蕙字。

兩人看罷，困惑地對望了一眼，「會不會兩人談得入港，一同回去了？」老于遲疑地問。

「我看不會吧！」女人的心眼兒究竟要靈巧些，一口便肯定地推翻這猜測。「準是賽張飛那牛給搞反了，她不說別找我！這使性兒的話許還管著從此別找她哩！哪，那不賽張飛來了！」賽張飛已倉皇地跑進來，見他們劈頭便問：

「看見王小姐沒有？」

「王小姐不是你保駕的嗎？」于太太故意冷冷地反問他。

「那麼她當真不見了？」賽張飛原是累得泛紅的臉漲得更紅了，梳得精光炯亮的頭髮有一綹墜下來浸著額角涔涔的汗水。

「罷喲！這麼大一個人還會鑽進地縫裡去？我來問你，你們去了哪裡談了什麼，在哪裡分手的？」

「從這兒出去，我們就逛大街，王小姐差不多把金城的百貨商場、綢緞店，都跑遍了，問問這個，看看那個，看樣子全喜歡，結果卻一樣沒買，可把我累得又渴又熱，我就提議去吃冰，她也同意了。那曉得剛坐下，就有一群花花綠綠的小姐太太向王小姐打著招呼走過來，我怕……我怕我在座有點不便，走開一會兒。不想走到門口偏又逢見老李，你們曉得老李那張嘴是不讓人的，他問我同著什麼人，我自然不好告訴他同著王小姐，他看我只一人便硬要我陪他去買雙皮鞋，這個皮鞋買回頭再到冰店，王小姐卻已付掉帳走了——我那些百貨店那一家沒找遍，連她的影兒都沒有，娘兒們真是……唉！」賽張飛著急而憤慨地一口氣說下去，說完頹然跌坐在椅子裡，撈起汽水瓶便咕嘟乾了半瓶。

「你呀，真是；快煮熱的鴨子還讓飛掉！」于太太歎了口氣，將摺得小小的條子往賽張飛面前一擲。

賽張飛看過字條，懸著的心總算有了個著落，可是卻更增加了憤怒，他搭訕著去褲袋裡掏出手巾抹拭鼻上的汗珠，陡然嗅到一股鹹魚似的味道，再一看手中卻是一只破襪子，不知什麼時候竟塞進了褲袋。

乘興而去，掃興而返。賽張飛回到機場宿舍，首先便將那只破襪子擲進牀肚的一堆，接著又將自己從嚴裝中解放出來，胡亂抹一個澡便往牀上一倒。可是任是疲倦，轉輾半天都不曾入睡，拿起一本《老爺雜誌》也無法進目，身心就那麼虛虛空空沒個安排，他索性披衣下牀，走到廊上去，這時一輪明月正嵌在蒼穹下，銀色的光輝鋪瀉了一地。跑道上，一群小野馬靜靜地，整齊地排成一線，銀翼與月光相映成趣。那排在領頭的一隻，便是賽張飛的夥伴，作戰時那麼矯健英勇，現在卻顯得無比的嬌柔溫靜；伸展著兩翼，就似想向人擁抱。賽張飛忍不住走下樓梯，穿過廣場，來到小野馬身畔，他無限眷愛地審視著那熟悉的機身，摸摸光滑的螺旋槳，又拂拂寬大的翼葉，鬱結的心胸頓時開朗了。

「娘兒們可真彆扭，難得侍候——還是你好，我的老夥伴，你伴我出生入死，同我櫛風沐雨，幾年來都不曾使過一點兒性子……這一陣我幾乎冷淡了你，親愛的，不見怪嗎？從此，從此我再不三心二意，只是永遠伴著你，讓你做我最親密的伴侶！」賽張飛偎著銀翼，喃喃地一往情深地說。輕輕地抹去艙門下一點油斑，扣扣緊遮著機艙的帆布，就似同溫柔的愛人拉好披肩，深怕她在夜露中受寒……

編註：本文原刊於《中國的空軍》第一三八期，一九五一年七月，頁二十七～二十八。

愛情的考驗

在健康來復的路上，人彷彿恢復了孩提時代，什麼簡單的動作都得從頭學起，在醫生諄諄的指導下，我慢慢地學習著怎樣呼吸、怎樣走路、怎樣看東西，最後，我終於被允許單獨去那走廊上散步，那正是我早便渴慕嚮往著的。

走廊在病室的盡頭，散置著幾張躺椅和幾張靠背椅，專供行動自由的病人遊憩散心。廊上是一座花園，園外緊鄰著一片一直展延到山麓下的稻田，微風吻過挺秀的禾桿，漾起粼粼的綠波，雲朵扯起白帆，一片接著一片，悠悠地馳過金色的海洋，讓陽光在蒼鬱的遠山上，忽隱忽亮地照耀，我凝注著這生動的一切，一月來的窒悶都消失了，心裡洋溢著一種新生的慰悅。可是，我覺得有什麼盯在我右臉上，彷彿是一種無形的小蟲在蠕動，攪亂了我的清興。多麼固執而無禮的凝注喲！我忍不住帶著些微憤怒驟然回過頭去。

那二道凝視的眼光卻來自一對明澈而靈活的大眼睛，而那對美麗的眼睛，配上一個希臘式的鼻子，一張嫩紅色嘴角微微向上翹的嘴，是那麼合適而精緻地安置在一張勻圓而帶點稚氣的臉上，臉色有點蒼白，但不憔悴。她並不迴避我的視線，卻掀起一掀嘴唇，露出潔白整齊的牙齒，在左臉的酒渦裡漾著甜蜜的笑意，懇摯地向我說：

「我坐在這裡看你站了很久了，不累嗎？」

「哦！不……有一點。」我給她坦率親切的態度弄得有點兒窘，但經她一提，倒真覺得腿有點痠，便搭訕著在她長椅一端坐下來，「妳常常來這裡？」

「我前天才進院的，就住在你的斜對面。我叫羅瓊。」她活潑地說著，使人感到一見如故。「這裡真是靜極了，要不是偶或聽到幾聲呻吟，簡直就靜得像深山古寺。」

「也美得像公園別墅。」

「我覺得太富有詩意和生氣的環境又不適宜病人。」

「為什麼？」

「這是一種頂強烈的對照——蓬勃的生氣和委頓的病體。不管是身體上或心靈上有缺憾的人，觸景生情，這在精神上實在是一重無形的威脅。」

「妳有這樣的感觸嗎？」我懷疑地望著她。

「我當然沒有。」她又露出潔白的貝齒，在酒渦裡注滿了甜甜的笑意。

在寂寞中的心是容易接近的，我們談著彷彿已是數年的老友了。

第二天上午，是病人會客的時間，我的房門正開著，只見斜對面那間病房才進去一個捧著花束提著篋簍的人，又來一個提著點心盒捧著花束的人，又來一個……「病人受得了這樣打攪嗎？」我想，隨著便讓自己浸沉在一本小說裡，但不一會便給細碎的腳步聲打擾，進來的是護士周小姐，一手握著一束雪白馥郁的蝴蝶蘭。

「誰送來的？」她笑著不作聲，卻遞給我一張摺得小小的紙條，將花插進我牀頭小几的漱口杯。

紙條是一張包藥的紙，上面寥寥的寫了一行飛舞的字：

我消受不了如許……將那最純潔的分贈給你。

羅瓊

我抬起頭來，見斜對面的房門也開著，她穿著鵝黃的睡衣，正倚靠在雪白的枕上，牀前牀後簇擁著鮮妍的花叢。迎著我的視線，她把食指按在唇上，聳起眉毛向我點著頭笑笑。叨她的光，從此我房裡也就經常不斷地供著鮮花。

只要是晴朗的日子，我們總可以在走廊上會面，她的面色似乎一天比一天紅潤，渾身都蘊蓄著一股青春活力，我正對她的病起了懷疑，那天她忽然鄭重地按著我的肩胛告訴我：

「醫生把我判決了。」

「怎麼說？」

「右肺結核，需要療養三年。」

「三年？」我驚疑地望住她。

「嗯！三年。」她望著我嚴肅地點了點頭。

三年！這在生命正燦麗活躍的時節，該是多麼殘酷的幽禁！我怕逢見眼淚，只是用充滿了無限的憐憫與同情的眼光偷偷地看她，但她卻正俯身撿起一只落在廊沿上的小芒果。

「最弱最無力的果子，最先落在地上。」她輕輕地唸著莎士比亞的詩句，若有所思的在手裡把玩著那小小的青色果子。「這不僅是生存上如此，任何事情的進行，都可引用這定律，是嗎？」

「唔。」我沒有了解她的用意，只是漫應著。

「而執行這考驗的，便是大公無私的時間。」

她將手一揚，小芒果正落在園中相思樹上，驚起了兩隻相互歡逐著的翠鳥，嫣紅的花瓣驟雨般紛紛飄墜——她倏然一個旋步轉身出去。步伐依然那麼矯健、輕盈。

接著一星期的風雨飄搖不能去走廊上，病院黯淡的日子似乎比平時更悠長難耐了，那天護士把漱口杯中枯萎了的花束撤走，我記起羅瓊已好久不曾分花給我了，還是打從她告訴我醫生斷她病狀之後沒多久起，她房門口的花兒人影彷彿也疏遠了。

那天我走去走廊上，悄悄地沒有一個人，另有風伴著落葉在散步絮語，我索然踅回房間，卻因受寒晚上又咳嗽了，還有一點熱度。醫生又再度禁止我外出，雖然以後又是明麗的晴天，我聽著窗外啾唧的鳥聲，我望著窗外那璀璨的陽光，我多麼渴望著跑出去接受陽光的擁抱喲……可是就在這時房門輕輕啟開了，陽光和春天全湧進了病室——那竟是羅瓊，煥發美麗得恰如一個新娘。

「我今天出院了！」

「妳好啦？」我幾乎懷疑我的耳朵。

「我那點傷風進來第三天就好了。」

「妳不是說要……三年。」

「三年。」她笑得懷中的花朵直顫，「不想我這個詭計把你都哄住了，告訴你，我只是舉行了一次考驗！『最弱最無力的果子最先落下』，在愛情的考驗上，亦是一樣的。你不見這陣子送花的人越來越少了麼？」

天！竟是這麼喜劇式的一個故事！

「可是……醫院……」

「這裡的院長是我父親哩！你要見見那最堅強的果子嗎？」她向外面輕輕喚了一聲，一個頎長的青年推門進來，一副堅定的臉型，誠懇的眼睛裡卻閃爍著勝利的光芒，他拘謹地向我彎了彎腰。

「祝你早日健康，再見。」羅瓊從懷中揀出一束嫣紅的大理菊，擱在我胸前，便笑挽著她的選民，一位女皇般昂然出去了。

我將眼光從失去的背影收回，茫然落在豔麗的花朵上。

編註：本文原刊於《大道》第二十二期，一九五一年八月一日，頁二十五～二十六。

神人之間

「媽祖菩薩保佑我家阿珠快點好吧，可憐她媽只有她這麼一個命根子，要有個三長兩短可沒命了。大慈大悲的媽祖菩薩，佛法無邊的媽祖菩薩，可憐可憐我們窮人，等阿珠好了，叫她自己來給菩薩披紅上香。」黃添枝心裡默默祝禱著跪在拜墊上虔誠地磕下頭去。香爐裡香煙繚繞，殿堂內寂靜無聲，充滿著一派肅穆的氛圍，彷彿冥冥之中真有一個主宰，掌握著生死大權。黃添枝磕了一番頭，雙手合十，穆然瞻仰我佛金身，當他虔敬的目光無意間接觸到菩薩項下時，一個罪惡的念頭，那樣突然地，像一支無形的鞭子，驟然在他額上猛抽一下。他的嘴唇顫動了，眼睛裡閃動著恐懼的光芒。他馬上又惶悚地俯伏下去。

平時當他以虔敬的目光瞻仰輝煌的金身時，只覺得那一切飾物都是造成那種莊嚴氣概的一部分，一切俗世的財寶加在菩薩身上，便都沾著那神聖不可侵犯的氣氛。可是不想在此刻，竟會從那裡發射出一股強烈的誘惑，就似噴香的白米飯誘惑著飢餓者一樣，那是一掛繫著顆雞心的金項鍊。雖然他惶恐地譴責自己怎敢產生這種卑污的念頭，不怕菩薩動怒！但另一個更迫切的需求卻依然執拗地突破恐懼，狡蛇般在他心裡蠢動。他彷彿又看見醫生那副沉思的眉眼，遲疑地說：「很嚴重哩，趕快得打這個……針，快吃這個……藥。」然而這個一大串嘰哩咕嚕的針和藥竟是那麼貴，他奔跑了幾處告貸買藥錢，結果是一無所獲——他忍不住又偷偷地瞥一眼那串金鍊，在那黃燦燦的光輝裡，阿珠那甜甜的笑臉迎著他展漾開來，親切地伸出二隻肥胖的手膀向他頻搖亂晃……他猛然一股勁竄起來就去除下金鍊，但一轉念他卻改取了案角的籤筒，禱告著搖出籤來，竟是上上。他欣喜地又爬下去磕了二個響頭：

「謝謝菩薩指示，等醫好了阿珠，我一定馬上歸還。」他窺著四周無人，便敏捷地爬上佛龕，捺住心跳，摘下了那串金項鍊。

●

醫生搖著頭把針盒收拾好，避瘟疫般迅速地跨出了黃家破舊的矮門，阿珠小小的身軀靜靜地躺在牀上，微弱地呼吸著。原來紅潤的臉蛋瘦陷得猴子似的，眼皮緊闔著，銳利的針戳進她嫩皮膚裡時除了那麼微微一震，再沒有什麼反應。添枝的女人正將滲了開水的藥，撬開灰白的薄嘴唇一匙一匙地餵進去，好容易餵了幾匙，孩子突然一陣拘痙，閉著的眼皮抖慄著張了開來，頭一歪，蓄積在口腔裡的藥水便流了出來。添枝的女人猛然將手中的杯子一擲，便伏下去摟著阿珠的身體慟哭悲呼起來。黃添枝木立在牀前，沒有眼淚也沒有作聲，一霎時變成一截枯槁的、生意全失的木頭，他那遲鈍的眼光從逐漸僵冷的小臉上，茫然轉到桌端那瓶未吃完的藥水上，驟然間他就似被火烙著了一般，恐懼地瞪大了眼睛，二手按住臉，踉蹌地跌進椅子。

阿珠死後第二天，黃添枝神情恍惚地坐在門口，劈一會柴枝又發一會呆，一點兒聲響就使他愕然停下手頭的工作。遠遠的雞啼豬嚎，近邊的腳聲人語，都會使他心悸神慌，悲痛和恐懼的情緒，一日一夜間已把他熬迫得蒼老了十年。

●

「阿香妳聽說嗎？媽祖菩薩的金鍊子給賊偷去了。真是不怕罪過，菩薩身上東西都要偷！」隔壁木生嫂尖銳的聲音，像一支利劍般戳在黃添枝原就忐忑的心上，他猛然一驚，斧從他手裡「嗆啷」跌落在地下，接著又一個瘖啞的喉嚨接上說：

「可不是，菩薩是有眼睛的，妳看吧！遲早總有報應落在賊身上……」

「賊」「報應」，這二個字一聲比一聲響亮地震撼著他的神經，就同釘錘一記比一記著實的敲著，他一腳踢開柴枝，慌亂地站起來闖進屋裡去。

賊偷去了媽祖身上金鍊的消息，很快就播遍了全村，彷彿搗翻了蜂窩似的，到處一片嚐嚐聲。當丁里長同著一些村人去廟裡查勘時，推開虛掩的廟門，卻見黃添枝正自俯伏在拜墊上喃喃告求，聽見紛沓的腳步聲，吃驚地站了起來，失神的眼睛裡有兔子被逐時的惶惑。

「咦，添枝，你一個人躲在裡面求什麼？」丁里長第一個懷疑地問。

「添枝，聽說你前晚給你家阿珠買了很貴重的針藥是嗎？」張鄉紳用狡猾的眼光打量著黃添枝，立刻所有的目光全像在他身上找到了縫隙般，一齊好奇地投射過去。黃添枝臉上由泛紅轉成慘白，在孤立無助的狀態下，他苦苦地與良心的桎梏搏鬥著，最後，他終於像一個即將沉溺的泅水者，在水裡竭力掙扎了一陣般，他乞恕地望了一眼佛像，低下頭用微弱沉痛但清晰的聲音說：

「是的，阿珠病得要死了，要打針吃藥，可是我沒錢，借了二天也沒借到一點，我急著要救阿珠，是我，是我借用了媽祖菩薩的金鍊。我發下誓就是賣命也要償還菩薩的。」

他坦率的自白出人意外地使眾人怔訝了一會，丁里長馬上沉下臉趨前一步叱責道：

「不想看你平時裝老實，原來還慣自作賊！」

「我說哪來的賊這麼大膽，不料竟是家賊！」張鄉紳冷笑著說。

「我不是賊……」

「你還有臉強辯！」丁里長叉開手指用力給了黃添枝一記巴掌，慘白的臉上立刻印了五條紅印。

「送他到派出所去！」

「真是丟盡村上的臉！」

黃添枝垂著頭，像一個洩了氣的皮囊般由得眾人捶打著、拉扯著，正將拉下大殿，張鄉紳眨著眼記起了年前黃添枝曾為著田租跟他抗辯，又忍不住在一旁冷冷地插言。

「冒瀆菩薩，盜竊公物。而萬一他惹怒了菩薩，說不定降禍我們全村的人。這樣大的罪名，送上面吆，頂多辦個偷竊罪，不打不罰供養他幾個月。」

張鄉紳煽動性的冷言冷語，像一粒燃著的火星投進草原，立刻在愚昧的人群間燎起了不可遏止的怒火。

「對呀，他一個人惹怒了菩薩，想害我們全村的人。」

「我們要當菩薩的面懲罰他！」

「捆起來捶他！」

「聽我說哪，鄉親，」丁里長向喧嘈的人群擺著手喚，生怕眾人喧奪了他的權威，「黃添枝見財起盜心，他就是生壞了這雙賊眼，依我說就挖掉他這雙賊眼！」

「挖掉他的賊眼！」眾人附和著全似聞著血腥氣的野獸，失去了理性。

黃添枝恐懼地睜大了求助的眼睛，但接觸到的全是閃著凶焰的眼光，他轉臉懇求地仰望著菩薩，菩薩依舊肅然無語。他還想掙扎脫逃，丁里長已從後面按住他肩頭猛力揪翻在地下，手腳也給緊緊按住了，他只見眼前黑亮亮的一晃，一件沉重的鐵器便落在他右眼上，一陣穿心的疼痛使得他殺豬般慘叫起來，一身神經都拘痙著，要滾滾不動，緊接著左眼也是那麼一下，光明頓時在他眼前消失了，人也痛得昏暈了過去……

●

香爐裡三枝燃剩的香燭還在縈繞，龕前的燭炬照耀著佛面，依然還是那副肅穆的神情，漠然無視祂案前地下淌著的血漬和那奄奄待斃的罪人！

編註：本文原刊於《台灣新生報・新生文藝》，一九五一年九月二十二日，第六版。

一枚銀洋

過了中秋，眼看著又是重陽，「九月秋風剪寒衣」。可是在台灣南部，別說秋意全無，依然是炎熱炙人。大家白天在蒸籠似的屋子裡悶了一天，一到灼灼的驕陽落山，便急不容待地端只竹凳，拭清石階，一個個坐在綠蔭下、晚風裡大大地透一口氣。在這時，羅家的園子是最興隆的了，一排擎天的檳榔樹，看看又高爽，又瀟灑。門前三五個石凳，坐著又光滑，又涼沁。比買了票還準，每晚總有那麼幾個人來這裡坐著聊天磕牙，反正香煙白開水有的是招待，渴了、倦了，喝一杯潤潤喉嚨，抽一支提提精神。話頭馬上又源源而來，從韓戰扯到王石安案，從王石安又拐到台灣風俗，不知怎麼一轉，又轉到神鬼有無的問題上：

「這根本就是庸人自擾，無中生有。」在中學執教的趙搖著頭，擺出一臉睥睨的神色。

「話果然這樣說，可是我覺得這冥冥之中可以左右人民的力量，在一般愚昧的人道德和良知上，還是益多於害。」卸任縣長楊蹺著二朗腿點頭晃腦地說。

「那麼這次程佳和挖眼的事怎麼說呢？」趙馬上鋒利地頂了過去，楊還來不及措詞答辯，坐在一旁那軍人出身的主人羅，忽然挪一下正在發胖的身軀，一本正經地插言道：

「這東西確有點不可思議，譬如說像我這樣的一個武夫，當然是不會迷信的了。可是我卻偏偏親身經歷了這樣一件事。」羅說著下意識地掉掉煙灰，眼光若有所思地從眾人臉上投射到飄拂著的檳榔葉，和葉隙裡炯炯的星子。大家立刻停下鬥辯，靜下來等聽故事：

「那是三十八年春初，為著配合上面的作戰策略，牽制匪軍，我率領的那一連奉命攻克江蘇南岸的一個小鎮，我們黑夜行軍五十里，啣枚疾走，到達小鎮時，匪軍還在做夢，他們猝不及防，市鎮很快便被我們攻下了。一些居民只聽見槍聲，還不知一晚之間又換了主人，到認出是國軍來時，緊閉著的店門立刻辟立拍拉一窩蜂的打開來表示歡迎。我們安撫之後，照例各處去巡視一周。當我們走到鎮外一個荒涼冷落的小村裡時，忽然看見一個貧苦的老太婆正坐在一座破敗的茅屋前，傷心地哭泣著，詛咒著。彷彿有無限委屈怨恨似的。我忍不住走過去問她為著什麼傷心，不想她抬起頭來一看見我們，卻頓時駭怔了，二個膝蓋一哆嗦便順勢溜到地下，惶悚地向我告饒：

「『官長同志，我不敢……我該死……我是在罵我自己這老不死的……』

「『不用這樣，老婆婆。』我扶她起來溫和地解說道，「妳有什麼委屈儘管告訴我好了。可以幫忙的地方我總能幫忙妳，我們是中央軍，今天才來的。』

「『中央軍！』她瞇聚著昏花的老眼將我仔細地打量了一番，這才似發現了親人般一把扯著我的衣袖，又一把眼淚，一把鼻涕的對著我哭訴起苦來，原來隔天有個解放軍向她買雞蛋，拿個銀洋說好說歹的要她找零，那時一塊銀洋大概換得好幾萬人民券，老人總是愛現金的，經不住那個解放軍誘說，便把辛勤積下的一些錢，還有二十幾個雞蛋一起交送他換了銀洋，可是……誰曉得那塊銀洋竟是銅的……

「『那個千刀萬剮的土匪，他騙了我孤老太婆的「棺材本」，教他死無葬身地！』老太婆說完傷心地號啕著詛咒起來。

「那時我身上正有個銀洋，記得還是過春節時，總統犒賞的。一直沒捨得用掉，我就掏出來給了她，她起初猶疑著不敢接受，後來經我再三慰解，她才千恩萬謝地收了，還一聲聲的『中央軍怎麼好』，『中央軍怎麼長』。我恐怕那個假洋錢留著又讓那些可憐的人受騙，便拿了隨手往右面上首的口袋裡一擱——因為那裡向來不擺錢的，不致因疏忽而混出去——事後也就忘了這回事。」羅講到這裡停下來喝了口茶，彷彿寫小說的告一段落，顯示情節有新的發展。

「我們在那小鎮上駐了二天，第三天匪軍的援軍便大批開來了。兵力超過我們足有三四倍。本來這個小鎮我們並沒有據守的必要，但因為分散他們兵力的牽制任務還沒有完成，還得跟他們周旋一番；在匪軍炮火密集的包圍網中，我們堅守著那最不易守的三角地帶，當我正從一個受傷的機槍手手裡接過機槍來瞄準時，突然右胸一陣灼痛，顯然是掛了彩，但我依然咬著牙齒準了那一排黑壓壓直衝過來的匪軍，密密地掃射了一陣，眼看著整排的人像排浪般傾落，在人潮起落的剎那，我覺得右胸有什麼熱流在汩汩地奔瀉出來，眼睛有點發黑，腦中卻還在執拗地想任務快完成了吧……驟然一個弟兄的聲音在我旁邊驚喚起來。

「『連長，你受傷了！』

「『不要管我，』我猶自掙扎著想擺脫他的扶持，眼睛死盯著前面冒出來的人頭，『左翼注意……射擊……』以後的話大概只有我自己聽見了，因為正在那時，我眼前一黑，什麼都不曉得了。

「誰也想不到我會醒過來，更想不到我還會活下去。那天我糊裡糊塗睜開眼睛來，發覺圍繞著我的竟是一些熟悉的親切的面孔，而在那些臉上全流露著一股驚喜的神色——我自己正躺在後方醫院那雪白的病牀上。

「後來他們告訴我，當醫生發現我胸前的彈洞時，先找出口，卻沒有。再檢查胸膛，裡面不但沒有子彈，而且只斷了一根肋骨。昏暈只是因為血流得太多了。他們正奇怪一顆當面射來的子彈怎麼只留下這一點傷口。不知誰無意間翻動那件上裝，忽然從上口袋滾出一枚焦褐色中間有孔的圓片來，樣子就像從前的當十銅錢。仔細一對照，才知道那原來是枚銀洋，中間的孔，正是子彈留下的。就是那枚銀洋鉗住了子彈，削弱了它的力量。也就保全了我的生命。」羅說完猝然摔下煙蒂，疾地從椅子裡站起來，將汗衣往上一掀。「你們看，創疤猶新哩！」

大家看時，只見寬闊的胸脯右面，很顯明的印著一塊鎳幣大小的疤，大家不由得「嘖嘖嘖」地搖起頭來：

「這真是神蹟！」卸任縣長說。

「所謂無巧不成事，你這一下可巧到了極點。」中學教員說。

羅放下汗衣，神情莊矜地說：

「是的，巧是巧極了。可是從此我常常懷疑冥冥之中是否真有種力量在懲惡勵善。」

片刻的沉默中不知誰接連打了幾個噴涕，大家才意識到夜露已深重了。

編註：本文原刊於《中華日報・副刊》，一九五一年十月八日，第六版。

遠景

驕陽以最高度的熱力烤炙著大地，大地被烤炙得發酵了，從泥土裡、石罅中、柏油路上，又把容受不了的熱氣蒸騰出來，空氣裡每一粒微塵都是燠熱的。

小院裡的柳樹靜穆地凝立著，莊重得連葉子都不動一動，牽牛花的葉子卻軟軟地垂著，皺縮起來，彷彿絞盡了水分的鹹菜。

韋苓靠著窗台，坐在榻榻米上，孩子在懷裡含著奶頭睡熟了，汗水從紅色的痱子中間滲出來，柔細的頭髮全濕了，黏住在小小的額角上，韋苓袒開的一角胸脯上也在沁著汗，從一個個毛細管裡滲出來，慢慢地匯成了一顆珠子，正流向凸出的乳峰，即將流進孩子的嘴角，與甜甜的乳汁融和了，但她沒有留心這些，只是茫然凝視著樹巔那一朵白雲，雲塊移動得極緩極慢，就似讓樹梢釘住在那裡。她望著望著，望得眼花了，只見雲端裡無數的虹彩和霞光凝集成一片綺麗絢爛的光彩，又慢慢地斂攏展開，形成一個光圈，圈裡現出一條漫長的路，一路開放著鮮豔的希望之花，在遙遠的路的盡頭，綠蔭蔚蔚的樹上，結著纍纍的成功之果。

旭日從樹後山巔升起，光芒萬丈，更渲染得無比的和諧莊麗。韋苓彷彿覺得自己正彳亍在那條路上，路並不好走，有一點崎嶇，還不時有荊棘扎腳，但她並不退縮，憑著那充沛的青春活力，那對理想的追求的勇氣，對那遠景的憧憬，她一步一步行進著，遠遠的花朵的芬芳，更鼓舞著她，她獨自走過了一截路程，突然一個溫柔多情的聲音輕輕在她耳邊說：

「如果我們攜手並進，一定更早能到達理想的皇國，摘下成功之果。」

她回首看時，原來是一個青年，想著自己一路孤單，終於允諾了他的懇請。

於是兩人緊緊地挽著手，依舊向前走去，彼此關心著、照扶著，一路是更愉快歡洽，可是，猛然間她踢著遮攔在路上的一塊石頭，重重地顛仆了。

「哇！」孩子的哭聲把她喚回現實，美麗的幻境瞬時化入虛無縹緲間，只有那雲朵依然懸在樹梢上。她輕輕地吁了口氣，下意識地將脫出的奶頭塞進孩子張開的嘴巴，拿起旁邊的手巾跟他抹去一點汗水，看著那嫩紅的嘴唇，一吮一吮，胖胖的臉頰也隨著一抖一抖的，她忍不住俯下去吻他的臉，悄悄地呢語著：

「孩子，快快長大吧！媽有許多事要幹呢！」

辰光在做媽媽的餵餵奶時，換換尿布時，拈針間，無聲無息地過去，孩子會笑了，孩子牙牙學語了，孩子會爬行了，於是為那份慈愛囚禁在小天地裡做母親的心，更渴念廣闊的世界，嚮往著美麗的前程。她終於僱一個下女照管著孩子，不顧他的勸阻，自己再度踏進社會的大門。

她重新坐進辦公室，重新握起筆桿，一度的睽違，她稍些感到工作有一點生疏，而心裡更會不自主地時常感到忐忑，彷彿老牽掛著什麼。

「大概是離開工作久了，不久就會習慣的。」她自己安慰著，用最大的耐心對付著工作，好容易等到了下班，她還得到菜場裡轉一轉，買點菜再回來，下女照例早便抱著孩子在弄口等著了，接過來不是手臂碰著痾濕了的褲子，便是白嫩的臉上長了鬍子。有一次染上了兩腿的濕瘡，治了二個多星期才好，有一次不僅眼睛哭腫了，嘴唇也是青腫帶紫的。一看見媽回來，孩子就像受了無限委屈地哭著摸過去。

「怎麼啦？寶貝！」做媽的驚惶地問，卻見孩子張開的嘴裡缺了一顆門牙，還有一顆半截嵌進了牙肉裡。

「我早便說了，交給下女帶是靠不住的。」孩子的爸忍不住在一旁埋怨著。

「那麼你說應該誰帶呢？」心疼與怨憤交集，韋苓狠狠地瞪著他問。

「當然是做母親的囉。」但為了怕又牽惹起倔強的她一番牢騷，做父親的又把衝到喉頭的話嚥了下去。

只是換了個下女。她還是孜孜地守住了自己的工作崗位，但心神卻更不安寧，稍一鬆懈，筆下幾乎又造成了錯誤，她只是暗暗地惱恨自己。

那天回去，孩子意外的沒在弄口接她，卻靜靜地躺在小牀裡，臉頰紅紅的，額角有點燙手。

晚餐時兩人默默無語地扒著飯，韋苓吃了兩口便擱下了筷子，他也不曾吃完。

晚上孩子燒得更厲害了，呼吸急促地，手肢還痙攣著，醫生診斷是肺炎。第二天韋苓只得向公司裡告了假，日夜焦灼地守在小牀邊，在母親悉心看顧上，孩子慢慢地好了，一身白嫩的肉卻消失殆盡。在必須小心調養的條件下，韋苓含著兩眶酸辛淚辭去了職務，重新悒悒地回到「家」裡。

葉子落了又長新的，燕子來了又雙雙飛去。又是一個炎熱的夏天，孩子在一旁堆著積木，韋苓靠著窗台縫衣服。彎了半天腰，她感到肚子裡又在蠕動著，她伸了伸腰肢，一手輕摸著微凸的腹部。衣服從手裡落下去，她悵然望著窗外，牽牛花依然纏蔓著圍牆，聳立的椰子樹上，又有一朵白雲緩緩馳過，她凝眸探視，依稀又看見了那一片絢麗的遠景，可是看來更模糊，更遙遠了，彷彿是蒙了一層朦朧的雲霧，又彷彿是隔了一道茫茫的水，那樣的高遠不可攀搭，不可……

「媽！寶寶長大……大。」孩子不知道什麼時候丟下了積木，過來搖撼著母親的手臂，黑亮的眼睛望著母親的臉，學舌她時常跟她講的話。

「唔，寶寶……」韋苓倏然回過臉來，一把攬住了孩子，將發燙的臉緊緊地貼在小臉上，兩串熱淚從長長的睫毛上滾墜下來。

孩子驟然給這奇突的場面怔住了，呆了一呆，猛然眼睛一閉，小嘴一張，又「哇」的一聲哭了出來。

編註：本文原刊於《中華婦女》第二卷第二期，一九五一年十月，頁十二。

貼除的一頁

掩上那部沉重的《約翰・克利斯朵夫》，我正自望著小院裡那幾朵初開的黃花出神，圍牆畔參差的一排美人蕉與沿街一帶鳳凰木連成了一幢綠屏，恰好遮攔了街上的車馬紛踏——突然，綠叢中飄來綠裙一角，逐漸臨近。

「準是琳霙……」

「好自在的人兒！」一個爽朗的聲音，還搶在我吟思之前，不是琳霙是誰？綠裙、綠衫、綠色船形帽。一身「今木蘭」的裝備。曬得棕黑色的圓圓臉上，嵌著一對靈活的大眼睛，和一笑便揉下一個又甜又頑皮的酒渦。她朝著我揚了揚手裡那本黑底燙金的小冊子。「明天我們要出發到金門去了，找你寫上幾句。」說著，已三跳二蹤走到我面前，將冊子向我懷中一擲。

「這種成語格言的抄本，我現在對它最不發生興趣了。」我一看封面那串Autographs的英文字，便淡淡地說。

「誰說是成語格言的抄本？我可從來不曾找達官名流題跋過，這裡所保留的全是最親切的心聲，最真摯的情誼。」她搶著把紀念冊揭開來給我看。那裡面真是琳瑯滿目，不僅有熱情充沛的短句、獻詩，還有照片、速寫、剪貼、壓乾的花瓣、樹葉。每一個題字的人幾乎全在這裡撥弄著他們的藝術才能。這時，我的手指忽然拈到更厚的一頁；正面是緋色的，反面卻是淺藍色。顯然是二頁黏住了，我正待撕開來，琳雯忽然伸過手來阻止了我。

「不要撕開來。」

「難道紀念冊裡還有祕密。」

「不是祕密。」她避開我探詢的眼光，悻悻地說：「我不願意看見那個人寫的東西。」

「為什麼？」

「那是⋯⋯那是一個該死的叛徒。」她囁嚅地說，眼睛裡有一股抑制不住的憤恨。

「愛情上的？」

「也是國家的。」

「啊！」我驚詫地闔上冊子，懇切地凝視著她，「琳雯，原來妳根本就不曾把我當作妳值得傾心相許，割腹相示的大姊。」

「誰說的？」她睜大眼睛。

「可是妳從來沒有告訴過我。曾經有一個人民公敵做妳的朋友。」

她默然俯下頭去。我第一次看見坦率、爽直的她，現出困窘的神情。

「其實我也不是存心隱瞞妳，只是怕打開時間的塵封，觸及傷疤——好吧，妳先給我寫上，回頭再告訴妳事情的真相。」

●

……每一顆年輕的心都是未設防的，情熱的領域，易於接受、容納和感染外界的一切。他愛美、愛真理，但他辨不出花草掩飾下的陷阱，糖衣裹著的毒藥……

記得是抗戰勝利的那年，我還是個才念高中的女孩子，渾身是一股天真無邪的稚氣，對未來有一份朦朧美麗的憧憬。妳知道我父親是個中級公務員，家道算得小康，對我的管教也不太嚴厲。但那無所牽慮的稚心，就像一枝正在茁長的藤蔓，總想攀附點什麼。當我讀過那些專門迎合青年心理而帶有煽動性小說，像巴金的〈家〉、〈春〉、〈秋〉之後，總覺得心裡有個模糊的、躍躍欲試的欲望，想做點什麼出人頭地的事情。自然，這些也全不過是些荒謬可笑的意念，愛幻想的少女無數遐想中的一個。可是就在那年的暑假，我在姨母家中認識了那個撒旦，他那滿口的新名詞，激烈而輝煌的言論，加上帶有磁性的聲音，在涉世未深的我心目中，正是那種值得欽佩的、思想前進的新青年。在不知不覺中我已受了他的蠱惑，幾天的相處，他像使用了催眠術般，把他自己和他的言論嵌進了我的心裡。

暑假過後，我踅回家裡，他據說也回到北平×大，我自重新埋首在功課裡，想沖淡這一段邂逅留下的記憶，他給我寫來了第一封動人的信。文字總是比言語來得更美麗而深刻，他的信也就比他的說話更富魅力。從此，我們便開始了通信，他在信裡刻劃著美麗的遠景，強調著青年的時代使命，和對現社會的詆責，慢慢地我果然越來越不滿意現狀。我只是想著怎樣貢獻我的力量和熱情。為創造一個更合理的社會。我把他當作思想上的導師，竟把他當作心靈上相偎依的伴侶。就這樣，我們通了二年多的信。

那時共產黨已由暗鬥轉為明搶，東北以下，一省一省的染上紅色，可是我依然不聞不問地執迷於我那輝煌炫目的理論，那虛無縹緲的遠景裡。國共間開始醞釀著和談，在這風聲鶴唳中，我也修完高中的課程。神出鬼沒的，他卻又來了K縣。他沒有來我家裡，只約我去他寄住的朋友家裡見面。我去了。見面的第一眼我覺得我使他吃了一驚，三年來我已由一個大孩子長成成熟的少女了。他交雜著驚奇、讚美和一種渴饞的神情的眼光，反映著對這轉變的感應。我帶著點羞怯與他招呼著。他讓我進房裡坐下，他的朋友便神祕地隱去了。

「你怎麼來得那麼神祕，學校結束了嗎？」我問他。

「唔。」他咧了咧嘴，笑得有點曖昧，「管它結束不結束，反正我二個大學都念完了。」

「怎麼？」我不懂。

「讀書是個幌子罷了，我的實際使命是做滲透工作，三年前我便在『抗大』畢過業了。我想我在信裡已累次暗示過妳，妳總知道我實在的身分吧。」可是，我只是念念於那渲染得美麗輝煌的理想，並不清楚那是共產主義的糖餌，更不知道他本身便是個共產黨徒。

「如今妳可不用愁妳的力量和熱情無處貢獻，我來K縣另一個使命便是援引一個優秀的同志——妳，加入我們的革命陣營，參與推翻舊社會，重建合理社會的組織。妳有血性，有熱情，不僅是個前進的新女性，而且，我們更希望妳能成為中國的蘇菲亞。」那些熱辣辣的訣詞，像一支熱流滲進了我的血液，彷彿一個受教師獎勵了的孩子，預備做些更勇敢的事那樣，我拙訥而臉紅地，那樣幼稚地問他。

「那麼，我能做點什麼呢？」

「能做的事可多著哩，中共和談也是一種幌子，實際上我們不會放棄赤化中國這一個計畫的，在K縣還沒有解放之前，妳盡可以在妳的同學和朋友中做些『滲透工作』，以增添我們的實力。」

「滲透？」我困惑地抬起眼來正接觸到他灼爍不定的眼光。

「那是比宣傳更深入的一種工作，譬如說我就『滲透』了妳……」驟然間，他伸過手來緊摑住我的腰肢，兩片黏濕的嘴唇飛快地落下來，輕薄地……我雖說愛他，卻想不到他竟有這孟浪粗野的舉止，我的自尊心受傷了。我用力推開了他，奔到房子的另一角，羞憤得使我熱淚盈眶。

「哈，妳這個前進的女性！」他解嘲地說，我第一次看見他在偽裝的儀態下，暴露出那副猙獰無賴的真相。「在我們那邊，男女只要第一次見面時彼此感到滿意，馬上就可以發生關係。我們相識了二三年，這麼一個初步動作妳就害羞了。」

「可是，你並不尊重我。」我恨恨地說。

「天曉得我是怎樣地從心裡尊重妳，雯，妳不知道這幾年相思真把我想死了，讓我們自己先從相思中解放出來，再去解放人民……」他漲著臉，眼睛裡燃燒著可怕的欲焰，一步一步地迫近我把我攔到沙發畔，我也不曉得哪來的勁，推開他便向門外衝去，不想卻一頭衝在一座什麼有彈性的牆上。我略一寧神，這才看清站在我面前的是一個短頭髮，穿工裝的女人，一張塌餅臉和一個赫然隆起的胸部——那樣子真像極了〈惡夢初醒〉裡跟杜子衡結婚的女匪幹，濃眉毛下瞪著人的樣子就似一隻發怒的貓頭鷹。他在她的眈視下早便矮了半截，陪著笑臉用阿諛誇張的語氣向我介紹：

「……這是我們參加過二萬五千里長征的莫同志，最前進的革命女性。」

「噢，是王同志嗎。早便聽見×同志誇說妳思想前進，歡迎妳加入我們的組織。」莫顯得那樣熱情地伸出大手來用力搖曳著我的手，使得我節骨像箍著鐵圈般疼痛，我雖笑著吶吶地不知說什麼，他卻在一旁搶著說：

「琳霙熱情而欠缺工作經驗，正要向妳老大姊學習哩。」

「好得很，我最高興向年輕人傳授我的經驗了。」莫自負地說，也不管我做出要走的樣子，半挽半拉的重新把我帶進房裡坐下，儼然說起教來，「我們革命女性的第一個信條就是要膽大，不害羞、敢說、敢做。過去我們女性最受壓迫的便是戀愛問題，所以現在解放的第一步也就是從這裡做起。像什麼愛情至上啦、用情專一啦、貞操操守啦，全是封建落伍的觀念，男人用來束縛女人的枷鎖。我們首先就得剷除，做為一個前進的革命女性，在完成解放工作的過程中，誰又能像那些墮落的布爾喬亞，成天陪著一個男子在房裡唧唧噥噥！再說要是揹上情感的包袱，又會影響到戰鬥情緒。所以我們那裡就流行一種一杯水主義，意思就是戀愛的需要就跟喝一杯水那麼輕易。喝過了也便完了……」

「不過中上級幹部還是可以『有愛人』的。」他瞟了我一眼岔進來說，這立刻引起了莫的不痛快，狠狠地瞪住他說：

「怎麼，你怕王同志愛了你一次便不要你嗎！哼，可別忘了黨的紀律！」

「我不過是說說罷了。」他訕訕地說，莫不再理他，又一本正經地向我。

「王同志，關於解放事業的基本活動妳會些什麼呢？比如扭秧歌？」我搖了搖頭，「連這個都不會，那怎麼能做解放工作！來，馬上來教妳，預備，一二三！燒啦燒啦毒啦毒，太陽出來一點紅，東方出了個毛澤東……」她不知從哪裡掏出一塊大紅手巾，拿在手一抖一抖地，兩人便唱著扭起腰肢，擺起臀部來。莫起初還讓我跟著她扭，教我要怎樣把腰肢扭得快，把臀部轉得靈活，後來見我不熱心，慢慢地她自己卻越扭越起勁了。兩人盡自飛著眼波，逗著媚笑，做出種種肉麻的醜態來。突然一個大浪擺，身子猛然一撞，兩人就勢跌在地下滾作一團，摟摟揑揑地調笑著。他氣喘喘地猶自向我擠眉弄眼地說：

「會了嗎？得上勁學習哪。」

「無恥！」我羞憤得只能這樣罵了一句，返身便向外走。

「慢著，妳既然來了就不能由得妳這麼隨便地走。」他在後面嚷著追上來，眼看追到大門口，大門竟是閂著的。我一時情急了，便揀起架上的花盆朝他摔去，趁著混亂，我連忙拔開門閂逃了出去。也不辨東南西北，只是悶著頭向前走，不覺走出了城區，走到了郊外。我的頭在嗡嗡作響，我的眼睛在發黑，驟然腳一輕，便在一座山丘下倒下來。

……欺騙、侮辱、絕望，我的感情彷彿遭遇了一次六級地震，我用希望、愛情和理想在上面築成的美麗樓閣整個地摧毀了。我以聖潔的心靈所尊崇的「革命工作」，竟是這般無恥勾當：我深深地在心裡期待了三年的人，卻是我自己的幻想加上他的詭詞所凝合的幻影！

我想到自殺，可是死並不能懲戒惡魔，我想報復、告密，但我又有那麼些該死的信在他手裡——那半天我一直就淌著眼淚，扭著自己，在悔恨和憤怒中煎熬，直到夜露浸透了我。我拖著疲憊的身子回到家裡，母親為我失魂落魄的神態駭壞了。以為我是得了急病——我可真的生了一次大病，在神智昏迷的七天中，母親一直衣不解帶地守在我牀畔。就是這次病救了我一直想親手結束的生命。

病好後，各大學都已開學。我變得十分消沉。那天表妹陪著我去散步，在路上看見許多女學生正圍著一張招貼在看。我湊上去一看，立刻我那廢墟似的心裡忽然爆出一星火花，我彷彿從那字裡行間看見了自己的新生——那便是一張招考智識女青年從軍的布告。

•

「本來這過去的事我早便把它埋進了遺忘的墳墓，不願再留一點痕跡在我新生命潔白的一頁上。這紀念冊原要撕去的，可是那兩面偏又留著我二個摯友的筆跡，不想這一點線索妳又讓我掘了一次墳墓。」琳雯用沉緩的聲調結束了她的故事，神色黯淡地望著窗外。

「可是，雯，妳要曉得有的記憶果然必須像腐臭的屍骸般，給埋進遺忘的墳墓。有的記憶卻應該像割除一個毒瘤般，親手割去——看這個。」我把寫好的紀念冊遞給她。

「愛是創造，是生命的活力。但衝動的愛是一蓬煙火；盲目的愛又易於褪色。狹隘的愛情常使人變得自私。

「被愛是幸福的，去愛卻更偉大，在這戰鬥的時代，聰明人當知捨棄那狹隘的愛，由『我之小愛』擴充到『我之大愛』；愛人類，愛正義，愛和平。為了人類永生的愛而戰鬥。」

她一字一字地唸著，臉上的陰翳消散了，明澈的眸子重又揚射出喜悅的光輝。「這真是我心裡的意思，也是我為什麼硬朗地活下來的原因。妳給我寫上了，自然更要警惕自礪。」

「可是，假如妳萬一有了愛人……」

「那準是第一個攻登大陸的英雄！」她搶著詼諧地說，自己先忍不住笑起來，我也跟著笑了。在爽朗的笑聲中，我們緊緊地握住了手。

編註：本文原刊於《大道》第三十期，一九五一年十二月十六日，頁十四～十六。

一場電影

「哎，過年過年，沒喝沒玩就是累壞了這兩隻腿。」呂先生咕噥著坐在牀沿上扯下襪子向屋角裡擲去，襪子經過的地方，灰塵也在空中劃了道弧線，很快地滲入空氣中，又悄悄地分布在室內。

「可不是！一年三百六十天天天忙著廚下灶前，連過年也沒見上街遛達遛達，看場電影什麼的。」呂太太也將脫下的旗袍朝椅背下一撩，厚嘴唇翹起多高，一肚子的不甘不願。

「我的太太，誰不想樂一樂呢？可是人情，人情不能不顧喲！這世上就靠人情吃飯。妳估量我是喜歡騎著這十一號車去打恭作揖嗎，真是！偏偏撈得一天休假嘿又碰著星期天，一點兒便宜都沾不著。」呂先生說最末二句話聲音已鑽進被窩了。含含糊糊地像是在夢囈。呂太太把大毛踢開的被子給蓋好了，又將帳子塞緊，輕輕地吁了口氣。「克嚓」一聲，小小的房間頓時浸入一片無垠的黑暗中。

第二天——也就是年初二。呂先生照例匆匆忙忙地吞下了二個開水泡饃饃，趕去上班。

可是去了不到二個鐘頭，又興匆匆地踅了回來。呂太太爐子還不曾生哩，正把袖口捲得高高地在洗衣服，看見呂先生回來，不禁怔了一怔：

「怎麼？……」

「放一天假，還要作二次通知。這個總務上辦事真是拆爛污。今天『補休』曉得嗎？就是說昨天春節本來該放假的，逢巧是星期天，所以今天補放一天。」呂先生不等太太發問，興高采烈地嚷著就在腳盆邊蹲了下來。一面賊忒嘻嘻地望著呂太太說：「怎麼樣？我把今天這一天的時間完全交給妳，由著妳支配。妳說是去哪裡遛達遛達呢，還是去看場電影？」

「噢，我們有多久不曾看電影了？」呂太太想了一想，反問著，她做什麼向來不肯直截了當地說，而要轉彎抹角地把主動權讓給人家。這一點脾氣呂先生早已摸熟了。所以他倏地站了起來說：

「少說也有半年六個月了，那麼準定看電影。我去借張報紙來看看今天演些什麼。」

呂太太一起勁，三把二把地便把一盆衣服洗了起來。她正在一根繩子上掠起衣服時，呂先生已把報紙借了來，邊看邊說：

「電影也沒多大意思，我看還是去看歌舞團吧，它這裡寫著連日狂滿，一定很不錯。」

「是不是脫衣大腿什麼的？」

「嗯……不全是。還有魔術、武功。」

「我看。」呂太太將濕手在旗袍上一抹，就手搶過報紙去。「絕世佳麗，脫衣豔舞——哼，還不是？你們男人就愛看這套，我不看！」

「為什麼？」

「你看，」呂太太指著廣告上的字直送到呂先生面前，「大膽作風，使你魂飄魄蕩——看完戲，我不是還得在戲院門口給你喚魂哪。」呂太太說著自己先忍不住笑起來。呂先生也笑了。連大毛小毛看見爸媽難得這樣高興，也莫名其妙地跟著笑起來。

「那麼妳揀囉。」

「看〈一夜皇后〉怎樣？」

「我不看。」這下呂先生又提出了抗議。

「為什麼？」

「我不愛看古裝片，再說逢年逢節原要高高興興，誰看那些迴腸盪氣的悲劇。」

討論結果，決定去第三家——也是這城裡最後一家看〈永不分離〉。

於是呂太太急急忙忙地下廚房，呂先生便先去買票。買第二場二點十分的，時間可以充裕點。可是，呂先生這一買票，一直買到呂太太把飯煮好了半天才滿頭大汗地跑回來。

「真擠死人，等公共汽車等了一個多鐘頭，排隊買票又等了個把鐘頭。別說第二場，第三場都買到二十幾排了。妳眼睛不好又看不清，我索性買了第四場的。」呂先生氣咻咻地報告著買票經過，像建立了一樁大功似的。

「第四場不要六點多才開演？我怕孩子要睡了。」呂太太吟唔著，順手替呂先生拍去肩頭沾來的灰土。

「有電影看還會睡覺——大毛妳說妳會不會睡覺？」

「我不睡，我把眼睛睜得頂大。」大毛將小眼睛睜得圓圓的，還把二個手指扳開了上下眼皮。

「大毛真乖！」呂先生在大毛臉上擰了一把，又吻吻抱在媽媽手裡的小毛。嘴裡哼著南腔北調的流行歌曲，一轉身便在開好了飯的桌前坐下來。這一頓飯洋溢著融曳輕鬆的情氛，比除夕夜的年夜飯還吃得愉快。

飯後呂太太本著「養精蓄銳」的一說，壓著做爸爸的帶二個孩子睡一個午覺，自己把碗洗完，從箱子裡找出一件黑底綠花的綢夾袍，到隔壁鍾太太家去熨熨。

時間真是最微妙不過的東西，你要守著它吧，它就一分一秒地慢得像蝸牛爬，你要正做著點什麼沒留神，它又偷偷地一溜煙岔了過去。可不是，呂太太不過熨好件衣服，跟鍾太太扯了一陣「太太經」，回家一看；嘿，又得生爐子煮晚飯了。

那號為廚房的小衖里一生火，煙和煤氣就結著伴向房裡竄。瞬時間房裡便「煙雲瀰漫，撲朔迷離」，人登在裡有騰雲駕霧的感覺。大毛不住拭著給煙薰出來的眼淚，小毛讓煙薰得直嗆。呂先生連忙抱一個攜一個預備出去躲避災難，可是他剛把右腳伸出門檻，外面也有個人把右腳伸進了門檻。

「噢，呂先生恰好沒出去，梁主任說有件要緊公事，請呂先生馬上去辦一辦。」來人用手拭著額上的油汗，顯然是跑了一趟急路。

「唔！」呂先生皺了皺眉，鼻子裡唔了一聲，呂太太已聞聲而出，手裡還拿著把破扇子。

「怎麼啦？」她看看來人又看看丈夫，敏感地嗅到了不愉快的空氣。

「處裡有要緊公事，叫我馬上去一趟。」

「哎，這麼巧！」呂太太也把眉頭一皺，顯得十分憤慨。「吃這碗公家飯真不好吃，整個身體就像賣給他們的，難得放那麼一天假，偏有那些火燒眉毛的鬼事……」

呂先生不安地咳著嗽又望望她，覺得在一個工役面前發牢騷似乎不太那個。可是呂太太不管那套還是盡情地發洩她的懊惱，幸虧那人倒還識相。

「呂先生我先走啦。」

「好，你說我就來。」

「那麼，你還打不打算看電影？」呂太太接過小毛來問。

「我怕趕不上了，妳一個人去吧。」呂先生一面換衣服，一面說；一副無可奈何的樣子。

「我一個人帶二個孩子去？再說不白丟了一張票！」呂太太最心疼的還是那張票。二元錢可以買五兩豬肉，可以買半斤油，可以……嗅，就這麼白白地丟掉。

呂先生看見太太那副懊傷的樣子，心裡覺得十分歉疚。他覺得太太也怪可憐的，一天到晚忙著燒飯、帶孩子、料理家事，難得有這麼個興致看場電影，偏又逢到那麼巧的事，可是「吃人的飯就得服人的管」，這有什麼辦法呢？就在這時，院子裡一個尖銳的女高音在喚著雞什麼的。他靈機一動，又為自己聰明的主意高興起來。

「隔壁鍾先生不是出差去了，妳何不邀鍾太太去呢？」

「噢，真的。」呂太太連忙顛著屁股，老遠便揚聲喚著跑過去，「鍾太太，妳有空沒有？我……」

兩人有說有笑地嘟囔了一陣，外交辦成功了。但回來呈現在呂先生面前的呂太太，臉上仍不見那種雨過天晴的輝朗。

「鍾太太倒是答應去了，可是她說現在戲院裡緊得很，六歲以下的孩子硬是不准進去。大毛我可以誆說六歲，小毛怎麼辦呢？」

「這個……」呂先生躊躇只是舉起手來搔頭皮。這下他可沒了主意，總不能讓他揹著孩子上班去咯。可是，鍾太太就像註定做他們解救困危的救星似的。那尖銳的女高音又在這時迎風送來。

「噯，我說呂太太，妳家呂先生去辦公要不要好久？要不太久回來的話，妳把小毛交我媽帶一會好咧。」

「不會太久，不會太久。」呂先生忙不迭地接應著，如逢大赦似的。連忙不加考慮地答應下來。「只是麻煩老太太了。」

呂太太看見呂先生在穿皮鞋，這才想起他還不曾吃飯。

「你不吃了飯去嗎，只要熱一熱就好了。」

「不，我回來吃好了。已經耽擱了半天，來不及了。」

呂太太望著呂先生瘦削的背影帶著倉卒的步履消失在矮牆外，不禁搖搖頭，輕輕地歎了口氣。

呂先生迫促地把那紅標簽的緊要公文擬好，給主任畫了行。從緊張中稍稍舒鬆過來，只覺得頭裡有點沉重，而思想卻仍逗留在二句自己認為不太妥當的措詞上。傍晚涼沁的風迎面吹來，更覺得肚裡空空的不大受用。走回家裡，他一眼瞅見自己家裡黑沉沉的，門窗也緊閉著。小毛的哭聲卻從隔壁鍾家傳出來，他這才記起太太已去看電影了。

他剛把鑰匙塞進鎖眼，鍾太太的母親已聽見腳聲，捧著小毛出來，一路數落著。

「這娃兒真是，平素日子見哪個都叫抱，今晚偏就淨鬧彆扭。小毛，瞧你家爸來啦，不哭。」小毛哭得眼淚鼻涕塗了一臉，看見呂先生，兩手一伸，半個身子就撲了過來。

「真是，勞您老人家費神啦。」呂先生陪著笑接過小毛來，二手挨著小屁股的感覺是冰冷稀濕，尿布早就痾濕了。他勉強用一隻手挾著小毛脅下，捩亮電燈，首先就是找一塊尿布笨手笨腳地替他換上。他覺得有點累，想休息一下。可是猛然記起自己肚子還是空的，於是又抱著小毛躡手躡腳地摸進廚房裡去，這夾衖似的廚房，本來轉一個身撞著爐灶，彎一彎腰要頂著牆的。呂先生像跳腳尖舞似的點著腳趾，一步一步朝暗地裡探去摸索開關。他一手抱小毛唯恐撞著什麼。可是右肩才向前一挪，「嘩啦」一聲一件什麼圓滾滾的東西跌下來滾過了腳背。他連忙往後一縮，又是「拍搭」一響倒翻了什麼，滑溜溜的還差點滑一跤。他捩亮電燈一看，鍋子跌在地上，畚箕打翻了，弄得一地的菜葉和番茄皮。

「這懶婆娘，掃了垃圾也不倒掉！」呂先生在肚裡咕嚕著，走過去摸摸燉在爐子上的飯鍋，冰涼的。爐子裡盡剩些灰燼，用火鉗怎麼掏也沒掏出一粒火星來。

「糟糕，還得生爐子！」呂先生悻悻地將火鉗一擲，回房去把小毛放在牀上，小毛立刻就放開了喉嚨向他示威。可是為了要從事這麼一樁大工程，他也顧不得他了。對於生爐子他曾經有過一次失敗的經驗。但那還是比較易燃的炭，如今換上這木楞楞的煤塊，事情更顯得棘手了。

呂先生先滿滿地加上一爐煤，然後找來了一份舊報紙塞了半張在爐穴，可是洋火呢？見鬼，洋火又找不著了。他躁急地在擱架上看看，醬瓶油罐後探探，又房裡房外的找了一陣。真當他急得腦門要冒火的時候，洋火就像開夠了玩笑撤除了隱身術似的，就在煤箱的一角現了出來。他像捉一隻狡猾的老鼠般，狠狠地一把抓在手裡。對著爐門劃一根火柴亮一亮，劃一根火柴竄一股煙，但總不等他拿起扇子來搧就熄掉了。他又將另外半張報紙塞了進去，弄得鬆鬆的，這下果然火柴燃上去，火焰就從煤隙直竄上來。他趕緊抓起扇子來用力搧著，搧呀搧的火卻越搧越小，最後終於只剩下幾粒火星連同灰燼一起從爐門裡飛跑了。心裡越冒火，爐子越生不著。而一股股濃煙薰得他如喪考妣般涕淚直流，手臂使勁過分，不僅隱隱痠痛，幾乎連力氣都沒有了。他索性把一爐子燃不著的煤全傾倒出來，重新起頭。一蹲身，他在爐子腳邊發現一小束手指粗細的柴枝，原來造屋子還忘了豎架子；他又去屋裡找了張報紙，這次煤與紙中間架了木架子，連劃上三根洋火，執拗的黑煤塊上居然慢慢地泛上嫣紅。等他弄熱飯菜，小毛也把嗓子都嘶喚著瘖啞了。

呂先生一面端菜一面哄著小毛說：「別哭了，爸裝好飯，就來抱你。」小傢伙真像煞懂話似的，哭聲小了停了。小眼睛眨呀眨的，彷彿全副精神正專注在另一樁什麼大事上。「小毛真乖！」呂先生說，俯下身去正抱起來時，卻聽見「拍啦」一聲來自小毛屁股頭，接著芬芳四溢，一股黃澄澄的金色液汁從沒繫緊的尿布縫裡直迸射上呂先生的褲腳上，皮鞋上，而一些沒有了迸射力的金汁猶自叮叮噹噹地往地上滴著，在牀面前積成了一堆。

「小鬼，真是故意跟我搗蛋！」呂先生咬著牙狠狠地直蹬腳，要不那裡還包藏著「黃金萬兩」，他那大巴掌早就重重地落在小屁股上了。像要借此報復什麼似的，迫切間拿不到草紙，他順手將拿得到的報紙、毛巾、襪子……全拿來做揩抹之用。揩呀擦的弄了半天。奇怪，白嫩的小屁股上揩去了黃的卻留下了「烏雲蓋雪」似的一抹黑瘢，而且擦紅了皮膚還擦不掉。他無意間把自己的手一翻，嘿，手指帶掌心全是漆烏墨黑，倒像煤炭鋪裡出來的伙計。

總算把一頓熱了又冷的晚餐對付過去了，隨著三碗飯下肚，憤懣驅退了一半。時針一分一秒地移去，慢慢地連那一半也化作另一種情緒——寂寞。呂先生逗了一會小毛，孩子天真的笑聲像一串春風裡的銀鈴，那樣地清脆悅耳。但鈴聲一消失，周圍那沉寂的空氣彷彿就會因靜止而凝固起來。自己枯澀的聲音在靜夜中更是顯得那麼空漠。他忽然記起在一本什麼書上看過的句子，說是一個家若是缺少了女主人，就似一個人沒有了靈魂。如今親身來體驗了才覺得這句話形容得恰當。半天不聽見呂太太喚大毛，哄小毛，呼雞叱狗的聲音，屋子裡死沉沉的，家具什麼看來都不順眼，全像缺少一種生氣似的。他受不住這沉悶的威脅，便抱著小毛去門口站著。街上也是黑沉沉的，兩排茂密地樹了黑壓壓的傘蓋。遠遠的街燈投下一抹昏暗的光。偶爾有一輛自行車悄悄地從燈光闌珊處轉出來，又悄悄地消失在濃蔭裡。呂先生看著覺得悶氣。小毛也不願欣賞這黯淡的夜景，小身體不耐煩地在他手裡扭著。回進房裡，也許是由於寂寞，也許是由於爸爸不安的神情有失和藹，小毛突然一扁嘴又哭了。任憑呂先生怎樣哄拍也不成。「想是餓了。」呂先生想。於是找來了糖和奶粉，用開水沖了杯奶粉。匙在杯裡攪著，清水變成了米湯，可是中間還有一塊塊的東西跟著水旋轉，匙一停，那渣滓立刻又像游泳池裡的浮萍般氽在水面。一攪再攪，依然是頑固不化。這樣的奶粉灌進奶瓶裡準得把奶嘴堵塞了，呂先生只得用匙來慢慢地餵。起初小毛覺得嘴裡有了東西，果真便止住了哭，可是吃到第三匙時，忽「哇」地把嘴一張，又把身體一挺，弓一般彎了攏來，二隻小腳向空一踢，正踢在奶粉杯上，杯子在桌子上做了個半圈巡迴便「砰」然跌在地上，白色的奶水氾濫著，眼看桌上的東西都遭了殃。呂先生這下可真氣極了，正想不管三七二十一將他往牀裡一擲，就在這時一陣急促的皮鞋聲敲上台階，緊跟著呂太太氣喘喘的聲音在外喚著：

「小毛，別哭，媽回來了！」喚聲來了，人已踉蹌地跨了進來，她將懷裡瞌睡矇矓的大毛往椅子上一放，自己也像一身氣力都耗完了似的頹然跌坐在椅子裡。臉上的脂粉褪殘剝落，襟上的揿扣也脫開了。她一手接過小毛來餵乳，不禁一聲浩然長歎：

「哎，這種斷命電影下次再不去看了，差點還把人擠扁去，大毛一會擠散了，一會要吃茶，一會又要回家。這麼大一個人抱得我手臂都快斷了……噢，這是這麼搞的？」呂太太嘮叨來了，眼光突然落在狼藉的桌子上。這時呂先生彷彿卸去了什麼重任般感到一身輕鬆，而太太的迫擊炮一放，滿屋裡又立刻顯得生氣蓬勃，正想躺上牀去伸展伸展腰肢，聽得太太一問，又記起牀前更狼藉的一堆，立刻搭訕著悄悄地踢了背後的尿布一腳。

「噢，小事情，只是打翻了一點奶粉。」

編註：本文原刊於《大道》第三十五期，一九五二年三月一日，頁十八～二十一。

伊甸園

每次走過那座別墅，我總忍不住多看上幾眼，它就坐落在馬路盡頭，緊貼著一大片稻田。使它特出於鄰屋的是那一帶莊嚴綿長的圍牆，牆外還密密地圍著鐵絲網，蒼鬱的樹木從牆裡竄出來，兩扇鐵門卻關得緊緊的，只能從鐵柵裡看到一個綠色的人影左右移動著，或是臉貼著柵欄呆呆地向外張望，那是一個荷鋤的園丁，正守望著這靜謐的庭園。

那天我散步到那裡，無意間發現田中潛伏著一條陡狹的小徑，我信步走去，一拐彎有幾棵茂密的大槐樹，而在樹後遮隱著一座土丘，正好傍著那庭園的後牆。我爬上土丘，撥開丘上叢生的灌木，忍不住一聲讚歎，呈現在我面前的卻是那座神祕的院落。

多美麗的花園，園裡有綿綿的草地，五色繽紛的花朵，靜靜的噴泉，曲折的鵝卵石小徑。幽邃的林木，花木掩映中露出淺黃色的磚牆一角，和寬敞的迴廊……。噢，我的筆形容不出它的綺麗、幽靜。如果說世上果真有伊甸園，那麼誰享有這庭園，他便是人間的神仙了。只是園裡的氣氛顯得十分寂寥，門窗沉沉地掩閉著，花朵悄悄地開放又悄悄地萎謝，噴泉悄悄地灑落在白石池裡，除了樹隙晃動著那哨兵的身影，再有就是一個蝸牛般在花叢間出沒的老花匠。

我愛那份難能的僻靜，每天，我總是穿過那條紫荊花夾道的馬路，踅上土丘頂靜靜地思想，靜靜地領略。一個薰風拂面的下午，我踱上丘頂，放下稿夾，照例先朝田野間深深呼吸了一番，然後面向花園坐下——奇蹟！那飄揚在薔薇叢上的不是一幅白色的窗紗！噢噢，可不是門窗都洞開了，門口陽光下閃光的是一輛暗綠色吉普，許是主人旅行回來了，我想。極力用眼光在二個窗口和走廊上搜索著，果然有二個人走出來站在走廊上，臉卻讓廊前的一枝夾竹桃遮掩了，但見男的穿著西裝，女的穿著黃底綠花的長裙。男的伸著手似向園中指點著什麼，不一會，便挽著手進去了，再沒有出來。

第二天我一去塚上，便看見一個苗條的黃色身影站在走廊上，披著鵝黃的絨睡衣，趿著鵝黃的小絨拖鞋，像一枝迎風玉立的鬱金香，那正是那個女的。一臉惺忪的睡意未褪，卻睜著那對稚氣的大黑眼睛，激動而困惑地打量著花園，模樣就像孩子初見五光十色的萬花筒，一下驚喜得怔了。

她很年輕，輕得像迎著朝陽初綻的蓮朵般新鮮煥發。健康色的圓圓臉上有一張嘴角上翹的，甜甜的嘴。一雙黑亮而略帶稚氣的大眼睛，小巧的鼻子合適地安嵌在中間，這時正可愛的翕動著，想是在吸收空氣裡的芳香，驀地她將頭一昂，讓鬆散的長髮拋過肩頭，迅速地滑下台階，跑向一叢怒放的玫瑰，彎下腰，把小巧的鼻子攢近花蕊，又用臉頰頻頻撫貼，一會兒她又趨向一枝繡球花，踮著腳趾輕輕地用手指攀下來欣賞。她的腳步是那麼輕捷，她的姿態是那麼活潑，園中就似驟添一隻矯健的海燕在翩躚翺翔。

我看見她微俯著臉，臉上泛著揉合一層讚美和感謝的表情，向老園丁說話（這是我來綠塚半個月第一次聽見的人聲）。嘴唇一掀，貝珠似的牙粒迎著陽光閃爍，淺淺的酒渦像一朵淺緋色的薔薇。

老園丁正在扶持一枝傾側的芍藥，沒有抬頭，也沒有作聲。

「喂！我說這花園真美麗，是不是你一個人布置的？」她半嗔半惱地大聲重複了一遍，還率直地伸出手去推他的肩頭。老花匠這才轉過臉來，木然地看了她一眼，然後舉起手指耳朵，搖搖頭，又逕自回過頭去專注在工作上。

她感到有點失望，回眸環顧四周，似乎想找一個可以共她分享這份欣慰的對象。那期待的眼光溜過凝立的石像，闃靜的屋子，悄聳的林木，落在樹後那個園丁的身影上，又茫然收了回來（那輛吉普車，不知在何時開走了）。一層淡淡的陰影掠過笑靨，似一朵薄雲掠過麗日。但只是那麼短暫的一剎那，她立刻又為另一個景致所吸引，愉快地奔迎過去。她摘下朵半開的薔薇插上鬢角，又隨手折下樹枝在指間揮旋，嘴裡似乎還在哼著歌曲。她悠忽地穿梭在花叢間，但見兩隻鵝黃色的小拖鞋輕盈地在綠草氈上往來，像二隻相互追逐的蝴蝶。

從此，除了吉普車歇在門口的日子，我去塚上，總見她徜徉在園裡，有時她如癡如醉地徘徊在花間，潛心觀察葉子花瓣的萌茁綻放，一似慈愛的母親靜聆嬰孩的呼吸，熱視蘋果臉上的笑靨。有時她長跽池畔，伸出手臂去承受噴泉，或是無休止地掬起池中的水來又讓它在指隙漏去。有時她也幫著老園丁收拾收拾花木，有時卻摘下各種花朵綴成彩色繽紛的花圈，圍在袒露的胸前。興來時，便踮起腳尖在草地上旋一轉圓舞，她的性格就如一支奔流的泉水，看來是那麼活潑而豪放不羈，走廊上為她安置了舒適的沙發，我卻很少看見她在那裡坐上片刻。平時，她總愛隨便地坐在樹腳下，俯伏在草地上，有時索性在花叢裡睡上一覺，花瓣飄落一身，蜂蝶便在她身畔縈繞迴旋。

我最喜歡看她穿著一襲白綢長裙，長髮鬆鬆地用一根緋色緞帶縮住，柔滑地披拂在肩上，襯得那對眼睛更黑、更亮。她在花間遛達，那樣子完全跟童話中的仙子一樣。她被融和於這花園，就似魚兒融和於水。陽光、花草、蜂蝶、飛鳥加上她，是構成整個花園的儀態與靈魂，她彷彿生來就是屬於這花園的一部分。

病了七八天不曾去綠塚，路畔的紫荊花開始一瓣瓣謝落……

園裡依然紅嫣綠嬌，園裡的人兒也別來無恙，可是，我似乎感到有點什麼生疏的感覺。我重新打量園子，園子沒有變化，我再觀察她……噢，是她，她那健康的膚色比來時蒼白了，黑亮的眼睛像蒙上一層薄霧般開始黯淡。舉止也不似初時那般活潑輕捷，有時她跽在噴泉池畔，半天半天地將手浸在水裡，有如另一尊石像，有時她又仰臥在草地上，不眨一眼地凝視著天空，花瓣紛紛落在她身上，不曾舉一個手指揮除。而兩朵淺緋色薔薇，已許久不曾綻開在她原是豐腴的頰上。

我熱視那無語的嘴唇，那沉思的兩眼，那緊鎖的雙眉，那落寞的神情，總共勾劃出一個答覆：寂寞、憂鬱。

憂鬱的鏽蝕，猶如銅綠的鏽蝕銅器，能使青春黯淡無光。

正是農曆十五過後，我看著她一天天如同下弦月般清癯……

那綠色的吉普又來了，在我的記憶中它彷彿有著一段悠久的睽違，在車子來的日子她照例是不上花園的，但那天卻見她低著頭匆匆地走下走廊，後面緊跟著那個男的，她在一叢紫羅蘭前停了下來，男的也止了步。這次我看清了他的臉，在年齡上說他可以做她的長輩，但看他們的關係又不是那麼回事。

男的湊過去跟她說話，她將腰一扭，不予理睬。

男的又跟她解釋著什麼，雙手一攤，表示沒奈何似的，於是她的頭一昂，很快地說了幾句，一面下意識地將一朵紫羅蘭在手裡捏碎，顯得很煩惱，說完，眼睛望著遠處，嘴唇咬得緊緊的。男的還是堆著笑說個不停，沉濁的聲音攪得空氣裡「嗡嗡」的。他不時將手比劃著指指那幢屋子，又向空朝花園劃了個弧形。然後輕輕地拍著她的肩膀，就那麼半抱半挽地擁著她進去了。

在高處聽不清他們的說話，只看了一齣啞劇。但我忘不了她進屋前向著園子那一瞥，那一瞥裡揉合著多少愛與怨！

隔日裡吉普車又開走了。那天我在綠塚上待了多久，她也在花叢裡躺了多久。園裡花開花落她全然漠不相關。那雙失去了光彩的大眼睛只是茫然地望著空際，或是盯視著在風裡招展的椰葉。

一朵白雲掠過，投下一片陰影在她臉上，我陡然覺得她頓時長大了十年。

又過了一天，她的臉更蒼白了。憂鬱中還摻揉著不安的神情。她怔怔地在草地上躺了一陣，又沿著牆腳躑躅了半天，若有所思地頻頻向綠塚這邊探望——驟然間又想起了什麼似的，坐在樹根上在一本棕色的冊子上迅速地寫著——這樣時斷時續的已寫了好久了——寫著寫著頭忽然俯下去埋在冊子裡，肩頭微微聳動著，鬆散的長髮，似一道暗藍的波浪在斑斕的陽光下閃耀著，滑落在肩下。半晌，她又慢慢地抬起頭來，被淚水沖洗過的臉上瀰漫著淒楚的神情。而黯淡的眼睛裡卻洋溢著一股堅冷的光芒，像寒夜清冷的月色。她舉眼向天，緩緩地跪下來在胸前畫了個十字。於是急遽地闔上冊子，以突如其來的迅捷動作跑進屋子。

新秧長成一片無垠的綠，我撥開披拂的禾葉，穿過田徑。手腳全沾上濡濕的露水——今天我去綠塚比往常更早些，與其說好奇，不如說對那伶仃的女郎有著深厚的關切。

門窗依舊洞開著，窗紗仍在微風裡展揚。可是廊上、池畔、花叢裡，再不見她的蹤影。我覺得花朵嬌豔得庸俗，草木綠得有點慘澹，那維娜斯像更木然無神。雖是滿園花團錦簇，我卻感到氛圍中凝集著雷雨前的低氣壓似的沉寂。——莫名的不安擾攪著我，突然，門口起了陣騷動。沉重的鐵門打開了。那輛吉普車又馳了進來，雜亂地下來了一群人。隱約聽得男的急促而大聲地向花匠叱問了幾聲，接著一陣紛沓的腳音，大家闖進了屋子。歇一會花匠叫進去了，老園丁也叫進去了。語聲嘈雜，顯然發生了什麼意外，難道是她？……一個可怕的念頭，一道寒冷直通過背脊，我不由得一陣顫慄。……

屋子裡不斷地人聲嘈嘈，花園裡卻闃無一人，噴泉悄悄地瀉落在池裡，一朵盛開的玫瑰凋謝了，花瓣紛紛地墜落草地。我用憑弔的眼光巡視著她曾遊憩過的所在……忽覺眼角一亮，就在靠綠塚這邊向來無人過問的矮樹叢裡一枝斷折的枝枒上正鉤懸著一塊白色的紙片，樹下有一片被踐踏過的痕跡，我靈機一動，立刻折下一枝樹枝，用鉛筆刀把枝梢削尖，然後讓上身俯伏在牆上，向那塊白紙戳去……

那大概是日記本上掉下的二頁。

……矛盾，這是怎樣的矛盾！從前我只是夢想有一座屬於我的美麗的花園，我便像夏娃般逍遙自在地徜徉在人間的伊甸園裡：青草為氈，白雲作蓋，花鳥作伴，果泉充飢，而我將與我理想中的亞當終老其間，這一切不都很美麗！可是，現在這一切我都有了，卻又覺得厭倦！

……他熱情、豪放，而且誠摯地愛我。無疑地，我也全副心靈地愛他，誠然時間上我們之間常有不可解除的隔閡，但心與心之間卻無半點距離。然而，午夜夢迴，總有渺茫空虛的感覺——紛亂的世事，要幾時才許人返歸真純？

……昨晚我又夢見了海，海還是那麼浩瀚壯闊，我正赤著雙足在海灘掇拾貝殼，父親他們拽著漫長的漁網攏岸了。我擠過去向網裡窺視。一條尺來長的鯉魚倏然竄了出來。鱗片在陽光裡閃閃發光，我與阿秀爭著去捉魚，卻狡猾地從我手中滑進拍岸的浪花裡——浪聲掩蓋了我們的歡笑。

彷彿是同阿秀做了次游泳競賽，大海擁抱著我，海的碧澄手指——浪花，撫拍著我的身體，從激越的海浪中出來，我們爬上一處僻靜的海灘，笑著、喘息著，隨便倒臥在柔細的沙子上。沙給曬得暖暖的，波浪輕舒地拍擊著岩石，我們的意識很快就裊裊上升……。矇矓中猶覺燦耀的陽光直耀眼——可是，耀眼的是透過茜色紗罩的燈光，身下躺著的是軟綿綿的席夢思。而夜是那麼深沉而寂寞——哦，那只是一個夢！

我原該驕傲，因為我是海洋的女兒。我生長在壯闊的海天之間。獷厲的海風，廣袤的海面，賦予我健美的身心與寬大的胸襟，可是，是誰告訴我，沒有花朵的春天和沒有愛情的生命一般的單調，我於是意想著享受春天、愛情、鮮花和綠草的伊甸園的綺麗……也許，我不該讀那本《亞當與夏娃》而致耽迷於那幻境——

……噢，伊甸園仍舊屬於塵俗的，它……它與愛情勾結著做成樊籠。而我嚮往的還是自由，海天間那空廣無羈的自由。

我不該忠於我所嚮往的嗎？

……我愛他，我不忍遽離，更不能設想他沒有了我的悲痛。可是，愛情誠然可貴，世上還有超越愛情的事物……

我將日夜為他虔誠地祝福——

看完這二張殘頁，我不禁學她的樣在胸前畫了個十字，祝福的該是她自己！

屋子裡的人全蜂擁到花園裡來了，他們正像尋覓兔跡的獵犬般向著這邊搜索過來。我摺疊起字頁收在文稿夾裡，悄悄地走下綠塚，穿出田徑——

紫荊花早便落盡，光枝枒上卻簇擁著一團新綠。一週後的今天，我又想著去丘上，可是，連那條唯一的通路也被堵塞了。——我不禁喃喃自語：

這究竟是伊甸園還是樊籠？

編註：本文原刊於《當代青年》第四卷第四期，一九五二年六月，頁二十一～二十三。

倔強的靈魂

靜芬已來我家作客三天了。三天的暢談好像還是一個開頭，往事舊歡猶如滔滔江水滾滾而來——剪燭西窗，把臂話舊。確是人生莫大樂事。

近些日子來，下午總有一場風雨，洗盡一天的暑熱。晚飯後，我們留在小客廳裡，經雨篩過的晚風摻著點涼意，我更披上件白綢外衣，風揚起飽滿的窗紗，有似順風鼓舞的白帆，雨點大一陣小一陣，大時聲勢雄壯，彷彿宇宙萬物全懾於它的神威而屏聲匿跡，但聞一片急遽的嘩嘩聲，把我們的說話都掩蓋了。一會兒卻又淅淅瀝瀝零落地敲打著芭蕉，偶爾和著幾聲「嘓嘓」的蛙鳴——我把室內的燈全關了，獨留下沙發後面一支座燈。

在柔和的光線下，我拿起未繡完的枕套，靜芬打開她的編織物——當我在她箱子裡發現時，我還笑她揮扇還來不及，還買上這撈什子，現在卻不由得佩服她的顧慮周到——針和絨線迅疾地在她指上扭轉，快得叫人眼花。忽然她把骨針往織物上一插；眉毛一挑，這是她又想起了什麼的表示，我也跟著掂針斂神，傾聽她的下文：

「妳還記不記得陸德容？」

陸德容！我眨一眨眼，立刻在腦海中浮現一張白皙的瓜子臉，配著一對烏溜溜閃爍不停的大眼睛，笑起來一邊一個酒渦兒掀得深深的，小小巧巧的身材合適地穿著紅毛衣，黑裙子。使性時腳一頓，頭一昂，那對垂在胸前的，烏黑漆亮的長辮子便在半空中劃一個弧形，甩在背後——她是我和靜芬在小學裡的同學，也是我的芳鄰。

陸德容比靜芬大一歲，比我大二歲。她比我們早二年上小學，雖然我一上學也一直拿第一名，可是好像沒有她的第一名榮耀。同學們擁護她，老師們喜歡她，開懇親會什麼的，更少不了她擔任主角。那時我們普通都穿大襟短衫，單叉褲或者黑布裙，她卻一直穿花花綠綠的跳舞衣。冬天我們穿上原子納德的棉袍子，二爿瓦的棉鞋，一個個裹得傻裡笨氣，鋪蓋捲似的。而她又一身絨線衫，絨線大衣，長統小氈靴，顯得更是伶俐活潑。那時我們只曉得她父親在世時做過幾任什麼長，家裡很有些錢。而她母親又在接連生了三個兒子好幾年以後生的她，疼得簡直是「抱在懷裡怕風，含在嘴裡怕溶」。常常我們在牆門間裡玩得好好的，她母親拿著件衣服，搬著那雙改組腳挪了出來，「阿囡，冷哉，阿要加件衣裳！」德容正自玩得起勁，正眼也不看地搖搖頭說：「勿要。」要是她母親再嘮叨幾句，她就把腳一頓，甩著辮子不耐煩地嚷喚：「煩煞哉！說嘞勿要就勿要。」於是，她母親只得搖搖頭毫不生氣地嘀咕著挪著改組腳進去了。

德容一上學，她母親更是不放心。不但專派了老阿媽接送，自己還要在門口恭送恭迎。可是到德容進三年級的那年，卻提出了抗議說是不要老阿媽接送。她母親不答允，她立刻訴之行動，放學時，一忽兒爬上險峻峻的土墩蹲，一忽兒倏地彎進了岔路，等老阿媽追得去尋時，她又打從人家牆門間裡悄悄地偷出來，飛奔回家。等老阿媽氣喘喘地趕回家時，她早就悠閒地在家坐著了，接連幾次以後，她母親又怕她跑累了，只得停止接送。

她的脾氣是夠倔強的，記得在她念四年級時，有一天上算術課，老師看見她頭抵著課桌，以為她睡熟了。哪曉得走過去一看，原來是在偷看小說，老師要她繳出來，她紅著臉一動不動，老師伸手去抽屜裡拿時，她又用胸脯抵在上面，老師一時下不了台，便說上我的課可不許看別的書，妳要不願意上妳可以出去。她立刻一聲不響地站起來，挾著書出去了。接連三天她都沒有去上算術課。直到她班上的導師發覺了這回事，才半勸半訓地哄了她上課去，而算術老師也沒有處罰她。

德容在功課上果然一股勁的競爭，就是玩造房子，弄沙袋，拍皮球這類遊戲時也一定要勝人一籌，只有一樣踢毽子她總是踢不過我們，有一次她輸極了，當場把毽子毀掉，並且發誓不再參加。接著好幾個月她果然不曾挨過毽子。那天我們又開始二個一組的在踢著，因為知道她不踢，也就沒有邀她，不想她卻岔進來說：「我也來一個。」我與靜芬不禁會意地對望一眼。可是六個人剛好三組，大家正躊躇著讓她參加哪一組，她又說：「我一個人一組，哪一組也不參加。」最後，輪著她踢了，她把辮子向後一甩，很沉著地踢起來，結果踢得比任何一組都多，輸得我們一塌糊塗。大家都覺得奇怪，爭著探詢，她卻淡淡地說：「那有什麼稀奇！存心要做一樣事，沒有做不到的。」

這句話給了我很大的影響，以後只要一遇著什麼難事，總不由得想起它來——

小學畢業後德容就考進了那貴族化的教會學校——景海女中，她的派頭更雍容不凡，我們一起玩的時候也少了。還記得有一天我放學回家，老遠就看見陸家的廚子和門房揪著一個油頭滑面的青年扭打著——原來是德容在回來的路上逢到了他，便一路釘著她說些風情話。德容卻也不慌不忙地逕自走著，到巷口時，那青年望著那八扇一排，威風凜凜的廣漆大門，似乎有點趑趄不前，德容卻故意不走大門，去敲旁邊的側門，進去時還有意無意地瞟了那人一眼，這下可把那青年逗得神魂離舍，在門前徘徊不去。不提防從大門裡卻奔出二個粗漢，捉著他就是一頓好打，打得他啞子吃黃連，抱頭竄逃，德容從門後走出來望著他那狼狽的樣子，按著肚子笑彎了腰！

陸德容就是這麼一個心高氣傲，倔強好勝，愛捉弄人的女孩子。我離開蘇州時，聽說已有不少人到她家裡去說親，她一個也沒放在眼裡，說是「早著哩，至少等念完了大學再談。」——

「她總不像我們這般沒出息，一定有一番作為了？」

靜芬苦笑了一下：「她比我早二年結的婚。」

「男的是誰？」

「潘雪萍，就是那個自命為江南一才子的。」我記起來了，那時正是鴛鴦蝴蝶派逐漸沒落，新小說起而代之的時候。潘雪萍便迎合當時青年的心理，寫了些戀愛小說連載在《吳語日報》上，男主角都是敢作敢為，溫存多情，女主角卻也活潑溫柔。但為愛情又敢於叛離家庭私奔，那種脫胎換骨的新才子佳人，在當時確也風靡了一些青年學生——可是，陸德容怎麼又會嫁給了他？

「陸德容那時真迷死了潘雪萍的小說。」靜芬接下去說：「在她心目中以為作者總是一位具有新思想的倜儻青年。後來不知怎麼被她認識了。自然，像陸德容這樣的人要對一個男人表示好感，那男人還有不拜倒裙下的。潘雪萍立刻把寫戀愛小說的功夫用在寫情書上，年輕人的感情是一蓬火，碰著就燃。只是德容的母親卻極力反對，她說德容自小便嬌生慣養的，潘家是『四世同堂』的大家庭，規矩大，妯娌多，她一定相處不來。德容自己何嘗不顧慮到這一層，可是潘雪萍保證她結了婚就組織小家庭。妳曉得她要拿定了主意，休說她母親拗她不得，就是山移海沸也撼不動分毫——不久她同潘雪萍就結了婚。」靜芬停下來喝了口茶，沉思地望著窗外。這時雨已停了，簷水落寞地敲著石階，風在樹隙悉索悄語。

「原來德容結了婚仍舊想念大學的，不想身上很快就有了孕。只得暫時作罷論。起初潘家對她還客氣，可是她這個人在家裡是悶不住的，便嬲著潘雪萍杭洲什麼的到處去玩，因為潘家是沒有分家的，這一來大人心中便有點不高興，妯娌們在暗地裡也有些嵌骨頭的話。德容屢次向雪萍提起小家庭的事，他總推說馬上搬出去，讓人家看著不好，過後又說上一輩子總喜歡看到孫兒在老宅裡出世，索性等孩子出世後再搬出去不遲。其實有一天潘雪萍才在父親面前露了一點口風，他父親便大發雷霆，說是你要出去儘管出去，馬上登報脫離父子關係。潘雪萍嚇得不敢作聲，自然也不敢告訴德容，可是潘家的人對德容更加不滿了。第二年秋天，德容生了一個女孩子，因為分娩時流血過多，身體十分孱弱，醫生囑她千萬不可勞動，否則恐怕引起血崩，有生命之虞。每天躺在牀上眼看陽光曬上紗窗又逐漸消淡，枝頭的楓葉由黃綠轉成深紅，德容正自煩惱已極，那天大概又聽到了什麼閒言閒語，她那高傲的性子怎能忍受的了！便迫著潘雪萍對另外找房子的事馬上做個肯定的答覆。潘不得已只得把父親的意思說了，德容揚一揚眉毛乾脆地說：『好吧，這裡是二條路，一條是你去做你的孝順兒子，恕我不能奉陪，一條是用我們自己的力量去建立一個幸福美滿的小家庭。』」

「潘雪萍怎麼說呢？」靜芬歎息著搖搖頭：

「不是我誹謗自己蘇州人，那些少爺公子實在太沒有男子氣了，一生依賴成性，愛享受、圖安逸、不能吃苦、怕負責任，有點小聰明但沒有藉以獨立的一技之長——潘雪萍儘管文章寫得漂亮，也不能逃出這個範疇，一旦面臨現實，便束手無措，畏縮不前。他只是吞吞吐吐地勸德容忍耐些，自己身體還沒有好，遷出去首先生活就成了問題，再說家裡也不曾虧待他們……潘雪萍還沒有把話說完，德容就氣沖沖地喝住了他說，一是一，二是二，不用多說，人貴在自立，只怪她自己認錯了人，既然他沒有獨立生存的勇氣，看她一個人開闢新天地去。當時潘雪萍以為她是使氣的話，自己便披上外衣到茶館店裡避難去了。到下午，傭人送點心去房裡，門簾一掀，卻見德容鞋襪衣服穿得整整齊齊的倒在門背後地板上，一件淺灰色的旗袍下半截完全染成了紅色，身體底下還淌著一大堆血，血裡浸著一只旅行箱——潘家連忙一面派人請醫生。一面派人到茶館店裡找潘雪萍，等潘雪萍回來時，德容已奄奄一息，聽到他的聲音，忽然用力睜開眼睛來，眼光費力地找著了他的臉——據說那眼光忽然像將熄的火柴般亮了一亮，熾燃著無限的恨，一會兒又熄滅了，嚥下了最後一口氣。」

「什麼！她死了？」我一驚，手裡的繃架震落地上。

靜芬沉痛地點點頭，除下眼鏡來用手帕擦著。屋裡一時充滿了唏噓聲。

「唉！她那個脾氣——她要走，不知是回娘家去，還是去哪裡？」半天我才掙出了一句話。

「她跟潘雪萍結婚時，她母親就極力反對，她一定不會回去的，那時她有個遠房表姊在嘉定一個小學當校長，她們常有信往來。可能是到她那裡去……」

彷彿壓著千斤鉛塊似的。彼此都覺得心情十分沉重，一時誰也不知怎樣表達自己悲悼的感情。我踽踽地走到窗前，拉開窗紗，窗外一片迷濛，此刻雨停風歇，萬籟無聲，在耳畔，唔，也不知是在心靈深處，我似乎聽到那個似曾相識的清脆的聲音：

「只要存心去做，沒有做不到的事！」

編註：本文原刊於《讀書》第一卷第五期，一九五二年九月十六日，頁二十六～二十七。

戰鬥鴛鴦

機器房裡幾十部機器一起轉動著，馬達的吼聲交奏出一支雄偉宏壯的進行曲。快放工了，彷彿為爭取這最後一段時間，馬達的節奏似乎更雄壯，更迅疾，連屋樑都給震撼得微微有些顫慄。

領班洪振興緩緩地從兩排機器的中間踱過去，又緩緩地踱過來。他走到林玉芝身邊踟躕了一下，似乎有話跟她說，但看見她一如平常一樣，正嚴肅地全神貫注在工作上，又只得踱了過去。這樣在那兩排機器的中間來回踱了二趟，抬起手腕來看看錶，離下工只三分鐘了，他下決心走到林玉芝背後，輕輕地說了一聲：

「有話對妳說，下工後我在勝利路拐角上等妳。」

「不，」林玉芝沒有猶豫，「不要等我。」

但洪振興已走前了好幾步，她的聲音被巨大的馬達聲吞沒了。

「嗚——嗚——嗚」放工的汽笛突破了馬達的進行曲，一剎那所有的吼聲靜止了，接著是一陣小小的騷動，工人們挾著便當盒子潮流般湧出大門。林玉芝擠出門口，深深地吁了口氣，默不作聲地跟在大家後面走向歸程。當她走到僻靜勝利路口時，同路的夥伴都分路了，只剩下她一個人。一拐彎，卻見洪振興早已扶著腳踏車守在那裡，向她笑著點頭。

「你真快！」林玉芝怔了一怔，勉強露出笑容說了一聲便擦身過去。洪振興連忙推著車子跟上來，誠懇而迫切地說：

「玉芝，只要五分鐘，五分鐘，妳能不能耽擱五分鐘的時間聽我說幾句話？」

「我這不聽著！」林玉芝放慢了腳步。

「玉芝，」洪振興清了清喉嚨，聲音似乎有點顫抖：「記不記得我們共事多少年了？」

「記不清，大概兩三年吧。」玉芝輕描淡寫地回答。

「到昨天剛剛是三年，這三年來，玉芝，妳不會不明瞭我對妳的一片心意。」洪振興望著林玉芝，眼睛裡閃熠著愛情的光輝。但林玉芝低著頭沒有作聲。洪振興又接下去說：

「打從妳進廠那一天起，我心裡就有了妳的印象。妳知道我是個老實人。我不曉得該怎麼來表達我的愛慕，我只能說……我喜歡妳。」

玉芝依然不曾開口，只是咬著下嘴唇默默地走著。

「……我不能一天不看妳。玉芝，在這裡我們兩人都是孤零零的……我們都需要有一個屬於自己的家，讓我們生活在一起。玉芝，答應我……」

「不，請你不要向我說這些話！」玉芝突然歇斯底里地大聲阻止了洪振興的說話，窒瘖的聲音充滿著痛苦。「我不要聽，我不要聽！」說著，她迅速地離開洪振興，腳步顯得有點踉蹌，彷彿不勝負擔內心的痛苦似的，匆匆地跑過對街去。

洪振興木然呆立在街頭，怔怔地望著林玉芝的背影消失在拐角上，這才歎了口氣，悵惘地騎上車子。為了平靜激動的心情，他揀了一家清靜的咖啡店坐下來。他要了一杯冰水，一手肘著額，落入沉思中……

林玉芝是個經驗豐富的技工，她的工作成績在廠裡一直保持著最高紀錄。有一次廠方曾有意把她提升領班，但被她婉謝了。她說她喜歡現在這份工作，不想變動。又有一次大家選她做模範女工，她也拒絕了，說是她不會說話，只會做個沉默的普通技工。她平常很少說話，全副精神浸沉在工作中，彷彿她生存的全部意義便是工作，又彷彿她懷有什麼沉重的心事，要藉不停的工作來排遣。她生得很纖小，瓜子型的臉，一雙憂鬱的眼睛。但就在那纖小的身軀中，似乎蘊藏著一股取之不盡，汲之不竭的堅定的力量。廠裡的同仁全十分尊敬她，洪振興對她更是敬愛備至，默默地追求她已有好久了。然而她的反應總是那麼淡淡的。今天洪振興實在有點耐不住了，他鼓足生平最大的勇氣向她傾訴自己的衷情，沒料到碰了這麼個釘子，她幾乎已完全失去了她平時待人和氣的態度。

第二天中午收工吃午飯的時候，洪振興正沒精打采地站在廠門口，看那些女工嘻嘻哈哈地捧著便當盒子，去食堂吃飯，忽然覺得腰際被什麼東西碰了一下，一側臉，卻見林玉芝正低著頭打從他身邊經過，好像並不覺得碰著了他似的。他沒有勇氣喚她，逕自去食堂裡吃過飯，伸手去口袋裡摸手巾時，卻摸到了一張摺疊得小小的紙條，上面寥寥地寫了兩行字。

「請原諒我昨天的失禮，我很感激你對我的好意。但是，我現在的情感就像燃燒過的灰燼，已發不出熱來。希望珍惜你自己的感情，不要再在我的身上浪費了。」

洪振興默默地唸了兩遍，又小心地摺疊起來放回口袋裡，楞在那兒出神。

下午放工的時候，林玉芝走到路口上，不提防洪振興又迎上來。「你……」林玉芝的嘴唇哆嗦了一下，卻又羞澀地垂下了眼簾。洪振興走到她身畔輕輕地說：

「妳的信我看到了，希望妳給我一個解釋。」

「我的解釋不已經寫在信上了！」

「我要具體一點的。」洪振興幾乎近於執拗的要求。林玉芝咬了咬嘴唇忽然抬起頭來望著他，用堅決的聲音說：

「我已經訂了婚！」

洪振興的頭上似乎澆了一大盆冷水，那片天彷彿從他頭上壓了下來，地也很快地在轉動著——他極力鎮壓著自己失望的情緒，寧了寧神，用他自己聽來也覺得陌生的聲音吶吶地問：

「我可不可以問妳一聲，他——妳的未婚夫是我們廠裡的人嗎？」

「不是！他不在這裡。」

「是在大陸？」洪振興在絕望中又萌發了一線希望。

「我不知道。」林玉芝搖搖頭，明亮的眼睛黯淡下去。

「那怎麼說？」洪振興覺得十分困惑。

「他是個軍人。我來到台灣，就沒有得到消息。以後……以後傳說他們那個軍隊叛變了過去。所以他現在究竟在哪裡！是活著還是死了？我……」林玉芝的眼淚已經糊住了她的大眼睛，說話的聲音也被噤了回去。

「可是妳還要在等他？」

「是的，我在等他，……我已經等了五年了。」說著，林玉芝忽然抬起頭來，用她模糊的淚眼凝望著天際。可是聲音卻顯得十分堅定而充滿希望：「如果他們已撤退來台灣，我想我有一天會找著他！」

「如果他仍留在匪區呢？」

「那麼，我也要等反攻大陸後回去找他！」

「但反攻大陸的艱巨工作也許不是很快便能完成的。」

「我還是要等下去，我永遠不能辜負他！除非……除非他已做了民族的罪人！」

「玉芝，我一直不曉得妳還有這一段苦衷，妳對愛情的堅貞真使我敬佩！」林玉芝堅決的表白，不由得洪振興肅然起敬。頃刻間他對她的感情已由眷戀而昇華至崇高的敬愛。

「我從來不對任何人說起過這些事，因為你……如今已坦白地告訴了你，希望你不要再浪費你珍貴的情感。」林玉芝恢復了平靜，誠懇地向洪振興勸告，不料洪振興豪爽地向著她一笑，懇切地說：

「那為什麼？我們不還是工作上最親密的同志嗎！我們永遠是站在一條陣線上的！是嗎？」

「哦！那當然是！」林玉芝驚喜地說，感動地伸出手去握著洪振興粗壯的手掌，友愛地握了一握。

是一個悠閒的週末晚上，廠裡每月一次的同樂會便在這天舉行，地點照舊在康樂廳，只不過這次月會似乎與往常有些不同，除了原來的布置，還加上些花花綠綠的紙彩、標語，最醒目的還是橫在禮堂門口那幅二三丈長的大小布，上面用金紙剪貼著「歡迎忠貞的反共義士參加我們的生產陣營」一串十八個大字。

七點不到，會場上已坐滿了人，大家伸展頸子盼望著，盼望著精采節目的演出，更盼望著見一見慕名已久從韓國回來忠貞反共的新同志。

要來的終於來了，在一片震撼屋樑的掌聲中，廠長同著四位轉業的義士出現在主席台上。先由廠長介紹了一番，繼由工會代表致歡迎詞，接著，就是四位轉業義士講他們身歷的故事。他們每一個人都有一個感人的故事。最後講的一個也是年紀最輕的一個。他身體結壯，充沛著青年人的朝氣和熱忱，只是左腳卻有點跛。一口親切流利的國語，深切地吸住了聽眾。他說他過去也當過半年工人，後來因為老家被共匪清算，就發憤從軍。他本來是最恨共匪的，不想傅作義一叛變，害得他們全被共匪收編了。他幾次想逃出魔掌轉來台灣，始終沒有機會。後來共匪發動「抗美援朝」，他們那一連正好給調派到韓國去充當炮灰，他一想機會來了。到了前線便隨時當心，有一天他正好到第一線作戰，他一聽到聯軍喚話，便敏捷地把身上兩個手榴彈往戰壕裡一丟，自己跳出來向對面跑去，但不幸在半路上被炮彈片打中了他的左腿，他當時便昏了過去，醒來時卻躺在聯軍的醫院裡——現在好不容易總算回到了自由祖國，他原來的志願還是要當兵，找機會和共匪拚個死活。可是……他提起左腿來拐了一拐，自嘲地笑了一下，接著他還說他所以轉業工人有兩個理由：

「……一是因為復國建國的大業，最緊要的是動員人力和物力，有了充沛的人力和物力，才能獲得勝利的保證。因此，增加生產，亦等於加強反攻復國的力量，我雖然不能再做馳騁戰場的戰士，但很高興還能夠做生產戰士。二來呢，」義士說到這裡頓了頓，煥發的笑容收斂了，神色顯得有點黯然。「二來為的是我私人感情上的一份牽戀，工廠對我是親切的，值得懷念的。我生命中最美麗的一段生活，便是產生在工廠裡，為了紀念……」就在義工的聲音因激動而低沉下去時，台下的一角忽然起了陣騷動，一個高亢的聲音喚：「有人暈過去了！」接著：「不要動，讓她躺平了，……把頭扶起來！」「好了，醒了，醒了！」「妳得躺一下，不能動！」立刻，這一圈圍著的人又波動起來，中間一個被扶著的女工掙扎著向前走──那正是林玉芝，蒼白著臉，身子無力地搖晃著，但卻堅決的排開眾人往前走，一直走到台上，在那個突然給騷動中止了說話兀自發楞的青年義士面前站住，直直地凝視著他。

「哦！玉芝，妳果真是玉芝？」青年義士驚喜交集，激動得渾身微微抖慄，眼睛裡迸射出明亮的光彩。

「是的，建新，我終於等到你了。」林玉芝凝視著他喃喃地說，兩顆晶瑩的淚珠卻悄悄地滾下臉頰。

「玉芝，這不會是夢吧？」

「不，不是夢！我盼望這一天已經盼望了五年了。」

「哦，玉芝，玉芝！」青年義士一個衝動向林玉芝伸出雙臂想把她擁入懷裡。但驀地記起台下千百雙眼睛正凝視著他們，只得過去緊緊握住了她的手。這時忽然拍拍拍三聲擊掌聲要台下肅靜。接著是一個宏亮而詼諧的聲音：

「各位同仁，這一個同樂晚會，是我們所有晚會最熱烈的一個晚會，而這一個節目是我們所有節目中最精采的一個節目！各位想必都已親眼看到了，這個節目可以叫作『喜相逢』！」

「好呀！」台下立刻回他一片歡呼和熱烈的掌聲。

「現在我來介紹演這齣『喜相逢』的兩位主角：女主角林玉芝，是大家所熟悉的。她是我們廠中的模範工人。男主角楊建新，是一位經過九死一生，千辛萬苦終於投歸自由祖國的反共義士！他們的愛情一如他們對國家、對工作的熱愛，忠貞不移，歷久不朽。他們一個是反共義士，一個是生產鬥士。現在讓我們為他們封贈一個頭銜，叫作『戰鬥鴛鴦』。大家說好不好！」

「好呀！『戰鬥鴛鴦』！『戰鬥鴛鴦』！」全場又是一片歡呼和掌聲。

林玉芝又是高興，又是羞愧，聽聲音她知道那說話的人正是洪振興。她轉過臉去，正遇著他鼓舞的眼光，她望著他感激地一笑，他卻向她狡黠地眨眨眼睛，好像說：「如今妳可不是燒過的灰燼，而是熾熱的火炭了吧！」羞得她倏地低下頭去。卻又聽見他對著台下大聲嚷著：

「歡迎戰鬥鴛鴦做我們的模範！」

「歡迎戰鬥鴛鴦做我們的模範！」全場又在雷鳴似的歡呼了，掌聲歷久不停。

林玉芝跟青年義士楊建新臉漲得紅紅的站在台中央，真不知該如何感謝才好。很久很久，掌聲小了，楊建新走前一步，吶吶半天，才用顫巍巍的聲音說：

「謝謝大家對我們的愛護，我不曉得該怎樣來表達我們的感激。我只能在這裡宣布我的誓願：我將永遠追隨大家，參加生產勞動的陣營，用工作的表現來報答大家！」

熱烈的掌聲立刻像洶湧的浪潮般，以排山倒海的聲勢起伏澎湃在禮堂中。在浪潮中，力和力匯合了，心和心融成了一片！

編註：本文原刊於《中國勞工》第八十期，一九五三年三月一日，頁三十二～三十五。

白雲深處是伊家

三月，噢，春天！寶島的南部卻已有了初夏的氣息。春的亢奮摻著夏的熾熠，刺激得年輕人的血液加速流轉，全身充沛著青春活力，像汽球灌滿了氫氣。

星期日，我們這一夥——五條光棍兒。出發到山地門去旅行。一路上新秧剛長成，映著燦燦的陽光，綠浪濤濤，汽車彷彿行駛在綠色的海洋裡。驚起三五隻白鷺，恰似覓食的海鷗，董在後面吹奏起一支輕快的旋律，軟軟的風拂著臉頰，我的心長上了雙翼——車子拐了個九十度的彎，路狹了，綠色淡了，左一個彎，右一個彎，盡在荒涼僻靜的草莽，山坳裡旋轉，這時，峻嶒嶒的叢山已遠遠地呈現在眼前，像一座巨閘，聳立在天地的盡頭。白雲悠悠地迴繞著若隱若現的山巔。我們的去向便是那白雲深處！

下得車來，橫貫在面前的是一條一丈多高的巨龍——用石頭砌成的堤壩。蜿蜒著引伸開去。據說，若沒有這龍鎮守著，氾濫時屏東便成澤國了。但爬上龍背脊展開在眼底的只是一條乾枯的河牀，只遠遠的一抹波光像一條銀帶圍著山腳，倒是堤外山麓懸著二股瀑布，從峭壁上浩浩騰騰泱瀉下來，突然在坡腰一處岩石上受到了阻礙，立到迸射飛揚，一部分篩成萬千支銀練，迅速下墜，一部分散作數不清的珠子，晶瑩耀眼，我真想擷取那些珠子綴成項圈，留待日後懸在我那未來的愛人胸前！

上山時，我堅持要繞道瀑布上側的小徑，為的想多攝取幾個鏡頭，他們都主張走大路，於是，大家分了手，說好在鄉公所等我。

「記著管理員說的，深入山地十里以內一概不負責！」董回過頭來調侃地叮嚀。我的答覆是聳聳肩頭。

山徑狹窄而陡險，一路是凌亂的石卵，不小心踩上去就直往下溜。我執迷著「曲徑通幽」的觀念。沒想卻越走越荒。路是比較平坦了，一邊是灰楞楞的崖壁，一邊是黑黝黝的深谷，還有一堆堆奇形怪狀的亂石，使人想起童話裡那些覓寶貝的青年，在山上卻受了魔鬼的蠱惑而一個個變成化石——那貼近北回歸線的烈日緊盯看一眼不瞬，我覺得自己正走進了一個大煙囪，悶熱得喘不過氣來，唯一用以解渴的一瓶汽水，儘管我一滴一點，當仙般慢慢地滋潤著嘴唇，終於也喝完了最後一滴，我把空瓶擲進深谷，看著它滾下去，但沒有聽見落地的聲音。

一座樹蔭！我像哥倫布發現了新大陸似的歡喜。可是正當我使出渾身動力邁進幾步，驀地後林中衝出一個人來——上山來第一個遇著的人——身上繫一條短褲，裸露出一身紫銅色的肌膚。腰裡懸著一把日式的腰刀，刀把上繫的紅布鮮紅耀眼，瘦骨崚崚的臉上，一對深陷的眼睛卻灼灼逼人，看見我，忽然迎上幾步，把手伸到腰際……他小心翼翼地摸出半截壓扁了的香煙，笑著露出一嘴黃板牙，向我做了個借火柴的手勢。

我也用黏滿冷汗的手做了個手勢告訴他我不抽煙，沒有火柴——再也不做歇涼的打算，我只想趕快離開這片林子。但不願自己露出踉蹌的神態，我渾身的神經都緊張得痠痛，走著，走著，彷彿身後總有躡足跟蹤的聲音，腦後倏地掠過一陣刀風，我向前猛竄一步，迅疾地轉過身來，只見路上靜悄悄的，那山地人早又踅回去了，不一會，林中傳來叮咚的伐木聲——我摸出手帕來拭去額上涔涔的冷汗，暗自叫聲慚愧。

盤旋，迂迴，衣服被汗浸濕又曬乾，我想如果乾糧袋裡帶的是生麵粉，也該烤成熟饅頭了，我的喉嚨乾得在冒火，我用力想嚥一口唾沫，但除了一口熱氣什麼也沒有，我覺得一身的水分全在陽光下蒸發完了。我又覺得自己彷彿是塊乳酪，正在高熱的烤炙下逐漸融化……就在這時，我面臨著一條Y字形的叉路，在我看來每一條路都是一個謎。

正當我徘徊歧途，一縷幽悠的歌聲，像一支清泉來自天際，又似一條溪流發自山谿。我凝神靜聽片刻，毫不猶疑地循著歌聲揀了右邊的路徑，走不多遠。迎面凸出一塊岩石，看著似無路了。但才一繞過山岩，我卻為眼前的一幅圖畫怔住了。

高高的崖岸下是一條淺淺的澗流，清澈得可以看見水底的白石、青苔。澗畔一片綠潤潤的草灘，斜斜地銜接著崖岸，三五叢紅的白的山花盛開在坡岸。一個山地女郎坐在草地上，花布頭巾下露出半面豐滿的側影，粉紅繡黑邊的衫子，褲腳捲得高高的，赤著腳浸在澗水裡，用腳趾在水底的石罅裡挑著什麼，一會兒又半仰著身子，雙腳打著水。只打得水珠四濺，閒雲野鶴似的神情真悠舒極了。歌聲便從她嘴裡播揚出來，婉轉纏綿，大概是一支山地情歌。在她身旁還閒放著一擔水桶，我對好鏡頭，撥好光圈，喀嚓一聲——彷彿她是等待我攝取這個鏡頭的，我這裡才收拾，她已懶懶地站起來，擔上水桶，循著那陡狹的斜徑慢慢地向上走，等她走上崖岸，我故意裝成正好從那裡經過，趨前兩步，向她打了個招呼：

「對不起！小姐，能不能賞我一口水解渴？」

她似乎怔了一怔，閃著長睫毛，眼珠骨溜溜地打量了我一眼——我這才發覺她很美，尤其是那對眼睛，海水似的深邃，星子似的明亮，羽扇似的長睫毛一閃一閃，還透著幾分狡黠和淘氣，豐潤的嘴唇微嘟著帶著點稚氣。淺棕色健康的肌膚，像紅熟的蘋果般呈露著一種鮮豔的光澤，她微微喘息著，結實的胸脯在寬大的短衫下急遽地起伏——她的模樣與其說是美，不如說是甜，一只熟蘋果似的誘人。

我猜她大概聽不懂我的話，重新做了個手勢：指指自己的嘴，又指指水桶，她固然大方地頷一頷首，把水桶放下來。

我從來沒有喝過這樣甘甜清涼的水，直著喉嚨一瓢下去，沁冽入骨，頓時暑氣全消，精神恢復。也許是我喝水的樣子太貪婪了，放還水瓢時見她在唇畔曳著一絲微笑。

「謝謝妳，小姐，請問到鄉公所去怎樣走法？」

這下她又似乎聽懂了我的話，點點頭挑起水桶來，示意我跟她一路走。才走了幾步，便要過鐵索橋了。那巨蟒似的橋高高地懸在半空，繫住兩邊崖岸，底下是萬丈深壑，橋身全用粗粗細細的鐵絲編成籠子似的，中間僅鋪著三塊四五寸寬的木板著腳，風過處橋便左晃右搖的，我壯著膽跟她踏上橋端時，晃動得更厲害了。我立刻感到腿發軟，頭發昏，緊握住欄杆不敢挪動。再看她時，神情自若，輕盈地扭著腰肢，如同走平路似地走著，那身肢的款擺，水桶的搖晃，鐵索橋的簸蕩，合成一致的韻律——我真想用攝影機把這一切攝入鏡頭，可是我自己卻連站都站不穩。

好容易一步一摸索地挪移到橋那邊，抬起昏眩的眼睛，迎著我的是一排潔白、整齊、貝珠般在陽光裡炫耀的牙齒，使我想起適才瀑布中迸射的一排排銀亮的水珠——她在笑我膽怯哩！

我跟著她走，就像一頭馴服的羊跟著牧羊人，我試著跟她攀談過幾次，她卻像聽不懂我說的，總是矜持地含笑不語，我不由得暗暗罵自己笨，為什麼不早學會台灣話！我試看唱〈寶島姑娘〉，她也無動於衷，我看出她或快或緩地走著只是不願與我並著走。我偏故意以她的疾徐為進退……我偷偷地窺見她被太陽曬紅的臉似乎更紅了，加快了腳步……突然伸出右臂指著旁邊「嗨！」了一聲，我順著她的手指看去。原來我們已走到一處空曠的平地在花木掩映中，露出一排整齊的平房，董他們正在屋前的廊上大嚼哩，就在這顧盼間，我一回頭卻見她已走遠了好些路，一拐彎便消失在樹叢後，我連謝謝都來不及說一聲。又不便追蹤過去，只得悵然走向廊前與他們會合，飯後，我們在鄉公所門前的坪地上等著看表演山地舞蹈。參加表演的山胞絡續來到，男的都打著赤膊露出一身黧黑的肌肉。唯一的裝飾是一把佩刀。只有一個大概是首領什麼的，穿著紅褲子，頭上包著紅布，還有一束紅花。女的卻全穿上有原始意味的彩衣，環珮叮噹，恍惚把時代拉回了幾十百年。舞蹈開始時，男的和女的分開來，各自交叉著手牽成二個大圓圈，慢慢地旋旋轉轉徐徐疾疾，一會兒攢聚，一會兒散開。一會兒男女化作單行，彼此穿插著像蝴蝶穿花，他們越舞越酣，高亢的歌聲瀰漫了山谷，又從山谷中迴盪過來……我正忙著攝取鏡頭，忽然董在旁邊撞撞我的手肘：「看那邊！」

左右側一些圍著看熱鬧的山地婦女中，宛似一枝嬌豔的薔薇綻開在小草花間，花布包頭，淺粉色沿黑邊的衫子……

「噢，是她！」我驚喜地說，幾乎想奔過去招呼，但她就如一隻機警的兔子已嗅到了獵人的氣息，只是驚鴻一瞥，便在人叢中不見了。

「你認識她？」

「剛才是她領我來的。」我有點驕傲。

「啊！」董似不勝羨慕地望著我。「你們講了話？」

我惋惜地搖搖頭。「她聽不懂。」

「我覺得她比轟動一時的什麼公主，什麼之花要漂亮多了。是嗎？」

「唔，」我敷衍著他，心裡盡想著怎樣再見她一次，一面站在斜坡上向這塊高原環視著，這跟平地上的村莊沒有什麼不同，只是看不見那一片綠油油的稻田，一叢叢，一簇簇卻是寶劍似的波羅。而房子全是用方方的大石塊砌成的，屋簷只齊腰那麼高，三五家一排有似孩子用積木堆成的，這周圍一共不過幾十家，忽然我靈機一動，提議去訪問山胞的生活，走近一家，我第一個彎了腰走進那矮矮的柴門，驀地眼前黑了一下，一陣熱烘烘的氣息首先撲進鼻子。等眼睛恢復視力時，這才看清跨進去的地方是屋子的後半間。除了屋隅裡一座爐灶，只散放著一些農具、罐甕，和代替凳子的木椿，前面三分之一的地方鋪著大石板，一個女人正半倚半躺地坐在石板上擦著掛在屋頂上的搖籃，她幾乎是……噢，她一身所用來遮蔽身體的紗布比最新式的三點游泳衣還要少，我連忙閉上眼睛退出來，再沒有勇氣跑第二家。

我們在這山村前後閒蕩了一會，他們還要看看鐵絲橋，於是又循著我來時的山徑盤旋而下，這時大半遊客都走這條路下山，到了橋前，大家你推我讓畏縮不前。上了橋的一個個彎腰曲背像一串螃蟹，只差沒有放下手來爬行，驀地行列中一聲驚心膽怕的尖叫，群山也趁勢一陣喊嚷，有的受不住那搖晃的昏眩，索性冒著摔斷骨頭的危險，爬下陡險的山壑——兩個頭上頂著幾十斤重籮筐的山地婦人忘了過橋，只是憨笑著像我們看猴子耍把戲似的感到有趣。

我又一度停留在瀑布前，它還是那樣奔瀉著——永遠不息地滾滾流下，流入底下那潭溪裡，匯成一支偉大的合奏。那迸射出來的一顆顆晶瑩閃亮的銀珠，又使我想起了那一排潔白閃亮的牙齒——我多麼捨不得離開！

汽車按著催客的喇叭，我獨自占著個位子坐下，茫然望著窗外那灰楞楞的叢山，這時更多的雲霧籠罩住山峰，彷彿是魔術師手中的幔幕，慢慢詭譎地挪移著，這邊的山峰隱約可辨，那邊的山峰又藏進幔中，幔後是窺不透的神祕……驀地哨子一響，車身震抖著，就在這時，我的肩上給什麼撞了一下，接著一聲「對不起！」我本能地向裡面挪了挪身體，回過頭來，是一個穿白襯衫黑裙子，學生打扮的少女，齊耳的短髮覆在……

「咦！是妳！」她亦彷彿覺得有點意外，閃了閃長睫毛。

「巧得很，又碰見了。」她操著有點生硬但發音正確的國語很隨便地說著，把背上的書包卸下來擱在座位中間，坐了下來。

「原來妳會說國語的呀！」我忍不住驚奇地責問她。

「這有什麼稀罕，哪一國的人不該說哪一國的話嗎！」她反問我。

「可是，方才在山上妳為什麼裝著聽不懂？」

她狡猾地眨了一下眼睛，微笑不語。

「怪不得人家說你們山地人……」我故意逼她。

「山地人怎樣？」她果然倏地轉過臉來，兩眼灼灼地逼視著我。

「說你們山地人不愛理人。」我慢條斯理地說。

「愛理人又怎樣？還跟在你們上山來的先生太太們後面叫歡迎歡迎不成！」

這小妮子的嘴巴可真不讓人！我覺得同一個女孩子鬥嘴不大禮貌，於是笑了笑搭訕著說

「對不起！小姐，算我說錯了。」我望了一眼繡在她襟上的學號，「妳在××師範？」

「嗯。」她看住自己的鞋尖在鼻子裡回答。

「念幾年級？」

「二年級。」

「噢，明年就要當老師了。畢業以後預備在哪裡服務？」

「山地。」

「將來想不想到大陸去？」

「想，想極了。」她重又活潑起來，深邃的眼睛像映著月光的古潭般發亮。「很早我就希望著有那麼一天，也讓我去祖國看看，我們的國家是最美麗最偉大的，不是麼！」

「對！將來歡迎妳到我們杭州去教書，這是最美麗的一個城市。」

「哦，不！」她輕輕搖著頭，把一綹被風吹散的短髮攏上去，神情顯得天真而率直。「我只想去祖國多認識認識，但最終的目的還是服務桑梓。」

這女孩子！我不由得多看了她兩眼——用欽佩的眼光。這時車子猛地一側，她壓在那只滿滿的書包上，書包擠著我，我緊貼住車壁。有什麼硬邦邦的抵在我腰間……

「可不可以讓我知道妳的芳名？」我坐正了身子問她。

「沒有這個必要吧！」她扶起了書包，一手撫著裙子回答。

「有一樣東西要送妳，」我揿起懸在腰間的照相機向她炫耀的用指頭彈了一下，她睨視一眼，淡淡地問：

「跳舞照片？」

「不，是妳一個人的。」

「我一個人的？」她幾乎從座位上跳起來，眼睛睜得大大的，「你這個人壞死了，幾時偷拍了我的照片？」

「不是我要偷拍妳，是妳自己跑進我選擇的鏡頭，好不容易在你們山上找到一處澗流，妳偏在那裡拍腳打水！」

「啊！」她像蝴蝶抖翅迅疾地眨著眼睛，「就是那副樣了……」

「對，就是那副樣子可真美極了，我有把握說那是我拍照以來最成功的一張，我想把它送到一個雜誌去做封面，題上山地之花……」我得意忘形地說下去，卻被她驀地攔斷了。

「不，千萬不要送去。」

「為什麼？」我奇怪女孩子怎有不愛炫耀自己的。

「我父親最討厭人家把我們女孩子喚作什麼之花什麼公主的。」

「那就乾脆寫山地小姐……什麼名字？」

「也不成！就是不許送。」她強硬地說，命令式的春風洋溢的臉上罩上一層秋霜，我一時有點手足無措，不曉得該怎麼做，中間有一段難堪的沉默空氣僵凝——但是，這白雲深處的姑娘簡直比詭譎的雲還變化得快，一瞬間她忽然又變得溫和而有點近於阿諛的讚美我手裡的照相機。「這照相機漂亮得很，什麼牌子，是最新式的吧！」

「是KONICA，也不能算最新式的。但照得很清楚。」我的舌頭重新獲得了運轉的機會，彷彿從暴風雪前的窒息中透過氣來。

「要有這麼一個照相機出去旅行真太好了，這是什麼。從這裡對光的吧！」她用羨慕的口吻指著問，我簡直是受寵若驚，連忙把照相機從盒子裡取出來讓她搿著，一面殷勤地講給她聽：

「這是光圈，這是焦距，這是濾光鏡……」她似很感興趣地聽著、看著、翻弄著，可不知怎麼一來，喀嚓一聲，相機打開了，底片全曝露在亮光裡——「哎喲！」我們兩人同時驚歎。我連忙搶著蓋好，明知那也是徒勞無功的。

「弄壞了沒有？」她的聲音迫切而惶急。

「壞倒沒有壞，可惜這些底片全漏了光，沒有用了。」

「哎，這怎麼好？真對不起！」

「沒有關係。」我反去安慰她。

這時哨子響了一聲，車逐漸慢下來。

「我到啦，真對不起！幾時再去山上我賠你的，再見！」

她一面說，一面已揹上書包站起來，挺著白色的胸脯，曳著黑色的裙子，輕疾敏捷，像一隻燕子般從車座間穿過，車子一停第一個跳了下去——這一番說話和行動都那麼快，快得似閃電一晃，讓人還來不及眨眼。

但我卻捕捉住她臨去的一瞥——充滿著狡黠的閃爍，唇畔那一抹淺笑卻得意勝於歉疚！還有那俏皮的道別——敢情我竟受了她的戲弄？

狡猾的小妮子！

我連忙探著窗外，銀哨一聲，車子早又開了。

「剛才下去的不就是那山地之花？」董挪過來坐在我旁邊。

「嗯。」

「你說她不懂國語，怎麼談得那麼親切！」他盯視著我，像一個法官審判他的犯人。

「這個……我……」

我撫弄著照相機，茫然不能作答。

一朵白雲冉冉地從窗外掠過，我想像我躍上雲帆，又奔赴那神祕的山峰。但車子正以風馳電掣的速度背道而馳，倏忽間便已去得無影無蹤，我只得悵望著深邃的藍天，念著那雙海水般深邃的眼睛，所有留在我印象中的那些嶙峋的、陡險的崢嶸雙岩石和峭壁上，都嵌著那雙明亮狡黠，海水般清邃的眼睛……

編註：本文原刊於《讀書》第二卷第八期，一九五三年五月一日，頁十七～二十。

女瘋子

她！那個可憐的女人，是我搬來這小鎮上第一個點頭招呼的鄰居。那天下午，搬運汽車把行李和家具凌亂地卸在新居院裡，我們又一件一件往屋子裡搬，他們搬笨重家具，我揀細軟。當我正俯身去提靠大門口那一只網線袋時，忽然一陣輕微的腳聲停在我面前，先呈現在我眼底的是一雙半新舊的淺黃色平底皮鞋，安閒地停留在碧綠的草地上。

我抬起頭來，看見站在我面前是一個二十七、八歲左右的少婦，穿一件褪了色卻洗得乾乾淨淨的花洋紗旗袍，頭髮沒有燙的，梳得光光的貼在耳畔，橢圓臉，皮色帶點蒼白，雖然未經打扮，還可以看出昔日的風韻。

「嘿嘿。」她直率地凝望著我。嘴唇沒有動，卻在喉嚨頭乾笑了兩聲。

我心裡默猜這若不是左鄰右舍，至少也是同在這村子住的，於是也禮貌地微笑著向她點點頭，等著她發問從哪裡搬來的……交情便將從這裡開始……

「嘿嘿。」但她衝著我又是一笑，一語不發。我不禁感到有點困惑，注意她的眼光，異樣地向前視著，雖然望著我，卻同望著一幢牆、一棵樹沒有什麼分別的。

「妳是？……」我依然笑著向她請教。

她還是沒有理睬，只是傻望著我，我被她看得十分窘，正想不理她，逕自把網袋提進去，忽然她一拍手，拉開嗓門便唱起來，倒嚇了我一跳。她伊伊呀呀無腔無調地唱著，也聽不出她唱的是平劇還是歌曲，邊唱邊離開門口向衖子那端走去，唱得興高采烈時，還手舞之，腳蹈之，自得其樂，彷彿如入無人之境。我瞪著她纖瘦的背影遠去，不禁倒抽了一口冷氣！

這以後，我差不多每天早晨或下午，總可以看見她載歌載舞、悠然自得地打從衖子裡經過，若不唱歌，嘴裡便唸唸有詞或喃喃自語，身上總是收拾得整整潔潔的。對任何事都顯得漠不關心，但也不撒野、不逞兇，就像她已與這個世界脫離了關聯，完全生活在她自己的精神境界中。

日子一久，我才從鄰居嘴裡獲知她丈夫姓何，便住在愛群村東畲。她因為唯一的孩子得急病暴卒，受刺激過度，便得了這神經失常症，算來也有二年了。出事正是大颱風貝絲小姐降臨台灣南部的那一天。何家雖然沒有直接受到風災，但他們卻因貝絲小姐的阻梗，遭遇了更慘痛的，心靈上無法磨滅的創傷。

何太太結婚四年，才懷第一個孩子，生產時又是很危險的難產，當醫生動了大手術，把母子兩人從死亡的邊緣搶救回來後，醫生第一句告訴太太的話是她以後不能再生育了。

何太太對自己第一個也是最後一個遲遲來臨的孩子，疼愛得什麼似的，她本來是個愛玩愛打牌的人，自從孩子出生後，她完全變了一個人。她不放心讓下女照顧孩子，更不放心下女餵他奶粉，她放棄一切嗜好，專心一致在家裡撫育孩子，她把無限希望，無限美景都寄託在孩子身上，慢慢地孩子一天一天長大了，會笑了，會牙牙學語了。就在他快滿週歲的一天中午，大家聽說當晚有颱風。黃昏時分，帶頭的風便挾著雨降臨到小鎮，這時家家都關門閉戶，把窗門封得嚴嚴的。風從空曠的田中一陣緊一陣地撲撞過來，直震撼得門窗格格作響。就在這時，何家的孩子忽然哭吵不停，頭上發著熱，顯然生病了，太太十分著急，但在猛烈的風雨中，又從哪裡去找醫生？儘管有好幾次何太太想不顧一切地把孩子裹密了，冒著風雨出去，但只要一打開門，猛烈的風就幾乎把她攫了去。斜劈過來的雨，像箭似的射在臉上、手上，那些被風摧壓的瘋狂亂擺的樹，隨時都有斷下壓在她身上的可能。街口沒有一個人、一隻狗，甚至一個生物。只有暴肆的風雨統御著世界。於是，何太太又只得退回屋裡，焦灼地抱著孩子在屋裡走來走去，不時用臉貼貼試他的溫度，又把把他的脈，按按他的肚子，所能做的都做完了，但孩子哭叫得更厲害，熱度也一刻比一刻上升，最後燒得渾身火炭似的，反而沒有力氣哭了，只是鼻翼一張一張，急促地呼吸著。脈息也慢慢低沉下去。可憐何太太急得內心如焚，卻一籌莫展，聽聽外面震天動地的風雨聲。眼淚撲簌簌滾下來，只有不住地祈禱著風雨快停。這樣好不容易煞到天色微明，風勢逐漸小了。她再也等不住，便抱著孩子，同何先生到鎮上找醫生去，費了很大的勁敲開一家私人醫院，睡眼惺忪的醫生把孩子身上裹得密密的斗篷什麼解開，卻勃然變了臉色，大聲叱喝道：

「該死的，你們是要觸我霉頭嗎？大清早起送個死孩子到這裡來！」

原來孩子不知什麼時候已死在懷裡了，臉色都已變成青紫色。

何太太聽醫生一喝，驟然怔了一下，渾身一陣顫慄，她緊盯住懷中的死孩子，盯著，盯著，忽然她破口大罵起醫生來，說他是個飯桶醫生，她孩子的病本來不嚴重，不要他看，自己也會好的，說著，她抱起孩子就往家裡跑。

何太太說什麼也不承認她孩子已死了，她把他緊緊抱在懷裡，一會親親他，一會跟他說說笑笑，不許任何人走近她，說是人家都想謀殺她的孩子。她的力氣變得特別大，像隻蠻牛似的，誰要走近她，她就不管抓起什麼就摔過來，她抱著孩子坐在兩面貼壁的牆角裡，採取著防禦的姿勢，足足一天，沒有人從她手裡奪下死孩子來。直到深夜，她困倦得實在支不住而闔上了眼睛，於是由兩個氣力大的男人從左右偷襲過去，緊攫住她的手臂，何先生猛地從她懷裡奪過已發出氣味的孩子屍骸，給入殮了。

何太太眼看孩子被奪去，急得就似條瘋牛似的，又是哭，又是嘶喚，又是打滾，又是咬……按住她的兩個人臉上全被她的指甲抓碎了，手臂也咬碎了。沒有辦法，他們只得用粗麻繩把她手腳全捆了起來，再捆住在牀上，由著她去嘶喚、哭鬧。

這樣捆了二天，何太太哭也哭不動，喚也喚不出來了。這才替她解開繩子，大家提防她再要發狂，她卻哼也不哼，動也不動，給她就吃，放她睡就睡。由得別人怎樣擺布。像一個多了一口氣的木偶。又過了幾天，開始一個人自言自語起來，說著還唱著，手舞腳蹈的，彷彿完全忘記了前幾日發生過的事情——她的智慧已完全喪失了。

何先生起初把她送到台北精神病療養院去醫治，但醫了半年，她的病況還是那樣，沒有減輕也沒有加重。因為她的病不致妨害人家，何先生又把她接回來。她照樣的會煮飯、洗衣服，把身上收拾得整整潔潔，就是不理人！興來時便伊伊呀呀，一個人自言自語，邊唱邊舞的在村裡繞幾個圈子，不然，便默默地坐在屋子裡或是門口石階上，漠然地直視著空間。附近人家都看慣了，也不足為奇，頂多囑咐孩子們，不要去惹犯她。

村裡的人在背後都叫何太太「瘋子」，其實她平時倒不能算瘋，而在有颱風時卻必須提防她撒瘋撒狂，據說有一次颱颱風時，因為是小型颱風，何先生尚在辦公，等回到家裡一看，就像經過一次強烈地震似的，家裡所有碗盆、用具、家具……全摔在門外，何太太卻不在，隔壁鄰居聽他回來了，才敢打開門來告訴他說是何太太一個人像跟颱風挑戰似的，又是嘶罵，又是摔東西，摔完人就跑了。後來何先生央求鄰居幫他去找。結果在水田中找到了她。浸得一身泥濘污穢，嘴裡卻還在喃喃咒罵，這以後，只要一有颱風警報，何先生就只有把她縛起來。

噢，那可憐的女人又在唱著過來了，我不禁停筆肅然，看她那樣地悠然自得，旁若無人。人世的紛紜已不再擾攪她的心神，錐心的痛苦也無能再齧蝕一個善良的靈魂，失去的智慧，就像墮星失去的光輝，不再照亮這曾經是美麗而充滿希望的生命！

沒有什麼創傷，會似一顆受傷的母親的心那樣，永遠滲著血，永遠不能痊合。

於岡山・民國四十三年元月四日

編註：本文原刊於《聯合報・副刊》，一九五四年一月九日，第六版。

小巷風波

太陽懶懶地爬上小巷裡的那株老榕樹頂上，在濃密的枝葉間篩下斑斕的光彩，彷彿替污穢的灰土地鋪上一層繡氈。將近正午了，空氣裡瀰漫著菜油、蔥蒜、辛辣的熱味——正是廚房最緊張的時候。

一隻瘪著肚子的黃狗，「汪」的一聲，從一家廚房裡被踢出來，怯怯地靠牆蹲下來舐自己的傷處。接著一隻紅公雞又大驚小怪地叫著，在喃喃的咒罵聲中從另一家廚房裡飛出來，混濁的淘米水，油膩的洗鍋水，菜梗瓜皮更不斷地從一家家門裡摔出來。惹得成群的蒼蠅嗡嗡亂飛。淤塞了的水溝裡有不少小生物在蠕蠕蠢動著！然而這一切都不會影響到蹲在樹蔭下的一對小建築師。四隻小髒手忙碌著，正聚精會神地用從木匠屋裡撿來的小木塊搭房子。顫危危地搭一個方方算是一幢洋房，幾根折下來的樹枝，數莖小草，還有幾堆沙土堆，便算是花園。

「哈哈！我們的小洋房蓋好了。」男孩子阿寶雙手一拍，高興地站起來嚷著。女孩子小娟卻還這裡摸摸，那裡按按，在檢查工作。

「糟糕，我們還沒有窗子！」她終於找出毛病，瞪著阿寶叫起來。

「不要緊，我來開兩個。」阿寶預備就在房子上拆掉兩塊木頭。

「乾脆拆掉了再蓋好嘞。」小娟攔住他說。

「不，還是開兩個好。」阿寶堅持自己的主張。

「我就要拆嘛！」小娟鼓著嘴，伸手就要去拆屋頂。

「我偏不許拆！」阿寶也將頭一揚，伸出兩手遮住房子。

小娟不管三七二十一，蠻橫地用手一陣亂攪，木房子「嘩啦」一聲塌倒了。阿寶氣得雙腳直跳，狠狠地把小娟一推，小娟一個踉蹌跌倒在樹根上，哭聲立刻像春雷般爆發出來，壓過了小巷裡所有的聲音。

隨著這哭聲，左邊一個門裡立刻像旋風似的閃出位中年婦人來，瘦長的身材上按了一截彈簧圈似的頸子，兩塊顴頭高高隆起在馬臉上，像兩座小山，蓬鬆的頭髮用塊火紅手巾齊根一紮，翹綳綳的，活似一把棕帚。她手握炒菜鏟子，三腳兩步趕過去把小娟攙起來，用尋□的口吻問著：

「小娟，別哭，告訴媽，是誰欺侮妳了，跌成這樣子！」

小娟指指呆在一旁的阿寶，撒嬌地哭得更起勁了。

「你為什麼欺侮小娟？動手就打人，真是沒有家教的野孩子！」瘦長子尖聲尖氣地叱責著，指尖直到阿寶額角上。

「誰家孩子沒有家教？說話可別那麼拖泥帶水的！」隨著這破鑼似的啞嗓子，右邊小門裡又擠出一位胖婦人來，兩隻八字腳划呀划的，一走臉上的肉便一抖，扁鼻子上還染著一塊煤煙，兩手往腰裡一叉，守護神似的站在阿寶身旁，眼睛卻挑戰地望著對方。但對方卻故意不屑地低下頭去給孩子撢灰塵，只在鼻子裡輕蔑地哼了一聲說：

「哼，有家教的孩子會動手就打人？這簡直是小土匪嘛！」

胖婦人一聽說，立刻像給蠍子螫了一口般暴跳起來：「什麼小土匪？小土匪搶了你們什麼金銀寶貝？自己的女兒管不好，倒來罵人家的兒子，真不要臉！」

「妳再說一聲看，誰不要臉？」瘦長子把女兒一推，竄前兩步，指頭指指點點，口水直濺到對面的胖臉上。

「我就說那個不要臉的人不要臉，怎麼樣？」胖婦人氣洶洶地也趨前兩步，把胸一挺，兩人的臉幾乎要碰上了。

「算了，算了，為了孩子事傷和氣，犯不著。」有幾個看熱鬧的鄰居勸解著。瘦長子一看有人來拉，氣數壯了，把衣袖一捲，做勢要撲過去。

「隨便罵人，今天非要給點顏色她看看！」

胖婦人也推開鄰居阻攔的手臂，摩拳擦掌向前。

「不要臉的潑婦，老娘還怕妳不成！」

一齣精采的街頭喜劇開演了，左右鄰居全扔下廚房工作，趕出來看熱鬧，詛咒毒罵，拍手頓腳，唾沫星像萬花筒似的四濺開來。刺耳的尖嗓子夾著粗澀的啞喉嚨，還摻著肉擊肉的清脆聲。驀地一個抓住了對方棕帚似的頭髮，一個揪住了對方的胸襟，彼此死不放手，糾纏著扭作一團——這時，那一對禍首，一個是一臉的眼淚摻著污泥，一個是鼻涕封了嘴巴，兩人都傻楞楞地站在一旁看熱鬧，彷彿完全忘記了這是自己闖下的禍端。

「張太太快來，油鍋燒起來了，哎喲！火都上了房頂了！」一再驚慌迫切的喊聲，突破了一切囂鬧。瘦長子一轉臉，見廚房裡真個煙霧騰騰的。她猛地張開嘴就在抓住她頭髮的手上咬了一口，胖婦人哎喲一聲，手一鬆，瘦長子便趁勢脫出頭髮，順手用力把對方一搡，啐了一口說：

「過天再跟妳算帳！」

「老娘等著妳！」

瘦長子披頭散髮，帶著一臉的抓痕，忙著救火去了。胖婦人氣喘喘地將一塊撕破的前襟掩住胸脯，挪著八字腳回去，剛走到門口，黃狗叨了一塊肉從廚房裡竄出來，掠過她身邊跑走了，她詛咒著追了兩步，卻搖搖晃晃地扶著門框直喘氣，彷彿那一身胖肉都直往下墜。

阿寶眼看戲散了，覺得怪無聊似的，「空」的一聲，那拖在嘴唇上的兩條大白蟲立刻縮進鼻子去，但不一會又溜出來了。他終於下決心擰下那搭黃濃鼻涕，順手往牆上一抹。踢踢一塊在腳邊的木頭，把它們踢攏在一堆，又蹲下去玩弄起來。小娟靠在樹底下摘了半天樹葉子，又在地上胡畫了一陣。張開嘴來想打哈欠，看見小寶一個人搭木頭，便胡亂揉了一陣眼睛，也過來蹲著悄悄地撿起另一堆木塊在搭。一會兒，阿寶帶著希望獲得讚賞的神氣，炫耀自己的工程。

「哈！我搭了一座寶塔，多高多好玩！」

歇了一歇，小娟也表現著自己的手藝：

「我這是搭的大橋。」說著，還拍著手唱起來：「……我們大家過大橋，過大橋，大橋塌倒了……」

橋推倒了，塔也推倒了，兩人又分頭搭別的，可是搭來搭去搭不出什麼新花樣。大家的興趣都低落了。小娟抬起頭來想看看阿寶在搭什麼，正好阿寶也抬起頭來看她，單純的，毫無芥蒂的眼光相遇了。

「我們還是來蓋房子好不？」阿寶提議。

「好，這回可不要忘記開窗子啦！」小娟高興地回答，一面把木頭推過去，阿寶也把木頭推過來，湊成一堆。於是，兩人又開始聚精會神地建築起他們的大洋房來。

編註：本文原刊於《聯合報・副刊》，一九五四年二月十七日，第六版。

蟲難

燠熱了許久，難得這兩天下過幾陣驟雨，人們好像從重負下解放出來，舒了口氣。晚上，雨還在下著，但小得多了，涼沁的晚風從窗口吹過來，室內灑著柔和如水的燈光，楊家一家人便靜靜地沐浴在燈光下。老大修剛和老二修曼在中間的桌子上做功課，老三小妹一個人聚精會神地坐在當中搭積木，楊太太和楊先生面對面坐在窗前兩端的藤椅上。楊先生架著二郎腿，悠然自得的在看報紙，楊太太則一本正經趕縫一襲預備給小妹過節穿的新衣服，小狗彼德伸長四肢酣睡在她腳畔。在停針引線時，楊太太挑起眼角向每個人掃視了一眼，也許室內那份安謐恬靜的氣氛使她感動，她的唇畔不由得浮上一縷安詳幸福的微笑，於是低下頭去，針線在衣服上更快地穿引著。

清新的空氣像一支暗流，悄悄地流進窗戶，同空氣一樣地輕悄，一隻灰褐色的蟲鼓著四葉透明的翅膀飛了進來，直撲燈光，繞著電燈迴旋了兩轉，跟著又飛來了第二隻。

「噢，一隻兩隻飛蟲。」修剛正咬著筆桿在苦思週記，凝視在空間的眼光如今可有了目標，眼珠跟著蟲直轉。

「有點像蜻蜓。」妹妹修曼也停止抄書，望著飛蟲輕輕地說。

「妳真傻，連蜻蜓都認不清，蜻蜓的身子是這樣短的嗎？」修剛奚落著妹妹。

「我又不是說牠像蜻蜓，我是說牠的翅膀像蜻蜓嘛！」修曼為自己辯護。「哦！四隻、五隻……又來了這許多！」

「蟲，蟲！」正在搭積木的小妹也擱下未完成的工程，過來站在桌邊，仰起小臉觀望著！六隻閃亮閃亮的眼睛，全跟著數目逐漸增加的飛蟲旋轉。

「老師說飛蛾才喜歡撲火，可是這好像不是飛蛾呢！」修剛裝作思索的樣子，在兩個妹妹面前炫耀自己的知識。

「媽說飛蛾身上的粉最毒了，這又沒有粉！」修曼也不甘示弱，搶著反駁。

「妳曉得什麼？什麼粉粉粉，粉給妳搽臉，愛漂亮！」修剛被妹妹駁倒了，惱羞成怒，大聲吆喝起來。

「你們兩個不好好做功課，盡嘟囔些什麼！」楊太太溫和地喝阻著，從凝神一志的縫紉中抬起頭來，忽然她的眼睛睜大了，像發現了魔鬼似的驚喚起來：「呀！不得了，哪裡來這許多飛螞蟻！回頭一鑽到衣櫃箱子裡去可遭了殃。」說著，把衣服往椅子上一摔便忙不迭過去拉櫃門，鎖箱子——她站起來時，腳畔的彼德也驚醒了，迷濛的眼睛一看到那些黑黝黝飛著的小東西，立刻明亮起來，過去擠在孩子一堆，傻楞楞地望著、望著，猛不防有一隻蟲飛在牠耳朵上，牠把耳朵一摔，身子向前一竄，嘴一張，蟲沒有了。牠立刻捉上勁來，不停地撲著、咬著，連味道也不辨地活吞著，孩子們也幫著牠用手去捉，捉到了再餵牠。

「彼德吃蟲蟲，彼德吃蟲蟲。」小妹看得高興，拍著手嚷著、笑著。飛蟲還在成群結隊地飛進來。燈下已集成一大團黑的，遮得滿屋陰影。

「不得了，越來越多了！」楊太太隨手拿起把扇子，亂揮亂拍的，本來在捉蟲的修剛、修曼也學著一個拿起課本，一個揮著石板，跟著亂揮亂拍，彼德一股勁地咬著、撲著，小妹笑著、嚷著，蹣跚地繞著桌子轉。這時，屋子裡唯一不曾捲入這人蟲對抗的戰爭的楊先生，原先大概是看報看到南柯去了，一個飛蟲經過他面前時，不客氣地用翼尖在他鼻子上挑逗了一下，他猛然一個噴嚏，把自己從做為掩護的紙幕中暴露出來，擦擦鼻子，睡眠惺忪地望著屋子裡亂糟糟的情形怔住了。

「你們這是做什麼——噢，這麼多蟲！」

「你倒鎮靜，坐在那裡袖手旁觀，看飛螞蟻都把人抬走了，還不趕快關窗子！——哎，呸，呸！——」楊太太揚起嗓子朝著楊先生便放射了一陣機關槍，不料一隻好奇的飛蟲直飛進她喉嚨頭探了探險，又回身飛出來。氣得楊太太停下扇子，拚命地吐口水，又倒了開水嗽口，手裡還得不停地撥開撲來的飛蟲，她這裡正吐著，背後的修曼忽然像誰捏了她一把似的，頓著腳哭喊著：「我不要，我不要！哥哥把墨水倒在我抄書簿上，老師明天要罵的！」是修剛打飛螞蟻不小心把桌上一瓶墨汁打翻了。修曼的抄書簿上沾污了一角，嶄新的桌布上更畫了一幅黑地圖。但一哭沒完的修曼今天卻只哭了兩聲便趕緊抿攏了嘴。原來有兩個飛蟲都在她唇畔試探著預備採取攻勢了。

窗是關上了，但因為上半截為透空氣而卸了玻璃。飛蟲在底下的玻璃上撞了一會，立刻又發現了新路線，從下而上地飛進來，還有乾脆從縫罅裡鑽進來的。楊太太已是打得香汗淋漓了。彼德也伸長了舌頭直喘氣，楊先生靈機一動，從廚房裡端了一臉盆水來向太太誇張道：

「妳這樣打是打不死的，看我的吧！」他把臉盆往地當中一放，果然馬上便有兩三隻飛蟲聯翼投入水中——不一會，水面便被一層蠕動著徒自做著掙扎的蟲體蓋滿了。但儘管有不少畏罪自殺的蟲，比起全體蟲群來，簡直不到百分之一。原來窗洞裡不過是成群結隊地飛進來，如今卻好像被一隻看不見的巨手一把一把地撒了進來，浩浩蕩蕩地展開了蟲海戰術，碰在臉上，撞在唇上，癢幾幾的又難受，又想作嘔。楊太太瘋狂似的揮著扇子，彼德氣得呼呼亂撲，楊先生找了報紙又找圖釘，叫修剛幫著他封起窗子來，他們一面釘，蟲一面從報紙縫裡邊緣上兩個一排，三個一隊地鑽進來，有的索性沿著他們的手指當階梯，成串成串爬出來，就像被一根線牽著似的。惱得修剛不住搖頭聳肩，一身肌肉都痙攣著，他恨恨地把撳著圖釘的手指重重一捺，立刻又尖叫著跳了起來，釘子不曾攢進木頭，卻在圓片這端截出來刺進修剛的姆指裡，修剛把釘子拔掉，血便順著釘子迸射出來。

「做事別那麼粗心，快去搽點紅藥水，哎，我每天……這些鬼蟲子簡直要把人給窒死了，都是你老不裝紗窗，來受這份罪。」楊太太雙手拍雙腳亂踩，飛蟲像些輕薄兒，這裡偷吻了她的櫻唇，那裡又吻她的臉頰，吻得她怒火上升，卻又抱怨起楊先生來。

「是我不要裝嗎？都是妳，妳自己老說錢不夠支配。依我的意思還不早裝上了！」楊先生一個人釘了這邊又掉了那邊，飛蟲又直往他鼻子上衝，背上搔爬，正一肚子的懊惱，說話聲音就粗了。

「笑話，是我說錢不夠！你道你賺的錢很多麼？根本……」

「媽，紅藥水在哪裡呀？痛死了！」修剛岔進來嚷著。

「不在壁櫥裡嗎？真是，什麼都要我來。」楊太太只得放下扇子，暫停剿蟲工作，繞過黑壓壓的一團飛蟲大本營，去房間那端找紅藥水，跟著瞎起鬨的小妹一看見扇子空著，馬上趁機拿起來滿房間亂拍，連扇帶人都向一張茶几撲去，虧得楊先生手快，搶住了几上的茶杯，只打碎了一只蓋子，就在這時，勇猛的彼德發現一隻打單的飛蟲在書架上飛。牠一股勁竄上去，書架頂上的相框、貝殼花插，同著一大疊雜誌嘩的一聲直倒落下來——

「真要命，這不是忙上加忙？害死人。」楊太太一急，紅藥水好幾點濺在旗袍上，她也顧不得這些，逕自去撿地上的相框，忽然小妹把扇子一丟，哭喚著：「媽，蟲蟲咬，蟲蟲咬。」雙手在頭上亂抓，納著頭便朝楊太太跌跌撞撞地跑過來，楊太太還來不及攔阻哩，小腳在臉盆上一絆，一臉盆水和著蟲屍全打翻在地上，人便跌倒在蟲屍堆裡打滾。楊太太撤下相框趕緊過來攙小妹，楊先生堵完了窗子，正順手拿起掃帚把蟲驅打在盆裡，這時也忙著想來扶小妹——忽然「拍！」一聲，好像一個小型的炸彈在室內爆炸了，立刻，所有的光亮同著聲音，一起沉落在一片黑暗中，接著又是一聲尖喊，那尖銳的聲音像一支利錐，劃破了沉沉的夜幕，鑽入別個的夢裡！

「該死的，這時候弄黑了電燈，讓人被蟲子咬死嗎？」楊太太嗓音都變粗厲了，小妹被莫名的恐懼所懾，卻哭都不敢哭了，楊太太也不管她一身稀濕，便拖著她懷著絕望的心理一屁股跌坐在背後的藤椅中，但馬上又是一聲尖叫聲，有什麼刺入她腿股上——原來是她剛才縫衣服的針。

驟然落入一片黑暗中，楊先生還怔愣了一下，這才記起是自己手裡的掃帚打破了電燈泡，一剎那他覺得自己彷彿正經過一場慘厲的戰鬥，渾身力氣都沒有了，他知道背後便是牀，便抱著一切聽天由命的觀念，試著向後退，一腳剛跨出去，正踏在一塊尖角形的木頭上，痛得他一個踉蹌，只聽見一陣玻璃碎聲，他料想是哪個相框打破了，且不管它，他一摸著牀沿，便倒了下去，頭正好撞在牀背上，撞得他眼前金星亂冒，他也不管。驀地他想起在書上看到的：什麼地方的蚊子會叮死人，什麼地方的螞蟻又會咬死人……

兩個大孩子緊緊偎依著，蜷縮在一起。

彷彿從懸崖的邊緣跌入絕望的深淵，一切復歸沉寂，從緊張、驚駭中面臨著那種令人窒息的恐怖，大家反倒緘默了，被無形中的一種威脅震懾了，儘管黑暗裡什麼也看不見，全睜大了眼睛，屏息無聲，像在等待著什麼，窗子全閉上了，又經過那一番勞動，一個個熱得就像在蒸籠裡——但是，等待而又恐懼的並不是像一隻魔手般撲過來。反而連那千萬隻翅膀搧動空氣，互相撲擊的聲音，似乎也被黑暗一下子吞噬了。楊先生瞪大了眼睛看不見，伸長了耳朵聽不見，他懷疑起自己的官能來，便站起來朝著窗子的方向試探著慢慢走過去。除了地下凌亂的雜物，一路坦坦蕩蕩。什麼也沒有碰著。他走到窗前，猶疑了一下，推開窗子，迎面撲過來的是一陣涼沁的晚風！楊先生不禁啞然失笑。

「真是庸人自擾，曉得飛蟲只追亮光，早關了燈不就沒有這場把戲了。」

「賊出關門，落過雨撐傘，別來放什麼馬後炮了！」楊太太覺得腿股上還是隱隱刺痛，又是好笑又是氣惱。「剛才那刻子看你……」

「得，我買燈泡去！」楊先生不等太太機關槍放射出來，一轉身，便跑出了屋子。

編註：本文原刊於《聯合報・副刊》，一九五四年六月九日，第六版。

贖罪

在上海數一數二的大工廠——永豐紗廠裡，提起黃玉秀來，很少人不認識的，她真正算得廠裡的老資格，老大姊了，打從她十四歲那年起，便垂著長長的辮子，提著飯盒，跟隔壁阿姨進廠裡去上工。初上工時她做的是最輕易的工作，揀揀繭子，由於她的勤懇向上，不到半年就升成了正式的繅絲女工，後來人造絲替代了真絲，紗廠不繅絲了，她又調到紡紗間去，工作一天比一天熟練，工資也一天比一天提高，黃玉秀在這一段時間生活得相當順遂，她不僅贍養著母親，自己也著實添置了些東西。抗戰時，她們跟著紗廠遷移到重慶去，在那裡她認識了紗廠機械廠的工人林德成，第二年便結婚了，抗戰勝利後又隨著紗廠回到上海，他們已有了第一個孩子，也有了點積蓄，便自己蓋了幢棚屋。白天老人照顧看家，兩人同時去上工，晚上全家團聚，逗逗孩子，說說笑笑，倒也過得十分融洽，可是，不知從哪裡來的一股紅流，沖激得整個中國動盪了，說是窮人要翻身，說是工人階級才是國家的主人翁。

黃玉秀他們一點也不關心做什麼主人，他們也不在乎翻不翻身，他們心想還不是照樣子出勞力，換取生活的工資，但廠裡卻瀰漫了一種不安的氣氛，像瀰漫著火藥味，當有一天黃玉秀他們去上工時，卻見廠裡沒有一只馬達有聲音，大家都聚在廣場上，紛紛議論，說是工人現在是國家的主人了，不能再受資產階級的剝削，要求廠方提高工資，還要清算廠主，賠償這些年來被剝削的損失，不然就立刻罷工。

「我們的廠長還不錯嘛！」有的工人說。

「工人福利也辦得滿好的。」另外有人接嘴。

「這究竟是誰的主意？」

誰出的主意？誰也不知道。黃玉秀的丈夫雙臂一攘，說：「管他哩！我們去做我們的。」立刻有一部分工人都湧進了廠房，但他們卻發現所有的機器都發生了故障，開動不得，而且馬上有幾個廠裡頂調皮的工人過來威嚇他們說：「你們若敢破壞群眾的福利，擅自開工，可得小心點！」

集體罷工的浪潮終於掀起了，一個星期後，黃玉秀他們才得到復工的通知，工資沒有加，但廠長卻換了，因私營而改變國營。

復工的第一日，廠裡開慶祝大會，黃玉秀覺得最怵目而看不慣的，便是牆上原來懸著美麗的青天白日旗，如今卻改換了紅得刺眼的五星旗。

「親愛的勞工同志，你們曉得嗎？從現在起，你們便是廠自己的主人了——因為廠已交給人民政府辦理，而你們卻是人民政府的主人！想想看！怎樣的榮譽，怎樣的榮譽喲！你們不該歡慶嗎？不該感謝人民嗎？——」一個穿列寧裝的矮胖子，在台上力竭聲嘶地叫喊著，有人告訴黃玉秀，那是上面派來督導的生產委員。

「你們不該歡慶，不該感激人民嗎？——」那人又啞聲重複著，喊聲來了，台下一個角隅裡立刻有個聲音喚道：

「為了報答人民，我們要努力增產！」接著，又有另外一個聲音響應：

「為了答謝人民，答謝人民政府，我們願意減少工資，做為向人民政府的奉獻！」

這提議像一陣大風掠過麥田，立刻嘰嘰喳喳引起一片不滿的低語，但一個更高的喚聲掩蓋了這一切：

「我贊成那位同志的提議，願意減資百分之二十……」

「我提議減資百分之四十！」

「各位勞工同志對人民，對人民政府的熱忱擁護，真使人民敬佩，人民政府是不願虧待諸位的，但大家的意思我一定反映上去……」

「不，不能減資！」一個迫切的聲音擱斷了生產委員的演講，「工資再減少，我們會活不下去。」

「我們的工資都是一點一滴增添的，不能一下便減少那麼多。」

「減資！」黃玉秀覺得這名詞十分特別，她當了這些年工人，還不曾聽見過有這樣的事，卻不禁去搜尋說話的人，原來又是過去威脅他們罷工的幾個吊兒郎當的工人。

生產委員臉上的笑容收斂了，他嚴肅地俯視著台下說：「那一些不贊成的同志站出來。」

人群裡起了陣騷動。也許看看情況不對，有的走了兩步又退回去，有的站起來又坐下去，有的猶豫不決，結果站出去的只有林德成他們七八個人。

「是你們不願意擁戴人民政府？」

「不，不是不願意擁戴人民政府，是不願意減資。」林德成急忙分辯。

「減資是表示我們擁護人民政府的意思，你不願意減資就是不願意擁戴人民政府！」

「懲辦他們，我們不能容納這些反動分子！」還是那幾個提議這樣提議那樣的工人喧嚷著，生產委員溫和地望著他們笑笑說：「這是你們自己的事，你們自己去檢討檢討吧！」

立刻，慶祝大會變成了檢討會，有人向林德成他們擲石子吐口涎，辱罵種種污穢不堪的話，但大部分工人都默默地坐著，檢討的結論是：「林德成他們違背了人民大眾的利益，不願意擁戴人民政府就是反動，反動就是『國特』，重則死刑，輕則開除。」

再沒有一個敢提出反對的！大會圓滿結束，大家一律減資百分之二十，林德成他們八人被驅出紗廠大門，倒還算是從輕發落。大家把眼淚和著氣憤往肚裡吞，沒有一個人再敢當眾說一聲反對。

林德成失業，黃玉秀減少工資，恰巧這時他們最小的一個孩子，又在廠辦的托兒所裡吃了不潔的食物，患著嚴重的腸炎，每天得花錢醫治，這一來，他們家裡立刻面臨生活的威脅，陷入無告的困苦中。

林德成幾乎跑遍了全上海的工廠，看看有沒有機會找一個新的工作，如果在從前，像他這樣經驗豐富，技巧純熟的工人，別的廠家怕不爭著僱用！但現在各工廠就像採取一致行動，知道他是永豐開除的，沒有一家肯收留他，他又試著轉入別的行業，但也打不進去，林德成處處碰壁，跌入絕望裡，變得消沉、頹喪、委頓。早些時那股充沛的活力，那股雄邁的幹勁，不知消失到哪裡去了，他曾經想到自殺——而那時黃玉秀他們在大力生產的口號下，工作時間由八小時增加到九小時、十小時、十二小時，回家來迎著她的卻是母親的愁臉、丈夫的歎息和孩子的呻吟……她覺得她自己也要瘋了！

有一天，她實在忍不住厚著臉去找林德成從前廠裡的那個工頭，他和林德成原來相處得不錯的，黃玉秀把家裡的困難跟他說一說，請他設法讓林德成回到廠裡來。

「他不過說錯了一句話嘛！他要曉得大家的意思這樣，他還不跟著做！再說他在廠裡已是多少年的老人了……」黃玉秀委婉地為丈夫申訴，但工頭卻苦笑著做出一副愛莫能助的神氣說：

「我完全知道，我也很同情德成，但是我現在不比從前，說不上一句話！要嘛！妳自己去見見生產委員。」

黃玉秀想著生產委員看起人來，像兩只釘子釘入人家身體內似的眼光，不由得皮膚上起了層雞皮疙瘩，她沒有勇氣去求見這樣的大人物，但當她放工時，工頭卻來通知她，說是生產委員要他傳言，願意接見她，她終於鼓起最大的勇氣去了。

「自然，我願意盡我所能，為勞工同志解決困難——尤其像妳這樣的優秀同志。」生產委員堆著一臉虛偽的笑，過於客氣地接待黃玉秀，她覺得他銳利的眼光射在身上，就像自己是赤裸著站在他面前，「黃同志有什麼事需要我效勞嗎？」

黃玉秀請他收回成命，准許林德成回廠的請求說了。

「妳錯了，我絕對沒有下命令要哪一位同志離廠，而這也不是我命令得了的事，妳當然知道你們才是你們自己的主人，我只是幫助你們解決問題的，妳總看到了要林德成他們走的是你們自己的同志，是人民大眾！」生產委員用那種對不懂事的孩子說話的口吻，容忍地望著黃玉秀說。

「我知道，但是你的意思，大眾一定會接受的，只要你一句話……」

「不，」生產委員搖搖頭，擺下一副莊嚴的神氣，「如今人民共和國是一切為了人民，如果做違背人民大眾的事，就是人民的公敵，我可以幫妳做別的什麼，卻不能做違背人民大眾的事。」

「那麼，打攪委員同志了。」黃玉秀感到絕望無助，無力地站起來走到門口，但一隻粗糙的手卻在這時按在她肩上。

「我倒替妳想到了一個辦法，不曉得妳願意不願意？」

「只要我做得到的，我都願意。」黃玉秀帶著一線希望回過頭來，視線正接觸到二道灼灼迫射的眼光，她又立刻低下了頭。

「辦法是由妳自己將功贖罪。」

「贖罪！怎樣贖罪？」

生產委員先不做正面的答覆，賣弄關子地繞著圈子問她：「妳現在一天最多能做幾件紗？」

「兩件。」

「別人呢？」

「少的一件，多的也不會超過兩件。」黃玉秀本人是廠裡最快最熟練的紡紗女工。

「一天兩件，十天二十件……能不能在十天完成三十件？」

「一天三件？」黃玉秀嚇了一跳，不禁倒抽一口冷氣，她做了十幾年紡紗女工，從來就不曾聽過這個數目。

「是的，現在上面正鼓勵大力生產，如果妳能來個示範作用，打破生產紀錄，那時妳便是最光榮的生產英雄，勞工楷模，妳立了這樣的大功，自然可以讓妳丈夫回到廠裡來。」

「可是一天三件……」黃玉秀對這個數目的重負缺乏信心。

「妳現在是一天工作十二小時，還有十二小時空閒，時間是要人去爭取的。」

黃玉秀疑懼不決，默不作聲。

「這樣做不但是替勞工爭光榮，替國家爭光榮，最大的光榮和快樂還是屬於妳自己，妳又可以同妳丈夫並肩出入工廠，共享安樂的生活！」生產委員最後兩句話正好攻進黃玉秀的心裡，她抱著像一個溺水的人顧不得利害，便撈住最先碰著的浮木的心理，咬著嘴唇從牙縫裡迸出聲音來說：

「好吧！我且試試看！」

第二天，廠裡的布告牌上便貼出了黃玉秀為響應大力生產，爭取勞工的光榮，預備打破紀錄，十天中創造三十件紗的突擊生產，並願意接受挑戰！這一天黃玉秀覺得同事對她的態度全變了，大家都只冷冷地向她投來輕蔑而含有敵意的一瞥兩瞥，沒有正眼看她，沒有人再跟她說話，幾個要好的同事悄悄地譴責她：

「妳瘋了嗎？不要命了！」

「妳自己圖巴結，不該坑死人喲！」

「妳這一來，有多少要恨死妳，反對妳！」

但黃玉秀不作任何解釋，也不開口，只是默默地咬著牙，全神貫注在工作上。她的身心完全浸入緊張的戒備狀態，她不能讓一分鐘一秒鐘在指縫隙溜過，吃飯時她簡直是把帶來的冷飯吞下去，第二天為了爭取時間，索性連晚飯也讓林德成給送了來。一天、三天、五天……每天二十小時的工作，她覺得她的神經因緊張而將崩潰，她的眼珠幾將奪眶而出，她的腰肢痠痛欲折，她的手指僵硬粗腫，像十個小棒錘，她的思想已完全麻痺了，她必須以最大的努力克制昏昏欲睡——到第十天，她終於筋疲力竭地完成了最後一件紗。

廠裡為了表彰她的功績，特地為她開了一個慶祝會，她昏昏沉沉，像個幽靈般走上了台去，昏昏沉沉接受了生產英雄的獎章，身旁好像聽見生產委員的聲音，叫大家一起向她的生產紀錄看齊，又好像聽見台下也有嘈雜的人聲，鼓掌聲，但她什麼也沒有聽進去，她只想有一張牀，一牀蓆子，甚至一堆稻草，讓她躺下去睡上三天……忽然，她覺得有人在搖撼她，驀然一寧神，只見站在她面前的正是生產委員，他湊在她面前說：

「妳沒有聽到二組的楊月娥在向妳挑戰嗎？」

「什麼？挑戰？」她迷迷糊糊地重複這句話，一時不能明瞭話的意義。

「是的，她說她要創造三十五件的紀錄，問妳敢不敢接受挑戰？」

「三十五件！」黃玉秀這才被蜂子螫了一口似的，嚇了一跳清醒過來，她想起那比死還難受的疲累、困倦，不由得渾身一陣顫慄，「可是我才完成三十件，我已支持不住了。」

「可是妳如果不接受這次挑戰，妳就不能保持妳生產英雄的榮譽，還有妳丈夫的事……」生產委員冷峻地說。

「你不是說只要我創造三十件的紀錄，我丈夫便可以復工！」

「是的，我說過，可是現在有人挑戰了，如果現在妳馬上要求讓妳丈夫復工，人家會說妳的出發點不純正，妳犯了自私的溫情主義，因為妳努力生產的目的只是要讓妳反動的丈夫復工。但妳若接受挑戰而又保持勝利，那妳便是真正的生產英雄，英雄的丈夫當然同樣地應該受人尊敬。」

黃玉秀恐懼地想起了生活的威脅，孩子的病，還有林德成的消沉，最使她憂傷的就是眼看著往日精力充沛的丈夫，就像一只出了氣的球一天比一天委頓下來——

「妳要保持妳的榮譽，就必須接受挑戰！」生產委員帶有煽動性的語氣中同時也含有命令和威脅。

「哦……」黃玉秀困惑地直視著前面，茫然地不知所措。

「妳站起來，向台下說，我接受挑戰！」

黃玉秀像受了催眠似的，蒙蒙然站起來，機械地重複著說：「我接受挑戰！」台下回答她的卻是一片死一般的沉默，她一眼瞥見向她挑戰的楊月娥蒼白著臉，抖索索地坐下去，就像一個判了死刑的囚犯，這時，會場角隅響了幾聲零落的掌聲，但沒有人接應，驟然又停止了。

黃玉秀又像剛才一樣，昏昏沉沉地走了下來，覺得胸口有什麼堵得慌，禮堂裡的群眾正向外散去，那枚生產英雄的獎章，並沒有帶給她應得的榮耀、讚羨，相反的，倒像她身上染有瘟疫細菌似的，大家都冷著臉趨避不遑，在她走過和要走的地方讓出一條大路，黃玉秀恍恍惚惚從中間走過，走出門口，卻見她母親正神色驚惶的在門口探望著，一見她出來，便連忙過來拉著她的肩膀說：

「不得了，德成被他們拉去參軍了！」

「什麼！」黃玉秀瞠視著她母親，彷彿一時不能了解這句話的意思。

「德成被抓去參軍了，他……」

黃玉秀只覺得耳畔轟然一聲，眼前湧起一片黑霧，聽不見她母親說什麼，她伸出手去在空中抓了一下，虛弱的身子晃了幾晃，便失去了重心撲在泥地上，在這一撲一壓間，胸口那一點堵塞著的東西便帶著一股腥黏從喉嚨口直竄出來，一剎那但見眼前金星亂舞，她便什麼都不知道了。

編註：本文原刊於《大道》第九十四期，一九五四年八月十六日，頁二十一～二十五。

醉人醉語

新年裡我第一次出差台北，這晚我便歇宿在××社。

每次我來時，社裡常有人滿之患，但今晚上這房裡六張鋪位卻就有五張是空的。人少了便顯得房間空洞清冷，加上我又有認牀的習慣，枕單衾寒，越是睡不著，越感覺到冷氣的威脅。我把身子蜷縮成蝦米式，面壁而睡。一面平心靜氣地數著一、二、三、四……正數到迷濛恍惚間，卻又驀地被一陣踉蹌腳聲驚醒，腳聲便停止在近門口的牀鋪面前，接著，我從呼吸的冷空氣中嗅到一股酒精味。

「我勸你少喝一點，你不聽。如今可醉了！」一個帶著濃重的江浙口音，在溫和的譴責著，另外一個低沉的聲音立刻急急地分辯道：

「誰說我醉了！我心裡可比誰都清醒，只是——噢，冷得很哪！」

「台北的天氣本來就冷，喝了酒更要犯酒寒，你還是馬上脫掉衣服，上牀去得了——不會要吐吧！」

「不會。」

於是，房裡起了一陣悉悉索索脫衣服、鋪被褥的響動，還有皮鞋沉重的落地聲。我只盼望這些嘈聲早點靜止，不料那個江浙口音又開口了。

「我覺得你今天的舉動有點古怪，說好去看〈大江東去〉的，怎麼一到電影院門口又臨時變卦，硬拖我去喝酒了？」

「這就叫興之所至嘛。」

「不是有所感觸吧！」

「沒有的事。」

「別瞞我，我看見你那時臉色驟變，我也看出了使你激動的是對面走來一個穿紅呢旗袍，黑大衣的女人，她旁邊還有個穿灰大衣的男人——你一定認識其中的一個。」完全是一種帶著誘發性的刺探。

「兩個我都認識。」那個被逼著承認了。

「可是你卻迴避他們，這裡面一定有文章。」

「……」沒有回答。

「而且大概是有關愛情方面的，是嗎？」詢問並不因為得不到回答而放鬆。那個無可如何地苦笑了一聲。

「你倒像個探礦家，人家是發掘岩石下的寶藏，你卻發掘別人心裡的祕密。」

「不是這麼說，我看你剛才悶聲不響地借酒澆愁，心裡或許有什麼鬱結，說出來給朋友聽聽也許會輕鬆呢。」

片刻的沉默，那低沉的聲音深深地歎了口氣。

「說來話可長了——還有煙沒有？」

我的瞌睡這時已完全被他們趕走了，耳朵堵不住，也只有聽下去。

「老林，我先問你，你說世上當真有沒有所謂『緣分』？」

「俗話說有緣千里相逢，無緣對面不認。這話可信也不可信。」

「若說無緣，偏又千里相逢。若說有緣，卻是鏡花水月。」低沉的聲音裡滲著無限追憶和感傷，緩緩地說：我和她的父親在大陸上一度共事，雖然不太接近，但在台灣異地重逢，也就顯得特別親切了。他比我大，人情世故比我懂得多，儘管有同事，我總有點把他當長輩看待，平常無事時，我也到他家走走。她是獨生女，那時正在念高中，有時也向我請教些功課上的問題。只是獨生女總不免被父母嬌縱得驕矜一點，但我也只把她看作孩子氣，並不在意，不幸的是她父親因為積勞成疾，一病不起，竟兩袖清風，撒下孤女寡妻歸天了。她們在台灣別無親友，完全是我幫忙料理了後事，這以後她母親更把我當作親人，我也自然而然去得一趟比一趟勤。我自己對自己說，在道義上應該如此。可是，另外一個極祕密的聲音卻告訴我，就是那雙眼睛，那雙像海水般深邃無底的大眼睛。在那盈盈的眼波深處，有一種巨大的吸力吸住了我。在那以前我並不懂得愛情是什麼，我只曉得那無形的力足以左右我，驅使我而像一根頭髮絲似的縈住了我的心，它是纖細而柔韌的，但我卻已無力解脫。

自從她父親去世後，她卻變得更矜持、更沉默了。而且咳嗽頻頻，一天比一天清癯和蒼白。一天，她母親同她一起去醫院檢查，回來，背著她流著眼淚告訴我，醫生證實了她的擔憂，她患的正是她父親的那個病。醫生說那個病必須進療養院治療，而且不是說十天半個月就能夠治癒的，可是，又哪來一大筆費用……

當她母親告訴我她的病症時，我的心陡地往下一沉，從心裡一直冷到指尖，彷彿被醫生判決的正是自己，惶急無措中聽到她母親說住院療養、費用問題，我才愕然驚覺，就似在烏雲蔽天中發現了一線光明。我連忙告訴她費用不須煩心，我可以負責。那時我一直有個志願，就是再到美國去讀幾年書，我已為這個計畫準備了五六年，而五六年來省吃儉用，我已積存了一筆為數不少的旅費，本來再過一些時就可以參加出國考試了，可是，為了她的健康，我把它奉獻出去，奉獻的不僅是區區的金錢，而是我的心血，我的願望，也許還包括我未來的成就，但我毫不吝惜。那時只有她才是我最重視的。為她，我甘願放棄和犧牲的又何止這一些。

她母親也只有感激萬分地接受了我的建議。只是瞞著她，因為怕她那驕傲矜持的性格，曉得了是這樣，會寧死也不願接受別人的援助進醫院的。

就這樣她便進了療養院。

療養院在山上，我每週上山看她兩次。逢上休假，我總是摒除一切娛樂，辭謝所有的應酬，為的是可以多在她病榻前盤桓一會。她的病情已成了我情緒上的晴雨表，在她精神愉快的時候，我就感到晴空萬里，陽光絢爛，一切都充滿了希望和生意，而在她情緒低落的時候，我又覺得淒風慘雨，日月無光，前途黯淡可憂——可是儘管我已愛她到極點，默默中把我自己整個交給了她，讓她做我心靈上的主宰。但我卻從來沒有在口頭上表示過一點愛意，在過去我認為是時機未熟，而在那時，她在病中需要絕對的平靜，任何情感上的激動對她都是不利的。我只是默默地愛在心裡，盡可能伸出友誼的手，小心地扶持她、保護她，為她拂除心頭任何不快的陰影。

半年過去，她的病已很有起色了。就在那時，我奉令去南部處理一樁公事，為時約需三月，而調派的時間是那樣迫促，我只能在百忙中抽出一點時間向她告辭。她母親看出了我的煩憂不安，安慰我說：「我懂得你的心意，來日方長哩！」

來日方長，是的，我像吃了一顆定心丸，顯然她母親對我們的事已有默契。臨行前，我順便託了到過她家一次的周要他代為照顧一下，有空時有什麼事寫信告訴我，因為她還不能讀寫。

在南部三月，我幾乎無時不念著她，我為自己編織了一些美麗的夢，清晨黃昏，午夜夢迴，我總是虔誠地祈禱，默默地為她祝福，唯願她早日恢復健康。有時，小周也有信來，報告她身體一天比一天進步。又告訴她已遷出療養院，在家裡，在母親體貼入微的照拂下靜養。

我把日子用相思串起，好不容易三個月期滿，我塵裝未卸，便走去她家，走進那間雅潔的小屋，立刻就看見了她——我夢魂縈繞的心上人，正端坐窗前。

她顯然比以前豐腴了。披一襲潔白的寢衣，長髮垂肩，膝上放著一冊書，眼睛卻凝視窗外，臉上洋溢著一種我以前所未見的溫柔神情，就似畫像上圍繞於聖母首部的光輝，更使之容光煥發，莊嚴而美麗，看見我站在門口，她驟然一驚，似乎像被人看破什麼祕密似的，臉上湧上一片紅暈。但她立刻鎮靜下來，似同過去一般，親切而高興地接待我，我們暢談了一些別後的情形，在她一瞥一顧盼間，我又感到那股吸力，我只覺得血液在血管裡迅速地循環，內心有什麼在沸騰、膨脹，堵塞在喉際——我終於忍不住鼓著勇氣，把兩年一直抑制著的愛情向她宣布，請求她做我終身的伴侶。當我喃喃地向她傾訴時，她的臉色驟然變得蒼白，頭低垂下去半晌沒有作聲。那沉默的片刻，在我正如一世紀那樣難忍受，我的一生幸福，便縈繫在那兩片薄薄的嘴唇上，我迫切地凝視著，嘴唇終於顫抖著啟動了。

「我答應你——」

那聲音陌生而好似來自遙遠的地方，但我不管這些，我欣喜欲狂，便想去擁吻她，卻為她攔阻了。

「你是那樣善良，你一直待我們那樣好，我也總把你看作是一家人，我喜歡你，就像喜歡我的叔叔或哥哥一樣，那不是愛情，而是另外一種感情。」她頓了一頓，直視著我說：「但母親告訴我你犧牲了出國深造的機會，為的是醫治我，也可以說這條命是你拾回來的，我應該把它交給你處理。」

「難道妳以為我竟那樣卑鄙！」我有點憤急。

「我知道你的動機是高尚的。果然有人施恩並不指望報答，可是在身受的人卻一輩子不會忘記——我所能報答的也只有這樣，我答應試著做你的好妻子。」

「不要說這些，妳說妳為了愛我才答應我。」我懇求她。

「我不能，」她微微搖頭，痛苦地說；「我不能對你說謊，因為我愛著另外一個人。」

最後一句話像一支冷箭，嗖地射中我心坎。

「他是誰？」

「周倫。」

周倫！我託他照顧的，他就這樣欺騙朋友！我握緊拳頭，感到內心有什麼在燃燒，眼睛裡要冒出火來，我想，我想毀滅一切，毀滅這世界——

「可是妳還說答應妳給我，做我的妻子！」我忍不住憤恨地責備她。

「是的，因為我必須報答你的恩惠。」她冷靜地回答。

報答、恩惠，這些被她重複使用的字，像釘錘似地重重擊在我頭上，擊在我心上。我諦視著她，看見閃灼在那海一般深邃的眸中，是一種令人凜然的、複雜而錯綜的感情，絞著那種痛苦和慷慨就義的決心，她的臉蒼白有如蠟人，纖弱的身體站在那裡微微抖慄著，宛似一枝兀立風中的小樹，而她離我是那麼遠，看來是那麼陌生——我湧上頭頂的熱血倒流回去，握緊的拳頭鬆開了。我所渴慕追求的是完整的愛，是兩顆心靈融貫合一的愛，難道我會爭取債主似的報償，強占奴隸似的奉獻？……我看了她最後的一眼，於是不發一言，也不理會她母親的攔阻，大踏步跨出她家的大門，從此便不曾再跨進去過——

「那麼，你就這樣輕易地退出陣線，放棄了到手的勝利？」那個江浙口音帶著惋惜問。

「嗯，一個正直的戰士絕不截取沒有榮譽的勝利，一個有真摯情感的人，絕不會接受沒有靈性的愛情，我不恨她也不恨周，愛情原不能勉強的，也許，這便是緣。」

唏噓的聲音逐漸低落下去，漸趨沉寂，只聽見風在搖撼著窗扇。

「這下我心裡很難受……噢，我，我要吐了……」一語未了，只聽得猛烈嘔吐的聲音，空氣中馬上混雜著惡濁的臭味……我用被子緊蒙著頭，耳畔還聽見嘔吐聲、腳步聲，有人打掃擦地聲，這些嘈聲越來越遠了，遠了，……醒來，陽光耀眼，窗外一株生意盎然的柳樹在晨風裡搖曳著，我一躍起牀，卻見靠門兩張鋪位早便空了，一縷朝陽正照射在牀前濡濕未乾的水漬上。

民國四十四年二月十三日

編註：本文未明出處。

我數著青春和年少

常常聽見別人把我們婦女分為兩大類。「職業婦女」和「家庭婦女」，那麼，像我這樣的小公務員，自然是應該屬於前一類的了。我曾經做過助理員、打字員、祕書、出納、會計員等，經歷雖然有一大堆，但並無顯赫的官銜。這社會上本來「官兒」都只有男人做的，好在我們女人也不像男人有那樣大的官癮，而是以「服務」為快樂之本。

不是嗎？一個人的生存是不能脫離社會的，這是顛撲不破的事實。幼年時，各種生活所需雖直接仰給於父母，間接卻仰給於社會。沒有父母，固不能生活，沒有社會，父母又何能為力？所以人的第一大恩人是父母，第二大恩人就是社會，不孝父母是大逆不道，不服務社會，也可算是忘恩負義，從道德上講，服務社會該是天職，從生活立場上講，則人既仰給於社會，那麼人就是社會的債戶，自有償債的義務。就為了盡這份天職與義務，我一離開學校就抱著最高度的服務熱忱和工作興趣，跨進社會的大門。

那時我還年輕，年輕得在現在說來有點幼稚和天真，還有一股肯苦幹的傻勁。我有雄心要好好幹一番事業，雖然我早聽說這社會對女人是歧視的、苛刻的、排擠的，但我像一般初入社會的青年職業婦女一樣：確信只要盡力發揮自己的才能，忠於工作，事實的表現定能推翻一切冥頑的成見。

當我第一次懷著無限虔敬，和那種兒童初試爆竹般驚喜惶悚的心情，接觸到新的工作——雖然只是一些簡單的表格，我還是兢兢業業，小心而謹慎地寫下去，浸沉在工作的熱忱中，我幾乎忘記了周圍陌生的一切。不到一天，我把該做的全做了，而又沒有新的工作發下來，呆坐在辦公桌前，只感到十分無聊和時間浪費的可惜。第二天還是這樣，想著與其浪費了可惜，第三天我帶了本書去自修。

「辦公時間看書是被禁止的。」正當我利用餘暇翻開書本來，室內唯一的女同事，打字員王小姐悄悄警告我，我不禁臉上一紅，忙把書塞進抽屜裡，訕訕地說：「沒有事做很無聊，妳有什麼要我做麼？」我望著她打字機旁邊一疊文稿，她只笑著搖搖頭。

「其實妳實在不必悶著頭一口氣做完妳的工作。這裡不講效率，而是講辦公制度的。」王小姐看見我茫然不解的神情，便向室內呶呶嘴：「只要看看人家怎樣辦公就曉得了。」

我望望辦公室裡那許多桌子，上面全堆滿著公事，不像自己桌上那樣收拾得光光潔潔的，更感到自慚形穢，私忖也許因為我初出茅蘆，不敢付託更繁重的工作。但第二天我再留心觀察，才懂得了他們為什麼看來永遠是這樣忙碌。

一上班，簽過到，彼此先寒暄一番，談兩句隔夜新聞，然後圍著當天的報紙讀書，讀過後就又看當天的國際新聞、地方消息、電影廣告，各人發揮幾句高論，交換一番意見，於是踱到自己辦公桌前，端起新泡的濃茶喝兩口，這才燃上一支香煙，從容不迫地安排好筆墨文具，再鋪開昨天未辦完的公事，連吟思帶工作不到半小時，又站起來走出去，有時是上廁所，有時是去別的辦公室裡轉轉，回頭別的辦公室也有人到這邊來轉轉，閒聊幾句。於是又抽煙又喝茶到離開下班十五分鐘左右，大家不約而同便聊開了——他們是忙，他們桌上永遠有工作堆積著，而手頭也總是在辦理，可是，往往一件三小時可以辦完的事，卻可以鋪排上一天。了解了這情形，我不禁從心底倒抽了一口冷氣。我還注意到其中有一個更特殊的人物，頭髮梳得挺光，身上西裝革履，舉止輕浮，談吐油腔滑調，就數他一個人出進得最忙，但忙的卻都是毫不相干的事，好像他本身並無任何正式工作。王小姐告訴我那是經理的舅子，綽號就叫「無事忙」。他的專長就是做經理的「小耳朵」。替經理太太跑腿當差。我十分詫異這樣的人又能替社會服什麼務、盡什麼責任？過去只聽見男人故意貶損我們女職員是花瓶，是辦公室的點綴品，那麼像這樣的男職員應該叫什麼呢？就叫他「盆景」吧——後來我服務的地方多了，才曉得像這種擺設在辦公室裡的「盆景」在在皆是，毫不稀罕。

雖然初次接觸現實社會，便不及自己理想中那樣莊嚴崇高，雖然自己在裡面又是何等渺小。但我還是本著我對服務社會的忠忱，抱著敬業樂業的觀念，從事工作。我認為一個能獨立生存的職業婦女，如果要博得別人的重視和尊敬，應該表現得勤懇、樸實和端莊，我還記得那時我上下班一直穿一件寬寬的藍布大褂、平底鞋，不染脂粉，未燙的頭髮剪得短短的。我又認為做一個公務員必須一方面從工作中學習，一方面自己力求充實，因此，公司裡幾個業餘性的娛樂小組邀我參加，我未曾允諾，有時同事請我跳舞或看電影我也婉言拒謝，下了班，只是閉門讀書。可是，有一天王小姐告訴我說，是公司裡的男同事已給我題了個綽號，叫「新古董」，又叫「小頑固」。

王小姐勸我該適應環境，放隨和一點，而且當女公務員究竟不是當修道女。我也憤不過男同事的隨便亂題綽號，於是慢慢地我稍微打扮自己，衣著方面也比較考究，我參加了歌詠隊，接著話劇隊也聘了我，週末假日，我同她們一起看電影、參加派對。當我這樣適應環境時，馬上我就感到薪金不夠運用，時間不夠支配，而同事間的交際應酬，簡直應接不暇，男同事們的過分獻殷勤，更使人拙於應付。只是有一點，至少同事間已相處得比較融洽，他們不再用好奇和陌生的目光暗暗地刺探我，就像我是一個從別的星球上來的人。

一天我上班，照例向比我到得早的同事打招呼，但發覺大家似乎神色有異，在我辦公桌上赫然擺著一張通知，說是奉經理面諭：因該員能力卓越，服務熱忱，著調升為經理辦公室祕書等等，我看了不由得又是驚惶又是困惑。

「這怎麼成？我一點經驗都沒有！」我向王小姐投射求援的眼光，她只是冷冷地說：

「這是經理特別賞識妳嘛。」不管我願不願意，這是命令，一個小職員對上司的命令總得服從，於是我萬分不願意地從大辦公室遷到小辦公室。

我的前任張小姐是個很漂亮的人物，最近不知為什麼辭職了。她用過的辦公用具上、抽屜裡彷彿還留下淡淡的芳澤，所謂祕書的工作不過是替經理寫寫私信、記錄記錄、蓋蓋章，在我心目中一個做經理的總是十分嚴肅、能幹而正直的工作領導者，但我總覺得他看起人來虎視眈眈，雖然我背著他坐，也會感到他那深銳的凝視，恍如芒刺在背，使我局促不安，他開始讓汽車送我回家，請我吃飯。三次中拒謝二次，因為他是我的上司總得敷衍一次，儘管我年輕單純，也漸漸覺察到這裡面有並不單純的動機，我唯有極力維持著自己的矜持和對上司的恭謹，埋首於工作。但是，對那毫無意義，依樣畫葫蘆的工作，我也逐漸減退了興趣，我懷疑那些曾經使我嚮往的話，什麼「學以致用」、「從工作中去學習並充實自己」、「以實驗來印證書本」等等是從何而產生的？

狐狸尾巴終究要顯出原形，一天下班時經理又請我吃飯，我婉謝了，他便抓住我的手向我說了些不入耳的鬼話，我只氣得摔了他的手便衝下樓去，卻聽見兩個同事的一搭一擋的在背後說什麼：「怎麼，不當護花使者了？」「豈敢，人家現在是經理的禁臠啦！」，不用說他們是暗指著我說，我真恨不得回過去給他們一人兩個耳光，我那時真是有火想放火，有刀想殺人，一氣衝回宿舍，便伏在牀上痛哭了一頓，我恨，恨這社會，恨那些自私而卑鄙的男人，我以一樣的能力和服務熱忱從事工作，換來報酬，為什麼要承受這種侮辱、毀謗、輕蔑、嘲笑……第二天早晨我便上了辭呈。

這是我第一次就業失業的經過，算起來，已經過去八九年了。這八九年中我嘗試過很多工作，也增長了不少經驗。我根據報紙的廣告去應徵過簿記員，但最後發覺是女性而被取消了錄取資格，我在一個事業機關中做了一年文書員，最後該處藉口緊縮裁員，把我們五個女職員全免了職，我還在一個行局裡當過半年過路財神——出納，有一次主辦會計人員要我在假單據上蓋章，我嚴詞拒絕，結果他們串通了處處與我為難挑剔，迫得我憤而辭職，這其中的辛酸，不是一言可盡，如今我是一個專在數目字裡打滾的老會計員。我的辦公桌上終年堆滿了帳簿和報表，我不是撥著算盤核算帳目，便是在大簿子上寫數目字，冗繁而瑣細的工作不許我腦中滲入半絲遐想，儘管不斷有人包圍我追求我，也許是社會上限制已婚女性的威脅在我心裡上形成了一種恐懼，也許是因為我有強烈的事業心，我還不曾考慮過結婚問題，有時在路上碰見已經做了母親的老同事，手裡抱一個，背後跟一個，肚子又鼓一般凸得高高的樣子著實狼狽，立刻感覺到自己的優越、超然。自然，有時傍晚回家，經過那些揚射著柔和燈光的窗口，聽見裡面的融曳的笑話，再想到自己冰窖似的小房間，不免有所感觸，有時偶爾望著辦公室窗外，一角晴朗的藍天，一枝新綠的樹枝，也會湧起寂寞和惆悵，但工作，那永遠做不完的工作，馬上就會消弭那感觸、寂寞和惆悵，幾年來埋首在蚊蚋般的數目字中，我那曾經閃耀著青春之光的眼睛已磨去了光彩，配上了黑框的近視眼鏡，我知道背後又有人給我取了個綽號——老小姐。

我忽然記起那天在報上讀到的一首詩，題目就叫「我數著鈔票」：

我數著鈔票，那每個月的薪金，那水一般的青春。
我數著鈔票，從一到十，從十到百，從百到千。
出納科先生說，「不會錯吧？你再數一數。」
於是我再數鈔票，但多麼奇怪呀，千忽然變百，百忽然變零。
我數著鈔票，我數著，青春和年少：我想伏案而哭。

但是，我沒有哭，我有事業的雄心。雖然，我所憧憬希望著的、追求著的，只像濃霧中的太陽那麼朦朧，那麼迷離恍惚，那麼遙遠——社會對我們是苛刻的，而自私和優越感使男人常常攔阻著我們的前程，但我並不絕望，我還有嘗試的勇氣，根據多年的觀察體驗，我發覺我們職業婦女最大的優點就是謹慎細心、奉公守法、廉潔自愛，不是嗎？儘管貪污舞弊，作科犯法的事層出不窮，卻從沒有我們的分，為了逐獵名位，不惜勾心鬥角，或是為達到目的，不擇手段，傾軋排擠，也沒有我們的分，所謂「濁者自濁，清者自清」，我們不應該以此而自負自勉嗎？

編註：本文原刊於《今日婦女》第二卷第十一期，一九五五年八月，頁六～九。

風雨同傘

驟雨彷彿一簇簇密集的箭，向街道上射去，激起霧似的水花。來不及從溝裡排洩的雨水，很快便在路面的低窪處積成了水坑。勁風更來助威，捲著雨箭一忽兒撒向東，一忽兒又撒向南，小城本來市面早，這會兒風風雨雨，一排排鋪子早便拉上板門打烊了。只撇下赤裸裸的馬路，冷冷寂寂的人行道在風雨中吹淋。偶爾有一輛遮著油布簾的三輪車與風雨掙扎著匆匆地經過，那該是接著最後一班列車的旅客，拉車的和乘車的一樣急著回家。

風勁，雨急，夜深。谷佐義曳著困倦的身子，沿著人行道踽踽地步行，他剛走過一段沒有騎樓的地方，收下承受了太多雨水的傘抖了抖，減輕一些負重，眼看著又走到岔口上，得穿過那一段空曠的四叉口到馬路對面去，他拉拉緊身上披著的雨衣，重新撐開傘來，預備向緊密的雨箭中投身進去，忽然一個輕柔的聲音在背後怯怯地喚他：

「先生，可不可以讓我共你的傘？」

谷佐義回過頭來，見身後不知從哪個角隅裡閃出來一個人影，黑地裡看不清臉貌，只隱約看得出一個纖細的身材裹在很單薄的衫裙裡，他一伸手將傘挪向右邊，顯得慷慨地邀請她說：

「來吧！」

那纖小的身影立刻輕捷地鑽到傘下，兩人同時舉步跨下了人行道，但雨是太急太密了，一把傘遮兩個人只遮到了頭臉。谷佐義雖然披了雨衣，還沒走上兩步，便感到雨落在身上的分量，忙勻出半邊雨衣朝旁邊的人身上披去。

「用手拉住。」他告訴那小女人，她起初似乎閃避了一下，但受不住暴露在傘外面的身子被雨箭所射，於是不自主地靠近一點，舉起右手從肩頭拉住了雨衣一角。兩人邁著小快步橫過滑濕的馬路，傘上響著爆豆似的雨聲，傘下的人一心專注在走路上，只聽得腳步濺著積水聲。谷佐義心裡猜疑著旁邊這個不知是什麼樣的女人，這樣風雨飄搖的深夜，一個人孤魂遊神似的還在街頭躑躅，很有點蹊蹺。

「謝謝！」好像渡過了一條湍急的河流似的，到達了對面的人行道，小女人微微喘息著，從雨披裡滑脫出來，搖搖頭，很像打濕了的鬈毛狗要抖掉沾在毛上的水滴，她說謝謝時谷佐義看不見她的神情，但料定她一定帶著感激在微笑。他很想用電筒照射一下，卻又覺得太冒昧。

「妳就住在這裡？」

「不遠，前面那條街的一個衖裡。」

「那妳過去走過那一段沒有騎樓的人行道還不是要淋濕。」

「唔。」她不作可否。

「還是讓我送妳到家吧，反正我也只多繞有限一點路。」對一位女士，男士們總會顯得特別殷勤和彬彬有禮。

「那不太麻煩嗎？」

「雨夜散步別有情興，何況……」谷佐義想詼諧兩句，但馬上記起對一個陌生女士說風趣話未免太唐突了，連臉的長短還沒有看清哩。他忽然渴望著想認識一下她的手采，這時正要走過一家宵夜的點心店，昏黃的燈光從半啟的的門裡投射在路上，谷佐義故意放慢腳步，經過店門時便回過頭去盯住她端詳，在那昏黃的燈光烘襯下，浮雕似的凸出一個玲瓏的鼻子，一張小巧的嘴，嘴角眼睛閃眨在睫毛的陰影下，臉上流露出一抹心神不屬的神情，不太美，但十分惹人憐愛，纖小的身上穿一件袒胸的已褪色的洋紗衣裙，看來一身凌亂而濕漉漉地，彷彿倉促間被地震嚇跑出來，顧不得整飾，他的視線又掠過她袒裸的肩頭，忽然發現在頸背間交錯著三兩條痕印，他正想看仔細，那小女人似乎已覺察了他的窺視，機警地搖亂頭髮，一步便跨出了光圈，重投進黑暗中。

「是一個女學生、女店員、養女，但不會是特殊身分的女人吧？」谷佐義暗地思忖著，猜不透她是什麼樣的身分。

他們又進入一段未設防的真空地帶，小女人自動地靠過來兜上雨衣，谷佐義的手無意中碰著她的手臂，心裡沒來由地怦怦跳著，有一種說不出的感覺，這樣的深夜，同一個女孩子偎依在一件雨衣裡，在雨裡默默地散步，這情調不是很夠羅曼蒂克！從前看小說只有月下豔遇，他卻是雨中奇遇，可是太沉默了，沉默在不到「盡在默默不語中」時，有時卻是最笨的舉措上，往往誤失了機會。

「夜很深了哩。」

「嗯，很深很深。」她附和著，心神不屬地。

「一個人在這樣的深夜走路不怕嗎？」

「不。」

他感到她說「不」時身體彷彿抖慄著，聲音是從牙齒縫裡迸射出來的。

「冷吧，」他顯得十分關切地，把身子緊偎著過去，順勢伸過手去挽住她的肩頭，感到那冰冷膩滑的肌膚在他的觸撫下顫慄，「妳穿得太單薄了。」

「噢，不……不太冷……」她不安地說，腳步變得趑趄而遲疑，谷佐義正想這樣挽著走下去，永遠，永遠……忽然她又轉換了喜悅的聲音，像發現了正在期盼中的什麼，高興地說：「我到家了，謝謝，再見！」一邊說邊滑出雨衣，像隻靈活的兔子般迅捷地奔進左首的一條小衖，一瞬眼便消失在第二家亮著燈的門洞裡。

風依然粗獷地吹著，雨依舊滂沛地落著，但在向著吞噬了白色背影的昏暗凝視的片刻，谷佐義彷彿感到世界有著死一般的沉寂。

他若有所失地掩上雨衣，感到那上面還餘留著伊人的體溫，不由得裹得更緊些，漫步走回宿舍。

對面牀上當日班的老李早便睡得鼾聲如雷，但谷佐義今晚卻不同往日，回來便把衣服胡亂脫掉，往被窩裡一鑽，不到五分鐘便和對榻的老李一唱一和地唱二重奏，今天卻一時無法使心緒平靜下來，那惹人憐愛的影子一直盤踞在腦子裡。他索性倒了杯開水，又燃上支香煙，偎在被窩裡胡思亂想起來。

「……那小小的鼻子很有意思，睫毛濃濃的，嘴畔那一個惹人愛憐的微笑……身材瘦小，但發育得十分勻盈……唔，還有皮膚也很光滑。」他想起方才手指觸摸膩滑的手臂，心裡不禁有點飄然，情欲地嚥了口口水。「不曉得究竟是什麼身分？女學生不會這樣的穿著，女店員不會這樣拘謹，若說是某種女人神態上又不像，要嘛是人家的養女……」他忽然有所領悟地記起近日報上時常刊載的，什麼養母虐待養女哪，養母迫養女為酒家女哪等等，他想著她那衣衫不整，惶悚畏怯的神情，更判斷自己的猜測確實，一定是人家的養女，受了養母的委屈，逃到外面躲避來的，不然一個女孩子怎敢深更半夜，獨自在風雨裡闖來闖去？要是這樣，既然有風雨同傘那一段緣分，又豈能坐視不救？谷佐義驟然熱血充沛，無限英雄氣概，他重新燃上一支煙，猛抽了幾口，接著又立刻想下去自己怎樣援助那小女人脫離火坑，恢復自由之身，使她生活獲得保障，教育她，啟發她，像從荒野瘠地移來溫室的花朵般培植她，這種質純的璞玉，如果肯費心血去琢磨，遠比那些傲視一切的鑽石、寶石更可貴。這以後，她感恩圖報，以身相許……谷佐義想到亢奮處，不覺腦中暈陶陶，心裡熱辣辣，身子輕飄飄，就這麼帶著唐・吉訶德的精神，準備了古騎士救美的夢境，迷糊入睡。

從此，谷佐義去上班或下班，總是繞道走小衖口上經過，有一次看見她在門口水龍頭下洗一大盆衣服，有次在鏟鍋煤，衖裡好幾家的人都在門口聊天做事，他不便進去打招呼，只能放慢腳步，向衖裡多望兩眼，希望引起她的注意，她穿得比那晚稍微整潔一些但並不講究，而頸脖上卻總是很不調和地繫了一塊紅紗布，一次他上班時走過，還離開小衖有一段路，便看見一個女人走出衖子上街，手裡提著個籃子，那背景依稀相識，不錯，那紅紗巾正是她的標籤，喜出望外，他連忙趨前幾步，走在她旁邊殷勤地問訊：

「小姐，那天晚上回去沒有受寒吧？」

那女郎錯愕地望著他，似乎一時認不起來，聽他這麼說，才羞澀地笑著向他點了點頭。

「謝謝你，沒有。」

「這麼晚回去，又下著大雨，我猜妳家裡人一定很焦急了。」

她似乎不願多提那晚的事，只是不置可否地淡淡一笑。

「妳家就住在那條衖堂裡嗎？」谷佐義還是不放鬆地探問。

「是的。」她仍舊低著頭走路。

「家裡還有些什麼人？」

這次她忽然抬起眼睛來望著他，狡黠地反問著。

「你這是調查戶口嗎？」

她這突兀的一問，倒使谷佐義幾乎語塞，他覺得她並不完全像第一次給他的印象中那樣敦厚，這種俏皮更增加了她的可愛。

「我只是隨便問問，因為我想像人人都該有個家，有個溫暖可愛的家庭？」谷佐義高興自己忽然變得聰明起來，很自然便安排了個表達自己的機會，他故意把聲音弄得很蒼涼，「不像我，孤魂野鬼似的，沒有家，一個人常常覺得很寂寞……」

「你一個人在台灣？」她果然同情地慰問他。

「嗯，我的母親和弟弟都留在大陸。」他特別著重母親和弟弟兩個名稱。「現在我一個人就在這裡電台上服務。」

「喔！怪不得我覺得你的聲音有點耳熟。」她若有所悟地向他睥視了一眼，好像遇見了熟人似的，「你就是在這裡電台上每天報告津津味寶，利台非肥皂的。」

「也報告新聞和別的很多節目。」谷佐義強調地補充著，有點窘迫，但馬上就原諒了她的直率。「我每天走過街口，看見妳總是很忙，很辛苦。」他極力用同情裝飾著聲音。

「事情總得有人去做，哪有什麼法子！」她苦笑了一笑。

「我知道，我懂——」他俯下頭抑低了聲音，用了解一切的眼色望著她說：「如果妳有什麼困難，我願意盡力幫助妳。」

她忽然驚惶地將身子挪開一些，向四周看了一眼，詫異地說：

「我不懂你說的什麼意思。」

他也跟著她驚覺地向四周望望，聲音更低得如同耳語：「我是說……我……」他一時囁嚅地又不知該怎麼說，看看錶，離播音時間只一刻鐘了，「在馬路上不便多說，明天下午我請妳上咖啡館好嗎？」

「謝謝。」她淡然拒絕。

「明天下午沒有空，那就上午，或者隨便妳挑一天。」

「都不成。」她還是搖頭，加速了腳步。

「為什麼？妳知道我完全是一片誠意，皇天可鑑！」他著急聲辯著，也加快了腳步。

「由於上天安排，我們有風雨同傘這一份緣，別人說同舟共濟，難道我們就不能同傘共濟……」

「你這人真滑稽，我聽不懂你在說些什麼——對不起！我沒有工夫陪你扯談。」說著，那小女孩一扭身，走進一家雜貨店，谷佐義眼望著那一角紅紗布飄然消失，木然半晌。尷尬而又失望，只見一個婦人從他身旁擦肩而過，也走進了雜貨店，便同那小女人招呼兜搭起來，他只得無可奈何地走了開來。

「敢怕是我估料錯了——好不容易碰到一個機會，難道就這麼錯過了麼？——」谷佐義垂頭喪氣，在去電台的路上一直懊惱地自怨自譴，「這真是失之交臂——」忽然，彷彿滿天陰霾中透射了一線陽光，一個思想閃過他的腦際，他幾乎暴跳起來，用手節骨在自己額上鑿了一下。「先怎樣沒有想到，如果她是的話，她又怎肯在一個陌生人面前暴露身分，一個只共過一次傘的路人。這究竟不是值得炫耀的。」他馬上想起他問她家裡有些什麼人時，她左顧而言他，「不僅不願，也許還不敢，要是她向一個男人訴說身世的事，被別人看見了，傳到她養母耳朵裡去那還得了！」他又想起她說話時驚惶地四顧左右的神情，還有那個婦人就在她後面進去同她招呼，顯然她們是認識的。「啊！萬一把我們在路上交談的事，讓那些長舌婦散布些流言蜚語，那，那我要救她豈不反害了她！」猛然他又記起了繫在她頸間的紅紗巾，天氣並不冷，而她一天到晚繫著它，顯然不單為了裝飾，也為了遮掩，遮掩什麼？他不會忘記那天在熱影中瞥見的一抹印痕——他不禁又恨恨地咒罵自己：「真笨！真該死！」

「嚇！小谷，你這是罵誰呀？」

谷佐義聽見老李詫異地問他，才記起已走進電台了，不禁臉上訕訕的，胡亂兜搭幾句給扯了過去。

「我一定要找個機會贖罪，找個機會使她知道。」谷佐義一面放送唱片，一面還在腦子裡思索這個問題，「以後遇見她只是遠遠地跟著，跟到離開她住的地方遠遠的，再邀她進咖啡館，掬誠相示，只要取得她的信任，事情就容易解決了——」

「怎麼，你？」播音小姐扯扯他的袖子，悄悄地問，他回過頭去，她用眼睛向唱機示意，原來唱片早唱完了，在那裡空轉磨針哩。

但接連一個多星期，谷佐義在那衖口過去過來，卻再沒有碰見那小女人的機會，連她的影子都不見。有一次他看見那天在雜貨店同她講話的婦人從衖裡出來，他很想上去探聽一下，卻忽然記起自己連她的姓名也還不知道。

「事情很蹊蹺，一定是她遭遇了什麼，莫不是她養母曉得了我們的事把她關禁起來了，或者賣掉了，賣進酒家，迫良為娼——」他只是焦急地加以種種猜測，卻想不出一個妥善的辦法。

又快一個星期過去了。那晚谷佐義值晚班回去，繞道過衖口時，照例老遠便向黑地裡頻頻探視……這不是眼花吧，一個白色的人影不正在衖裡朝谷佐義向衖口走來——

「噢，當真是妳！」谷佐義驚喜地迎上去，像覓回了寶貝似的。

「嚇，又是你！」她也似乎出於意外。

「這許多日子沒有見到妳，真把我想壞了，妳是……」

她抑低了聲音阻止他說下去。

「最好你不要跟我說話。」

他聽出她聲音裡有著壓制著的哽咽，一手扶著牆，顯得有點搖搖欲墜。

「怎麼？妳又受了委屈？到我宿舍裡去，讓我扶著妳。」他趨前兩步，剛伸出手去挨著她的肩頭，她忽然痛苦地呻吟了一聲，尖銳地喊：

「走開！不許你碰我！」

谷佐義連忙縮回手去，略一猶疑，便不顧一切地亮著電筒，她頸上沒有繫紅紗巾，在燈光照射下，白嫩的肌膚上明晰地印著兩條鮮紅的創痕，像兩條紅色的蜴蜥爬在那裡。

谷佐義忍不住心疼地驚喊一聲，不料不等他再往下照，她很快地轉身一掌便打掉了他的電筒，兇惡地說：

「你這人真可惡！」

「妳已經被虐待成這副模樣，何苦再為她隱瞞！妳不用怕，一切由我擔當。我不早告訴過妳，有什麼困難我一定盡力幫忙，妳又不聽我說。」谷佐義覺得氣憤填膺，熱血湧沸，而又無限憐惜之意，不禁數說她不該再隱瞞。

「幫忙，你幫我什麼忙？」她頭一昂，將散亂的頭髮掠在耳後，詫異地問。

「幫助妳脫離火坑，恢復妳的自由、恢復妳的人權。妳應該自己站起來做人，我會保障妳的生活，使妳重新獲得幸福，還有，一定要讓法院或婦女會懲罰那個母老虎！」

「誰是母老虎？」她仍顯得困惑不解地。

「還有誰？當然是妳那狠毒的養母。」谷佐義不耐煩地說。

「我沒有養母。我也不是養女。」

谷佐義驟然一震，彷彿聽見別人否定地球是圓的。忙問：

「不是養母，又有誰能下這樣的毒手打妳？」

「是我丈夫。」答得乾脆而肯定。

「啊?!」谷佐義又張大了嘴半天收不攏來，這句大出意料之外的答覆彷彿一盆冰水淋頭澆下，澆熄了他沸騰的熱血，熾熠的情焰。唐・吉訶德的精神整個崩潰了，英雄救美的美夢也粉碎無餘，自己竟也搖搖欲墜——而就在這一剎間，他覺得，對面那瘦小的身影卑微而醜陋，那股憐惜之情一變而化為鄙夷和憎厭，他原想遽然離去，又覺得不好下場，強自鎮定了一下，先在鼻子不屑地哼了一聲，用那種對一個不知自重自愛的人的冷峻口吻，冷冷地反詰她：

「妳丈夫這樣虐待妳不把妳當人看待，妳為什麼不去告他，跟他離婚？」

「哦！不，不，」她連忙惶急地否認他的話，好像他所說的是一樁罪大惡極的事。「我從來沒有想到過這些事，我的丈夫雖然有時要打我，趕我出來，但他實在是很愛我的。」

「用這種方式來愛！」他鄙夷地揶揄著。

「你不懂，你根本不知道愛！」她也鄙夷不屑地譏嘲他，「你聽過日據時代留下的一支古老的情歌嗎？裡面有一段這樣唱：抓傷了，紫色，咬齧了，紅色，用顏色染成的這身體呀，熱情洋溢……」她半閉著眼睛，低低地同一種帶哭的腔調哼著。身子還微微搖晃——忽然，她睜開眼睛，向著衖裡用在那個雨夜中他聽見過的喜悅的聲音低喚：「哦，燈亮了，他叫我回去，我要回到我丈夫那裡去。」她走了兩步，卻又回轉身來，對著谷佐義，朝他面前伸出一個指頭，嘲弄地說：

「告訴你，你是一個多管閒事的大傻瓜！」說完，又倏地一轉身，狡兔似的溜進衖子，溜進那亮著燈的屋子。接著，燈關熄了。

谷佐義像一隻打敗的公雞般，踉蹌地回到宿舍，一進門看到靠在牆角的那把雨傘，便似見了仇人似的一把抓在手裡，用力在膝上拗成兩段，隨手往門外一丟，狠狠地關上了門，緊接著把自己擲在牀上，鞋帶也不解，便將兩隻泥濘的皮鞋後跟在牀沿上一刮，胡亂脫下衣服睡下，將被子拉過來沒頭沒臉蓋上。

「賤人！」他把憋在心裡半天的悶氣在被窩裡才發洩，「笨蛋！」

編註：本文原刊於《大道》第一三〇期，一九五六年二月十六日，頁十六～二十。

捕鼠機

胡慧芸在睡夢中忽然被一種特異的聲音驚醒，她本能地半撐起身子，睜大眼睛，聳起耳朵，屏氣攝聲傾聽著。房裡並不太黑，有一抹路燈的光亮透過窗簾，模糊地映出一些家具的陰影。夜很深，也很靜，靜得彷彿空氣也凝結起來。由於一種懼怕的潛意識在作祟，她原來一直都提高著警覺沒有怎樣睡熟，因此她敢斷定有種異聲使她驚醒是不會錯的。但此刻分明是一片令人窒息的沉寂，她疑惑地諦聽了好一會，才一鬆手倒回枕上，看看手錶，那綠色螢光的指針短的指在兩點與三點之間，長的指著六字。這夜過得可真悠長！她心裡忽然想到家裡應該養隻看門的狗，住在這四不靠鄰的僻靜地方，有條狗至少也可以吠幾聲壯壯膽子，報紙上不就三天兩天刊登著狼狗讓售的廣告？不過買一隻聽說最少也要五百一千，似乎太划不來，要不向誰家去討一隻！對了，她記起來李太太家有隻雜種狗好像快生小狗了。明朝第一件事就是打電話去李家問一聲，不管生了沒有，先訂一隻。這一個決定彷彿使自己寬慰了不少，緊張的神經逐漸鬆弛下來，她將臉頰在柔軟的枕上輕輕地摩了兩下，緩緩地闔上眼皮，意識又有點模糊，突然那奇異的聲響又驀地衝進她的耳膜，就似一枚鋼針猛戳著她的神經一般，使她全身劇烈的一震，直坐起來。此刻聽清楚了，那聲響正來自客廳，不像貓聲也不像老鼠，卻有點像樹枝斷時的那種脆音，連續響了幾聲，停一會，又響了兩聲，於是一切彷彿又復歸於靜寂。她還不曾從第一次驚躍中透過一口氣來，這時外面又起了另一種悉索的微聲，時斷時續。胡慧芸只覺得自己的神經緊張得馬上即將崩斷，無疑的，她斷定那些聲音正證實了內心所恐懼的，那是……她終於忍不住霍地掀去被子，迅疾而又機警地滑下了牀，又驚慌地向對面那排掩著的紙門瞥了一眼，便佝僂著身子移動著光腳，像一隻貓似的，向屋子那一頭潛行過去，手指在昏暗中小心地摸索著觸到了桌子的邊緣，她抖顫顫地伸出手去一把抓起了桌上的電話，心裡點數著一個熟記的號碼，一面便俯身在電話機上，極力在昏暗的光線中去辨識白色的號碼圈，她剛撥了二九兩個號碼……

「停止！」一個低沉冷酷的聲音彷彿是從底地下竄出來似的，突然在她後耳畔威脅地叱喝著。

她猛吃一驚地轉過臉去，站在她後面的竟是一個頎長的黑影。貼近她頸旁寒光閃閃的是把銳利的匕首，她陡然打了個寒噤，本能地舉起一隻手來護住頸喉。

「不許動！」那點寒光閃動著，「識相點，我不會傷妳一根汗毛，快把箱子上的鑰匙交出來。」

胡慧芸抓住桌子，疑懼不前。

「快點！」她感到頸後涼颼颼的，顯然那把刃尖貼在那裡。

「不用那樣，你知道我是個手無寸鐵的女人。」她身不由主挪動著兩條軟綿綿的腿，一步一步挨著牆邊走過去，她不用回頭，那人亦盯在後面，定了定神，她故意地稍微走快兩步，卻又彷彿不小心向前顛躓了一下，趁勢她迅疾地伸手向牆上一按，「克托！」一聲，驀地一片刺眼的燈光從空中瀉滿一室。隨著這燈光，她將身子往牆上一貼，轉過身來，大膽地瞪著後面那個闖入者。他僅離她二步站著，不僅有個頎長的身材，更有副寬闊的肩膀。一身全罩在一套黑衣服裡，手上戴著黑手套。臉上也罩著半截黑色的面罩，只露出下面寬大的下腮和嘴巴，那抿緊的薄唇和微微下垂的唇角，特別顯示出冷酷、殘忍，以及一種玩世不恭的嘲弄表情。

「妳倒很精靈，曉得我要燈亮。」他嘴角向下拉，冷冷地譏誚著，眼睛刁鑽地從她臉上向下移去，那把明晃晃的匕首指著她胸前劃了兩圈，一種女性機敏的本能使她馬上低下頭一看，這才發現身上的睡衣胸前敞開了一大截，她羞窘地用雙手緊緊握住衣襟，恨不得有條縫鑽下去。一個衛護女性自身最寶貴的貞潔的意念，使她變得勇敢，慷慨起來，她兩手攏住衣襟，幾乎是不假思索地快步走到化妝台前，從一個祕密抽屜裡摸出一串鎖匙，連一眼也不敢多看，就伸手向背後遞過去。

「把手上的戒指和手錶也除給我。」

胡慧芸服從地卸下手錶又從中指上勒下了那枚結婚紀念的鑽石戒指，也同遞鎖匙般向後遞去，不想東西給取去了，手也被一隻巨掌緊緊地抓住，她還不及掙開，另一雙手也被抓過去放在背後，她雖拚命用力掙扎，但卻像被鐵拷拷住了似的，絲毫動彈不得。她忍不住尖厲地狂喊著，但聲音剛一出口，便被一隻手按住了，緊接著馬上又塞進了一團布絮。她掙扎了一番以後，終於精疲力竭，夾著無援的絕望和過分恐懼，使她軟癱下去……

「對不起，只好讓妳委屈一會了。」

她被結結實實綁在一張靠背椅上。那人卻從容不迫地過去拉開了壁櫥，在箱子上一個個地試著鑰匙。

那種絕望的恐懼換了惱怒的憤恨，她扭動著手腕，那紮得緊緊的繩子就像勒進了肉裡，痛得徹骨。她又試著站起來，但腿略為一伸，椅子便傾側過去，又勒緊了腕上的繩，她無可奈何地坐著，眼看那闖入者翻箱倒篋地東抓西揀，看在她的眼裡，就像從她身上一塊塊割一肉來似的；狠心的賊似乎並不因此滿足了他的貪心而急於離去，卻優哉遊哉地挺挺腰肢，舒鬆一下筋骨，又用手撣去了身上沾著塵灰，然後踱到茶几邊取了支香煙，燃上了便走到胡慧芸面前，她心裡一驚：

「別那樣狠狠地瞪著我。」他把手裡那把匕首隨手向桌上一撩，舉起一隻腳來踏在椅子上，手肘著膝蓋，向著她噴了口煙，「錢財本來是身外物，誰用都是一樣。有什麼心疼的！」他狡黠地眨著眼睛，香煙吊在嘴角上，笑得陰險：「其實妳的膽子倒還不小的哩，逢到這樣的場合，一幢四不靠鄰的空房子，一個年輕的單身女人，一個帶武器的強壯男人，差不多的女人一定會嚇得渾身癱軟了。但是剛才妳居然還故意捩亮了燈要看個清楚。現在我坐在妳面前，請看個清楚吧！」他故意將臉靠過去一點，眼珠在黑洞裡邪惡地閃爍著。煙味直衝，她緊咬著下唇，只感到一股怒火從胸中湧升在被堵住的喉嚨口焚燒，她恨不得伸出手去，結結實實給他兩記巴掌。

「嗯，怎麼又不看了呢？看清楚了明天可以繪圖通緝我，哦，啊啊啊……」他聳著肩膀奸笑著，放肆地打了個哈欠，從袋裡掏出胡慧芸手錶看了看，「唔，快四點了，怪不得肚子有點餓。我猜妳的廚房裡總有東西可以宵夜吧！」說著便朝廚房門那邊走去，再回過頭來向她眨了眨眼睛：「喂，乖乖的，可別亂動。」

胡慧芸看著他進廚房，心裡又起了陣痙攣，果然，隨著電燈一亮，那人在廚房裡發出梟啼似的笑，像錐子般錐進她的心裡。

「嗨！真不錯，這裡還替我安排好了一輛新腳踏車，回去時可方便多了！」

她望著那把閃閃發光的匕首上，突然靈機一動，她看看那通廚房的門，裡面正傳出砰砰碰碰的器皿碰撞聲，打蛋聲，她寧一寧神，把兩腳併攏，再慢慢挺直，身子便向前逐漸傾倒。由於雙手縛在椅背上，那椅上便藉著繩子的力量緩緩地離地升起，她感到椅子的重量勒得手腕像要斷了似的疼痛、痠痲，她咬緊牙根，向前移動了兩步，盡量將上身彎向桌子，終於下顎已可以感到匕首上的寒光。她用勁向前一勾，張開牙齒湊上去……驟然間由於用力不勻，背上的椅子猛然向左一側，傾伏著的身子也立即失去重心，連椅子傾倒下去，一聲巨響，使得廚房裡的人立刻像一頭警犬般竄出來，及至看見了在地上跌成一團的胡慧芸，反停下來嗤笑了。

「我早就警告妳別亂動，這不是自討苦吃麼？」他嘲笑著過去因而下身子扶她起來，卻不提防胡慧芸伸出右腳來猛地就向他胸前一蹬，他不及防備，往後倒退了兩步，跌了個踉蹌。他惱羞成怒，霍地跳起來順手抄起掉在地上的匕首，氣洶洶地直向她當胸刺去……

胡慧芸倒抽一口冷氣，閉上眼睛……

但匕首只是迫近她臉頰晃了晃，刃光裡映著那人猙惡的面孔：

「還跟我逞強，別忘了妳在我掌握中，我高興要怎樣擺布妳，就怎樣擺布妳。」他把匕首朝桌上用力一插，繞到椅子背後使勁將將椅子往上一提，又重重地向地下一頓。胡慧芸跟著像老鷹提小雞似的被提起擲下，兩隻手腕就像要斷了般，痛得她忍不住迸出了眼淚。

不一會，那闖入者還吹起口哨，兩手端起食盤打從廚房裡出來。

「有雞蛋、火腿，還有金門高粱，口福可真不錯！」那人將杯碟往桌上一放，便在胡慧芸對面坐下來，據案自酌自飲。一面還故意咂嘴咋舌的，又舉起酒杯來向她虛邀著：「一個人吃得不好意思，請咱們的女主人也陪一陪……怎麼，不領情！嘿，還在生氣，有一句話請轉告妳丈夫，以後可千萬別自己出去，扔下太太一個人在家看空屋子，那個，那個可太危險了……嘿嘿……」他一手持著酒杯，邪惡的眼光從黑洞裡盯視著她，放肆的、梟啼似的笑聲，震盪著深夜靜寂的空氣，震盪著胡慧芸的心肺，而那無禮的盯視使她又想起酒精在人體內將引起怎樣的作用，想起那些醜惡的社會新聞，想起……她沒有勇氣再向賊徒怒目瞪視，卻又不能不暗暗地監視他的一舉一動，心裡只祈禱著忽然會出現個奇蹟，或者是巡夜的警察發現她屋裡亮著燈，覺得可疑來查詢，或者是……但她屏息靜聽，除了屋裡那賊粗野的咀嚼聲外，四周的空氣卻似凍結了般。

「這裡倒是挺舒服，挺安逸，教人捨不得離開，只是……嘿，時間不許可。」他站起來，造次地向胡慧芸微微彎彎腰，唇角泛著那種陰險刻毒的笑意，帶著譏誚：「最後得謝謝女主人盛意的招待啦！」

他走進廚房裡，不一會就推了一輛簇新的腳踏車，車上載著他竊獲的獵物，從容地橫過房間，經過她面前時，還洋洋得意地點頭說：

「對不起，少陪了！」但快走到門口時，他又舉步不前，賊眼睛特別尖地望著掛在牆隅衣架上，一件漂亮的兩用男式雨衣。「嘿，這算是最後一件贈品！」他終於毫不猶疑地停下車子，還回頭向胡慧芸狡猾地眨一眨眼，便放步過去，走到牆角裡，手指還不曾搆到雨衣，只聽見脆亮的「吧噠」一聲，緊接著是一聲驚痛的喊聲，旋即成為慘厲的狼嚎，那闖入者雙手捧住條右腿倒在地上痛呼嚎叫，轉瞬間春風得意的神態化作痛苦的呻吟。跌坐在地上，抬著條右腿輾轉喊痛，就在他痛得昏頭昏腦時，突然腦上又被重重的東西猛襲，緊接著第二下，最後他終於幸運地連什麼疼痛都不知道了。——

一輛吉普車在門口停下來，一個警佐帶著四名武裝的警員下了車，剛走上台階，胡慧芸卻追出來了。

「真對不起！這麼晚還打攪你們。哦！來了這許多位！」

「剛才我們接到電話說是這裡鬧竊賊？」那警佐望望神態安詳的她，又望望整潔的客室，顯得有點懷疑。

「是的，那賊正在裡面養神哩。」

大家跟著她走進內室，內室卻也同客廳一樣整理得有條不紊，沒有一點凌亂的現象，只小圓桌上有一把怵目驚心的匕首。屋角裡倒臥著一個用各式各樣繩子、帶子，捆得像粽子似的男人，右腳上還夾著一塊木板，就是那點東西使那粗壯的男人在呻吟。

「現在我把他交給你們了。」那失去自由的人，儼然像一個勝利的獵人。

「我想，這屋子裡不只妳一個人吧？」警佐依然是一臉懷疑的神色，向屋內環顧審視。

「到現在為止，還是一個人。」她淡然回答：「下女生病請假，我丈夫出差台中，要坐今天早晨七點鐘的火車回家。」

「這麼說難道是妳一個人捉住的賊？」

「不完全是我，還有那個捕鼠機。」她指著那塊夾住在竊賊腳上的木板，微微一笑。

「只是它夾住他時，我才把他擊昏過去。」

一個警員蹲下去，只見木板上按著彈簧的粗鉛絲正緊緊地夾住了膠鞋腳趾以上的部分，壓得布面深陷入肉裡，他用手扳了扳，沒扳動，稍一使勁，那人卻殺豬地號叫起來，後來還是另一警員叫他按住木板，拿槍柄把鉛絲抬起，才將那隻血污斑斑的傷腳搬出來。她望著警員挾持著他一瘸一拐地走出去，然後，她再闔起那兩扇被橇開的門。

編註：本文原刊於《復興文藝》第六期，一九五七年七月，頁二十一～二十三。

十年如一日

洶湧澎湃的人潮在十月的陽光下奔流、滾動，從各面擁過來，匯合在廣場前面、馬路兩畔，形成一道活的長城，一座堅韌的堡壘。

銅鐵的隊伍，生龍猛虎似的隊伍，源源不絕地通過長城，通過堡壘，雄壯、浩大、莊嚴，發亮的眼睛、發亮的臉、發亮的刺刀、發亮的鋼盔在陽光下輝映成奪目的光彩。整齊有力的腳步，震撼得山搖地動，也震撼著每個人的心，伸長頸子的伸得更長，踮起腳尖的踮得更高，熱烈的掌聲有似春雷般響徹了廣場，藍色的是空軍健兒，白色的是海軍健兒，綠色的是陸軍健兒……突然，在掌聲的間歇中，一個孩子清脆的歡呼聲，像一支猝然燃放在空中的小爆竹：

「舅舅，我看見了舅舅！」

「曉桓，不要這樣叫！」站在孩子後面的父親連忙低聲阻止，但蓋過他的聲音的卻是另一個孩子更亢奮的喊聲：

「我也看見了舅舅。」接著兩個孩子一齊天真地歡呼著，同時用力揮動手裡的國旗：

「舅舅，舅舅萬歲！」

旁邊有好幾位觀眾被這稚氣的舉動引得側過臉來，善意微笑地看著孩子，孩子的父親也只得無可奈何地笑著，幸好又是一陣驚天動地的掌聲潮水般掩蓋了一切，他轉過臉去望著旁邊的她讚美著。

「看妳弟弟今天多神氣！」

她只是回答他一個微笑，卻一直沒有把眼睛離開那鋼鐵的隊伍，歡欣、興奮更摻著一份驕傲，使她容光煥發有如綻開的一朵鮮花，眼睛裡閃熠著奇異的光彩，瑩然欲滴，他不由得看了兩眼，彷彿第一次看見她像今天這樣奇特的美。

雄壯的行列終於完全通過了，人潮又開始波動湧流起來，他同著兩個孩子獨自站在那裡，仰頭凝望著飄浮在天空中那久久不散的，噴射機劃成的雙十雲彩。剛才的興奮還未退去，她像回到了少女時代似的，從後面伸手過去握住他的手輕輕搖撼著說：

「還不回去嗎？」

他沒有動，只微側過臉，帶著一絲親暱的嘲謔睨視著她悄然說：

「喂，看清楚了，可別又拉錯了別人的手！」

不知是興奮，還是羞慚，她的雙頰更紅了，輕聲啐了一口，催促道：

「快走吧！一會兒弟弟要來吃飯，我還得趕回去安排一下哩。」

海，在翻騰，潮，在滾動，他們四個人手牽著手，在人叢中擠軋，就像浩闊的海潮中一小朵浪花，載浮載沉。浪花一離開海潮，便回到了自己的安樂窩——家。

熱鬧與靜，狂歡和安謐，外面那動的世界，和裡面這靜的小天地，正好成為對比，潔白的桌布上一大瓶盛放的玫瑰，使室內顯得生氣盎然，兩人的合照帶著幸福的微笑俯視這一切——小小的家，充滿了如許溫馨、甜蜜。

孩子們一進門就往自己的角落裡蹲，忙著做那尚未完成的燈籠去了。他打開電扇，她斟上兩杯涼開水。

「真是個偉大的日子！」她靠在藤椅裡，由衷地讚歎著。

「也是個美麗的日子。」他坐在她旁邊，深意地望著她說，她抬起眼睛，兩人無限深情的眼光相遇在一起，一股溫暖的電流迅速通過了彼此的心靈。

「我們的國家的誕辰，也是我們倆幸福合作生活的紀念日，多麼有意思！」他撫著她的手，高興地說，她含笑不語，只是凝望著他默默地傾聽著，彷彿要從他的聲音笑貌裡吸收點什麼。

「時間過得真快，一晃眼我們已經結婚十年了。」他又溫柔地說。

可不是！今天便是他們結婚十週年紀念，在舉國歡騰慶祝國慶的大日子，他們只願清靜地共度自己的節日。十年中他們共過不少患難，也分享過不少歡樂，最可貴的是那更多的，以諒解、和諧、寧靜、溫馨綴起來的時光，十年中，他們有了兩個可愛的愛情的結晶——想到這裡，她望了一眼正聚精會神蹲在角落裡的兩個孩子，嘴角的笑意更濃更甜了。

「還記不記得我們認識的那一個雙十節？應該說是上帝給我們安排的。」甜蜜的回憶燃亮了他的眼睛，深永的感情從柔潤的聲音中流露出來，更是動聽。

怎麼會不記得？那正是鐫刻在生命的路程碑上最深刻最發光的一段，而想起來也有點荒謬可笑。旖旎的回憶常使時光倒流，使青春重返……

那是抗戰勝利後第一個國慶，經過一次魔劫，經過一次流離顛沛，回到光復後的故鄉慶祝這一個光輝的紀念日，每個人都熱情澎湃，熱血沸騰，歡欣若狂，滿街國旗飄揚。家家懸燈結綵。一片燦爛的陽光，一片震耳的爆竹，一片明朗的歡笑，人們在這狂歡的節日，撤除了隔閡，忘記了防嫌，一個個笑眼相看，都變得和藹可親。

那天晚上有空前的提燈遊行，她同弟弟兩個人去看燈。那時她十八歲，十五歲的弟弟卻比她高著半個頭，兩個都是未脫稚氣的大孩子。他們怕被別人擠散了，一直都手牽著手走。遊行的隊伍還沒有出來，街上已擠滿了人，連人行道、店鋪裡、街樓上也都擠得滿滿的，他們只是隨著人潮緩緩向前移動，忽然她的鞋帶鬆散了，她放掉手，低下頭去繫著，就在這時，人潮起了陣很大的激動，說是遊行的隊伍不經過這裡，要在前面轉彎，人潮洶湧向前，她幾乎被衝得站不住腳，慌亂中忙站起身子，向後面伸手一把抓住了弟弟的手，也跟著人潮向前奔跑。憑年輕人那股衝勁，他們總算在人叢中擠到一角立足地，剛站定還來不及透過氣來，遊行的先頭部隊已浩浩蕩蕩到了面前：八個人扛著的大雙十燈籠，彩色燈泡紮成的巨大V字，和樂隊之後，便是站在花車上，高擎著火炬的自由女神。

「嗨，看這扮自由女神的多像曼琦表姊！」她盯著女神向弟弟說，示意地用力捏一捏那隻由於緊握而出汗的手，感到沒有反應，她回過頭來，「你說像不——啊！」

她一聲驚喊，像驟然被蠍子螫了一口似的，猛地摔掉緊握著的手，一時張口結舌，瞪著眼睛，木樁般釘住在那裡。

哪裡有什麼弟弟的影子！讓她握著手站在後面的卻是另一個陌生的青年。正從濃眉毛底下瞅著她微笑。

想著自己——一個女孩子，竟糊裡糊塗握著一個陌生男人的手，握了這麼半天，一股熱血從心頭直湧上腦門，臉上紅一陣白一陣，恨不得有個地洞鑽下去。那青年看出她的窘態，倒是溫雅有禮地向著她微微一頷首，眼睛裡卻閃著那點俏皮嘲弄的神情，低低地說：

「對不起！我猜小姐大概弄錯了人，事情那麼猝然，原諒我一直沒有機會聲明。」

她又是羞慚，又是氣恨，恨他為什麼不早點聲明，卻一直由她牽著走，看他那麼彬彬有禮，自己不知道究竟該責備還是道歉，窘迫地只想脫身溜掉，偏是那密密實實的肉城牆，連一條縫罅都找不出。

「在這樣狂歡的日子，任何錯誤都只能歸咎於每個人激動的愛國熱忱——快看！那支龍燈紮得多棒！」他反坦率地寬慰她說，那溫雅低沉的聲音有一種令人平靜的力量，她更怕引起別人注意，只得掉過頭來，勉強鎮靜自己繼續看下去。一直到長長的遊行行列快完時，趁人牆有一點鬆動，便悄悄地擠出來，踅進一條僻靜的小巷，小巷裡很少人行走，一盞路燈發著昏暗的光線，剛從熱烘烘的大街上過來，更顯得淒涼冷落，她覺得有點膽怯，腳步也趑趄不前，然在這時，冷巷口轉來一陣腳聲，漸來漸近，她心裡一陣畢畢卜卜卻不敢回頭去看，腳聲在她身邊慢下來，竟又是那個溫雅的聲音，在她耳畔響著：

「由於我才使妳與弟弟失去了聯絡，應該讓我權充妳的弟弟護送妳回去。」

她立刻拒絕了，但不知是否由於黑暗的小巷，抑是由於他溫雅誠懇的聲音，她的拒絕似乎不夠嚴厲，而他對自己的提議卻是十分執著，那種溫和謙誠的執著，使人對他發生信賴而不能拒之於千里之外，她沒有再走另外的路避開，他也很自然地隨侍在她的身邊。

小巷曲折而又深長，腳步合著腳步，年輕而不懂虛偽的心是不甘被寂寞征服的，言語的交換撤除了陌生的隔閡，增加了初步的認識。就這麼，他一直伴送她回到家裡，這是開始第一晚，這以後，彷彿有一隻無形的手仍牽著他一直往她家裡跑……

「那時妳弟弟還是一個頂淘氣的大孩子哩，還記得我上妳家裡來時，就常常被他捉弄，或者是惡作劇。老是敲我竹槓，說不是他，我們怎麼會認識。」隔了十二年，那聲音雖然蒼勁了一點，卻還是那樣溫雅動人，「現在可完全不同啦，看他剛才那雄糾糾氣昂昂的樣子，簡直像尊天神。」

聽他說到弟弟，她從心眼裡感到欣慰，他的俊偉堅毅英氣勃勃，正代表著今日精銳的國軍，代表著希望和信心，做為他的姊姊豈不值得驕傲！她依稀記起他們攜手上學時的情形，他第一次穿上戎裝的神氣，他……

「那時……」

「噢，我們別盡在這裡陶醉了。」她驀地岔開他說不完的回憶，笑著急急地站起來，「弟弟就要來，我可真的馬上得下廚房。」

「我來幫妳的忙。」他也站起來說，一手扶著她的腰肢。

「你忘了你那篇紀念我們十週年的文章還不曾寫完呢！」她溫柔地提醒他說：「廚房裡的事，我一個人可以對付。」

「我已經把題目想好了，就叫『十年如一日』，妳看如何？」

「十年如一日。」她低低地一字一字重複了一遍，然後抬起盈溢著無限柔情的眼睛，凝望入他眼中，「太好了，不只含意深長，也很美。」

「爸，媽，看我們糊得燈籠好不好？」就在這時，兩兄妹一人高擎著一只剛做好的雙十燈籠，喜孜孜地圍上來。

「唔，做得真不錯，真好！」父母兩個鑑賞著小兒女的創作，由衷地誇獎著，「晚上參加提燈遊行出色得很！」

孩子們笑咧著嘴，小臉上洋溢著喜悅的光彩，要求著：「請爸爸給我們寫上字嘛。」

「好。」他立刻磨墨吮筆，一面向著她說，「妳唸，我來寫。」

慶祝雙十節：

反攻在即

復國可期

在孩子們的歡笑掌聲中，他擲下筆回過頭來，正迎著她凝然肅然的視線，兩人默默相視，發亮的眼睛交會著同一的信念，同一的願望，同一的祝福！

編註：本文原刊於《聯合報・副刊》，一九五七年十月十日，第八版。

姊妹行

將近正午的陽光陽光火辣辣地，空氣中瀰漫著熱霧，地面上也正蒸發著熱氣，路畔的樹木軟軟地垂下了枝葉，只在風過時才微微搖曳著，在陽光烤炙下更紅得耀眼的國旗的潮浪，說明了這是個節日，也是個假期。那些在辦公室、廚房裡膩膩了，趁假日出來舒鬆舒鬆筋骨，調節調節精神的人們，一個個都穿戴得整整齊齊，撐著美麗的花綢傘，戴著草帽，黑眼鏡……一切與陽光對抗的裝飾武器。高踞在車上的更是睥睨著一切，疾馳而去，像一陣挾著灰沙的熱風。

三個一群，兩個一排，一些剛從行列中散下來的學生，穿插在人叢裡，像一陣小雨滴滴落在河裡，逐浪推進。他們都一律穿著整齊的學校制服——整齊在這裡只能解釋成式樣一致，並不包含挺括乾淨的意思，因為那已被汗浸濕、揉皺和吸收了不少灰塵。他們腳上的鞋和襪，不管原來是黑的抑是白的，也一律變成了灰色。一張張黑黑泛紅的臉蛋，汗水黏污的頭髮，眼瞼低垂，平視著前面，急促而踉蹌地走著，彷彿那一身充沛的活力全被陽光蒸發走了。神情、模樣，就像路畔軟垂著枝葉的小樹。

走在大街左邊人行道上的兩個女孩子，高一點的穿著卡其布衣裙，大概是高中生了，旁邊矮矮的那個穿的是白衫黑裙，不知是高小還是初中學生。她們牽著手親密地偎在一起走，好像彼此想從對方獲得多一份支持的力氣。

「姊，口好渴！」小的一個嘟噥著，不時伸出舌頭來舐舐乾燥的嘴唇。

「忍耐一點，回家乾上三杯冷開水。」姊姊模樣的寬慰著說，自己卻也不由得用舌尖悄悄地潤濕著嘴唇。

「又渴又餓！」小的還是一味抱怨，「今天早晨我怕遲到，只吞了一個饅頭，這一刻肚皮貼到背脊了。」說著忍不住瞥了一眼路旁的飯店菜館，每一家都擠滿了食客，一陣陣菜香直泛溢到馬路上，對餓癟了的腸胃一種難以抗拒的威脅和誘惑。

「現在頭不暈了吧？」做姊姊的岔開她的思想。

「不。」

「剛才在會場上，妳的臉白得好難看，我真怕妳也會倒下去。」

「我自己還不是怕！張麗雲給了一大把仁丹叫我擱在嘴裡嚼，心裡才好過些。」

「我們學校裡只暈倒了三個，還算少的，別的學校還要多哩，大太陽底下站著光曬，可真吃不消。」

「就是嘛……哎唷！」小的忽然蹲下去捧著腳，「一塊石頭踢得我好痛……都是走多了路，一點勁都沒有了。」

「這個城還不算大，從前我還走過更多的路哩，城有多大，就得繞多大的圈，走到後來拖著兩條痠痛的腿，就像拖了兩根棒槌。」大的一面耐心地等著拉她站起來，一面把自己的經歷告訴她，小的卻因此更氣惱。

「我真討厭開會什麼的，好不好先讓人站在太陽底下聽三個鐘頭的演講，又要人家跑十幾里路遊行，累都把人累死了！」

「誰又喜歡！」

「我看那些演講的人就喜歡嘛，他們平常大概沒有講話的機會，一逢到開會就沒完沒結的說，明明是陳腔濫調，千遍一律，真虧他們還講得挺起勁。你一套，我一套，搬個不完。他們在台上曬不到太陽，又有得坐，就叫人家受罪。」

「曬曬太陽頂多還不過是暈倒，下雨才慘哩，淋雨還不許解散，我念初三時的好朋友梁文渝不就因為淋了雨，大病一場，結果耽誤了一年學業。」

「我真奇怪，講的人當然過去也做過聽眾，難道不曉得聽眾的厭煩心理？」

「這大概所謂此一時，彼一時。有機會能在台上露露臉，發表一番自己認為是卓越的高論，把大家教訓一頓。不是很光榮嗎！」

小的在鼻子裡哼了一聲。

「簡直是疲勞轟炸，精神虐待！」

「嘿，妹妹，妳把爸爸的口頭禪都拾來了。」

經過一排富麗堂皇的百貨店和委託行，那五光十色，奢麗奪目的貨物，和擠擠攘攘的紳士淑女，吸住了兩個女孩子的視線，暫時停止了談話，小的那個望了一會，轉過臉來撇著嘴，帶著一份不屑和挑釁的神氣。

「姊姊，妳說像這樣開會啦、遊行啦、貼標語、呼口號什麼的，究竟有什麼意義？」

「那當然有它的意義存在。」姊姊把視線從一頂美麗的綢傘上收回來。儼然學著老師的口吻，鄭重地解釋，「這都是一種紀念和慶祝的形式，紀念或慶祝那些歷史上偉大光輝的日子，可歌可泣的壯烈事蹟，以及對國家民族有功的偉人烈士……」

「可是，在妳累得要命的時候，妳還會記起那慶祝或紀念的真正意義嗎？」走到後來大家那種沒精打采，垂頭喪氣的樣子又多好看！小的那個詰問著，見姊姊沒有回答，又向那些好整以暇的紳士淑女，和掠過身邊疾馳而去的小轎車投去不平的一眼，憤慨地接著說：「那麼他們呢？他們為什麼又不參加大會？」

「他們！大概他們做學生時都已參加過了，現在只要在心裡紀念。」大的那個淡漠地應付著，小的卻毫不放鬆地馬上又釘上一句：

「那我們為什麼又不能在心裡紀念呢？難道除了枯燥、累人的那套紀念形式，就不能採用別的法子了？」

姊姊給她問得窘迫了，不禁苦笑了一下。

「妹妹，妳的問題可真多，妳沒有聽說過這一套形式，從爸媽小的時候就定下來了，幾十年從未變動過，媽在學校時不也暈倒過兩次。」

「那幾十年，幾百年以後，永遠是這一套？」

「也許……」

姊姊那懶洋洋的聲音飄浮在空中，就像水氣被那高熱所蒸發，一會就散失了，兩人同時陷入沉默中，機械地搬動著腳步，拐了一個彎，轉入一條沒有人行道也沒有樹木的公路，驕陽在袒裸的路上更肆意地傾注著它的光和熱。使那反射著白光的路看起來像在融解，在熠燃。想像著赤足踩上去會燙起泡來。一條狼狗很快地打從兩姊妹身旁跑過去，伸著舌頭，垂著尾巴，口涎一路滴去像蜒蚰爬過留下的黏痕。

女孩子的腳步顯得有點顛頓，而且越走越慢了。

「姊姊，我的喉嚨乾得冒煙了！」小的一變剛才那憤慨反抗的口氣，聲音裡流露出疲倦、沮喪，完全一個要人疼愛援助的小女孩在訴苦。「我餓得再沒有一點力氣，我的腳好像有一千斤重……」她立定腳步，用力嚥著口水，細小的汗粒在額上閃著光。

「一會兒就到家了。」姊姊微微喘著氣，無可奈何地，用一塊黏濕、稀皺的小手帕，替妹妹和自己拭去了臉上汗。「爸媽他們一定在等著我們回去吃飯。來！振作一點。」說著，挽住妹妹的肩，顯然這句話有效地增添了一份新的力量，兩人加緊了腳步向前走去。

日正當中，大地和樹木都在蒸發著，空中瀰漫了金色的霧雰，兩個偎在一起的身影浸在光燦燦一大片金色的霧中，顯得那樣渺小、那樣嬌稚……

編註：本文原刊於《聯合報・副刊》，一九五九年四月二十九日，第七版。

無根的花

因為工作過度，我患了神經衰弱症。醫生囑我休養一時，但宿舍裡太吵，於是我就搬到舅舅家去住。

舅舅家只有舅舅和舅母兩口子，舅舅白天上班，舅母不是在廚房灶前，便東家西家去聊天。我一天裡說不上幾句話，閒也就閒得怪無聊的，成天躺在那間四個榻榻米的房裡，睡也睡不著，看書是在禁止之列，只是躺著怔怔地望窗外，窗外是一株榕樹遮著半邊藍天，小院裡可也就只有這一株孤家寡人的榕樹，寂寞得近於荒涼。有時，我想這院裡如果栽兩棵花草或許會看著舒服點，早晨當我在小院中蹀躞時，常常像發掘奇蹟似的，望著石罅縫裡，看看牆腳下，哪怕開一、二朵小小的野花，也教人心裡得到些微安慰——正當我發覺這是塊貧瘠、冷澀的土地而感到失望時，奇蹟卻發生了，不是在地下，而是在那幢橫在兩家間的竹籬上——那是一朵淡紫色的牽牛花。

這種牽牛花若是開在田野中，一片片綿延重疊，就像織綿緞氈似的，一點都不稀罕。可是如今開在這荒涼的小院裡，卻不啻是沙漠中的一角綠洲，我滿懷喜悅，明知花兒並不香，卻忍不住跑到籬下，踮起腳尖，把臉湊上去——我的眼睛越過了竹籬，看見隔壁也是一個同樣的小院子，只不過籬笆上纏滿了牽牛。就在籬腳下，一個少女蹲在地上，對面前一枝細小的植物發怔，旁邊擱著一只空面盆，顯然才澆過水。側影裡只看見一個挺削的鼻子，一頭黑髮辮成兩支長長的雙股辮垂在背上，雖然穿著敝舊的衣服，卻掩蓋不住身上那優美的線條。

也許我這邊的舉動，有聲響驚動了她，她抬起頭來，用那雙黝黑而帶著憂鬱的大眼睛諦視著我。

「這花……噢，我是說為這朵花……」我困窘地解釋著自己的舉動，但越說越糊塗。她只是淡淡地一笑，又低下頭去。

她沒有再抬起頭來，我自然也不便再搭訕下去，只是牽引過來卡住我這邊籬笆上。

第二天早晨，牽引過來的牽牛花藤長了一寸，又開了朵喇叭花，「啊，牽牛花可開了一朵！」我故意自言自語，她正站在對面將水潑在那株細小的植物上。「妳們的花開到這邊院子裡來了，一家勻作兩家春，應該謝謝妳的恩賜。」

「你忘了這是大自然的賜予，我不敢掠美。」她瞥了我一眼，聲音是淡漠的。一面仍舊小心而均勻地潑著水。看她的樣子不會超過二十左右，但那種落莫而憂鬱的神情，卻彷彿是個歷經憂患的婦人了。

「可以讓我知道妳那樣殷勤灌溉的是什麼花嗎？」

「菊花。」

「看樣子很憔悴哩！」

「嗯，它還沒有生根，前幾天我才摘了插在這裡的。」她放下臉盆，小心地按按株旁的泥土，又摘下一片黃葉摔掉。

「這樣會活嗎？」我懷疑地問。

「碰運氣！」她說得很直率，那口吻，有賭徒孤注一擲的意味。這時，屋子裡有一個尖銳的聲音在呼喚，她不聲不響拾起臉盆，轉身疾馳而去。

小院裡闃靜無聲，那株細小的菊花在朝陽中顯得瘦弱伶仃，幾片暗綠帶黃的葉子軟垂著，了無生氣。

再二天，籬笆邊的牽牛花已有了兩根鬚莖，她那邊的菊花卻葉子全落了。

「葉子都落了，怕不會活了。」我說。

「也許要等舊葉落光了才長新的。」她執拗地說。仍舊仔細地灌溉，一天都不疏怠。

這以後，看牽牛花成了我早課，一起來便惦著去數牽牛花開了幾朵，鬚莖長了幾許，我把那些向上翹起的莖藤一齊發引過這邊來。每當這時，她也一定端盆水來在那株禿禿的菊花前，耐心地灌溉。天天見面，我們已經很熟，但除了談花，彼此從來不曾談過別的，也不曾請教過姓名，見面時，彼此總是用一個微笑做為招呼，接著，我便告訴她那邊的花開了多少朵，又探詢她的菊花長新葉沒有，她的回答有時是一個忍耐的微笑，或是搖搖頭，或是幽幽地說：「等著瞧吧！」

「別忘了給牽牛花潑點水呀！也讓我這邊開得繁盛些。」有時，我看見她盡是頻頻地照管菊花，總忍不住提醒她一句。她也總是笑笑，隨便在籬腳下潑上些水。

「你好像特別偏愛牽牛花，」一天，她聽我報告牽牛花的動態，忽然問我。

「那是因為我院裡只有這種花。」

「如果也有菊花呢？」

「當然更愛菊花。」我毫不猶豫地說。

「為什麼？」她那黝黑的眼睛睜得大大地凝視著我。

「因為，菊花不僅開得久，且耐得風霜，有獨立的精神和傲骨，而牽牛花朝開暮謝，只片刻的燦爛，這還不說，它柔若無骨，不能獨立生存，一定要依賴攀附著別人……」我正說的得意，卻見她的眼睛忽然像晨星般黯淡下去，蒼白低垂的臉更像經過驟雨摧殘的百合——驀地，她一語不發轉身就進了屋子，我驚愕了半天，不知自己究竟說錯了哪一句話得罪了她。

第二天我起個更早，想去籬笆邊候她解釋，卻見她比我還早些就守在那裡，向這邊頻頻深望著。一看見我，便用充滿喜悅的聲音說：

「我的菊花已長了一個新芽！」

「真的？」我也感到驚異，那麼一枝枯枝居然會綻發新芽！

「哪，這不是！」她蹲下去指著枝上米粒大一顆東西給我看，「嫩得很，上面還披著一層茸毛啦！」她高興地說，臉上因興奮而浮上一層紅暈，黝黑的眼睛閃閃發亮，亮得就似反映著旭日的兩顆露珠。她露出一口潔白的牙齒笑著，笑得嫵媚而帶幾分稚氣，自從我認識她以來，還是第一次看見她笑得這樣美，這樣神采煥發，顯出一種屬於少女的嬌憨、活潑和甜美——我不由得深深地諦視著她。

「喂，你究竟看到沒有嘛。」她嬌嗔著。

「看到了，看到了。」我趕緊望著那枝附和說：「這麼說它已經復活了。」

「復活啦?!」她重複著這幾個字，緩緩地站起來。眼光仍凝注在枝上。

「無根而能生存，才是最勇敢的。」我不覺喃喃地背誦著雷馬克寫在《流亡曲》前面的兩句話。

「你說什麼？」她若有所驚覺，抬起頭來望著我。

我把剛才背誦的句子又唸了一遍。

「這是一位大作家說的話，雷馬克著的《流亡曲》，妳讀過沒有？」她困惑地搖搖頭。

於是我把《流亡曲》一群無國籍的流民怎樣掙扎求生的故事約略講給她。她聽了沉默了一會，若有所思。半晌，喃喃地，像自語又像向我詢問：

「一個沒有了家，沒有了親人的人，不也像花草沒有了根？」

「嗯！」

「人沒有了根也能活下去？」

「怎麼不能？就像妳那枝菊花。」

「菊花因為有水灌溉，還有空氣、陽光。」

「人有向上的意志、決心，和毅力。」我說。

她直視著我，笑得像一朵四月的薔薇在她臉上逐漸展開，忽然，向我點點頭，親切地說了聲「謝謝你！」便跨著穩定的腳步，走向屋子。

我望著她窈窕的背影走進門裡，茫然收回視線，始終不懂她何以要謝謝我。

昨天生我的氣，今天又向我道謝，昨天使我驚愕，今天又使我迷茫，女孩子本身便是神祕，是謎。而她更是個神祕的謎。

我覺得心頭有什麼溫柔甜美的東西充溢，像滿了的杯子要洋溢，像充滿了氫氣的氣球想上升……我忽然有個傻念頭要吻遍那些牽牛花，我果真做了。於是我吹著口哨回到自己房裡。

這晚上我不但沒有失眠，而且睡得很酣，直到清早被一陣嘈雜的聲音驚醒，那聲音彷彿來自隔壁，亂糟糟的就似失竊了或是遭遇了意外什麼的。我正預備起身看個究竟，舅母披著晨衣，帶著一面孔要報告新聞的神氣走進來，衝著我就說：

「文瑛偷跑了！」

「誰是文瑛？」我錯愕地望著舅母。

「嘖！就是隔壁蔡家的那個女孩子，你不曉得？」

「是她！」我彷彿被當頭擊了一下，「她不是蔡家的女兒嗎？為什麼又要偷跑？」舅母撇了撇嘴：

「哼，她的身分可複雜得很哩！又是侄女，又是下女，又是姨太太……噢，你先把衣服穿下，這樣可要受寒咯。」

經舅母一提醒，我不禁打了個寒噤。原來我一直只穿了汗衣短褲坐在牀沿上，一隻腳套了隻拖鞋，一隻腳便空懸著。

接著，舅母便把文瑛的身世告訴我：她的父母跟蔡家也不知是同事還是親戚，一路逃來台灣的，不知怎麼她的父母都去世了，她一個女孩子舉目無親，就只得跟了蔡家，起初他們還供給她讀了半年書，後來就輟學在家幫著做事。到最後，蔡太太因為有病，索性把一家粗粗細細的工作全堆在她身上，動輒叱罵譴責，這還不算，因為蔡太太有病，蔡先生的獸欲無處發洩，念頭便轉到她身上，可憐柔弱無告的她終於在他的淫威下被蹧蹋了。蔡太太曉得了這事，不敢把丈夫怎樣，卻把怨恨全傾注在她身上，更是百般虐待磨折。但她只是默默地忍受著這一切。

「這孩子怪老實的，在台灣無親無戚，這一跑又可能到哪裡去？」舅母惋惜地結束了她的故事，等我從沉思中驚覺，她已不知在什麼時候走了。

我懷著沉重的心情，走到小院裡，像每天一樣，探首籬笆外，但那邊沉沉寂寂，不但不見那垂著雙辮的身影。連那株她每日灌溉的菊花都不見了。是誰拔走了，還是她攜著一起逃亡了？這孩子能有這般癡嗎！那漫長而艱險的旅程，難道便以它為伴？

這邊籬上的牽牛花已開得一片燦爛，但我再無心情點數，正無限悵惘地收回視線，卻發現籬角下嵌了點什麼東西，撿起來一看，正是那株細小的菊花，樹上是赫然一片才舒卷的新葉。根上帶了一團泥土，用報紙小心包紮著。報紙和泥土間露出半截摺疊了的白紙條，我抽出來一看，才知道是一封短箋：

你——我的陌生朋友：我還不知道怎麼稱呼你，但除了父母，你永遠是我心靈中最親切的人。關於我那卑微的身世，我猜一定會有人告訴你，用不著我在這裡多說，我只是告訴你，從今天起，我再不做依賴攀附別人生存的牽牛花，而要學菊花那種耐得住風霜，能夠獨立生存的精神。

菊花的復活給了我啟示，而你給了我鼓舞。

我已經背熟了你告訴我的那兩句話：「無根而能生存，才是最勇敢的。」我相信我會變得勇敢的。

知道你更愛菊花，我把它轉送給你。如果你還記得一個由於你的鼓勵，而正用自己微弱的生命力向生活搏鬥的女孩子，那麼請勿忘了灌溉。我這裡向你伸出友情的手，握一握，說聲再見！

你知道的人

我默誦了一遍，又一遍，然後把它放進口袋裡，找了鋤頭來，深深地，深深地掘著，我知道地耕得越深越肥沃，而土翻得越鬆，根竄得越快。我解開報紙，把菊花小心地栽進掘好的泥土下。我又舀了水來，慢慢地，均勻地向花枝灑下了清水，也灑下了我的祝福。

編註：本文原刊於《中國晚報‧文藝雙週刊》，一九六二年十月十日，第二版。

鋸樹的日子

「端端，走路不要挺肚子！一個女孩子大起來要腆著個肚子，頂不雅觀了！」媽媽常常這樣警告我，當她這麼講我時，多半是在廊上對著窗子改本子。一眼就可以看到我打從院裡經過。我只好低下頭走進屋子，把木拖板一摔，光著腳板兒「咚咚咚」地向她跑去。

「妳的拖鞋呢？怎麼不穿拖鞋！」真麻煩！我回過身去把滿是灰土的腳塞進了紅皮拖鞋，慢吞吞地走到她身邊，將下巴擱在桌上。

「女孩子行動總要斯文一點。」媽擱下筆，伸出她沾有紅墨水的手指，撩開我披在臉上的散髮。接著又講她那個講了幾百年的老故事，「開導」我：「媽有沒有跟妳講過：從前有個大詩人叫蘇東坡，他的妹妹額角生得很高，人家就做詩嘲笑，她人沒有出來額角先到了客堂，妳要不改正，將來人家就會笑妳：人沒有出來，肚子先到了客廳！」

「哼，才不呢！」我用力皺了皺鼻子，但馬上想起又犯了大錯，這也是被禁止的。為了會弄得一臉皺紋。不過，我的一句在她看來更嚴重的說話，擋住了有關這個動作的告誡。我說：「隔壁徐媽媽懷寶寶，挺了那麼大一個肚子，也沒有人笑她！」

「端端！」媽媽大聲喝住我，那雙好看的眼睛在玻璃片後面瞪得圓圓的，看起來好兇：「一個女孩子說這些話，也不怕難為情。」

女孩子，又是女孩子！好像女孩子生下來就頂著比天還大的錯！我說人家徐媽媽懷寶寶有什麼好難為情的？她去年給蓉蓉添了個妹妹，今年又要給她添個弟弟。我年年都盼望媽媽也給我添個弟弟妹妹的可是她從來就不。

看她拿起筆來，又一本正經改她的本子去了。她在家親近那些屁本子的時候，實在還比親近我的時候要多得多！我就不懂，那些寫得亂七八糟的字有什麼好看的。

沒有人說話，屋子裡靜得就跟何媽媽說的「連根針掉在地上都聽得見！」我假裝著咳兩聲嗽，踢踢椅子，又敲敲板壁，梯梯躂躂走到媽媽房間裡，總算在穿衣鏡裡找到了另一個伴兒，鏡子裡的小女孩有一雙漆黑發亮的大眼睛，一個俏皮的小鼻子，嘴角翹翹的，圓圓臉像只皮球。有人說我眉眼像爸爸，有人說我嘴和鼻子像媽媽，我也弄不清楚像誰像誰，只曉得我的皮膚比他倆都黑，黑黑泛紅，結結實實的。頭上「一把抓」的頭髮，早上起來梳得光光滑滑，要不了一會兒那些短毛就披得滿臉，癢蘇蘇的，出了汗還黏在額上。我懶得理會，只顧對著鏡子裝笑容、扮醜相，那小女孩完全跟著學樣，我一伸舌頭——哎，她的舌頭可真冰！

鏡子裡面的我，肚子一點都不挺起來。真的，一點都不挺！雖然不像媽媽那樣，鼓的地方鼓，凹的地方凹。只是上下一樣粗細，圓滾滾的像一截蘿蔔。站直了卻並不顯得有哪裡特別凸出。媽媽老說我挺起肚子，那一定是我走路的時候，尤其是在院子裡走路，我總是仰起個頭。頭抬起來，肚子大概就跟著挺起來了。

說起來我為什麼打從院子裡過總是仰起了頭！那就因為那院裡有那株大榕樹。大榕樹為什麼那麼吸引我？就因為樹上永遠有那許許多多的小鳥。

阿英說我很小很小的時候，就特別喜歡看小鳥，每當我吵吵鬧鬧，或是哭著要媽媽時，她只要抱我到院裡，指著樹上哄我：「端端乖，端端看鳥鳥，鳥鳥飛，飛上天……」立刻，我就會停止哭鬧，仰起塗滿淚水的臉蛋，專心一注地望著枝頭跳躍的小鳥。嘴裡還咿咿唔唔，小手又揮又拍，一看就看上老半天，都不許人進屋去。

阿英說得一點不錯，打從我懂事兒起，我頂喜歡的就是鳥。每天，每天，我聽得最多，看得最多的，是鳥的聲音和鳥的活動。清早，我醒過來還沒有睜開眼睛哩，第一個聽到的便是牠們的歌聲，牠們唱得那樣好聽、那樣起勁，一直唱得太陽都紅著臉升起來聽。白天裡，只要抬起頭來，總是看到牠們在天空飛來飛去，或者在樹梢跳上跳下。牠們好像從來就不知道疲倦，我也從來就聽不膩，看不厭！

我很小很小的時候，阿英抱著我在院裡看鳥。我稍微大一點的時候，自己跪在窗台上，或是坐在台階上看鳥。我總覺得人太小，樹又太高。有一天，我自己跟自己說：「最好能爬到樹上去，樹上一定看得更清楚。」當我這麼悄悄地跟自己說了一遍又一遍，心裡便打定了主意。

說起我家的大榕樹，這條街上就沒有誰家比得上的，樹又高大，葉子又密。老遠便望到綠沉沉地像一把巨傘，蓋在我家屋頂上。大熱天，太陽烤得馬路像一鍋餳糖，走路起來吱吱唊唊黏鞋跟。可是只要一進我家大門，一片蔭涼，賽過吃了一杯檸檬水。樹枝上長長短短地掛滿了鬍鬚，細的跟鉛筆芯那麼細，粗的可比雨傘柄還粗。樹根牽牽絆絆地竄到地面上，就像在電影裡看過的，一些大鯨魚的背脊骨。密密層層的葉子裡，不知道藏著多少鳥窩！如果我是鳥，我也會選這樣美麗偉大的樹來造我的房子，我想。

我打定了主意要上樹，起初還只是偷偷地試了幾次，穿了皮鞋不成，穿了木拖板更不成。後來我索性光著腳，兩隻手用力拉住最粗的鬍鬚，慢慢向上爬。雖然手心和膝蓋都擦破了皮，到底給我爬上了第一個樹叉叉，哦！想想我第一次上樹的味道，真是妙極了！樹上完全是另外一個新天地，我很舒服地靠坐在斜斜的枝幹上，四面垂著又厚又密的大帳子，看不見房子，也看不見天空。縫縫裡漏進來的一點點陽光，倒像聖誕樹上綴著的金星。我找到了鳥窩，一共有三座，都藏在深密的枝葉中，只露出一角黃黃的草皮，當我剛剛爬上去時，鳥兒們一定以為來了什麼大怪物，統統嚇跑了。我輕輕地在心裡說：「小鳥，小鳥，不要害怕。讓我做你們的朋友！」說著，我一動都不動地靠在樹幹上，連呼吸都不敢大聲。慢慢地，飛去的小鳥果然又三三兩兩飛回來，有的遠遠地側著頭好奇地打量我。那小小的眼睛又圓又亮，有的歇在枝上整理羽毛，一會兒舉起珊瑚枝一般的腳爪抓抓頭，一會兒伸著短短的小嘴啄啄尾巴，跳兩下，轉一個身，又輕輕地叫兩聲，那小模小樣，真可愛極了！

我還記得那天當我正不聲不響地在樹上看得出神，忽然阿英敲著她那個破鑼似的沙喉嚨把我嚇了一跳，原來她在院子裡沒看到我，便一面大聲喊著「端端！」一面從這個房裡跳到那間房裡。接著又挪著她那一身胖墩墩的肉，蹬蹬蹬跑過院子摸摸大門鎖上沒有。看到她那慌裡慌張的樣子，就像在馬路上丟失了主人的狗，等她走過樹下，我在上面「嗨！」的一聲，嚇得她倒退了兩步。抬起頭來對我哇啦哇啦地直打鑼，她的大嘴巴一張一闔，從上面望下來，可以看到她嘴裡面兩顆金牙齒一閃一閃的，不過沒有聖誕樹上的金星那麼好看。

眼看阿英粗聲粗氣地把鳥都趕跑了，我只得倒退著爬下樹來。等阿英一邊嘮叨，一邊摘去我頭髮上的枝枝葉葉，拍掉我衣服上的灰土蛛網，好險！她剛把我整理乾淨，媽媽已推著腳踏車回來了。

有了那一次嘗試，我上樹上出了癮來。雖然阿英屢次警告我說要告訴媽媽，我知道她只是嚇唬我的。可是，有一次卻終於給媽媽自己逮到了。

那天，我正從我安逸的坐位上站起來，預備往下溜。媽媽就在這時推門進來，她一眼瞧見我在樹上，那一聲驚叫就像太陽掉在屋頂上燒起來了！我本來一點都不怕，聽到這一聲叫喊，兩條腿一軟，又跌坐在樹叉叉裡。接著爸爸也回家了，只見媽媽一下要差阿英去隔壁借梯子，一下又要爸爸去屋子裡搬桌子。後來還是爸爸站在鯨魚脊骨上，舉手抱住我垂下的腿，叫我按著他的腦袋，像袋易碎的瓷器般把我捧了下來。

我雙腳一落地，媽媽的驚慌也過去了。接著又是一頓數說，她怪阿英不看住我，她說我不乖，說我太野，歸根一句：「一個女孩子家，學得爬高攀樹的，簡直不成體統！」

原來她怪來怪去只因為我是女孩子不該上樹，那麼男孩子就生來是爬樹的了，多教人不服氣！

媽媽吩咐了的，我知道，阿英再說告狀就不會光是嚇唬嚇唬我了。可是，不讓我上樹，又教我玩什麼嘛？洋娃娃只曉得開眼睛閉眼睛，換來換去總是那兩件衣服，那一盒積木，搭來搭去又老是那些花樣。幾本圖畫書不是畫的三隻小熊，便畫的公主國王，早就看膩了。我從這間屋子走到那間屋子，冷冷清清的，再沒有一個人跟我講話，跟我玩。沒有辦法，我只有到廚房裡去跟著阿英。

阿英一點都不歡迎我。去廚房裡，她總嫌我去那裡搗亂。其實人家根本是好心好意要幫忙她，譬如我幫她掐了半天豆芽，她偏怪我把根和芽攪在一起，害她要重新挑揀。我替她去洗米，她又說我把米沖光了。我搧搧爐子，她一把搶掉我的紙扇，說我不該弄得滿廚房的灰。廚房裡沒有我插腳的地方，看到洗澡間浸了一大盆要洗的衣服。我就去蹲在旁邊，找到自己的一雙紅襪子，一心一意地洗起來。搓一搓，又塗塗肥皂。那些雪白雪白的肥皂沫沫真好玩！越搓越多，塗滿了我的胳膊，又飛起來沾在我臉上、身上……人家洗得真起勁哩，忽然兩隻大手把我拉起來，又是阿英！她兇著大扁臉，哇啦哇啦對我噴她的口水。

「妳看妳這一身！全濕透了，人家一大盆衣服還沒洗哩，妳又要換下來，搗蛋鬼，考妖！」她一面罵，一面脫掉我的濕衣服，拿一塊毛巾重手重腳地擦我，痛得我以為她把我的鼻子耳朵全刮掉了。接著她把我拖到房裡，穿上一件乾淨衣服。嘴裡還在不停地嘟囔：「我的小姐、公主！能不能放乖一點，不要跟我搗蛋，回頭妳媽媽回來吃不到飯，又來怪我！」

我一手揉著被她拉痛的胳膊，眨了眨眼睛說：

「那妳就讓我去爬樹。」

「什麼？」她用力瞪著她的小眼睛也只有棗子核那麼大，倒是口水噴得像燙衣服的噴水壺。

「看妳媽媽知道了不打妳才怪！」

「妳不講，她就不知道。」

「摔下來會摔死妳！」

「我說了不會摔下來就不會摔下來。」

阿英又瞪了我一眼，忽然下巴一翹，賭氣地說：

「我不管！」跟著身體一扭，光腳板踩得地板咯吱咯吱地走了。

凡是逢到阿英拿不準主意的事，她就會說「我不管」。她前腳一進廚房，我後腳就上了樹。這以後，我沒有去廚房跟她搗蛋，她也沒有把我上樹的事告訴媽媽。每天到時候，她在裡面說一聲：「要下班了。」我就溜下樹來，乖乖地坐在台階上等爸爸媽媽回家。

我在樹上仔細地研究了許多日子，才知道每天雖然有各式各樣的鳥來來去去，但有的是過路的，有的是來遊覽的，還有是順路來拜訪朋友的。真正住在榕樹上的只有一種鳥——牠們的身子是灰色的，白色的胸脯，頭上有一撮黃毛，叫起來有好幾種聲音：有的時候短促地啼兩聲，有的時候一唱唱一串，聲音滾來滾去，又圓又脆，比什麼琴都好聽。有一天我問媽媽這樣的鳥叫什麼名字，媽媽向樹上不經意地瞥了一眼，隨隨便便地回答：「大概是麻雀吧！」

哼！麻雀我認識，是麻褐色的，一蹤一跳，嘰嘰喳喳，才不及樹上的住客唱詩好聽！媽媽看也不看清楚，就隨隨便便說是麻雀。還當老師哩，明天也指著稻子跟學生說大概是蔥吧，那才笑死人！

後來我又去問爸爸，爸爸回答得更滑稽；他眼睛盯著報紙，慢吞吞地說：

「什麼鳥？唔，鳥就是鳥嘛。有兩個翅膀會飛，一張嘴會唱歌……鳥都是一樣的。」

鳥就是鳥，那人就是人嘛！有兩條腿走路，一張嘴講話……嗳喲！大人最那個了。

沒有人告訴我鳥的名字，我就只好自己替牠們取一個，叫作「黃毛頭」。

黃毛頭一家人好多好多喲！牠們在一起過得好熱鬧。唱歌時一起唱，休息時一起休息。有的時候，兩隻大的黃毛頭不停地飛出去又飛回來，每次回來，嘴裡總啣著一根長長的青草，原來牠們又在築一個新的巢了。隔了不久，鳥兒們的歌聲中又添了一種很輕微的叫聲。我偷偷地爬到巢邊，只見裡面擠著五六隻沒有毛的小鳥，看見人也不知道害怕，張大了嘴向我討東西吃。誰知道那些又醜又軟弱的小東西，沒有多久全變成美麗可愛的小鳥，跟著大鳥怯怯地撲著小翅膀，又小心地躍上枝梢，慢慢地，就跟大鳥飛得一樣穩，一樣平。隨著大夥兒出去尋食、遊覽。回來時大家嘰嘰喳喳地搶著報告這一天的經過，說說唱唱地，把自己收拾得乾乾淨淨，然後進窩去睡覺。我覺得小鳥比我們人強，一天到晚有唱不完的歌，說不盡的話，雖然也忙忙碌碌，但是忙得高高興興，快快活活，更沒有見過小鳥像我一樣，白天裡爸媽全上班去了，撇下我孤零零的一人關在屋子裡。還不許人家做這樣做那樣的，才可憐吶。

不過能夠登在樹上，登在綠色的大帳篷裡，同小鳥們做朋友，還是很快樂的。

媽媽動不動總說人家：「小孩子懂什麼！」可是他們大人的看法才教人不懂哩，譬如鳥唱得那麼好聽，他們好像從來就聽不到，大榕樹長得那麼美，那麼偉大，他們卻只會挑剔它的毛病，又嫌它遮掉了光線啦，又嫌它擋住了露水啦，又怕颱風來打著屋頂啦。逢上落葉子的時候，阿英更是掃一次院子，便狠狠咒上半天，要是榕樹有耳朵的話，早就給氣死掉了。

逢上颱颱風的日子，我也擔心得要命，我怕榕樹給颱倒了，我沒有地方玩。也怕巢給吹掉了，鳥沒有地方住。屋子裡門窗關得嚴嚴的，我就跪在窗台上，把臉孔貼著玻璃往外看，只見大榕樹搖得好厲害呀！好像連很粗的樹幹也在搖，搖得鯨魚脊骨似的樹根從土裡拔起來，我急得心砰砰砰地直跳，連忙閉上眼睛，再睜開來看時，樹仍在搖。但並沒有倒。晚上，我好幾次被風聲嚇醒，總是擔心著榕樹和樹上的鳥……第二天一早醒來，風停了。我趕緊跑到院子裡，還好！雖然吹了一地的枝葉，大榕樹仍舊莊嚴地挺立著。於是我高興得就像剛從雲堆裡擠出來的陽光，抬起頭，在樹底下走來走去。過一陣子，媽媽又在廊上叫我：「端端，走路不要挺起個肚子。」

今年夏天，我開始上學了。上學是件新鮮事兒，學校裡又有老師，又有小朋友，挺好玩的。不過，這些並沒有妨礙我跟大榕樹，跟小鳥的交情。

走進我們學校大門，只有三塊牌子豎在禮堂前面，上面寫著六個紅顏色的大字。我在家裡跟媽媽念過方塊帖，只認得四個，那是抬頭，××，前進。開學第二天，老師就跟我們講那六個字的意義，她說我們做人，走路，一定要抬起頭來，挺著胸脯，勇敢地向前進！我還記得那天聽老師這麼一講，我就像撿了個寶貝似的，來不及地一到家就急著得意地告訴媽媽：

「媽媽，妳平常老說我不該挺著肚子走路，可是人家老師剛剛都教我們，做人就要那樣子。禮堂門口還寫著牌子哩！」

「哦！禮堂門口怎麼寫來著？」

我咳一聲嗽，清清喉嚨，站直身子，兩個字兩個字地唸著：「抬頭！挺胸！前進！」我剛一唸完，爸爸和媽媽卻都笑了起來。笑得我莫名其妙，媽媽直叫我「傻ㄚ頭」，爸爸走到我面前，用手按在我身上問我：

「這叫什麼？」

「胸口。」

他又往下移了一點。

「這叫什麼？」

「肚子。」

「老師教妳挺胸，是挺上面的胸口，不是挺下面的肚子，弄清楚了吧！」他看我不情不願地點點頭，又接著跟我解釋：

「爸爸在軍隊裡受過訓練，挺胸就要像這個樣子。」說著，他站得筆挺筆挺，要「示範」給我看。他把胸脯挺得高高地，可是肚子亦不比胸脯低，儘管他用力吸著氣，鼓鼓的肚子只是一收一縮的，樣子好好玩！媽媽忍不住噗嗤一聲笑開了：

「得啦，別在這裡現眼了！你的肚子早長滿了脂肪，還示範哩！」

這一次我又吃癟了，但我並不認輸，原來大人除了懷寶寶，長滿了脂肪，肚子也是要鼓起來的。

我們的老老師孔子誕辰那天，姨媽帶了她最小的男孩到我們家來做客。姨媽是媽媽的姊姊，他們家一直住在台北，最近才搬到高雄來，媽媽說這以後姨媽可以常常來玩了，要是我懂得怎樣做小主人的話，她還可以請小歆表哥寒假來住在我們家裡。

小歆表哥比我大二個月，可是不比我高，白白的臉，高高的鼻子，烏溜溜的眼睛躲在長長的眼睫毛下，一閃一眨地，穿著整整潔潔的小西裝，文文靜靜，一點都不像我們學校裡的男生。

媽媽介紹他給我時，說：

「端端，來同妳小歆表哥去玩。要文靜一點，看人家台北來的男孩子，還比妳這女孩子斯文！」

媽媽就是這點不好，隨時隨地都忘不掉教訓我。

我把我的洋娃娃、積木、故事書，全都搬出來請小歆玩。他不喜歡洋娃娃和積木，翻了翻故事書，又說在台北都看過了。我把小鍋小盤的拿出來擺姑姑宴，他吃完了那些糖果餅乾就再沒有興趣。我又把大椅子小凳子排起來開火車，他說台北兒童樂園裡真的小火車比這個好玩多了。後來我們講起了學校裡的事情，我說：

「我們老師教我們唸了ㄅㄆㄇㄈ。」

「我們還不是！」他平平淡淡地說。

「也教了國旗，國旗，我愛你。」

「我們還不是！」

我想來想去，再也想不出有什麼他們台北沒有的東西可以講。忽然，我聽到了黃毛頭牠們的歌聲，我有了主意。

「我們還教了來來來，來上樹。」

「是來上學。」他老三老四地糾正我。

「就是來上樹。」

「我們課本上沒有。」他搖搖頭，「老師也沒教過。」

我忍住笑偷偷地望了一眼客廳裡，她們談得正起勁哩。

「跟我來！」

我們悄悄地溜出屋子，悄悄地溜到院子裡，站在大榕樹下。

「你們在台北有沒有這樣大的樹？」

「我們在台北住樓上，連根草都沒有。」他仰起了頭，眼睛裡露出歡喜和羨慕的神色。我驕傲我們也有比台北強的東西。

「我說來上樹，就是上這棵榕樹。」

「妳敢上？」他不信地望著我，眼睛連眨了幾眨：「不怕摔斷頸子？」

「我天天上去，從來就沒有摔過，不信你看！」我一把拉住髯鬚，腳蹬二蹬，很快就到了叉幹上，低下頭來問小歆：「你要不要上來？我來拉你。」

小歆只是抬頭望著我，又羨慕，又害怕。怯怯地試了一下，又放棄了。

「等我下來托你一把。」說著，我又一骨碌下了樹。叫小歆脫掉皮鞋，拉緊樹鬚，手上用力。我在底下推著。好不容易把給弄了上去。看他緊靠著樹幹，臉上白裡泛紅，眼睛黑亮黑亮，東張西望的，比剛才那副呆板的神情活潑多了。

我告訴他關於黃毛頭的生活，他都聽得津津有味。我又指給他看牠們的巢，有一個窩裡，才新生了五個鳥蛋。

「哦，鳥蛋我見過。」小歆得意地插嘴，好像終於找到了一樣他熟悉的東西。「我在酒席上吃過鵪鶉蛋，比雞蛋小一點。」

「才沒有那麼大哩，」平常我有什麼弄不清的，人家就說是小土包子，可是像小歆他是從大城裡來的，不知道該叫什麼包子。「人家黃毛頭的蛋只有澎湖的胖花生米那麼大。」

「花生米那麼大的蛋！那怎麼能孵出小鳥來？」

「蛋就在那邊那個窩裡，不信你自己去看。」小歆順著我的手指望望樹梢的鳥巢，卻不敢挪動。「我先爬給你看。」我舉起雙手攀住頂上的橫枝，兩腳向上一縮，斜斜地落在另一根橫枝上，然後很快地換手抓住樹幹，匍伏著慢慢地爬過去。示範完畢，我回到小歆身邊，教他照樣子做，他學得很快，只是換手時太快了一點，我在後面喊：「小心！」

小歆卻一腳踩著樹幹回轉頭來看我。那真危險！

「不是叫你，是叫你小心！」我越急越說不清，姨媽也真滑稽，替他取這麼一個怪名字。一天到晚吃飯也叫小心，睡覺也叫小心，等真的要警告他小心，他還莫名其妙哩。

小歆已爬到了鳥蛋邊，看他探頭探腦的，就像要一把抓起那些鳥蛋。

「別動牠們！回頭老鳥不肯孵的。」

「我從來沒有看過那麼小的蛋，好好玩！」小歆回頭興奮地說，「我真想帶兩隻回去給哥哥他們看。」

那怎麼成，他們想看讓他們自己來——不過，我還不一定高興隨便什麼人都讓他上樹。

小歆跟我一樣喜歡大榕樹，他待在上面就不想下來。我說要給媽媽看到了非挨一頓罵不可，他才下來了。

中午，人家一點都不睏，媽媽非逼著我睡午覺。睡醒過來時，媽媽又笑我：「不睡就不睡，一睡就睡個飽——人家小歆都要回去了。」

我看姨媽正在梳頭髮、搽臉，小歆卻不在屋裡——原來他已經穿得整整齊齊的站在院子裡。

「小歆，你們馬上要回去了？」

他點點頭，眼睛望著地下。

「寒假你要不要來我們家住？」

他還是點點頭，不看我。好像一下子變得陌生了。我懷疑地打量著他，他把頭俯得越加低。他的上衣的口袋裡有點什麼鼓鼓的。我的腦筋很快地打了個轉。像火燒了尾巴似的，爬上榕樹——果然，鳥窩裡空空的，什麼也不剩。

我下了樹，過去一把抓住小歆的胳膊，氣洶洶地責問他：「五隻蛋，五條小性命，你要殺害牠，你想想看，如果有人把你偷偷拐走了，姨媽會怎樣？」

小歆低著頭一聲不響，我感到他臂膀上的肌肉脹得硬硬的。

「馬上把蛋送回去！不然我永遠不理你。」

他憋了一會，猛地掙掉我的手，竄到樹底下，一口氣爬了上去。當真從口袋裡掏出什麼放進鳥窩。當他往回爬時，媽媽已經在送姨媽出來了，他大概也聽到了她們的聲音，慌忙中一腳踏了個空——嚇得我按住了嘴沒有叫出來，還算好，他的手抓得很牢，等他剛落到地上，她們已一路說笑著走了出來。

「小歆！你怎麼搞的？」姨媽一把拉他過去。小歆慘白著臉，新短褲上裂了道口子，大腿上一條傷痕殷殷在出血，新皮鞋上也擦掉了一塊漆。

「快說嘛，怎麼一下子弄成這副模樣？」姨媽很是氣惱。媽媽用責詢的眼光瞪著我，好像認定了我是禍首。瞪得我頭皮直發毛。

「端端，是妳……」

「我在樹根上絆了一跤。」小歆突然勇敢地冒出來回答。

媽媽放開了我，進去拿紅貢水，姨媽一面掇拾，一面還在數說不停。

經過這一番驚險和挫折。小歆顯得垂頭喪氣的，像一個壓扁了的布娃娃，覷一個空，我挨到他身邊，在他耳畔輕輕地說：

「等你下次來時，我可以告訴你哪幾隻黃毛頭是這幾個蛋孵出來的。」

「嗯。」他點點頭，有點不好意思地看了我一眼，眼睛裡閃著那點笑意，黑亮黑亮的。

「寒假你一定要來哦。」

「嗯。」

我伸出了小指頭，他也伸了出來，我們很用力地鉤了一鉤。於是，滿天的烏雲都散了。

打從那次小歆來過以後，我常常都想他，巴不得馬上過年，馬上就放寒假。我們班上很多男生，就沒有一個像小歆那麼乖的。尤其是跟我同坐的陳榮生，最野蠻了，平常就愛惹事，有的時候放一隻青蛙在我抽屜裡嚇人家，有的時候貼一張紙條在我背上，引人發笑。那天我在寫字，他說我的手肘過了界，用力一推，把我的寫字本弄髒了，我就拿起墨汁潑在他身上。老師罰我們兩個站，站在壁角裡他還扮鬼臉哩，真不害臊！我知道，要是小歆，總不會那樣討人厭！

我常常想，如果小歆跟我同學多好！

穿的衣服慢慢地加多，牆上的日曆卻一天比一天薄。那些蛋孵出來的黃毛頭早變成了大鳥。老師說再過兩個星期就要大考了，考完便放寒假，真高興！

這幾天，媽媽又常常在嘀咕，說什麼冬天本來日短夜長，我們家尤其暗得早，才五點鐘，她就看不見改本子了，全是那株榕樹遮的。爸爸完全同意她的話，連阿英也跟在後面學嘴學舌；嫌廚房裡太陰了。又說她一天掃兩次院子也掃不清那些落葉。

我才不愛聽他們那樣埋怨大榕樹。大榕樹就是那點強，不像別的樹一落葉就落個光，它總是一邊長新的，一邊落老的。所以一年四季永遠碧綠碧綠，那兩天，老師剛跟我們講過有巢氏發明教人住在樹上的故事。我天天在想，等小歆來了，我們也來學古人的樣子。假裝大榕樹上就是我們的家，還用樹葉編一條短裙繫在腰裡，跟黃毛頭牠們在一起——

平常不管是星期幾，每天只要鳥一唱歌，我總是很快就起牀了。爸爸和媽媽卻喜歡在星期日睡一下懶覺。這個時候，我就可以在院子裡多看看樹和鳥。今天媽媽卻起得早些，她說快過年了，要給我做新衣服。吃過早點，就騎車帶我上街去買布。她給我買了一塊鮮紅的絲絨，一段雪白的什麼龍。還有一卷紗邊。然後又帶我去王阿姨家。王阿姨家在媽媽教書的那個學校裡當家事老師，縫的衣服都很好看。她拿一本厚厚的服裝樣本。指著上面一個金頭髮的女孩子問我：「喜不喜歡她那件衣服？」那是一件很蓬很蓬的背心裙子，裡面配著綴滿紗邊的襯衫，另外還有一件同裙子一樣顏色的小外套，真漂亮極了！我說不出有多麼歡喜，王阿姨用尺量了我的身材又同媽媽談了半天學校裡的事，後來她留我們吃午飯，媽媽說怕家裡會等，就帶我回家了。

一路上我想著那件美麗的衣服，坐在媽媽車子後面輕飄飄地，太陽曬著，風也吹著。很暖和也很舒服。車子又拐了個彎，是我們的巷子了。但是好像有一點不一樣，咦！巷子裡哪裡來了一頭牛？牛還拉著大車呢，有人正把一根根樹幹搬上車去，就在我家門口——忽然，我的心猛然著，感到有什麼不對。不等車子停穩，便跳下來從牛車縫裡擠進大門。哎！好慘啦，我看到的是什麼？一片光禿禿的枝幹豎在空中，沒有了傘蓋，也沒有了帳篷。地下亂七八糟地堆滿了殘幹斷枝，底下露出幾角壓碎了的鳥巢。有一只被遠遠地摔在牆腳邊——我踩著枝葉跌跌絆絆地跑過去拿在手裡，鳥巢還很完整，草莖、絨毛和泥巠膠得牢牢地。可以看出鳥兒們造它時所費的心力。但是，今晚上卻叫牠們住在哪裡？

再沒有誰在清晨唱歌喚醒我，再沒有活潑可愛的身影在我面前飛來跳去。再沒有綠色的傘蓋，綠色的帳篷，和有巢氏的屋子。等小歆來了，我又怎麼向他交代？我蹲在地下，眼淚一串串落在空空的鳥巢裡。啊！啊！我寧可沒有洋娃娃，沒有美麗的新衣服，和別的東西。我要大榕樹，要會唱歌的黃毛頭，要我快活的辰光！

媽媽喊我吃飯，我沒有理會。阿英來牽我進去。我由她安排著坐在飯桌上，看碗發楞。誰能吃得下飯去？人家都難過死了！

媽媽還說我：「鋸掉樹有什麼好生氣的，明年春天便長出來了。」

哼，媽媽就騙人！有我胳膊、大腿那麼粗的樹幹，不曉得要長幾十年，幾百年！那時候，誰知道我是跟李姊姊那樣到外國去念書了，還是跟吳奶奶一樣，白了頭髮，掉了牙齒，誰還上樹去？

一下午，我攢在屋子，寧可憋死、悶死，我也不要去院子裡看到大榕樹那光禿禿的慘相。沒有了鳥和歌聲，屋子裡好不冷靜？隔壁徐蓉蓉在外面喊我出去玩，我不答理，她偏偏喊了又喊。爸爸說：

「端端，小朋友在叫妳，妳也答應一聲嘛。」

我只好懶拖拖地跨下台階，院子裡地下已打掃得乾乾淨淨的，什麼也不剩。我低著頭，望著自己的腳尖走出去告訴徐蓉蓉今天不玩造房子。又馬上低著頭，望著自己的腳尖走進來。

「端端，」媽媽又在廊上叫我。「妳掉了什麼東西？」

「沒有。」我連頭也不抬。

「是地上畫了畫？」

「沒有。」

「那妳為什麼低著頭走路？老是低頭走路要變駝背的。一個女孩子將來要是駝了個背，最難看了。」

我仍舊低下頭望著腳尖。我恨死了這一個星期日，如果我變了駝背，更不會忘記這一天，這鋸掉了樹的日子！

編註：本文原刊於《皇冠》第二十卷第六期，一九六四年二月，頁二六四～二七五。

青春長在

每個人都認為自己的誕生是世界上的一件大事，自然，蓁蓁也不例外，因此，每年她記得最牢最清楚的，不是開國紀念日，不是舶來品的洋聖誕，也不是歷史悠久的國粹春節，而是她自己的生日。

生日那天，她總可以得到數件賀禮，或者，提出要求，要一樣她平常想要的東西。今年，她謙遜地說：很簡單，只要一條牛仔褲。

「牛仔褲？妳不是有好幾條長褲！」十六、七歲的女孩子不知道愛美，卻要這種放牛人穿的粗東西，現在的年輕人真是怪！蓁媽想——蓁媽是蓁蓁的媽媽，結婚後兩口子便沒有養成喚名子的習慣，總是以「喂」、「噯」相稱。等到生了蓁蓁，便順口喚蓁蓁的媽，或蓁蓁的爸。數年沿革下來，簡稱蓁媽和蓁爸。

「那幾條長褲呀！哼，妳聽我說：兩條黑的是學校裡換洗著穿的。早百年都穿得膩死了。藍布的那條就像牛皮做的，貼在腿上又冰又硬。還有一條絨的，那麼肥那麼短，穿了垮稀稀的像個阿巴桑！」蓁蓁一面譬喻，一面形容，說話時眨眼披嘴，五官全用上了。

「那就做條別的褲子好了，為什麼一定要牛仔褲？」

「牛仔褲的好處多著哩，第一耐穿，第二不怕髒，第三方便，第四，穿了顯得有朝氣……」

「再怎麼好法，人家都是太妹穿的。」

「這是媽觀念錯誤。是人選擇衣服，衣服不會改變人的。妳叫一個太妹穿上規規矩矩的旗袍，她絕不會變成淑女。同樣的，一個乖女孩穿了牛仔褲，也不見得就會變成壞女孩，尤其是妳的女兒。」一套理論，最後再加上一頂高帽子，蓁媽不禁噗嗤一笑，終於被說服了。

「得啦，別再腰裡掛秤——自秤自讚了。我可不知道這兒哪家裁縫會做，還有布料……」

「不用找裁縫，有現成的買。」蓁蓁搶著報導，消息頂靈通的樣子，「高雄大新公司，一百四十五元一條。」

「什麼？一條粗布褲子要這麼貴？」

「人家樣子做得帥嘛！料子也頂好的，我們班上好幾個同學都買了。」

蓁媽躊躇著，花那麼大價錢去買條粗布褲子可真划不來，但又允諾了女兒送她一件喜歡的生日禮物，看她那副眼巴巴等著的神情，教人不忍拒絕。好吧，橫豎只有她一個寶貝女兒，又是一年一度的事，值不值買個歡喜！天下父母，同此一心，她轉臉望著對面——一大張紙幕上面一個黑亮的頭頂，底下一雙伸展得長長的腿。

「蓁爸，你說怎樣？」

「嗯！」紙幕後面那一聲遙遠的答應，不知道來自越南看和尚教徒大殺戮，抑是在台北體育館看中菲籃球賽。

「我說我們星期日上午去高雄，給你女兒買牛仔褲。順便去芳姊家，好久沒見面了。」並不是蓁媽喜歡星期日出去擠熱鬧，而是因為星期日有便車可搭，省錢省力又省事。先繞道拜訪一下朋友，更是一舉兩得。

「好吧。」聲音總算懶洋洋地從越南或體育館回家了，一對玻璃鏡片從紙幕頂上透射出來。「我雖然開了一星期的車子，但仍舊樂於為妳服務。」

「你們星期日去高雄，我就在家看家、煮飯，嗯……溫課。」蓁蓁高興的笑意在瑩澈的眼睛裡盪漾著，聲音嗲嗲的，說得那麼乖，那麼甜，就教她爸媽去買天邊的彩虹也得給想辦法。

星期日早晨，蓁媽一面忙著料理家務，一面零零碎碎地叮囑蓁蓁，更三番四次地進房去催請蓁爸起牀，一直到看他穿好衣服。她塞了二張大鈔在皮包裡便往外走。

「出去總要多帶些錢。」

「不行，多帶多花！要花轄了邊，這個月家用怎辦？」不是她扣得緊，人都有個通性，抵不住物質的誘惑。何況他的手又格外比人家鬆些。

蓁蓁一直恭送到門口，蓁媽囑吩完了最後一句：「門戶小心！」才坐上摩托車後座。一陣煙霧，絕塵而去。

車子在平坦的公路上飛馳著，兩旁盡是空曠的田野，陽光暖暖地照在身上，風揚起頭上的包巾，蓁媽只覺得胸襟開朗，心情舒暢，有點輕飄飄的感覺。外面真好！她在心裡讚歎著，平常一天到晚就在那三間小屋裡打轉，幾乎都忘記了外面的世界有多麼美好！

抵達朋友家按了半天鈴，才有一個小下女出來應門。說是主人一家大小「攏總」出去了，去什麼地方，什麼時候回來，「攏總嘸宰羊」。

好不容易許了個心願，上廟不見菩薩！蓁媽覺得很掃興。蓁爸在一旁瞇著眼睛望了望天空，忽然沒頭沒腦冒了一句：

「總算不錯，天還是晴朗的。」

「這不是廢話？天本來就是晴的嘛。」

「嚇，還有人三年不出門，出門就逢上雨淋的哩！」

蓁媽不理他的嘲謔，悻悻地爬上後座。車子轉彎抹角出了巷衖，便是一條寬敞的大馬路。蓁媽一路瞻前顧後地欣賞馬路風景，那一抹不高興的陰影也就很快沖淡了。遠遠的，一幢高樓特別引起了她的注意——使她發生興趣的不是高樓，是樓牆上三個醒目的大字：保齡球。這個名字很新鮮，也很別致。她從來只知道有排球、籃球、網球、足球、棒球、橄欖球、羽毛球、乒乓球……還沒有聽說過保齡球。而別的球類都是以球的形狀或打的方式具名。這個卻取一個這樣抽象的形容名字——保齡。照字面的意思解釋應該是保護年齡，保持年齡。保持年齡就是保持青春，就是使之不老——

「什麼叫保齡球？」蓁媽忍不住好奇地問。

「一種新興的玩意兒，聽人家說這種運動對中年人很有益處。」蓁爸顯然亦對這新名字頗感興趣。「名字倒取得蠻吸引人的。」

「怎麼樣？反正妳沒有聊上天，時間綽綽有餘，我們也去見識見識！」

「只是不曉得能不能隨便進去？」蓁媽不說去也不說不去，模稜兩可地。這時車子卻已駛到高樓門口，剎住了。正好有一對夫婦模樣的在他們前面進去，兩人便亦跟著往裡面走。只見門裡狹狹的一間，螺旋樓梯旁邊便是櫃台，台上一塊木牌上寫著：請先購票。蓁爸過去問櫃台裡的小姐是不是買入場券。

「不是入場券，是飲料票。買了飲料票就可以進去參觀。」

票價每張五元，蓁媽想這倒還不貴，正好有點口渴，喝一杯熱可可什麼的還可以附帶參觀新鮮玩意兒，蓁爸向她拿錢買票，便從皮包裡掏了一張一百元的大鈔給他。

球場在二樓，推開玻璃門，蓁媽先迅速地掃視一周，深深吸了口氣。做為運動場地，這似乎太漂亮了些。倒有點像舞廳。窗簾沉沉下垂，不管外面是白晝黑夜，裡面是另外一個燈光燦燦的世界。寬敞的大廳裡，約比地面高一尺的球台，占了五分之四的面積，沐漆得精光的滑。幾個籃球那麼大的球便在光滑的板上滾著——原來這球既不是用手打，也不是用腳踢，更不需要有對手，而是獨自一個人便那麼一推一送，滾過去又滾過來地玩著。真有意思！

空著門口一排座位不坐，蓁爸帶蓁媽到球台前面狹狹的過道中，要她坐在計分小姐旁邊的空椅上，自己站著觀望了一會，便又晃了出去。蓁媽面對著球台，正好仔細觀察。那座台，並不是整個平面，中間用好幾條溝間隔開來。每條球道大概有四五尺寬，三四倍那麼長。盡頭是一個大窟窿。窟窿前面排列著九個酒瓶型的木槌，球滾過去的目的，便是要撞倒這些木槌。然後落入窟窿裡，再由一條較高的溝裡滾回起點的架子上。起初蓁媽以為這不斷的循迴都是機械動作，後來才看出來每個窟窿裡原來都藏著一個人。一球滾進去，馬上就捧起來投入溝道，又很快地把九個撞倒的木槌排列成整齊等邊三角型，接著白褲腿一縮，人彷彿懸空吊了起來。球不停地滾過去，撿球人就不停地吊起又落下。好像是時鐘裡的鐘墜，按時擺動。「這份工作會累死人！」蓁媽想。

玩的人還不少，當真大半是中年人，右邊第一台是一個經理模樣的胖子，那個大球捧在他懷裡顯得很輕盈，可是當他彎下腰時中間隔了個腆起的肚子，似乎還離地一截的手臂，卻必須吃力地把球推出去。那樣子有點滑稽，但胖子卻玩得一本正經，鄭重其事，就像他在進行某項業務發展計畫。第二台是一個矮矮的半青年——蓁媽叫他作半青年，因為他的臉已經是中年，卻穿了件金黃綴紅白橫條的套頭羊毛衫。身材不胖，但一身圓滾滾的像只汽油桶，推不了幾個球又滾下球台，偎在計分小姐頭邊，耳鬢廝磨地查看她記下自己的分數。蓁媽瞥了一眼，只見那張分數單上密密麻麻的都快記滿了。左邊這台便是剛才比他們先一步上來的一對夫婦，做丈夫的正在教太太。那女的可真瘦，球托在她手上搖搖欲墜的，蓁媽真怕她一失手，折了臂、壓了腳。看她那副嬌容，再打球保持不老也夠美的了……

「哪，換上鞋！」蓁爸手裡提了兩雙球鞋過來，把一雙遞給蓁媽，自己便坐下來脫皮鞋。

「怎麼？」她抑低了聲音，湊過臉去，「不是說來參觀的？」

「既來之，則玩之。」蓁爸很快地換好了球鞋。把外衣一脫，關照蓁媽：「我先去練習，妳再來玩。」說著，長腿邁出兩步，已輕捷地上了球台。也不知是「保齡」兩字產生的興奮作用，抑是球場的氣氛所引起的熱忱。那興孜孜，躍躍欲試的神氣，和在家時懶洋洋伸長四肢，靠在藤椅裡看報紙的模樣，完全不同。看他連續推了好幾球，一球滾過去居然把九個木槌全撞倒了。蓁媽不禁幫著喊好，蓁爸回轉頭來向她得意的一笑，計分小姐忙換上紅筆在格子裡填上兩個三角，說是要加分。

蓁媽除了在學校時玩玩乒乓球，一擱下來怕不亦有一、二十年沒拿板子了。但禁不住蓁爸催促，加上多少感染了他那份運動的熱忱，有點靦腆地換了鞋子上去。

「這真是六十多歲學打球！」她自嘲地加上了一句，便在蓁爸指點下，用三個指頭插進球上的洞洞裡，另一隻手托著舉起來，向前走幾步，在肩上比一比，然後彎下腰，推出去……蓁媽一個踉蹌，球沒有推動，自己幾乎被帶了出去，那麼重的球！也不知道是鋁的還是鐵的？接著又比劃了兩次，球勉強推出去了卻不到三尺全落入溝裡。她覺得臉上訕訕的，不想再試。轉過頭去，只見旁邊那位瘦女人手法不比她高明多少，卻玩得專心一注，彷彿眼看著肌肉正從細如柴棍的胳膊上長出來。她立刻又有了新嘗試的勇氣，聽計分小姐的指示，找到了一個分量比較輕的球。一球出去，竟也推倒了四個木槌。蓁爸說：「行了！」她從心頭泛起一股天真的喜悅，就像小孩子初次燃響了爆竹一樣，興致隨著也濃厚起來，一次又一次地推著球出去，又靜靜地盯著它輾過軌道，帶著更大的喜悅或輕微的失望。直到計分小姐報告該輪到蓁爸了，她才掠一掠披散的頭髮，下來休息。看看積分是五十六分，比蓁爸少二十三分。

過道裡逐漸擁擠起來，遊客絡續在增加。人來人去時常隔斷了蓁媽的視線。這時又進來一對，男的揹了照相機，女的戴著蝴蝶形的大黑眼鏡，就在蓁媽旁邊換上鞋子。大衣一脫，蓁媽不覺吸了口氣，好鮮豔的色彩！好玲瓏的曲線！寶藍的窄腿羊毛褲，腥紅的緊身羊毛衫，還配一條一寸多寬的腥紅帶子束在額上。她不禁暗暗讚佩近代的羊毛織物功效偉大。像那樣服服貼貼包在身上，不僅使凸的特別凸出，凹的格外纖細，還更比裸體增加了柔和的線條，勻盈的感覺，看那惹火女郎一躍上台，輕舒玉臂。伸出尖尖紅紅的手指，抓起了保齡球，那個陪來的男士忙不迭連跑帶跳，退後幾步。舉著照相機卡嚓一聲。接著女郎托著球，每擺一個優美的姿勢，他就前、後、左、右、上、下，卡嚓個不停。女郎彷彿是軸心，他就是那匹繞著磨轉圈的驢子，而球場裡更多的男士們，卻都用自備的那些小攝影機，貪婪地大攝特攝，顯然這個新目標比保齡球更能喚回他們的青春。

計分小姐報告又該輪到蓁媽了。她上去聚精會神地滾到第三球。居然來個全中。高興得直嚷著：「看我統統打倒了！」沒有聽到後面有反應，回頭一看，原來蓁爸亦跟那些目瞪口呆，只差沒有淌出口涎來的紳士們一樣，看得出了神。她正想喊醒他，那個瘦女人卻已走到台邊邊上，衝著她出神的丈夫連刺帶嘲地嚷著：

「你究竟玩不玩球哪？這兒是保齡球場，可不是魚市場，別裝出那副饞貓相！」

她這一嚷，弄得好些人臉上訕訕的。蓁爸轉過臉來，蓁媽向他皺皺鼻子，哼了一聲。幸好那一場球結束得比誰都快，拍完照便都走了。那位伴來的男士，忙了一大陣子，根本就連球都不曾挨一下。

蓁爸和蓁媽兩人的積分都是一次比一次多。蓁爸越玩越起勁。蓁媽究竟是女人，什麼事都認為應該適可而止。人又越來越多，已有好幾個在他們旁邊猴急地等著。看看錶，十一點半了。足足玩了一個多鐘頭。她不得不催他歇手。

捧了一大堆脫下來的衣服，蓁媽步履輕快地走下樓來，在樓梯口的鏡子裡照了一照。看見自己頭髮蓬蓬鬆鬆的，還掛了兩綹在額上，雙頰泛著紅暈，眼睛看來神采奕奕，煥發著光亮——蓁爸在她背後笑著說：

「保齡球當真還永保青春，看妳都馬上變年輕了。」

「永保青春，還返老回童哩！」蓁媽嬌嗔著，卻抑不住心頭的高興。

「先去找點東西填填五臟廟，這一運動肚子就餓得快。」蓁爸手攬著她，走出了球場大門。

飛車到市區在一家館子裡叫了兩碗麵。蓁爸先吃完。但等蓁媽對著小鏡子補完鼻子，他還是坐著悠閒的在剔牙齒。她正想問他是不是還在休息，他卻先嘻皮笑臉地問她：

「怎麼，妳還想坐著吃第二頓？」

「是你自己坐著不想走。」

「那就付帳嘛。」

「剛才我不是交了一百塊錢給你？」

「我的太座，還哪來的一百元！連我明天要加油的二十元都填上了。」蓁爸攤開雙手，苦笑著。

「什麼？那是怎麼搞的？」蓁媽急了。

「怎麼搞的？妳不亦在一起。玩那個什麼保齡球來著。」

「胡說！玩一下球哪能這麼貴？我明明看你買入場券兩張才十塊錢。」蓁媽不相信，這下輪到蓁爸急了。

「那是飲料券，管喝牛奶喝咖啡的，人家供給妳球、鞋子，還能白送？我算給妳聽，租鞋子是十元，打一次是十五元。」

「我們算玩了幾次？」

「妳三次，我四次，一共七次。」

蓁媽七七八八在心裡一打算盤，可不是整整一百二十五元！她心痛得像絞了起來。想想自己剛才滿不在乎地推了一球又一球。那一次次滾出去的不是球，全是鈔票！

「你曉得這麼貴，為什麼不早告訴我？還盡玩下去！」

「看妳難得那麼起勁，不忍掃興嘛。」

「我本來說了去參觀參觀的，還不是你自己想玩！一個鐘頭就莫名其妙地丟了一百多元，簡直是糊塗！荒唐！」蓁媽忽然頓住了，她發覺好幾個食客卻向自己這邊注意著。她狠狠地瞪了蓁爸一眼，陡地站起來，便衝到櫃台邊掏出另外一張大鈔來付帳。

「現在拿什麼給你女兒買牛仔褲！」蓁媽向蓁爸抖抖手裡找回來的幾十塊錢，一把塞在皮包裡。

「我早跟妳說出門要多帶錢。」蓁爸稍微有點責怪樣子，蓁媽卻火更大了。

「總不成把一個月的家用全拿來亂花？還過日子不過？」

「那就下星期再買好了。」蓁爸立刻做出一副息事寧人的態度。

「人家星期三的生日。」

「後補有什麼關係。」

「有什麼關係？哼，我可沒有列第二筆預算！」

蓁媽站在館子店門口，眺望著馬路斜對面矗立著的大新百貨公司。走過去不過幾十步路，進去跨上自動電梯，馬上就到了服裝部。蓁蓁想要的牛仔褲便一疊一疊擱在玻璃櫃裡。做這些，一共不要二十分鐘。但現在卻像隔重山、隔條海，可望而不可得——她氣鼓鼓地坐上車子，回答問她要去哪裡的蓁爸說：

「回家！」

午後的陽光更暖和，田野全沐浴在金色的霧雰中。風依然揚起了蓁媽的紗巾。但她再沒有來時那種輕飄飄的感覺。反感到胸口沉甸甸地，裝滿了一肚子的懊惱。一路上越想越心痛，越想越懊喪。今天真是出門不利，第一著就碰一鼻子灰，看人沒有看到。要看到了人，聊開了天，也就不會去什麼鬼保齡球場了。主要買的東西沒買，白白丟了那筆錢，而女兒還伸長了頸脖在家裡盼望著。

車子剛一拐彎，蓁蓁便在屋子裡聽見了聲音，急急忙忙打開了大門跑出來，在門口，笑咪咪地迎接著，嘴裡喚著爸媽，熱切的眼光卻的溜溜盡在車前車後打轉，蓁媽知道她在找牛仔褲，過去輕輕擁著她的肩頭，歉疚地告訴她。

「蓁蓁，很抱歉！牛仔褲沒有買成。」

「為什麼？」那盪漾著笑意的兩顆瑩澈的明潭一剎那化作密雲欲雨的陰霾，迫切地凝罩著她母親。

「都怪妳爸爸糊塗！玩保齡球把錢給玩光了。」

「妳媽還不是玩得頂起勁！」蓁爸冒出來接了一句，拿起條破毛巾來拭車子。

「你們玩球？」蓁蓁像聽說星星從地上長出來。「什麼叫保齡球？」

「保齡球是一種室內運動，最適合中年人玩，可以保持青春，保持不老……」蓁爸悠悠地解釋著。

「哼，我從來就沒有聽過玩一次花那麼些錢的球！我們學校裡各式各樣的球多著哩，家裡還不是有羽毛球。天天玩，也不要花一分鐘！」蓁蓁不敢責怪父母，只是委委屈屈地抱怨著，失望把她圓圓的臉蛋拉長了。

「蓁蓁，」蓁爸極力說些輕鬆詼諧的話，想沖淡那股憂慘的氣氛。「那天我聽妳說穿了牛仔褲顯得有朝氣。其實像妳這般年齡，穿不穿什麼都是充滿了青春活力，朝氣蓬勃！剛才我們花那些錢玩保齡球，可沒有白扔，就換來一點兒朝氣——妳不看見妳媽都顯得年輕了些！」

「見鬼！還年輕呢，這一下臉上至少又添了兩條皺紋——給氣的。」蓁媽像隻激怒的公牛般，頭一昂，拎著皮包衝進屋子去。

「我不管！說好了給人家買牛仔褲的又不買！」蓁蓁手一摔，腳一頓，噘著嘴巴，咚咚咚跑進房間裡。

蓁爸望著母女倆的背影，無可奈何地搖搖頭，歎了口氣，自言自語地：

「看樣子，我也該添上兩根白髮才對。」說完，用破毛巾使勁地擦著車上的擋風玻璃，彷彿要擦掉上面一絲絲的裂紋。

編註：據艾雯手記，本文原刊於《小說創作》，並加註一九六四年十二月二十六日。

朦朧地帶

在轉彎角上停下來，她微微喘息著，抬頭望了一眼門框上那兩隻象徵性的、雕塑的金色輪子，映照著中午的陽光，依然那樣閃閃發亮，彷彿總有一天會化作一道金光，疾馳而去。她目不旁顧地拉開了玻璃門，跟著走下石階，高跟鞋響著清脆的回音。越往下走越是幽暗，冷氣涼颼颼地從她旗袍下滲透進去，她深深地吸了口涼沁的空氣，感到汗濕的背上已不再那些黏膩了。

昏暗中幾個白色的人影宛如數朵白色的睡蓮，從幽邃的池水中一齊嬝嬝舒伸，又臨風招展。其中一朵，不，其中一個引領他們由迷宮般曲折的座位間穿越過去，他揀了一個僻靜的位置，傍著一座熱帶魚箱。她喜歡看魚，喜歡他的選擇。雖然，她知道他所以選這僻靜的一角，並不是為了她愛看魚，更不是方便談情說愛。她喜歡，只是再來這裡，就有那份舊地重遊的親切和欣忭。

坐定後，眼睛慢慢習慣於黯淡的光線，四周的景物全像剛從雲霧裡朦朦朧朧地醒過來。

首先是燈光，那邊一抹絳紫又夾著一抹茜紅，那邊一片黛綠帶著一片橙黃。中間一盞緩緩旋轉著的琉璃燈，撒下一把把光彩炫目的寶石，鑲嵌在維娜斯皚白的雕像上，點綴在一叢叢盆景蒼鬱的枝葉間，閃爍於一排白色的，猶如將溶欲滴的鐘乳，復又投影在幽邃的岩洞，滴水的石壁。再從那隻大鸚鵡潔白的羽毛上滑落，溶入金魚箱裡，旋即飛濺出來，迸射在她身上，又倏忽躍失。音樂的旋律迴盪在四周，像一幅天鵝絨輕柔地圍裹著她。這一切，看在她眼裡，熟識但又新鮮，布置裝飾上也許有點增添，有點變動。但那幽美的情調，那神祕的氣氛，充滿了夢幻、詩意、春情，一如往昔。

一如往昔，她初度偕他赴此間，便迷惑於它夢幻的情調，迷惑於它特異的名字——金馬車。馬車，在她的意識中是行動的，一如〈翠堤春曉〉中緩緩行駛在曉霧裡，〈奧克拉荷馬之戀〉中輕捷地駛行在河岸上的，馬蹄的嗒，譜出一首動人的短曲，織成一幅綺麗的圖畫。而這輛金色馬車，卻停憩在地層底下，那麼深靜，那麼幽邃，那麼神祕雕塑的藝術，燈光和音樂，形成一種朦朧的境界，人在真與幻之間，心在醉與醒之間，靈魂在飄忽與肯定之間——是由於醉人的音樂，由於迷離的燈光，抑是由於他那凝視著她的深情的眼神，那低訴在她耳畔的溫柔的聲音，她總覺心旌微搖，恍惚馬車在晃動。但馬車分明停著，就停在瀕臨夢境的朦朧地帶。

噢，朦朧地帶，他倆曾在這裡沉醉過多少次，消磨過多少甜蜜的時間？問他可還記得……

「兩杯咖啡。」他正簡潔地吩咐著侍應生，一隻手拉鬆了領帶，便安排好一個舒適的角度，斜斜地埋進沙發裡，全然無睹於四周的一切而閉上了眼睛。

她那預備向他綻放的笑的花朵，瞬時便萎縮在嘴角。容忍地嚥下了冷落和說話，她知道他累了，她也很累。很久沒有出來這樣子逛街，有時心理上的厭倦往往比肉體上的疲倦更覺得累。從前他們在一起常常一玩就是一天半天的，似乎誰也沒有說過累不累的話，相處的時間總嫌不夠，更不要說在這樣羅曼蒂克的咖啡館中以睡眼相對了。

她把發脹的腳悄悄地從高跟鞋中解放出來。也學他靠著沙發背，閉上了眼睛，〈藍色多瑙河〉悠徐的節奏，縈繞在她耳畔，那淡藍色的微波輕輕盪漾，她的感覺漂浮在水波上。這支音樂她太熟悉了，記得他們兩人都喜歡欣賞，兩個身體偎依在沙發中，兩顆心便浸潤在藍色的微波中輕盪慢漾，那樣地貼近，那樣地密切，躍動一致，脈息一致，彷彿兩組音符，溶入藍色合奏的旋律，分不清他與她的界限——一個曳長的尾音，藍色的河流戛然停止躍流。她知道底下接著是那支〈春之聲〉，可愛的春天的聲音，她睜開眼睛望向對面的他，姿勢未變，看來已經進入另一個屬於他個人的朦朧境界了。那個境界摒除一切，不會有藍色多瑙河，不會有春之聲，也不會有她。

她進不去他那個境界，也不願自己再建立一個。還是多領略一下這現成的境界吧！嗯，原來那邊還有這樣一幅奇妙的大壁畫隱藏在暗中，此刻燈一亮，那六個裸像以各種色彩，各種姿態，凸出地呈現在眼前：一個個伸腿展臂，仰首挺胸，象徵著生命的活躍、呼喚、渴慕、欲望、祈求、追尋，她望著望著，感到喉嚨頭很乾，低下頭啜了兩口咖啡，很苦，忘了放糖。

繫在枯樹幹上那隻白鸚鵡正有一下沒一下地啄著罐裡的粟粒，她很想去摸摸那潔白的羽毛，一定軟軟的，又光又滑。從小她就喜歡撫摸那些柔軟的毛茸茸的東西，像貓的毛，兔子的毛……她想起電影裡的女人總喜歡挑弄她愛人的頭髮，表示親暱。她就從來沒能在他頭上伸過手指，總是梳得那麼油光的滑，一絲不亂，有種凜然不可侵犯的樣子。

真是一副凜然不可侵犯的樣子！她深深地瞅了他一眼，轉過臉去看熱帶魚。

魚類彷彿永遠不需要休息的，不停地穿梭來去，往回巡逡，那樣地逍遙自在！也許牠們不知道只是三尺不到的玻璃箱，而以為那是一條河、一條小溪，再不然牠們一孵出來便習慣生活在箱子裡，自然那便是牠們整個世界了。可憐的小魚！她伸出手指輕敲著玻璃，但沒有一條魚理會她的招呼。神仙魚傲然伸展著古代戰旗似的鰭翅，一直泅浮在水面，紅裙子一路搖曳生姿，孔雀只管顧影自憐。黑姑娘三五成群佻達地嬉戲在水草間，銀四角活潑的身影似流星般倏忽閃爍。兩條灰色的小魚從相對的方向游過來，忽然彼此都停住了，雙唇相觸——她輕輕發出一聲驚喊，頭一側，但馬上又縮住了。帶著沒有人與她分享驚喜的悵憾，把臉貼在冰涼的魚缸上。灰色的小魚已分開雙唇，緩緩並游。這大概就是接吻魚罷，她想，以前父親養魚聽過這個名字，沒想到魚類還懂得以這樣的動作來表示親暱。

鬥魚該是所有熱帶魚中喜惹事的討厭傢伙，目空一切地炫耀著那一身多變的鱗彩。冷不防就向同伴突擊一下，當別的魚嚇得四處亂竄時，牠卻又回到石罅中睡覺去了。鬥魚喜歡戰鬥，但也有比別的魚更安靜的時候，那就是牠似乎特別喜歡睡覺。睡時鰭翅斂攏，身子擺穩，姿態優雅而凝重。人睡著的時候也有這般模樣麼？她不禁轉過臉來，端詳他的睡姿，他幾乎是折成兩截埋藏在沙發裡，腹部鼓起，頸脖縮在肩胛中，頭微微歪在一邊，下顎抵住胸口，睡得那麼酣、那麼沉，如果沒有音樂，可能聽得鼾聲起伏，不僅不莊重，簡直有點不雅觀。

白鸚鵡厭倦了啄米，也俯伏在斜斜的樹枝上睡去，那樣子，像是沒有生命的標本——失去了自由的生命，本來只是個活標本而已。

音樂停止的片刻，有泉水淙淙聲來自背後，她轉過頭去，襯著幽暗的岩壁是一雙偎依著的儷影，像有什麼刺了她的眼睛，忙又回過臉來，猛喝了一口咖啡，胃裡隱隱有些泛酸，彷彿喝下的是沒擱糖的檸檬水。

音樂又響了，是一支電影插曲〈The stagecoach〉，悲愴而悒鬱的旋律，重複地低迴在空中，縈繞在她心頭，恍惚她正獨自坐在一輛馬車裡，不是載著夢幻和春情的金色馬車，而是一輛古老破舊的驛馬車，荒草沒徑，日暮黃昏，車子一路搖晃著，寂寥、冷落、淒涼、前途茫茫……她忽然感到那份悲涼一絲一絲滲透到她心裡，滲入靈魂深處，交織成一張輕柔的網，一點一點在收縮攏來——她驀地坐直身子，睜大眼睛，熱切而求助地望向對面，這時候，她多麼盼望他能醒過來，跟她說說話，甚至不說話也可以，只要面對面坐著，偶然那麼關心地一瞥，微微的一笑，讓彼此都感覺彼此的存在，而彼此的存在又如此密切。以前，以前他們就常常這般從杯子邊上相對凝視著，心靈在互相諦視中融貫交流，無聲更勝有聲。生命在互相凝視中擴展、充溢、滙合再融和。他倆便是世界，便是宇宙——但這一刻，他卻冷酷地摒棄她在他所屬的世界之外，由她獨自承受寂寞的凌遲——在朦朧的陰影下。他的長長的臉，濃濃的眉毛，閉著的眼睛和抿攏的唇，看來都像隔了一層薄霧。

霧裡的他，似乎變得陌生了。

她咬了咬嘴唇，忍住要喚醒他的衝動。

白鸚鵡還是睡得像個標本。

鬥魚依舊潛伏在水草掩蔽的石罅中。

接吻魚又接了一次吻，二次吻……

時間彷彿凍結了，停止在虛無縹緲間。

她重又看燈光，看雕像，看鐘乳懸垂的岩洞，看做祈求狀的裸女，看間隔在座位間的盆景，再端詳自己的指甲。下意識地轉動著中指上那枚小小的鑽戒，今天已經戴了整整的三年了。

三年以前，常在這裡耐著性子等她的是他。

記得最清楚的一次，那天原來約定了下午一時見面，恰巧姨母從台北來，陪著聊了半天，等好不容易抽空脫身趕來，已經快五點了。

她猜他可能已離開，遲疑地走下一半階梯，他卻已殷勤而熱忱地迎了上來，有如她是從天而降的仙子。

他說他上午在飯店裡吃了碗麵，便來了這裡，一直等到現在。

他說他可能已白了好幾根頭髮，盼望讓人憔悴。

但是，他說他仍舊快樂，因為等待便是希望。

她是他的希望。再等上一百次，一千次也心甘情願——如果能與她朝夕相處，這一生便再不缺少希望。

——最後，他果真以一枚小小的戒指束住了他的希望。一枚戒指，代表了不變的愛情，和永久的約束。

等待便是希望，那麼，她的希望就在她眼前，那麼近，隔了一層薄薄的眼簾，只要他睜開眼睛。

等他睜開眼睛醒來，沉寂的世界也甦醒了，靜止的生命也復活了，寂寞將不再令她惶惑。

寂寞當真不會令她惶惑麼？她又想起了這個上午，一個似乎不太可愛的上午，雖然天氣是晴朗而美好。

自然，晴朗而美好的天氣並不稀罕，稀罕的倒是他倆在一起並肩偕遊，這樣的事彷彿越來越難得了。今天原是他們的紀念日，又適逢星期天，這才摒擋一切，偕來舊地重遊。那愛河岸上，流水伴著他們不盡的絮語。曾印遍他倆的足跡。但他嫌太陽太曬，草地太髒，在那裡遛達是發癡。那西子灣畔，載浮載沉，浪潮裡也曾沸騰著他倆的歡笑。但他說與其去浸那腥味的鹽水，弄一身沙土，還不如在白瓷盆裡泡一個痛快。共同逛櫥窗，也曾是他們喜歡的節目，欣賞一會，討論一番，凡是她說喜歡的，他都說將來要買下送她，但她指指點點，他只隨口敷衍。她欣賞的，他不感興趣，她感興趣的，他說毫無意思，再等她回頭時，卻連人影也不見了，竟一個人遠遠走開去，她悻悻然過去問他，他反不耐地抱怨這樣漫無目的蕩來蕩去，實在太無聊！中午去他們以前常去的北方館子吃餃子，他直嫌餡兒淡而無味，一頓午餐吃得意興索然，當她提議去看場電影時，他又反對說飯後不休息看電影，簡直是活受罪，這樣，他們才來了這裡，這充滿了夢幻的朦朧地帶，這培養他們愛情的溫牀。

來這裡，她有一份親切的忭悅，一點模糊的企望，但願她重又回到當年那個稚氣、純真，貯藏著一腦袋夢想，而又帶點懵懂的女孩。

那麼個女孩，彷彿記得曾在這裡做夢似的穿綴過一串美麗的珍珠項圈。那晶瑩的珍珠，送她的人告訴她是愛情，她欣然掛在聖潔的胸前……而如今，她再也想不起那珍珠收藏在何處，難道散失了？總不會變了質，融化了罷？或許還能再綴拾幾顆遺落了的……她必須要喚回那夢，才能覓取珍珠。

但她不曾喚回舊夢，卻先領略了寂寞的惶惑。也許她錯了。是那夢幻一般的情境，是那神祕的氣氛，是那令她溶化的深情的眼神，是那使她心撼的、溫柔的聲音。是她自己的懵懂，才使她錯把金魚缸裡冒著一串串的水池，當作了珍珠罷。

珍珠若能變成水泡，希望自然會成為無聊了。

她的心曾向他輕輕地呼喚，而他仍冷酷地摒除她在屬於自我的境界之外。

她放棄了尋取舊夢，而他仍固執地垂著眼簾。

低垂的眼簾，像兩扇緊闔著的門，門內是如此深不可測！

而說好看第二場電影的時間已過了五分鐘了。

咖啡早已喝乾，只剩下杯底一層黑色的渣滓。

什麼都會沉澱，包括人的感情。

今天放唱片的人似乎也不太愉快，專揀那些憂傷的曲子播放。不知什麼時候又換了一張

〈世界末日〉，當那哀怨的聲音幽幽地唱出時……她不知不覺地眼睛潤濕了，心頭似有什麼漸漸堵塞，冰涼的感覺從指尖向上泛升，彷彿可悲的世界末日真的來臨，萬念俱絕——她茫然瞪視著靈空，朦朧地帶不再神祕，不再充滿了夢幻，只是一座陰森幽暗的地窖，音樂是一聲聲將嘶氣病人的呻吟，生命的活躍、呼喚、渴慕、欲望、祈求、追尋都釘死在壁上，七彩的寶石只不過是夢的碎影，愛情的殘屑。她不喜歡沉睡似標本的鸚鵡，討厭不住戰鬥和不住接吻的魚，憎嫌冒充珍珠的一串串水泡……

音樂一遍又一遍，反覆不斷地悲吟著，她感到再也不能忍受。

他終於醒了。

「噢，這裡休息倒是頂幽靜的。」帶著睡醒後的舒暢，他伸伸腰肢，拿起毛巾便在臉上胡亂擦拭一頓，然後，舉起杯子三口兩口喝完了咖啡。

她近於漠然地望著他的一舉一動，彷彿他是從另一個星球上下來的人。他的醒來對她已不再重要了。

「走吧，正好去看第二場電影。」他扭著頸子整理領帶，聲音中加入了一點點補償意味，像她在鹽開水裡撒下一撮味精。

她打開了皮包，取出粉盒漫不經心地補著鼻子。又從小鏡子裡瞥了一眼自己凝重的臉色，半天，才悠悠地，彷彿從山谷裡傳來的回音。

「算了吧！電影已開演半個多小時了。」

「真是，那妳為什麼早不喚醒我？」

她沒有作聲，只似笑非笑地掀了掀嘴角。拎起皮包隨著他繞過幾排座位，走過那個侍者——不是什麼嬝嬝婷婷的睡蓮，只是訓練得木偶似的傀儡，跨上兩級石階，她停下腳步，去做剛才就想做的：摸摸那隻白色的鸚鵡，但她伸出手指尖剛碰到牠的羽毛，立刻又吃驚地縮了回來，標本似的鳥兒敵意地豎起全身白毛，豎起紫色的肉冠，張開紫色的鉤嘴，紫色的舌頭彎曲如弓，喉嚨頭發出咕咕的怒嘶——她沒有想到，在這般潔白美麗的外形下，竟有這樣一副兇惡的嘴臉！

他已經走上去好幾層階梯，去哪裡都無聊，那自然只有回家，這難得的一天就算過去了。她輕輕地歎了口氣，又默默地跟在後面一級一級跨上階梯，把朦朧地帶拋在後面，把夢留在底下，把珍珠留在魚缸裡，上面，開出門去，又是耀眼的陽光，又是無聊的現實。

編註：本文原刊於《聯合報・副刊》，一九六五年七月八日，第七版。

第一雙皮鞋

吱嚓！吱嚓！踏著滿街春天的陽光，玉秀一面趕路，一面不住低下頭來打量，偏午的陽光把瘦瘦小小的身軀壓成一個扁扁的黑影，投在地下，旁邊一小塊晃動著的黑點是她手裡提的小包袱。隨著她的腳步。無聲地、迅疾地前移動。像是一朵承托著她身子的雲——寂寞的、灰色的雲。

她不住低下頭去端詳，但不是端詳那片灰色的陰雲，而是那兩隻踩在雲端上的腳。裸露在短短的，褪色格子布裙下的腿。上面滿是些疤疤斑斑，生瘡疥的，蟲齧的，戳破割碎的，就像兩枝赤豆冰棒，實在沒有什麼好看的。她端詳腿以下的那一截，黧黑的腳丫子上套了一雙黑色，寬頭，有搭絆的學生皮鞋。

皮鞋已很舊很舊了，不過剛擦過鞋油，映照著陽光還是閃閃地發亮。

就是那點兒亮溫暖了她寂寞的小心靈，春水似地氾濫著喜悅的漣漪——十五年來，她第一次穿皮鞋。

路上一定被陽光曬得燙燙的，但她卻用不再讓光腳底板去烤。隔著厚厚的車胎底，感覺不到什麼，只不過腳步重了些，腳趾頭有點發脹。每舉一步都在提醒她穿了皮鞋。不過就是沒有什麼感覺提醒她，也忽略不了。人生有許多生命中的第一次，在當時，會覺得是一生中最重要的。而此刻玉秀認為最重要的，便是她穿了皮鞋。

更何況穿皮鞋是回家去探望離開了一個多月的母親！

吱嚓！吱嚓！鞋底和鞋面之間似乎有點不協調，走起來老是那麼響。只是聽在玉秀耳朵裡並不覺得難聽，就同太太穿了高跟鞋走起來咭咯！咭咯！一樣神氣。吱嚓！吱嚓！忽然她停下腳步，兩隻腳交換地用鞋面在腿肚子上擦了幾下。為的是擦掉沾上去的灰塵，卻不知道腿肚子上已經是污黑的兩塊。

皮鞋真是好寶貝！就那麼擦幾下，又恢復了光亮，可是比她以前去揀來燒的焦煤還更黑！還記得念小學時，一直想要雙膠鞋都沒有想到過。為了沒有鞋穿，不知挨了老師多少責罵！記得最清楚的一次是一年光復節學校裡正好派她們四年級代表去鎮上開慶祝大會，開完會還有電影招待，班上的同學一個個高興得什麼似的，那天都穿上漿洗得乾乾淨淨的制服，雪白的帆布鞋，手裡揮著紅紅綠綠的小三角旗，準備出發。她卻被導師從隊伍中叫出來，繳了旗子，罰她看守教室。眼看同學們歡歡喜喜出發了。剩她一個人留在空空的教室，望著自己那雙粗糙、污黑，像才從土裡挖出來的紅薯似的光腳丫子，眼淚禁不住一滴滴落在裙兜裡。同學們的歌聲漸漸遠去，另外兩組粗厲的聲音卻交替在她耳畔縈繞著：

……我一再告訴妳們開會一定要穿鞋子，就妳一個人不穿，破壞全班的整潔！給我留下……

……要買鞋？妳在做夢！再說要鞋，老子明天就不叫妳念書……

一直小學畢業，她沒有敢跟家裡再提過要買鞋。

吱嚓！吱嚓！腳步多神氣……

「小鬼！走路不長眼睛！」玉秀猛不防捶在一堵什麼厚敦敦的牆上，緊接著在她頭頂上噴射出粗厲的咆哮，嚇得她連看都不敢看一眼，低著頭，慌張地倒退兩步，閃過一邊，又踉蹌地闖向前——她叫了一聲，蹲下去，腳又踢著路畔的石頭絆了一下。

蹲在地上，不管腳趾頭痠麻，先要緊檢查皮鞋。鞋頭上當真磨白了一小塊皮，她連忙蘸點口水去拭，卻拭不掉。不由得一陣子疼痛——從前，她的腳曾被還燃著的焦煤灼傷過，被碎玻璃割破過，都很痛。只是痛在傷處，而這下是疼在心裡，等哪天跟太太擦鞋時，塗上點鞋油看看補不補得起？她只有自己寬慰著自己。這一路到招呼站，她都小心地看著腳底走路，再不敢大意。

客運汽車像隻大怪物，一路冒著煙霧闖到她面前停下來，她怯怯地上了車，又怯怯地揀一個靠車尾的位置坐下，乘客不太擠，她卻唯恐自己占多了空隙似的，縮在角落裡，雙手緊緊抱住擱在膝上的小包袱。腳跟不能像別人那樣穩穩的踏著車底，車子開動時，腳尖便一上一下地跟著車輪打拍子。至少，這次再不用同上次那樣恨不得把雙腳藏到座位底下去，上次是和阿翠一起乘車來鎮上的。阿翠就住在一個村子裡，只不過比她大兩歲。臨走前，母親卻一再拜託她：

「阿翠，妳在外面做了兩年，懂得的事多，我家玉秀還是第一次出去，總要拜託妳多多照顧照顧！」

說著，說著，喉嚨頭彷彿梗了一口麵團，眼眶又紅了。

玉秀自己又何嘗願意離開家裡，去那個陌生的城裡謀生活！雖然眼看阿翠回來總是一次比一次漂亮，也越來越變得文雅。雖然家中常常吃不飽，穿不暖，但是，留在母親身邊卻比什麼都好。

「媽心裡又哪裡捨得打發妳走？怨只怨妳那糊塗老子，說不準那一天賭錢輸偏了心，當真把妳給弄到什麼造孽的地方去，糟蹋了一生！還不如用力氣去換口飯吃。」

母親跟她兩人定下這個主意，還不是為了父親幾句話！她記得那天正下著雨——已經連著下好幾天了。到處都潮濕泥濘，割甘蔗的工作沒得做，幫泥水匠挑磚攪水泥的短工同樣沒有，連出去揀柴火焦煤都不成。她只有待在家裡幫媽媽多做點事，父親卻一個勁瞅著她不舒服，盡著挑眼，彷彿家裡就因為多了她一個才窮得常吃番薯簽，就因為有了她賭錢才老走彆運，田輸掉了，牛也抵了賭債。那些天手氣又頂背，家裡可再沒有什麼可賣可抵押的了……玉秀正蹲在小灶前面，被濕柴的煙薰得又是乾嗆，又是流淚，煙霧迷濛中兩隻套著大木履的腳站在她面前，她不由得屏住一口氣，等著悶雷轟擊。……意外的大木履停了片刻，不出聲地轉了向。又停在正佝著腰縫補衣服的母親面前，不知說了些什麼，一向忍氣吞聲的母親猛地將破衣服一甩，直瞪著眼睛，粗起嗓子說：

「你可是賭錢賭矇了心，竟想出這樣的歪主意！」

「這才是好主意！妳不知道，賭錢一定要本錢足，膽氣壯，才能贏，我要身邊有個三五千的，準把輸的全贏回來還倒賺！」

「你把田押了，牛賣了，我全沒吭氣，要在女兒身上打主意，可不成！」母親說得斬釘截鐵的，玉秀這才曉得原來在說她。

「女孩子早晚還不是別人家的人？再說，那也不算太壞，穿好的，吃好的，強似在家裡……」

「不要再說了！」母親用從來沒發過的憤怒打斷了父親的話：「窮雖然窮，可是窮得清清白白的。」

「嘿，嘿，清白又值多少一斤？像妳那樣陪嫁只有那點兒清白，做妳丈夫可倒了楣！」

玉秀她父親冷笑著又逕自冒雨走了。她母親一下子軟癱下來，眼淚直流，玉秀過去母女倆摟在一起哭著，母親瘦弱的手臂摟得她那麼緊，唯恐有人會從她手臂中奪去似的。

接連幾天，母親總是惶恐不安，一直用偵察的眼光，窺探著父親的一舉一動。

那天，正好阿翠回家探親……

玉秀咳嗆起來，不是由於灶裡的濕煙，而是車廂中揚起的灰土，好幾個乘客都嗆著，汽車在不平的鄉下路上顛簸得像在搗糠。那些踏實在板上的腳，不管白鞋、黑鞋全蓋了層黃土，她看看自己懸空著的雙腳雖然沒有那麼厚的土，但她還是交錯著又在腿肚子上拭了一陣。

灰塵總是一拭就拭乾淨的。有些事情卻留在心裡不會被時間拭去，那天她悄悄地跟著阿翠出來，搭的也是這輛大汽車，一路上，阿翠不停地跟她講些幫人家的規矩，和她幫的那家人家的瑣事，車子顛得她七昏八素，她的心裡也七上八下的。活了十五歲，就在這村子裡，就在母親身邊，一下子便跑去陌生的城裡，去陌生的人家。想著都害怕她咬著嘴唇，噙住眼淚……但當阿翠轉臉問她是不是有點怕時，她卻搖搖頭回答她說：「不怕。」

她嘴裡說不怕，當天下午，阿翠便帶她去第一家試工，她緊緊跟在阿翠背後，感到那個太太的眼光，就像鄉下人選購豬仔似地打量著她。但自己就是抬不起眼皮來，她聽到在問她年齡，而一下子幾乎找不到自己的聲音。只聽到那個冷漠而挑剔的，屬於別人的聲音：

「十五歲太小了！洗不乾淨衣服，也不會炒菜。我要個大一點的。」

說她洗不乾淨衣服，不會炒菜？她不做工的時候，一家六口的衣服全是她一個人洗，一家六口的飯全是她一個人煮，但她不會分辯，她像是筬簍中待沽的豬仔。顧客嫌瘦嫌肥，牠只是惶悚不安地在簍中哼唧著。

玉秀猛地向前一傾，又向後一倒。汽車好像使氣似的停在一個小站上，下去的人多上來的人少，車廂裡越來越空了，一個八九歲的小女孩跟在一個揹嬰孩的女人後面上了車，坐在玉秀對面，車開了，她的眼睛便一直盯在玉秀的皮鞋上，黧黑的臉上露出羨慕的神色，褪色的小木履從腳上掉下來也不管。

「妳不會知道這雙皮鞋是怎麼來的？」玉秀望了一眼小女孩，悄然在心裡說。有誰知那份得意中又摻了多少辛酸！

換了第二家去試工，那家女主人總算勉強僱了她。第二天，她便成了這幢屋子的主人——一幢空屋子。女主人上班，男主人一個月才回來一兩次。三個孩子全上了學。

玉秀一向在家裡做慣了事，從不偷懶使乖，但是，新的環境，新的工作還是使她感到沉重，她必須洗燙一家人的衣服，燒一家人的飯，整理屋子和擦所有的地板。擦一家人的皮鞋，跑街買東西，聽三個孩子使喚……開頭幾天，更不知吃了多少苦頭，受了多少冤枉；第一次點煤氣爐子，燒了眉毛和頭髮。第一次洗茶杯擦破了玻璃杯割破了手指，第一次燙衣服，燙焦了紗邊也灼傷了手。忍住疼痛挨罵，晚上，躲在牀上悄悄地檢視創痛，眼淚流在肚子裡，睡不著，瞪著黑暗，心裡一聲聲低低地呼喚著母親……

日常工作畢竟還有個範圍，最難侍候的是三個小主人，最大的女孩跟她差不多大，念初三——如果她不輟學，還不跟她一樣念那些彎彎曲曲的文字了。她不算笨，也喜歡念書。但當學校分班時，她毫不猶豫地填在不升學班。六年小學，已受夠了父親的嘮叨，再不作非分的妄想。念了洋文的老大很有些端小姐架子，支使她時，冷冷的不多說，有點高高在上的神氣。第二個女孩念六年級，脾氣特別壞，動不動罵人，頓腳一個不對，就罵她：「花丫頭！」「蠢東西！」第三個男孩更是她的魔星，常常使詭計作弄她，給她吃苦頭。每天替他洗澡先要捉一陣迷藏，甚至撕她衣服，潑她一臉一身的水。

有一次，洗的衣服放錯了地方，老大把衣服摔在她臉上。

有一次，飯燒得晚了些，老二將她的東西從窗子裡丟出去，叫她滾！

有一次，洗澡水燙了一點，老三拉著她的頭髮硬要按她在澡盆裡……

一個月在她筋疲力盡，在她傷心流淚，在她忍氣受辱過去了。她吃了不少苦，也學會了不少事。當她從太太手裡拿到第一個月的工錢，不是要為自己縫兩件漂亮的衣服，像阿翠那樣，而是急著要回家，回家看看母親。

太太給她兩個半天假，星期六下午回去，星期日上午來。給她一堆舊衣服，帶回去給弟弟妹妹穿。

給她一雙舊皮鞋，是老大穿剩下來的。

現在她乘著汽車回家了。對面的小女孩還不住地瞟著她的皮鞋。她又不自覺地交錯著在腿肚子上擦幾擦，想著母親看到她回去，不知有多高興。

汽車終於像一隻疲憊的老牛般，喘著氣在村子口停下來。玉秀提著小包袱下了車。匆促地穿過田徑，踏上被車轍壓得高低不平的黃土路，皮鞋響著吱嚓、吱嚓的節奏，伴著她迅速跳動的心，躍動的脈息。又嗅到了泥土的氣息，禾稻的清香，親切地，熟悉地彷彿便是母親的呼吸。母親的微笑，看見了，那灰褐色的屋頂，傾斜的瓜柵，廢圮了的牛欄，原是簡陋破舊的一切，看來竟如此可愛，近了，近了……吱，嚓，吱！皮鞋的節奏串成一組短促的單音節，玉秀似一隻歸巢的小鳥般，展翅撲進那矮矮的門框。竄進那黑沉沉的屋子，一聲「媽！」換來一陣咳嗆，濃煙中一個瘦長的身影驚喜地迎向她，一頭納入那滿是煙油氣的懷裡，一個多月的酸辛、委屈、想念，忽然都化作煙霧消失了。

「阿秀，妳在人家做不做得慣，媽一直擔心。」母親緊緊摟住了玉秀，旋即又把她推開來，推到門口光線亮一點的地方，仔細端詳。「好像長高了一點，也變白了，嘿，還穿了皮鞋！哪裡來的？」

「太太給的。」玉秀隨著母親的視線低下頭去，走這趟路皮鞋上可蓋滿的黃土，她連忙用手去拭掉。這才打開包袱，把鈔票獻寶似的呈給母親，歉然說：

「太太說我第一次出去幫人，工錢少一點。此後做得好還會加錢。」

「妳才出去做事，錢少一點不要緊，只要人家對妳好就好了——噢！這舊衣服都是送妳弟弟、妹妹的？我看那家人家待妳很好嘛！」

待她很好！她要不要把人家怎樣罵她、侮辱她、虐待她的事告訴母親，話到嘴邊，她又吞了下去，換上一絲苦笑，低低地說：「還不錯。」

「事情多不多？妳可做得來？」

事情嘛，說有多瑣碎，就有多瑣碎，太太愛乾淨，孩子們喜歡亂蹧蹋，一天忙得就像隻找不到洞的螞蟻，只在幾間屋子裡直打轉。有時，她情願再去田裡收割甘蔗，那麼空曠的天、空曠的田，割累了，啃一根甜甜的甘蔗，跟女伴們逗逗趣。她情願去挑石子攪水泥，聽工人唱著打樁歌，砌起一堵堵高牆，休息時，開開玩笑。但是，甘蔗不會天天有得割，房子更不會天天有得造。她摸摸眉際被瓦斯爐灼傷的地方。悄然回答：

「事情慢慢做下來，也就習慣了。」

接著，母親緊緊地告訴她，她父親依舊嗜賭如命，這幾天家裡又沒錢買米，只好吃番薯簽——其實她不說玉秀也知道鍋裡煮的什麼，那股酸酸的味兒她早就聞夠了，想到那膩膩的，淡而無味的味道胃裡就難受。

「這次回家可以多住幾天吧。」

「太太叫明天上午回家去。」

「這麼快！多住幾天都不行？」

多住幾天！玉秀何嘗不想在家多住幾天；儘管家裡破破爛爛，三天二天番薯簽當飯，她寧肯住下來，不再出去幫人，不再離開母親……她把臉偎在母親肩上輕輕摩擦著。

「媽，我願意留下來多住一個月，多住一年，不去城裡……」她忽然噤住了聲，門口黑影一晃，進來的是她父親。

「爸！」玉秀規規矩矩站在一邊，恭敬而又親切地喚了聲。心裡懷著迫切的希望……

「誰？嘿！是阿秀，妳居然回家了！」她父親，一步衝到她面前，伸手便抓住了她的肩膀，「妳有本事一聲不響偷偷地跑掉，居然還敢回來，不怕我打碎妳的骨頭！我問妳，這一個多月妳幹什麼去了？做婊子，找野男人？」

「做父親的跟女兒說這種髒話，也不怕爛舌頭！」

「不許妳插嘴！讓玉秀自己說。」他用力搖撼著，玉秀把說話像黏糖般搖出來，但搖碎的卻是玉秀稚弱的心。

「我，我在幫人家洗衣服、燒飯。」她噙著眼淚怯怯地回答，她只覺得一身骨骼都被搖散了。低著頭不敢正視那雙布滿紅絲的眼睛。加上嘴上一圈黑黝黝的鬍子樁，和長長的頭髮，顯得那張瘦骨嶙嶙的臉越加猙獰可怕。

「幫人家燒飯洗衣服，好光彩的事！一個月給妳多少錢？」

「二百五。」

「二百五？該死的，妳真是個二百五！只拿這麼幾個錢，還不如去撿柴火！」

「太太說以後慢慢會加。」玉秀惶恐地說覺得錢賺得少全是她的過錯。

「還以後以後吶，當一輩子下女又能怎樣！現放著可以賺大錢的機會不要，偷偷跑出去當下女，天生賤胚！都是妳娘給教唆的。」

「什麼賺大錢的機會？人窮志不短，女兒可不是讓你賣的！」

「少廢話！誰說過是賣女兒？三百六十行，行行總有人幹，當酒女也是人，當婊子也是人，還能蝕掉什麼！」玉秀她父親粗著嗓門越嚷越神氣！她母親只能把氣發洩在柴火上，過去使勁塞了二把在灶裡，弄得滿屋子煙霧騰騰，自己也嗆個不停。

玉秀從她父親進來時站在門邊，便一直站在門邊，像一支生了根的石筍，頭低著，下額抵在胸口，剛回家時那份喜悅，就像一朵盈盈綻開在心尖上的小花，早被那陣風暴摧殘了。她顫慄於父親的積威下，彷彿惡貓面前的一隻小老鼠，而在她稚弱的內心，除了恐懼，似乎還有一種新的，以前未有過的情愫在迅速地滋長、擴升，那不是恨，她從來沒想到要恨自己的父親，父親生來便是一切的權威，猶如上天可以讓陽光普照眾生，也可以颳颱風摧毀萬物，那新的情愫使她模糊地意識到一種堅挺——植物不能反折颱風，但可以有颱風摧不倒的那種堅韌。

煙霧和沉默，片刻中統轄了小屋。

顯得無聊的父親望了一眼一直低下頭的女兒，注意到她的腳。

「嗨！妳還穿起皮鞋來了——脫下我看看。」

玉秀服從地脫下皮鞋，遞給她父親。潮濕的泥土地給了她冰涼的感覺，涼到心裡。

「我說什麼好東西，原來是一雙垃圾堆上的破鞋！還當寶哩。去你的！」說著隨手那麼一擲，皮鞋像兩隻花耗子的，給甩在牆角落裡。「妳要聽老子的話，將來什麼高跟皮鞋，空花皮鞋，都有得妳穿的，懂不懂？」

玉秀仍舊低著頭沒有作聲，又聽見她父親嘿的一笑，接著得意地說：

「這點錢正好給我做賭本，去撈他一筆回來，也算妳孝敬老子的。」她一抬頭，便看見他正拿起剛才放在桌上的一疊鈔票揣在口袋裡，她母親急忙趕過去攔著。

「這錢要留著買米的，你不能拿去！」

「窮嚷些什麼！買米買米的，玉秀沒有去當下女，也沒有餓死你們——好吧，我也不要做二百五，這五十元留給妳。」急急忙忙走到門口時，又回過頭來，盯著玉秀惡狠狠地吩咐：「阿秀，我告訴妳，妳要再偷偷地跑掉，被我抓到小心打斷妳的腿！」

「你這死沒良心的！你……」玉秀他母親向他背後狠狠地擲去一連串詛咒，然而，被詛咒的卻頭也不回地走遠了。

「這賭鬼，二百元錢拿去，一個晚上還不輸個精光！」咬牙、頓腳，又忽然想起了比氣惱更可怕的事，她走到女兒身邊，滿臉惶惑地輕輕喚她。

「阿秀……」

「妳那個糊塗老子，他一定很快就會輸掉那二百元錢。」

「唔。」

「輸光了他就要回來——他剛才說過……」

「媽，我知道。」玉秀悽愴地抬起頭來眼神中蘊聚那樣深沉的哀傷幽怨地望著她母親，顫抖的聲音裡有一份冷冷的決絕，「我現在就走。」

「噢，阿秀……」她母親緊緊握住她的手臂，一臉無能為力的悲哀。「妳那麼久才回來一趟，就一晚都不能住……」

一晚都不能住，是噢！一晚都不能住。這是她的家，她在這裡誕生，在這裡長大，為什麼？為什麼？

「我趕五點半那趟車進城。」她堅定的聲音像大人似的，突然間，她感到自己似乎一下子長大了。

「好吧！」母親緩緩地放開她的手，別轉臉去，像要在地上尋找什麼——突然又提高聲音一面向灶旁走去一面說：「番薯簽煮好了了，我給妳裝一碗吃了再走。」

「我不要吃。」玉秀阻止她，「我不餓。」

「到城裡至少還要一兩個鐘頭。人家晚飯已經吃過了。妳不要餓一晚？」

「不要緊，吃過了總還有剩飯的，我可以用開水泡著吃。」

「那！」母親癡癡地看著她，彷彿迫切間不知該怎樣向女兒表示她的愛心，她的關懷，「那……唔，我替妳把皮鞋撿來穿上吧。」

玉秀見她母親蹣跚地走到牆角畔，彎腰去撿皮鞋時，先拉起衣襟來擦著眼睛，然後，又拿那片衣襟替她拭去皮鞋上的泥土。端端正正放在她面前。

穿上皮鞋，玉秀向室內環視了一遍。又望著母親愁苦的臉嘴唇嚅動著，半晌，才從喉嚨頭迸出輕微的一聲：「媽，我走了！」便疾地低頭走出門口，走出那間兀自瀰漫著濕煙的房屋，走上那條彎曲不平的黃土路。

剛才來時，同樣走的這條黃土路，帶著興奮和喜悅，腳步是那麼輕快。而此刻，滿載著哀怨。腳步顯得無比的沉重，皮鞋低緩地響著吱——嚓——吱——嚓，不再是快樂的節奏，倒像在重壓下發出呻吟。夕陽把她孤零零的影子，拉得長長地拖在後面。

在村子口正好趕上最後一班開出的汽車，車廂裡顯得空空的，玉秀坐一個靠窗的位子，側著身體，將下巴擱在窗框上。眼望著那熟悉的田野，熟悉的溪流、房屋，迅疾地被拋在汽車後面，她淒迷的視線越來越模糊……

汽車不停地前進，正駛向四周逐漸深濃了的暮靄中。

玉秀的皮鞋上又蓋滿了一層厚厚的灰土。

編註：本文原刊於《幼獅文藝》第二十四卷第六期，一九六六年六月，頁二十二～三十。

開一朵玫瑰的春天

掩映在旗袍角下的腿，閃動在迷你裙下的腿，遮在褲筒裡的腿，裹在尼龍襪裡的腿，赤裸裸的腿，以及所有屬於兩足動物的腿……

沒有人一天中會見過那麼許多腿，一輩子會見過那麼許多腿。但是，玉英只要稍微動一動眼皮，透過織補檯上那塊玻璃，映入她眼底的便盡是那些晃動著的腿。來來去去，穿流不息。彷彿在交織一道網，一道織不完的網，就像她手中補不盡的破襪子、破衣裳。

那些腿全邁著有勁的步子，跨著踏實的腳步。大皮鞋「橐橐橐橐」，高跟鞋「咭咯咭咯」，木拖屐「拍撻拍撻」，總像在向她炫耀和示威。只因為有雙健康的腿，只因為可以自由走動，就永遠那樣走個不停，走個沒完？每當她的眼睛由於專注在那細得幾乎看不見的尼龍絲編綴上而感到痠澀疲乏之時，一抬起眼皮，卻總是讓那些腿踏著她的視線，踩著她的目統。要不然只有抬起頭望望，望到的卻又是馬路對面那幾塊膩透了的舊招牌。

其實膩透了的又何止那幾塊招牌？那狹隘擁塞的街道，那低矮的屋簷，那雜亂的走廊，廊下那裂了個大缺口永遠不填補的污水溝，店鋪裡的孩子總在那兒方便，臭味一陣陣地薰人。斜對面一家唱片行一天到晚把唱機開得好響好響，腳踏車、三輪車、汽車常常擁塞一起，就在她面前拚命按喇叭鈴鐺，那一團囂鬧紛亂中，她只冷然坐在廊下那屬於她的一隅，充耳不聞，不是她鎮靜功夫到家，而是七八年的薰陶，已超越了厭煩的階段，近於麻木了。

近於麻木的該不僅是她的感覺，還有神經，還有感情。她的存在只是一部自動的機器。從早到晚，從昨天到今天又明天。永遠重複一樁工作，補破洞，而這部肉身機器上所需要運用的機件也只有兩樣，眼睛和手指。因此其他不用的部分形同廢置。是的，她還年輕，也曾偶然有過一個少女時期那種夢想、那種綺念、那種愛慕。但只要稍微萌發這樣的念頭。立刻又會產生一份更為強烈的自卑感，像一盆冷水澆熄一顆火星，馬上給壓抑下去。一次又一次，二十幾歲的年紀，卻早已有了修煉成性的老僧般對一切無動於衷的枯木心情。

心如枯木，她從來不關心春花秋月、季節的循環。只是在感覺上手指頭慢慢地沒有凍得那樣僵硬、笨拙，幾乎無法對付那細細的尼龍絲。臉龐也不再在冷風中吹得又疼又麻。而那些經過她面前的，曾經一度深藏在長褲筒中的腿，又開始裸露著排列出來了。

對面唱片行用尖銳得戳入神經聲音在大聲叫喊：

春風他吻上了我的臉，

告訴我現在是春天……

春天、春天又如何？儘管一年一逢春，枯木也未見得會抽芽、萌枝、吐蕾——

只是，這一個春天好像稍微不同一點，上午明燦燦的陽光正好照在走廊上，暖洋洋地，一直透過衣服，浸潤到毛細管，滲進血液中，血液流轉得快，穿針勾線的手指也顯得靈活些。一個環扣住一個環，無數的環扣就填滿了一個破洞、一道裂口。纖細的尼龍絲在陽光下閃爍著，就像清晨沾了露水的蜘蛛網。她自己也真有點像隻蜘蛛。不停地編綴、不停地織補。不過她的網呢？幾時有過她的網，網裡又能有什麼來上餌？

她原來就不曾希冀能捕獲什麼，這一生也就未曾為自己編織過網。

但這陽光是這樣溫暖，讓人有被融化的微眩——只是一點點醺意，彷彿小時候在父親杯子裡偷喝了一口酒——不是暈眩，真有什麼在搖撼著，弄亂了陽光。那是一個推著腳踏車賣花的。馬路上車輛擠軋，貼著路邊讓到廊前來了。滿滿一籮筐彩色繽紛的鮮花，就盛開在她面前，鮮豔的紅、嬌嬌的粉、嫩嫩的黃、淡淡的紫，還有天一般的藍、雲似的白……那簇色彩黏住了她的視線，黏得牢牢的，連眼睛都不眨一眨。清新的芬芳氣息，蓋過那種混合的腐化味道。透入肺腑比什麼都舒暢，她變得那麼貪婪，貪婪地用鼻子深深地吸入香味。

唱片又換了個腔調在唱：

春天的花，是多麼的美，
春天的月，是多麼的亮……

噢，春天，這便是春天！她看到了，她聞到了，她……那春天的花巍巔巔地搖晃著，開始移動。亟想要抓住些轉瞬便逃離她的什麼，幾乎是不加思索地脫口喚了一聲：

「賣一朵給我好麼！」

用一枚亮亮的鎳幣換來一枝粉紅色帶葉子的玫瑰。一枚鎳幣，是織補兩根絲的代價——兩根長長的，從襪統一直到腳趾的尼龍絲，要耐著性子一個環一個環地勾連起來。這在她是從未有過的揮霍，她不曾去細想自己怎麼忽然會有這樣的舉動，只是小心翼翼地把花兒插在攤架上自己喝的半杯清水裡，對著它仔細端詳起來：花兒正半開半斂。外面幾瓣，像粉蝶的翅膀，微微展揚，中間密密層層地攢在一起，那點妍豔的紅從根瓣越向外延伸越淡，那樣勻盈、那樣嬌嫩，卻又散溢著鮮活生動的光輝，一瞬間湫隘的廊下，雜亂的街道、黯淡的補襪攤子，恍惚全在柔輝下隱退。她依稀回到一生中那唯一值得回憶的童年，她在母親叮囑中每天揹著書包，高高興興地上學去。校園裡的花圃中一年到頭開放著鮮花。學校最老的鍾老師照料那些花花草草，比照料孩子還仔細。尤其喜歡種玫瑰，沒有課，她總喜歡在花圃旁邊逗留，看看那些美麗的花，覺得很開心。那個春天的一天，是她的生日，媽媽給她穿一件新縫的粉紅色紗裙，黑亮的頭髮上繫一個粉紅的蝴蝶結。她也像隻蝴蝶般輕飄飄地飄進了校園，向第一個遇見的鍾老師鞠躬道早安。

「陳玉英今天真漂亮！」笑著還禮的鍾老師看看她，又望望面前一株粉紅的玫瑰。

「嗯，就像這朵玫瑰一樣美麗。」

老師的讚美比一張一百分的試卷還使她高興，也有點不好意思。她是個好學生，平常也接受過老師的誇獎。但都不及這一句讚美那樣，深深地鐫刻在幼小的心靈中。

花季好短暫，春天又何其匆遽？這以後，這以後不久時間彷彿停頓了，停頓在一片黑暗混沌中，童伴的嬉笑、老師的誇獎，都隔絕在遙遠的地方，玫瑰，以及所有美麗的花朵全在她生命中凋謝，她的世界是一個沒有色彩，沒有生氣的世界。

不管人們生存的是怎樣的世界，年復一年，春天總是循環不息。而這朵粉紅色的玫瑰，跟從前綻開在校園裡的又有什麼區別。

而鍾老師曾稱讚她像玫瑰一樣美麗——

她下意識地在灰暗的玻璃上去尋求自己的影子，但看到的只是模模糊糊的一團灰白色，像是想從濃霧中掙扎出來的太陽，霧是固定的，散不開化不掉——驀地裡一片陰影罩下來，是霧是太陽全遮住了。

「喂！這幾隻襪子給我補一補。」完全命令式的口氣。接著一隻指甲塗得紅紅的手塞過來揉成一團的尼龍襪子。誰知道穿了多久沒洗過？她一隻手伸進去，好寬一道裂口，絲全斷了，準是在銳角的地方磨刮的。這一隻挑絲挑那麼長，還有兩隻兩三處抽絲。全是費時間的工作。

「補一補多少錢？」

她重又拿起斷裂了口的襪子套在手上端詳著。拒絕顧客是不對的，但這實在太難補了，要她好多時間，要少了工資划不來，要實在價，顧客也許不上算，不如告訴她實在情形。

「補不補是我的事，妳少嚕嗦！說多少錢好了。」

沒想到一番好心換來一頓奚落，哼，看他！

「什麼？二十三塊！那要這麼貴！妳知道買雙新的多少錢，一雙新襪子也不過二、三十元。簡直獅子大開口，亂要價錢！」果然，像點燃了一掛鞭炮，一連串尖銳的驚歎號、疑問號，夾雜著火星和口沫，直向她頭上臉上噴射過來。她見過不少這種盛氣凌人的主顧，也習慣於逆來順受。只是冷冷地那一串炮竹燃完，才一隻隻襪子分析清楚：破得最厲害的是十一元，從襪統抽絲到腳趾的是六元，另外兩隻每隻三元。一分錢也沒多算。

「妳就不能少算一點？」

實在不能少，這又不是買東西，能討價還價。補一根絲五毛，規定的價錢。

「那還不如買新的，不補算了！」一把搶過去破襪子，賭氣地塞進提袋裡。瘦瘦長長的陰影移開了。她也完全忘了去找太陽在濃霧裡掙扎的那擋子事，逕自低下頭去編綴破襪子。

「既然拿來了就補一補算了。」自己解嘲著，一團破襪子又擲在櫃上。她默默地抽出一份編好號碼的紙口袋，填上數目、價錢、交貨收貨日期，襪子收進口袋，收據撕下交給主顧。

「什麼，七天太慢了，要快一點。」

「沒辦法，總得按著次序來嘛，對不？」

那樣悻悻地咕噥著走了，像是受了勒索，受了榨取，一肚子不憤盡冒著氣泡。

有錢穿得起尼龍襪子，又何必苛刻一個靠補襪子賺幾文的織補女孩呢？人家的勞力、時間、風吹、日曬、雨淋、手僵眼澀、腰瘦背痛，那樣辛苦整舊如新，換來微少的代價，還有人嫌貴、嫌不值。這世界是不公平的。她何嘗不知道現在台灣自製的尼龍襪一年比一年便宜。可是，別的東西可沒有跌價。她的收入可仍得去換取那些沒有跌價的食物、日用品，以及弟妹們一年比一年昂貴的學費。

還記得是十四歲那年，媽聽了別人的建議：說整天蹲在家裡閒著也是閒著，不如學一行手藝，消磨消磨時間。多少也可以賺點錢貼補貼補家。就這麼著學會了織補。一針針、一絲絲、一縷縷，穿穿綴綴，鉤鉤結結，七年多八年，兩三千個日子，便在這穿綴間無聲無息地流走。而當父親遽然在意外中撇下他們去世。那點收入已由貼補貼補家用成為一家生活的來源了。靠著她的辛勞，和母親幫人家縫縫衣服，弟弟已念高二，妹妹上了職校，最小的弟弟明年也篤定是國民中學的學生了。她不懂得「犧牲」這樣偉大的字眼。但看到弟妹們能夠孜孜向學，自然從心底泛起一份驕傲、一份安慰，儘管自己半鼎子跼躋在人家屋簷下，讓他們將來有廣闊的世界，有豐富的生活罷，她高興自己做一捆柴枝，燃燒自己，給別人照亮、取暖。

這一輩子，怕總不會有別人來照亮她的了。不，她從來不曾作那樣的奢望，只要當別人發光時，有那麼一點餘熱射到她，便已經感到無限滿足。

也會有那樣的光亮，照射到她幽禁在深暗中的心靈麼？

回答自己的問題是下意識地向對面走廊上投去一瞥，卻無緣無故臉上訕訕的。

對面是一家鐘錶眼鏡行，玻璃櫥窗裡的架子上，高高低低排列著好幾十副眼鏡框。彷彿在一聲向前看的口令下，一齊向她這邊瞪著。

瞪得她臉上訕訕地垂下了眼簾。

這以前，她從來不感覺到那是會瞪人的。

這以前，眼鏡店的存在，對她還就跟其他那些看厭了的招牌一樣，視若無睹。

這些日子卻為什麼變得不同些？是自己望多了，洩露了心裡那一點祕密麼？

噢，太好笑了！那只是空框子，後面沒有鏡片，更沒有眼睛。

縱使有眼睛又怎能看見她心裡的祕密——何況，何況那只是……是什麼？也許只是一個彩色肥皂泡，一片美麗的雲霞，一點才透芽的春意，有點朦朧、有點渺茫，唯恐急於伸手去捕捉時反消散了、幻滅了。

一陣輕風又飄送過來玫瑰的芬芳，沁甜沁甜像滲著蜜。她不禁閉上眼深深地吸吮著。真的又嗅到了春天，那個如同在校園裡的春天……

「替我補一補這雙襪子好麼？」一好輕柔可愛的聲音，像春天的黃鶯兒哩。閃耀在長睫毛下是一雙清澈黑亮的眸子，薄薄上翹的嘴角漾著淺淺的笑意，更使那張白嫩的圓臉煥發著青春的光彩——她熟悉這張臉，雖然這還是第一次成為她的顧客。迎著那甜甜的笑靨，她報以真誠的、不帶商業意味的笑容。

「不曉得這種襪子可不可以補？」遞在她手裡的是一雙黑色織花的網狀長襪。膝蓋上裂了個口子，補當然可以補，只不過補好了還有一點看得出補的痕跡。

「行！只要不太明顯就可以了。」爽朗地接過單子，看也不看，就塞進錢包裡，便輕快地跳上了腳踏車。長長的秀髮，和嬌豔的鵝黃色衫裙輕盈地隨風飄揚，裹在網襪裡修長的雙腿優美地踩著腳蹬，像一朵快樂的雲彩冉冉飄過街心。呆望著那背影乘風而去，心裡有種說不出的感觸。那是個年齡與她差不多大的少女。但是，各人的命運相差何止天壤。

當她開始在這街邊擺下織補攤子時，便常看到她騎車經過。那時是白襯衫、黑裙子，揹著大書包。短髮齊耳，圓圓臉一臉的稚氣未脫。不久又換上了卡其布窄裙，依舊騎車打她面前經過。接著，似乎隔了好一陣日子，再出現時，頭髮燙了，身材也好看了，穿著很帥的衣服，揹著精巧的皮包，騎在腳踏車上似一朵飛馳的雲彩。變得她幾乎一眼認不出來。

這變化真大，小女孩而少女，從初中，從初中生而大學生——她猜她一定在外面什麼大地方念大學，現在，她已成為她的主顧了。

看到這一切變化的她，卻什麼也沒變，依舊是這副攤子，只是風吹日曬，木質變黃變舊了，玻璃上漆的紅字駁蝕了。攤旁依舊坐著四季不分，穿著灰暗衣服的她。只是也長大了，大得更懂得生活的艱辛，懂得逆來順受，懂得抑煞自己的一切欲望，懂得命運是註定的。

命運註定她受苦受難，一輩子守著補襪攤。就同命運註定那個年紀跟她相仿的女孩子，能夠去追求自己的幸福一樣。

媽媽過去不就常常悲切地告訴她：這是命，孩子，命中註定了要吃苦，誰也反抗不了命運。

她很想問命運的安排一定是公平的麼？但她沒有問，苦日子把她磨練得緘默，只是默默地承受一切。

而此刻，她沒有那麼多空閒來懷疑命運。手頭補的這雙襪是今天要繳貨的。一上午已經浪費許多時間在胡思亂想上了，也不知是怎麼回事？

全神貫注，頭也沒抬，一口氣就補好了一隻襪子——一道從襪筒到趾尖抽五根長絲的大裂口。經過她手指的修理，誰還找得出哪裡是補過的？整舊如新，有時她也會產生一份職業上的驕傲，——仰起頭，閉上瘦澀的眼睛，用手在頭脖子上輕輕揉著。一股爆蔥混油的味道竄進了她翹著的鼻子，是左右那些店面兼住宅的鋪子開始弄午飯了。

這一上午好像過得特別快，就到了中午，想到該吃午飯時，她沒來由地又興奮和緊張起來。倒像做小學生的出去遠足郊遊，一接近目的地了，就光惦著打開母親給裝填得特別豐腆的便當盒來，好飽吃一頓。但她似乎還不太餓，那個冷冰冰只有二條小魚和一點泡蘿蔔的便當也引不起她什麼食欲。興奮和緊張並不因為是吃飯。不過吃飯的時候飯總是要吃的。且把東西擱在一邊，從攤子肚裡掏出了便當盒，解開包著的手帕，打開蓋子，小魚的腥氣和泡蘿蔔的酸味便直沖鼻管。她慢條斯理地挾起一筷粗糙冰冷的飯團，又咬一口小魚咀嚼著。她只是習慣性地使飯盒裡的東西移到自己胃裡，也不加以辨別滋味，人必須填飽肚子才能做事，她就得填。

「我的襪子。」

生意是比吃飯更重要的事。她忙不迭放下便當，在密密一排紙袋中找到那個號碼遞給主顧。

「咬！怎麼攪的，這麼明顯的疙瘩，難看死了！」

「絲是橫斷的，織補一定要打結，沒有辦法。」

「什麼沒辦法，還不是妳補得拆爛污，人家一雙最好的美國絲襪，給蹧蹋了！」不甘不願地擲下錢，像擲給求討的乞丐。

說人家蹧蹋了襪子，就不覺得自己在蹧蹋人？一向織補什麼都盡心盡力去補好，但總是挑毛病的多，從來沒有人說好。吃這碗飯也真不容易——嚥下最後一口不容易賺來的飯，收好空了的便當盒。那點兒怨懟彷彿浮雲掠過晴空，心情又恢復了開朗。

忙著用衛生紙拭乾淨嘴巴，忙著對模糊的玻璃摸摸光頭髮，把那兩支刷帚的髮辮拆開來重新用橡皮筋紮牢。這時候，她忽然好想要兩樣東西：一面小鏡子和一支口紅。

一支口紅對一個女人來說，就像花兒對春天。有了花朵，春天才更像春天。

她不知道自己的雙頰是否曬得黑裡透黃，自己的嘴唇是否黯淡無色，但願玫瑰花上的嬌豔能分潤一點給她，那不比什麼化妝品都更美！

但至少她擁有一朵玫瑰，有這早春的花朵點綴著她的青春，也沾著點美麗的光彩。

她看著玫瑰，視線卻不住越過花瓣，順著對面的走廊溜過去，中午強烈的陽光蒸發著令人窒悶的熱氣，把行人都趕進了屋子裡。以前每當這時候，她總覺得好睏好睏，要伏在櫃上打一個盹。這會子卻特別精神。一遍又一遍掃視那密密緊挨著的一排店鋪，眼鏡店隔壁是唱片行，鄰接著行李袋一直拉到走廊上的皮箱店。藥房門口高懸著一個吹氣的塑膠娃娃。小照相館的櫥窗裡永遠站著個披白紗的、寂寞的新娘，再過去是貨物堆上街來的百貨店、電料行、糖果店、商業銀行的高牆外擺了個獎券攤，那兒便是拐角。從橫馬路轉彎過來的人，身影那麼一閃，馬上又被一根廊柱遮住，才再亮相。騎樓的廊柱密而粗笨。行人如走得快，忽隱忽現，很像自動卡通。賣獎券的小姑娘便伏在她兼營檳榔的小几上打盹，似乎毫不在乎路人會順手牽走個五十萬、一百萬。她巡視過去的終點，正是獎券攤那面已發黃的錦旗上。那還是好久以前一個客人中了獎響著炮竹送來的。自己這一刻迫切的心情不亦有點像人家買了獎券的……哎，別不害臊了。

不是今天飯吃早了點罷。看太陽已完全移出走廊，看著那條缺一個大口的水溝，截然劃出明暗的線條——光亮的大街鑲著深暗走廊的寬邊。分明是過了中午。每天這時候總露面了……每天，那是多少天？五天、六天？至少有六天了。回想起那天的情形，那最初的一瞥，都讓人心跳。那天，也是這樣有點悶熱的中午，吃完便當眼皮便重甸甸地，正預備收拾收拾伏在櫃上打個盹兒，忽然，她感到似乎有一股壓力遠遠地向她投射過來。她不經意地抬起倦澀的眼睛向路對面瞥了一眼，這一瞥，就像猛不防撞上了電磁，火花直迸。有這樣子盯住人看的？那兩道視線越過馬路凝視著她，彷彿她是路畔的一座石像，沒料到有人在這樣看她，只慌得臉紅心跳，忙不迭收回眼光，擋出隻襪子來翻來翻去地檢查。那是誰，為什麼盡看著她？可惜只那麼一個照面，就像光圈沒有對準的底片上留下了模糊的印象，精悍的個子，彷彿穿一件尼龍布夾克。年紀很輕，樣子卻很陌生。不會是街上那些鋪子裡的人，他們不會那樣看她，是過路的又不可能有那份閒暇。也不太像專門閒蕩的那種人。大概是哪家新來的店夥吧——她忍不住又緩緩抬起眼皮，一點一點從馬路上碾過去：先是一雙黑膠鞋，交叉著蹲立在柱旁，順著深藍色沾滿油垢的牛仔布褲腿上移，是灰色的夾克。手插在褲袋裡，肩膀斜抵著柱子。再上去：一個微翹的下巴，抿緊的嘴唇上圈黑隱隱的、鼻子，她的視線怯怯地逗留在高削的鼻尖上，猶疑著，彷彿一個爬山者逗留在山嶺的這一邊，最後終於猛力衝越過去，卻幾乎跌進深深的潭水中——那一雙又深又凹的眼睛覆蓋在濃濃的眉毛下，好似春蔭下的潭水。碰上她刺探的眼光，他只略為羞澀地閃避了一下，接著，深潭中便漾溢著柔柔的漪漣，泛著友善的笑意，沒見過用眼睛笑得那樣真誠親切的人，要不是格於一個少女的矜持，要不是覺察到微笑的眼光中還有股懾人的力量，她幾乎就回答他一個微笑——一個只屬於人類對人類的親善的微笑。

那點困倦全給溫柔的笑意沖散了。更不好意思在那懾人的凝視下安然打盹，她假裝忙碌地揀出一隻破絲襪來綴補，眼角卻不住瞟一眼對面那雙黑膠鞋。像一對黑貓，好有耐心地蹲在廊柱畔，是守候著老鼠麼？而她的手指頭倒真像監視下的老鼠般變得慌慌張張，不聽調度，一隻襪子補了又拆。總算那兩隻貓兒變換了姿勢，轉過頭來緩緩移動著，她的視線這才大膽地跟蹤著牠走完那些店鋪，在獎券攤的轉角上拐了彎。

默想著拐角那邊馬路上的鋪子，加上黑貓主人的裝束，兩樣聯想起來，她猜他八成是那家什麼機車修理行新來的技工——當然，要不是新來的怎能對她發生這樣濃厚的興趣！

這以後，就像太陽的影子那麼準。每天飯後在別人休息的時間，他總是出現在對面走廊上，默默地望著她，儘管她多半時候只敢以眼角瞟著那對蹲著的黑貓，也還是感受到那柔柔的、關注的凝視，如同她不看也感覺得到陽光沐浴的溫暖。

她的感覺，她那近於麻木的感覺重又活躍起來，

她又感覺到了春天，

她又感覺到了玫瑰芬芳。

她開始喜歡那支幾乎聽煩了的：春天的花，是多麼的美……

她覺得活著真不錯——

一點不錯，今天應該是第七天了，要是他依舊跟平時那樣準時來的話。

她的心又猛跳起來，那個熟悉的身影終於又披一身午時的光彩，出現在拐角上，她越過花朵，一眼不瞬地盯著他一步一步走過來，在他還看不清的距離中，依舊是黑膠鞋、藍長褲。只是上身沒有穿那一件灰卡其布夾克，白襯衫襯得臉上清清爽爽的，顯得眉毛更濃，眼睛更深。手插在褲袋那麼隨隨便便的，卻有股灑脫的勁兒。他走過幾家店面，便開始朝這邊

側過臉來，他一定看到了她，腳步加快了些，越過一根廊柱又一根廊柱，近了，更近了……她卻又驟然低下頭去，只管挑弄著手裡的破襪子。

灰撲撲的黑貓蹲下來了，她又感覺到那關注的眼光，似春陽般投射過來。她體會得到那眼光中所含蓄的脈脈柔情，和無言的愛慕，只是默默地承受著。春陽的照耀使種籽萌芽，她也覺得二十多年被凍結的心裡，似乎有什麼在漸漸融解、萌發、滋長……恍惚間自己整個軀體就像一個氣體，輕飄飄地不再存在，存在的只有那份又似融化，又似生長的感覺——要不是鉤針在她手指上戳了一下，才又使她找到了自己。

真乖！她從眼角溜過去的視線輕柔地撫摸著一正一側蹲在那兒的黑貓。除了偶然變換一下姿態，便一直馴伏地蹲伏著，馬路是一道河麼？牠的主人為什麼總不敢跨越呢？他盡可以找雙破襪子或一件破衣服，藉口要她織補不就來到面前！唔，對了，也許他根本就沒有那種高貴料子破了需要織補的衣服。像他身上那些髒髒舊舊的，破了還不打個大補綻算了，看那右膝蓋上不就像加過工的——可不知誰給他打補綻——太太麼？當然不像結了婚的。媽媽？又似乎不像這鎮上的人，那就是他自己。用那雙拿機械工具的手來拿針線，多可憐！其實她也可以替他縫補的，只要他來央求她。他知道她這份心意麼？忘記了羞怯，她滿心愛憐地抬起眼睛來……

「我喜歡妳。」他柔柔的眼光正等著明顯地告訴她這句話。她感到臉上一陣熱，彷彿血液全湧上了兩頰，埋下眼睛，手裡鉤的絲全亂了，慌里慌張的不知該整理手中凌亂的絲還是心頭紊亂的絲。他越來越表示得率直而明顯。她似乎不能再老低著頭，垂著眼簾不理人，是的，她也喜歡他，但那只能在心底偷偷地喜歡，告訴他，不難為情死了！

他難道體會不出她默默的情意麼？他知道不知道……

於是，她勇敢地，以詢問的眼光投射過去，他正在看手錶，顯得無可奈何地皺了皺眉頭，但那個眉結旋即又舒展開來，從眉梢到眼角氾濫著歡欣的、柔柔的笑意，像一雙溫暖有力的巨掌，緊握住她伸過去那柔軟的小手，時間在一剎那彷彿停止了，周圍更沒有其他的人存在——然後，他默默地向她告別，就像一個獲得了至寶的人，那樣滿足而輕快地走了。

臉上還熱熱地，她將面頰貼在涼沁的花瓣上，望著那個矯捷的身影投入金色的光霧中，消失在自己的視線外，輕輕地在心裡一遍又一遍地說：「明天見，明天見！」

明天，明天會有個好晴天，是玫瑰飄香的春天。

明天他一定會來，不早亦不遲。

深深地，在花蕊中吸進一口醉人的香味，小聲哼著那支春天的歌，她愉快地又開始了下午的織補工作。

下午的工作不比上午繁重，也不比上午簡單，反正一件一件輪著次序做，做這種事情心急是一點用處都沒有，總得耐著性子慢慢來。

曬了一天，滿街都蒸發著熱氣，空氣有點窒悶，人的性情也比較煩躁，好幾個主顧都對她很不客氣。一個西裝筆挺，紳士型的中年男士，嫌她西裝褲後面的洞織補得不夠細密，把補過的褲子抖開來直送到她鼻子底下，大聲叱責她糟蹋了他幾百元錢一條的英國料子，她只是陪著小心，一口答應馬上拆掉再特別加工重補。又有一個胖墩墩的太太來取應該當天交貨的襪子，不知怎麼給漏了。立刻又引起一場指責，說她做生意不講信用，害人家白跑一趟，既損失時間，又損失精力。她的答覆是一味地低頭伏罪道歉。但這些都不曾影響她愉快的心情，只要有一個人在真正地關心她、容納她，就是全世界的人都厭惡她都不在乎。

一下午的時光很快地便在指頭穿綴間流去。向東的走廊暗得更早，縱是用力睜大眼睛，已漸漸感到吃力。滿街上三五成群揹著大書包放學回家的小學生，就像籠裡放出來的小雞，一路跳跳蹦蹦、喊喊喳喳，全不理會那些車輛不耐煩地向他們大聲按鈴撳喇叭，她不由得抬起痠澀的眼睛，微笑地望著他們：多麼快樂的孩子！

小學放過學，就快輪到中學了，她開始檢點一下工作成績，整理整理東西，每天下午，念高中的大弟弟，一放學就要來接她回家。

那枝伴了她一天的玫瑰，早上就是含苞半放，現在已完全盛開，那麼渾圓、那麼飽滿。在逐漸黯淡的光線中，像一輪初升的滿月，帶著朦朧的暈意，是該帶回家去呢？還是連攤子一起寄放在小百貨店裡，不知道花兒自己可有意見？

一陣拖沓的腳步聲顯然故意地在她旁邊蹲頓著，撞上她的椅背，一個變腔變調的聲音唱著：

「十八的姑娘一枝花喲！唔，還是玫瑰花哩。」

又一個用鼻音輕薄地說：

「嗨！小妞，我的褲子破了個大洞，穿在身上能不能替我補？」

接著爆發了一陣瘋狂的笑聲，夾著尖銳的口哨，像一群瘋狗吠叫著竄過。

她氣得狠狠地向地下啐了一口，低低地詛咒著。

眼看街上一輛輛並排著，銜接著騎車回家的中學生絡續不斷地過去，白晝緊跟在車輛後撤退，灰濛濛的暮色從屋簷下，從廊檐邊悄悄地掩攏，走廊上已涵滿了陰影，好些鋪子已亮了燈。她沒有照明的設備，再也看不清織補那樣細緻的針腳，只能呆呆地坐著呆等。風吹在身上涼涼的，而心裡那股焦灼卻越吹越熾熱，究竟是怎麼回事？這麼晚，弟弟還沒有來接她。學生都走光了。街上已沒有白天那麼擁擠的人，沒有誰好整以暇地逛店鋪、看櫥窗，一個個騎車的、走路的都神色匆匆趕回家去，唯有她，就像被釘牢在那裡，就像那個懸掛在西藥房門口的塑膠娃娃，孤零零地被遺落在陰影裡，乾瞪著眼，側著頭，一個勁地盡往路那端探望，只扭得頸脖子發痠，眼珠子脹疼，卻總不見個影兒。

轉過臉來，又只見藥房門前的塑膠娃娃搖搖晃晃，在晚風中不住瑟縮，晃得她益加心慌意煩。

哎！怎麼？不會是自己眼花了……不，一點不錯，就是他！正從另一端悠悠閒閒地走過來，怎麼會在這時候——噢，原是自己從來沒有在這麼晚還不曾離開的。他顯然感到意外的看到了她，頻頻向這邊望過來——彷彿黑暗的荒野中一股清泉，一道暖流，流過她身畔，安撫了她那種被遺棄的孤獨感。——但驀地裡一個念頭閃電般掠過她腦際，重重地擊在心坎……血液迅疾地從她臉上褪落，一瞬間又從暖流跌入幾千年凍結的冰淵中，不！那不行！她雙手緊扣住椅把，惶亂不安地左右轉側……求求他快走開！不要在這裡，不要停下來……要不，弟弟不要來，千萬不能來，不能……然而，一陣刺耳的緊急剎車，一輛腳踏車直衝到她攤子前面猛地停住。那個揹著書包的大男孩莽莽撞撞地跳下車子，一面喘著氣說：姊，對不起！我來晚了，一面長腿已跨過來伸出雙臂去搬攤子。

不！不要！不要！……她急得不知道自己要說什麼，伸手去拉住攤子拉不牢，被他猛勁一震動，插在杯子裡的玫瑰頭重腳輕地掉了出來，跌在地上，又一個滾便無聲無息地墜入陰溝上那個大缺罅中，消失了。擋在前面的織補攤子終於給搬開了，面對著馬路，露出來軟垂在椅子下的，是兩隻萎縮的、癱瘓的，像枯枝般全無生氣的腿。

腿展露出來那一刻，她在心裡給判了死刑，恨不得自己就是那朵玫瑰，馬上滾下溝裡去淹掉、爛掉、沉掉……

「姊，不是生氣了罷！」

大男孩在店鋪內放好攤子，很快回到她跟前。又像搬攤子般伸出雙手來，熟練地插入她脅下，把她抱起來安頓在腳踏車後座。她像隻拗斷了頸子的雞子般頭垂在胸前由他搬弄著。癱瘓的不僅是她的腿，她的整個身心也只是一堆毫無生氣的皮囊。絕望和傷痛撕裂的心中只有一個意識：為什麼，為什麼不讓她從這地球上消失，從這世界上毀滅?!

「我們這就回家了，姊，抱緊我。」

腳踏車響著老舊的機件馳動了。她用手指扣住鐵架來支持顛動的身體，扣得指節痠麻，她不敢想，那親切的、愛慕的、柔柔的眼光，現在是換上了憐憫、卑夷，還是失望？——她應該知道自己早就喪失一切被愛的資格，還癡心妄想做什麼白日夢！

「我們班的導師要我們留下來討論有關分組的事，所以放學晚了。老師說我數學好，應該填甲組。姊，妳猜我結果選了哪一組？」

得不到預期的回答，大男孩又自己接下去用肯定的語氣說：

「我選的丙組。姊，我要為妳學醫，專門研究小兒痳痺，將來，妳是我第一個醫好的病人。」

她感到喉頭梗塞著，有股熱熱的力量從她凍結的胸膈下沖上來。她終於放鬆了扣緊鐵架的手指，伸過去攬住弟弟的腰，伏轉身子，把臉蛋埋在那寬闊年輕的背部，在那汗濕的卡其布制服上，又揉入自己眼中迸湧出來的淚水。

車子轉入一條深靜的長巷，把玫瑰、春天、柔柔的眼光……一起遺留在夜的街上。

編註：本文原刊於《幼獅文藝》第三十一卷第五期，一九六九年十一月，頁一三〇～一四四。

一個爬梯子的人

亢奮的心情，加上六七分醺意，吳勛達一身的神經細胞都浸潤在暈淘淘的感覺中。輕飄飄地下了計程車，輕飄飄地去自家門按電鈴，透過門牆的鈴聲有一種給悶在罈子裡的窒息，一遍，兩遍……淒清涼冷地抖索在寒冷的空氣中。半晌，門燈亮了。投射出一圈亮光彷彿網罟把按鈴的人罩住。接著一陣鐵鉸吱軌，網裂了個大洞，黑洞裡站著個瘦怯的人影。

「要這麼久！」等待的不耐化為譴責。

「睡著了。」怯怯的聲響裡也聽得出睏意。

「老早關照過，天一黑門燈打開。怎麼總記不住！」

小下女沒再哼氣，吳勛達的官腔響在黑暗裡，像石子落在古井中。

走進清清冷冷的客廳，剛從那鬧哄哄的宴會場出來，就像一腳踏進了冰窖，好在他本身積存著不少的熱酒精，和興奮的情緒，足以抵禦那份冷峭。

「阿珠，替我泡杯濃茶。」

「茶葉沒有了。」

「那就沖杯咖啡來，不要放糖。」

燃上一支香煙，扯鬆領帶，腳伸得長長地擱在茶几上，頭便向沙發背上一靠，向空中緩緩地噴出一口煙。好輕鬆！外面酒席上做為上賓是自尊心最大的滿足，在家裡做為一家之主，更是一種無上的權威。

噴出的煙霧迴旋在低空，就像那份歡暢猶自縈繞在他心頭。

那真是賓主盡歡的一頓盛宴——其實也不分什麼賓主，原是委員當選人和監選人以及負責人的一種慶功宴。席間互相舉杯慶祝，互相邀功和標榜，自然當選的是大賢大德，監選工作人是公正無私。美酒加上恭維更令人陶醉；佳餚佐以阿諛益加可口。這邊一聲「勛公」我敬你，那邊一聲「達老」乾杯，叫得他好像有一把濕熱的熨斗在心裡熨得平平貼貼，好不受用，辛辣的酒一杯從喉嚨頭灌下去，表現得眉頭都不皺一皺。大家又你一聲海量，他一聲「宏量」，「叭」「叭」「叭」，酒開得泉水似的。實際上個個人有備無恐，早就打好底子，先吞服了什麼「硫克肝」、「恩旺」，而他自己吃的是經常服用的「救心」。

雖然政府一直要求大家節約，但是假借各種名義，社會上哪裡不是三日一大宴、五日一小宴。說也奇怪，有人就是樂此不疲。吳勛達就是這樣的一種人。他的人生觀是一個男人——尤其是過了不惑之年，在知命之年上下——所謂「知命」，亦可以解釋為知道已掌握了自己的命運，已在事業上略具成就，社會上稍有地位的盛年，生活不妨放縱一下，如「潔身自愛」、「律己甚嚴」之類修養箴言，年輕時盡可以作為立身圭臬，而對「知命」人來說，似乎有點幼稚和天真。做人處世嘛，必須懂得隨俗，甚至迎合，朋友間酒食徵逐，或方城聚首，不但其樂也融融，更是聯絡感情，作公共關係的最佳方式。試想只要一杯酒下肚，立刻血液流暢，渾身筋絡舒鬆。三道酒一敬，彼此稱兄道弟，隔閡盡消，全是推誠相與的好朋友。而等酒酣耳熱之際，更是意興遄飛，一個個展露出男兒氣慨，顯得慷慨熱情，豪放坦率，爽朗可愛。講義氣隨便一句話，有人拍胸擔擋，有人鐵肩相承，就只差要披肝瀝膽。說笑話，腥的葷的可以來個滿漢全席，逗得人人張脈賁興，撫掌稱快。誇耀一番，自有人恭維；大吹一頓，也有人奉承。個個歡喜，人人開懷。這一席，常常吃得忘記了時間，忘記了日月乾坤，也忘記了自己的時辰八字，不過，今天吳勛達沒有忘記的是，這一吃一喝之間，自己又多了個委員的頭銜。

自然，明天報上刊出當選消息時，少不了又將印上自己的大名。

這年頭，雖然各種的頭銜多得滿天飛，也要有辦法的人才能搞它幾個。這次還不是靠他自己活動能力強，平常公共關係又做得出色。從前人家說「財跟財走」，其實名還不是跟名走。這彷彿上台階似的，躋上了一層，自然能一層一層往上升。有了頭銜，開會列席，發言如儀，印宣言之類具名，報上迎送名單中列名，大宴小聚敬陪末座不算外，還顯示出自己在某一方面的權威，以及在社會上的聲望地位。而按照新的趨勢，有機會也可以弄個名堂出國去考察一番哩。這是每一個稍具野心的男人的願望，許多年來夢寐求之，總算皇天不負苦心人，一步一步晉升、擴展，光說頭銜，連今天到手的這個已經是——

吳勛達從西裝口袋裡掏出一張自己的名片來，拿近眼前細看一下，又端得高高地鑑賞一番，他認為什麼都是大的才有氣派，門牌要大，信封要大，賀年片要大。名片亦是大大的，厚度夠，白得耀眼，漆黑發亮，有輪有廓的仿宋體「吳勛達」三個字印在中間，顯得有力量，有個性，十分醒目。右上角已排了四行頭銜，順著次序是：

××××局××室主任。

×××××理事。

××××××會委員。

××××××顧問。

加上今天的正好是五個。

他躊躇志滿的兩個指頭在名片上一彈：鄭重地叮囑自己，「明天起來第一樁事是去重印一盒名片」。這第五行加印上去，可就挨著名字了。不知將來還要添第六第七什麼的，該怎麼印才好。

五個頭銜，正好是五福臨門，噢，一點也不錯，五福臨門，好采頭！他擲掉煙蒂，陡地坐起來，像有所發現。心頭激盪著一股興奮的，要與人共享的衝動。忭然環顧四周，卻靜悄悄地闃無人聲。雖屋頂上垂下的五盞水晶燈全亮著，牆角壁隅，簾幕低掩，彷彿都涵藏著陰影。連幾幅名人字也黯然無色。只有某首長題贈的放大照片高懸在上，朝他冷然作壁上觀——他又頹然靠下，這間他一直嫌不夠氣派的客廳，此刻看起來卻忽然顯得那麼空空洞洞。

阿珠端了杯咖啡，幽靈般無聲無息地過來放在茶几上。他迫切端起來呷了一口，卻幾乎忍不住吐出來，什麼鬼味道，不冷不熱的，又稠又苦，倒像他小時候最怕吃的中藥汁。

「你怎麼沖的難吃死了。」

「用熱水瓶的水沖的嘛。」阿珠一副三把火點不熱的樣子。

看到阿珠轉身就走，他又感到她是在這屋子裡唯一可以接他腔說話的人，只得抑制那點不悅，無話找話地問她。

「慧敏跟顯敏他們都睡了？」想起來，好像有幾天沒見。

「大小姐她上午搬走啦。少爺去同學家還沒回來。」

「搬走了？妳胡扯些什麼，她搬到哪去？」

「她說搬去學校住。哪，櫥上還給你留了信哩。」

果然有一封信擱在酒櫃上，上面寫了留呈父親，沒封耳。

爸：

我準備考托福，學校裡的環境比較適合念書，所以我搬去宿舍了。這件事早就想跟你商量，但總是見不到你的面，只好先採取了行動。星期日我會回來看你。但願你會在家。

女　慧敏留上

吳勛達把信揉成一團擲得遠遠地。

「這鬼丫頭，竟一聲不響擅自搬出去了。簡直目無尊長，豈有此理，」他一拳頭擂在酒櫃上，震得上面一排名貴的高腳玻璃杯，錚錚有聲。「該死的東西，家裡面設備齊全，什麼享用的東西沒有，又有傭人侍候著，搬到學校去有什麼好？一定在外面濫交朋友——要考托福？才念大三哩，什麼時候有了去美國的念頭，連一聲都沒有告訴過我，哼！眼睛裡究竟還有沒有這個老子？」

像一頭惹怒了鬥牛，吳勛達激動地在屋子裡轉來轉去，嘴裡還不斷地罵著這鬼丫頭，蠢丫頭，……完全失去了剛才那副委員的氣派和莊嚴。他生氣的成分，由於女兒驟然離開自己身邊，還不及由於她不告而別，損傷了做父親的尊嚴，違反了做父親的權威來得嚴重，激怒使酒精加速發揮了它的威力，使他血壓上升，心跳加速，他警覺地坐下來。手指抖抖索索地燃上一支香煙。

「這不孝的女兒，跟她娘完全是一丘之貉。準是她娘平常教唆的自作主張，不把老子擺在眼中，還口口聲聲說我從來不關心她。」

他還記得那一次她哭得好傷心地，說他不關心她，心裡根本沒有她這個女兒。那次是她高中畢業典禮。她以第一名榮譽畢業並代表全體畢業生致詞，她娘正開刀住院，他答應了一定去參加典禮，並且帶照相機去替她留下一些值得紀念的鏡頭，誰想到那天偏偏有位可以影響他政治前途的要人慶公經過當地。從迎迓、陪侍、宴請，以至歡送這一全套下來，分身乏術，自然趕不上畢業典禮了。

那是不得已的事，但她卻傷心、賭氣，故意疏遠，說他就是不關心女兒，不關心家裡任何人。給他們吃好的、穿好的，供他們受教育，還要怎麼個關心法？

一個人，每一次畢業典禮都是一生中的一次，至於有沒有人參加照樣還是畢了業。但她哪裡知道，一個想在社會上獲得地位的，卻必須抓住每一個可能的機會，攀緣每一份微妙的關係，甚至在不可能中發掘可能，在沒有關係中培養關係。他不相信機會是可遇而不可求的說法，而完全靠自己投資，這投資不一定是指金錢，是時間、是精力。要盡其所有地賠上自己的精力和時間，去建立種種社會關係、公共關係、私人關係。關係夠，機會自然水到渠成——生存在這個世界上，還有什麼比權力更重要？

然而，女兒不了解，家裡人沒有一個了解，了解他為使一家人共享榮華富貴所作的這番苦心孤詣，了解他為事業前途所作的努力，而給他鼓勵、給他擁戴，反而常為一些不關重要的事實怪他、埋怨他、冤枉他……

「我才是最不被家裡關心的人！」吳勛達不勝憤慨地脫聲喊出來。前朝後代那些爭吵，那些齟齬，那些不愉快的過節，全隨著酒意湧上心頭，他抽完一支煙又接上一支煙，皺著眉頭碰碰苦藥汁。有點悲涼地感到自己受了多大的委屈，一個滿懷雄心，高瞻遠矚，一心要做大事業的大男人，自己的家人卻只知道為生活中一些雞毛蒜皮的瑣事，跟他彆扭嘔氣。像記不得結婚紀念日啦，忘記了誰的生日啦，有時是答應了的事沒有辦，有時是約好了事沒有空踐約……人家應酬忙，交遊廣，工作繁重，自難免有疏漏之處，卻看成罪大惡極，說他缺少家庭觀念，說他不重視感情，說他只把家當作長期旅館，說他只圖自己享樂，不關心任何人……嚇，想想看，如果一個男人的腦筋常為這些無關緊要的事濫用，還能有什麼出息？如果一個男人只登在家裡陪老婆哄孩子，豈不是白白浪費了有為的生命！

最氣人的是兒子顯敏，有一次居然在日記上寫：「我爸爸是個最不守信的人……」，這完全是受了靜芳——他娘的影響；以致女兒怨他不關心，兒子說他不守信，其實，他對這唯一吳家後裔，多少還有點偏心，要零用錢，總是三十、五十的給，要買什麼也沒有說過不。有了錢，自己還不是可以去看電影，逛動物園，用得著老子陪……哎，剛才阿珠還說什麼來著？好像說顯敏還沒有回家……吳勛達彷彿當頭捧喝，猛然從陷入的狀態中驚覺，倉皇回顧。

「阿珠！阿珠！」左邊的側門裡沒有回音。

「顯敏！顯敏！」右邊房間裡也沒有動靜。

他三步併作兩步過去推開兒子的房門——當兩年前買下這幢房子，靜芳就將這間撥給兒子的房間布置了一番，淡雅的藍和柔和的乳黃色，顯得寧靜而安詳，一張鋼絲床，一張書桌和一座書架，安排的逸逸貼貼。牆上有他念小學時的優良獎狀，中學時的優勝錦旗，還有球拍、吉他，而此刻在燈光下映現在吳勛達眼中的，除了已黯淡發黃的錦旗還留在牆上，什麼都一團糟，桌上紙籍凌亂，書包像個蒲包丟在一邊，牀上亂堆著倉促脫下來的學校制服，枕頭底下還壓著露出的幾本書角。

「這孩子還曉得自己用功嘛。」他走過去隨意抽出一本來，原來是租來的武俠小說，他皺皺眉頭又擲還牀上。順手翻了翻書包，課本簿籍都髒髒爛爛的，可是什麼？中間夾了那麼幾本小冊子，那是——他像猝不防被毒蠍子螫了一口，那股流毒迅速地從指尖竄到心裡，又火辣辣地湧到臉上。該死！這孩子竟在偷看這種下流東西，他怎麼會弄到這種不堪入目的黃色毒物？還只有十五歲啦，可惡那些喪盡天良的畜牲，竟販賣這種東西沾染純潔的孩子，簡直罪該萬死！

他緊緊抓著一堆撕得粉碎的紙片，像抓著一堆鮮活的、會蔓延和傳染的病菌，終於在屋角裡找到一隻洋鐵字紙簍，用打火機燃上，眼看那堆病菌燒成一團黑灰，才退出兒子的房間。

「想不到，真想不到，才十五歲！」他喃喃地捧著頭跌坐在沙發裡，看得見的毒菌雖然親手給毀了，但心裡卻陡然長了個大疙瘩，那個疙瘩好沉重地壓迫著他，絞痛著他。那麼一個聰明乖巧的好孩子，為什麼短短半年多竟變成了一個問題少年？先是功課成績低落而留級，接著操行不良而被學校勒令退學。講面子給轉了個私立學校，卻更是變本加厲，一而再的被警局以鬧事、偷竊抓進去。雖然憑自己的社會關係馬上給保釋出來，卻已是登記有案的不良少年，他娘倒好，一走了之，讓兒子給他一個人丟臉現眼。今天這麼晚還在外面遊蕩又不知去闖什麼禍了……想到闖禍，他不禁心驚肉跳。前不久報上刊了一則消息說是警局今後決定公開宣布少年犯罪父親的姓名。昨天就有一則新聞報導一段幾個不良少年犯了偷竊誘拐案，當真不但公布了所有父親的姓名，還連籍貫、職業都照登不誤。其中竟赫然有好幾位頗有聲望地位的人士在內，真是丟人。萬一顯敏又闖了禍，明天照樣一見報，怕不僅自己顏面有關，連政治前途亦準給砸了，那還得了！

他不加思索地一個衝動抓起了電話筒，想打給警察局查訪顯敏的行動，防範於未然，但只撥了一半號碼，又頹然擱下來，這樣做，不等於自己在招供兒子要犯罪，說不定他只在同學家！也許他……

焦灼使他乾渴的喉嚨益加要冒煙，藥汁一般的咖啡也只剩下渣滓，他拿起櫃上的熱水瓶卻倒出來不到五十CC渾濁的水腳。

「開水都不沖，阿珠這死丫頭越來越懶得不成話了！」把一股無處發洩的氣惱全匯集在一個目標，他大聲吆喝著，一直走到客廳後面，捶著樓梯下那扇小門。

開門了，阿珠穿著舊而小的睡衣，張惶失措地站在門口——應該說站在牀面前。吃驚地睜著小眼睛望她主人，樣子像一隻受驚的樹洞裡的小栗鼠。

「妳怎麼回事？越來越懶得不成話了！連熱水瓶吃光了都不灌一灌。一天到晚在做什麼？」吳勛達咆哮著，大大地發作了一家之主的威風。

「煤氣用光了嘛。」阿珠雙手搿在胸前，頭低得折斷頸子的小母雞。

「用光了妳就不會打電話去叫。嗯？」

「我忘了。」如果說吳勛達像河馬在吼，阿珠的聲音就像蒼蠅在哼。

「吃飯會不會忘記？真該死！我問妳，顯敏他什麼時候出去的？」

「他下午回來提早吃飯就走了，問我要一百元錢，我把買菜的五十元給了他。」

「這混帳東西，還問傭人要錢，沒有出息！」吳勛達悻悻地轉身離開，聽到他帶了錢，總不至於再去偷了。怕只怕……哎，簡直不敢設想……

「先生！」這次卻是阿珠在喊他，他不耐地微側著頭聽她下文。

「到後天我正好滿工，我想做完這個月不做了。」

這下輪到吳勛達吃了一驚，轉過身來，收斂了幾分剛才的威嚴。

「就為剛才說了妳兩句？」

「不是的。」

「下個月加妳工錢好了。」

「我不是要加工錢。」阿珠忙不迭搖著頭，聲音卻是堅決的。

他漸漸感到了事情的嚴重，阿珠是做得最久的一個下女，初來時，十足一個膽小笨拙的鄉下黃毛丫頭，全是靜芳一手訓練出來的，她要一走，這個家就沒有人照管了，再用新人，麻煩可多呢。他又經常不在家——他不能不屈尊就卑，盡量把聲音裡的威稜全磨平，改用商量的口吻：

「那又為什麼呢？妳在我們家許多年一直都把妳當作自己人看待。」

「因為，因為，」她吞吞吐吐地說不出口。「因為太太不在。」

「太太又不是才走，都半年了。妳還不是管得好好的。」這完全是違心之論，他在肚子裡說。

「可是現在小姐又搬出去了……不方便——」

不方便？什麼不方便？吳勛達一時想不通。看看阿珠粉頸低垂，緊抱住胸口的忸怩神態，才恍然領悟到那意思是說這屋子裡只有孤男寡女。敢情還把男主人看成色狼？他不禁用那種逛商場看廉價品的眼光，再把她上下「刷」了一眼，黃黃的頭髮用根慧敏的舊絲帶捆得掃把似的，露出小眼睛小鼻子的大扁臉，瘦小的身材使十九歲看起來像十五、六歲，就憑這樣一個醜丫頭？他感到一種被屈辱的氣憤。堂堂吳委員會被人家有這種想法，太可笑了。他一拉臉的簾子，放了下來，冷冷地說：

「好吧，隨妳自己，妳可以再考慮考慮，後天作決定。」

「我已經決定了的。」

隨著小門一關，人像出來報時鵪鴣鳥，又縮回鐘屋裡去了。

嚇，可惡真可惡！一家人都叛離他，最後連個下女都拿巧。好吧，大家都走光算了！沒有家，旅館總還開放，哪家不歡迎他吳委員、吳理事，侍奉得周周到到。

實在渴得要命，這種家，連口開水都沒得喝，乾得舌僵僵的，像條擱淺在沙灘上的死魚。打一個嗝，真像有那麼股腥味兒。八成是剛才吃的鮑魚，一片片的鮑魚倒滿像舌頭的，失水的鮑魚——他忽然想起了冰箱，立刻走去廚房打開來一看，運氣總算不錯，還有小半瓶冰開水，他連杯子都來不及拿，仰起脖子後就著瓶口灌了兩口，好冰！真是「冰凍臘月喝冷水，點點滴滴在心頭」，這一冰倒鎮壓了他的燥熱。再回到客廳時，越加覺得陰冷冷寒氣迫人，屋子裡除了他沒有第二個有生命的，午夜時的靜，停止活動的靜，沒有生命的靜，靜得彷彿連四周圍的空氣都在漸漸凝結。而他就將成為一座雕像被凝固在其中——他像逃避魔鬼似的，轉身離開客廳走進寢室，用力把房門關上，打開燈，房裡也一樣清清冷冷的，亦不過面積小，空隙也就少些。

「沒有太太不方便！哼，沒有太太才方便哩。」他使氣地扯下領帶，一件一件脫下衣服往椅背上摔。「沒有太太就沒有人嚕嗦，沒有人管頭管腳，沒有人抱怨，沒有人查問你昨夜在哪裡荒唐！……其實就是再要個太太又有什麼難？憑他現在的地位，又相貌堂堂，一品人才，找一個的話，一定比靜芳年輕漂亮——那個秋萍不就說他年輕，他脫了一半羊毛衫，便半蹲下身子，對著梳妝台上的大鏡子端詳起來；額角上的頭髮好像越長越高了，顯露出寬闊軒朗的天庭，這是智慧的象徵，雖然辦公看報不戴老花，眼睛就一片模糊，但卸下眼鏡兩眼看起來還是炯炯有神。只是臉上的肌肉稍微鬆弛，以致不笑時嘴角稍稍下垂，有點兇相，如果上唇留點小髫子就更有氣派了，不過那該是六十歲以後的事，地骨飽滿，看相的曾說他有後福，現在不就挨著後半輩子邊緣了，站起來時，發現肚子似乎挺得出了一些，醫生一再告誡他注意飲食，脂肪會增加心臟的負擔，但那又有什麼辦法？經常在外面吃酒席，酒和大油大葷是避不掉的。不過人到中年，還是稍微胖一點要比較富泰些，有氣派些。朋友們還說憑他的這副氣派，將來起碼可以做個主席什麼的。

哼，朋友都看得起他、捧他、奉承他，只有家裡人給他潑冷水！還有那個秋萍讚他年輕，靜芳就從不曾說過他年輕。

一想起秋萍，他忽然覺得心裡癢癢的，百脈賁興。那女人，真是個肉彈！既風騷，又放浪，簡直迷得死人。對於此道，他本來倒是有所忌憚，從不沾惹。還記得那一次是奉陪賴專員視察，他知道他「寡人有疾，寡人好色」。晚上暗示旅館侍應生叫應召女郎款待他，不想侍應生擅自召來了兩個，說是免得他一個人寂寞，趁著點酒興，他也就來者不拒，而那一次以後，卻是食髓知味……想到忘形處，血液流轉很快，香港腳也癢癢的，他坐在牀沿上腿一彎，便捏起腳來。

誰也不知道怎麼蜘絲馬跡地落在靜芳眼裡，事情就讓她揣摩了去。根據她的那套邏輯，竟把他若干年來經常假借名義外宿不歸、出差開會、交際應酬、冷淡無情、不顧家庭諸般罪狀，全歸納一點——那就是早就在外面不規矩。

她說她可以跟他受苦、挨窮，就是不能忍受欺騙她的感情，對她不忠實。平常那樣一個優柔軟弱的人，不想竟就此決然地絕裾而去。

「女人真是蠢東西。」他索性脫掉襪子，用勁捏著，還把手指放在鼻子底下聞聞——這也可以列入沒有太太的自由。「一天到晚只曉得愛情感情的掛在嘴上，揣在懷裡。愛情可以升官發財？可以住公寓洋房？可以讓人家捧你抬你？啐！還說情願吃苦挨窮，那是從前不得已的時候，現在還放著福不享？沒那份興致奉陪。

「再說，那本來就是逢場作戲而已，就看的那麼嚴重，簡直是罪大惡極，誰教她把自己丈夫看得那麼神聖？人嘛，尤其是男人，總不過是凡夫俗子，還戒得了七情六欲？何況這個社會，就是為男人的特權安排的……哎！嘖嘖嘖？」原來他忘其所以，使勁在腳指枒裡又搓又捏的，手一停，火辣辣地直發燒，疼得他咧嘴砸舌的。

「怎麼盡在想這些烏七八糟的事？當真喝醉了。」他生完了一家人的氣，生自己的氣。平常，他有一套自己引以為傲的能耐，就是不管家裡有什麼不愉快的事，一出門他有本事不是把它擲在大門裡面，就是把它從心裡剔除——就像從一卷考貝中截掉那壞鏡頭一樣，以保持清醒靈活的腦筋從事本身的活動。今天是怎麼回事？

「明天還有兩個會要開哩，××理事會輪到他做主席。發表的談話可能會在報紙上刊出，很重要。下午跟明老碰碰頭，聽說部裡有調動。還有晚上俊公約了他們晚上在他家聚首，好像還有……」他費力地清理著腦筋，覺得很紊亂，而且昏昏的，口還是渴，剩的那一點冰開水又忘記帶上來。

他站起來伸展一下腰肢，忽然打了個寒噤。他發覺房間裡的空氣也跟客廳裡的一樣，正開始在他四周慢慢地凝結起來，在幽幽的燈光下，那衣櫥，梳妝台，那五斗櫃，都冷冷地展示出它沒有生命的軀殼，冷冷地圍困著他，威脅這唯一有生命的軀體——他好想大聲吼叫一陣，或摔破一些玻璃瓷器，甚至乾脆誰給丟一個手榴彈進來，震碎這死一般的靜寂。但是，沒有，什麼響動也沒有。他賭氣地向牀上一倒，摸到被子便連頭帶腳蓋一個密不通風——但馬上他又伸出頭來，被子上一股惡濁發霉的氣味薰得人受不了，被裡碰著皮膚的感覺是膩膩的、黏黏的，阿珠那醜丫頭，怕不起碼有半年沒拆洗了。

被子跟他身體之間彷彿隔了一層大氣層，再什麼也暖不起來，加上酒精散熱後的酒寒，反而越睡越冷，越冷越睡不熱。他身子縮成一團，兩隻手臂緊緊抱在胸前，抱得很緊……很緊……

他們正在爬一道陡險的階梯，很高、很高，彷彿直達雲霄，他、靜芳，和慧敏、顯敏。他不清楚上面有什麼吸引著他，很快地，不停地往上爬，走在大家前面，儘管他們喊他慢些，喊他等一等，但一股原始的，強烈的衝動帶著他頭也不回地向前去，他越爬越高，他們的聲音也遠了，身影也模糊了，他將要摘星星？要駕白雲？但忽然高處的空氣稀薄了，他感到胸部壓力，不能呼吸……

——吳勛達驀地掙扎醒來，呼吸真的遭受阻壓，心臟好像在收縮、抽緊，他本能地鬆開胸的雙臂，但堵塞的感覺沒有減輕，他熟悉那預兆，連忙支撐起身子，向椅背上的西裝伸出手去……但是，好像驟然被人施了定身術般，那隻伸出的手臂僵化在空中，他想起來，西裝口袋裡原來只剩下兩粒「救心」，晚宴時自己服了一粒，還有一粒已送給肖委員了。

「就會過去的。」他小心地躺平，輕輕地呼吸，強自抑制著內心的恐懼，自己安慰自己。「天一亮，就什麼都過去了。」

他瞥了一眼窗子，簾帷深垂，他看不見玻璃窗外究竟是漆黑的夜，還是已透露了曙光。

於岡山・民國五十九年元月十五日

編註：本文原刊於《婦友》第一八六期，一九七〇年三月，頁二十七～三十二。

荔枝成熟時

一

整整齊齊的一道七里香綠籬，圍住小小的院子。九重葛從矮籬上伸探出一簇簇紫紅金黃，大王椰以挺秀的英姿佇立一角，茂密的榕樹灑下疏落的蔭影，覆蔽著滿院花草，和魚鱗板的小屋。窗台上懸吊的蘭花與蜷伏著的白貓，正好構成一幅悠閒安詳的畫面。耿家一向就是這麼清清靜靜的，在趨向工業化的社會中，猶保持若干中國人的閒情暇致。退休下來，在國中兼了十幾個鐘點的公民和歷史。課餘之暇，寄情於花草的耿敬軒，和他那有一點潔癖、經常都把裡裡外外收拾得乾乾淨淨的太太潔如，便是合作構圖的一對夫婦。雖然生活中缺少點歡笑喧鬧，有時似乎太冷靜了些，卻常有清風明月、鳥語花香點綴在晨昏。老兩口子廝伴著，日子過得平平淡淡、悠悠忽忽，就像日曆一頁一頁悄悄地撕走，除了誰的頭上多長一些白髮，誰的雙頰增添兩條皺紋，再不留一點痕跡。耿敬軒自有他一套對人生的看法：「人過了中年嘛，一生的菁華已貢獻了國家，已沒有雄心，沒有奢望，沒有追求一切新奇的熱勁兒。只圖個安逸……」這安逸底下原還有個「以及享享天倫之樂」。只是時代不同，翅膀硬朗的兒女彷彿已沒有不遠走高飛的。自獨生子望凱去了美國，他這個願望也只有深深地隱藏在自己心裡，免得說出來讓人笑他觀念落伍。耿太太倒也不是想不開的人，不過婦道人家總比較感情用事，想兒子時總不免嘀嘀咕咕，鬧鬧情緒，平常她自備一劑治療良藥，就是不停地無事找事做；廚房裡的碗盆鍋瓢不沾一點油腥，紗窗上的格子眼裡沒有一點灰塵，連台階上的磚頭縫縫都剔掃得似精工雕刻。手邊有工作可忙時沒有時間去想念，等累得上牀貼著枕頭就睡著，也就不會去想了。

耿敬軒知道太太這份脾氣，只要不累得發心臟病，總由得她去，不是點名叫他幫忙時，絕不插手。自己澆澆水，拔拔草，翻翻泥土，眼看播下的種籽萌發嫩芽，接枝的玫瑰含苞吐蕾，培養的蘭花新品種風姿煥發，也覺得樂在其中。可是彷彿登陸月球的壯舉震撼了世界，這陣子也有什麼震撼了耿家；那份平靜攪亂了，「忙」似乎已不只是屬於耿太太的精神治療，也不限於廚房裡的盆盆碗碗，牆壁角落。連耿敬軒也放下了花花草草，給支使得團團轉。不住添置東西，搬移家具、粉刷牆壁……那份忙碌自然而然製造了一種氣氛——就像火山爆發以前感覺得到空氣中的窒悶和灼熱一樣，不過這是歡樂而緊張的氣氛，顯示出有什麼不平凡的喜慶事兒。老兩口子曾經想了半輩子想親手辦那樁大喜事——給兒子娶媳婦，沒有比眼看兒女成家更值得欣慰的了，但那已經是不可能達到的願望。望凱去了美國才一年，就閃電似地跟一個女孩子結了婚——一個他們不認識的女孩子，成了他們耿家沒有見過面的媳婦，老兩口先是很生氣，尤其是耿敬軒，他把半生戎馬、辛勞換來的退休金，全部充作兒子留學費用，自己只要還能做事，倒並不等他賺美金來養老。只指望他學業有成，不說顯耀祖先向祖國有所貢獻，至少也得待學業告一段落，得到學位再談婚姻。一成家，就有家的負擔，就有家務分心，還能念個什麼書？過些時候又聽別人說男孩子去美國怎樣難找女孩子，很多博士早念出來了，卻連女朋友的八字還沒有一撇。也有趁寒暑假歸國省親團回家隨便親友給介紹一個，見面不到十天半個月，便潦潦草草結了婚，結果去了美國又意見不合，分道揚鑣。這樣看來，兒子早作打算，還算是有深謀遠慮的了。

過了一年，兒子來信說為他們添了個孫子。

「也好，早結婚，早添孫。」

「什麼也好，我看你平常聽李家的張家的孫輩叫爺爺長、爺爺短，早就聽得心頭癢癢的。這下可樂了，自己也做爺爺了。」

「難道妳做奶奶還不開心？」

「開心是開心，可惜沒長順風耳、千里眼，看不見聽不見。」話雖這麼說，兩人又是染紅蛋，又是請彌月酒。一包又一包嬰兒的衣物絡續寄出去，忙得好不高興！這兒還在寄個沒完，那邊可又來了信，說是想將孩子空運回台，請他們撫養一個時期。

兒子信上說得好，沒想到孩子不在他們計畫中提早來到，若留在身邊，勢必一個要放棄學業，撫養嬰兒，一個要停止進修去找全天候的工作養家，違背了初衷。兒子為前程遠渡重洋，不能承歡膝下，正好讓孫子來告慰寂寞……

接到兒子頒發的新任務，耿敬軒的反應是熱烈贊成：

「這是妳不必愁沒長順風耳和千里眼了，孫子馬上送到妳懷裡來。」

耿太太呢？耿太太是半喜半憂，她有她的顧慮：

「抱孫子當然開心。可是你知道望凱今年都二十六了，他底下沒有小的，我就有二十好幾年沒有帶過娃娃，如今又上了點年紀，還不知道能不能有那份精力和能耐。」

「別笑煞人了，沒聽說老母雞孵過一次蛋便不會再帶小雞。再說現在孩子吃的、用的，那一樣沒有現成的買？」

「你也別把帶孩子看得那麼輕鬆，以為多簡單的事！一把屎一把尿的，白天管吃管洗，晚上還得起來好幾次蓋被子換尿片，半點鬆懈不得。你自己想想，我生望凱時你又幫過多少忙？」

「那本來是女人的天職嘛！」

「嘿，人家現在做父親的還不是要擔待一半。」

「時代不同，那時大敵當前，年輕人滿腦子怎樣保衛民族的思想。憂國憂時還來不及，哪有耐心侍候個毛娃娃。」

「哦……」

「當然現在不一樣，」耿敬軒搶著堵住那聲拖得長長的哦：「現在我的教書工作十分清閒，有了年紀，脾氣也就爐火純青了。小孫孫接來，我一定會幫忙。」

「幫忙換尿片？」

「可以。」

耿太太依稀記起耿先生唯一的一次替望凱換尿片。尖著手指一把扯開濕濕的尿布，猛不防黃澄澄的液體四溢橫流，濺髒了他的衣服，他一慌放下拎高的雙腳，又沾得自己手上和孩子身上全是，他氣得罵了聲，撇下黃金萬兩，便扎著兩手衝了出去。

「替他洗澡？」

「當然。」

耿敬軒不曾忘記，當小望凱脫下襁褓，像隻剝光的青蛙，皮膚那樣柔嫩，骨骼那樣脆弱，軟綿綿地蠕動著，自己只要一伸粗笨的手指，便會傷了皮肉、扭了骨骼——不敢碰還是不敢碰。

「也要抱他？」

「那還用說！」

耿敬軒倒是滿喜歡抱抱孩子，可是太太總笑他像抓了隻小雞，摟得緊緊的，唯恐會逃掉。

「話可說定了，別到時候累我老太婆一個人，你就做現成的爺爺。」

「妳可以放一百二十四個心，我這就去打電報。」做爺爺的人，一高興，顯得行動迅速，身手矯捷。

就為了迎接家裡第三代新人物，攪亂了平靜，兩個人忙得團團轉。兩房一廳的日式建築，原是兩夫婦一間，兒子一間，望凱出國去，房間仍像他去台北念大學一樣保持原狀。但這一次卻來個大合併，耿太太硬把屬於耿先生的被褥、衣物、書本、文房四寶等等，全搬到兒子房裡。

「這太沒有道理！為什麼添個孫子還把做爺爺的給趕了出來？」耿先生不由得提出抗議。

「你不知道，小貝貝住的房間第一要空氣流通，光線柔和，冷熱合度。東西一多，空氣就壅塞，多一個大男人，又更多一份濁氣。還有一點是為你好，孩子常常會晚上哭鬧，若影響了你的睡眠、第二天上課會沒有精神。」

「那來這麼多臭考究！從前有小凱時還不一家三口擠在不到一丈寬的房子裡，不也過來了？」

「我的老爺子，那時可是逃難呀！」

「又是時代不同！」耿敬軒解嘲地回敬了一句，無可奈何地收拾起他的零碎去隔壁房間。「不過，這可是妳強迫分居，將來別說是我變心。」

耿太太曾像一些年輕的母親一樣，對撫育小貝貝自有一套美麗的構圖，可是生下望凱時正是抗戰時期，物質缺乏，生活不安定，一切都只好因陋就簡。現在給她這樣一個機會，正好重現理想。她大事鋪張地把整個房間重新粉漆布置一遍，奶黃色四壁配上白紗和淺綠色綴有黃蝴蝶窗簾，罩著淺綠羅帳的小牀上鋪疊著鵝黃、淺粉的絨毯，牀頭懸了清脆的鈴鐺和七彩繡球，牆上林林總總的紀念照片全摘除了，換上彩色鮮明的動物、花朵、孩子的圖畫，和可以調節的燈光。兒子留下的手提電唱機擱在房間一角，添購了好幾張節奏明快、活潑優美的唱片；讓嬰兒一睜開眼睛，接觸到的是柔和的光線，看到的是美好的畫面，聽到的是優美的旋律，小小的心靈無形中早接受了美的陶冶。耿太太一面布置，一面輕輕地哼著催眠曲；當她這麼專心一注地安排時，心中充滿了柔情，充滿了母愛，彷彿重又回到那個二十一歲的小母親。

連耿先生也感染了太太的無限柔情，除了耐心地聽候太太支配調度，對花兒草兒也格外的溫柔親切；細細勻土、輕輕灑水，只為那也都是非常嬌嫩可愛的生命。

二

從飛機上下來的乘客，有國際風雲人物，有銀光熠熠的明星，有政壇顯赫的權貴，但那些都不在耿家夫婦眼中。他們所矚目的是一個天使——一個躺在輕巧提籃裡，披覆著一身潔白襁褓的小天使。當空中小姐雙手鄭重交託過來時，覺得那張皎好的臉上，竟也煥發著聖瑪麗亞那種聖潔的光輝。

耿太太顧不得手臂痠疼，就像捧著罕世的珍寶般，一路小心翼翼的從台北捧回高雄。親友和鄰居們聞訊都趕來道賀，有的說嬰兒眉眼像爸爸，有的說鼻子像祖父，嘴型像祖母。有人讚他耳朵大有福氣，有人誇他天庭飽滿，前途無限……耿太太驕傲地接受著許多讚美，笑得嘴也合不攏來。她張羅著送走了賀客，才發現耿先生已半天不在旁邊，原來獨自一個人坐在小房間裡，對著一疊信件在發楞。

「你是怎麼啦？客人也不招呼，一個人在這兒發什麼楞！」

「我在這兒做什麼？我在這兒生氣！」耿先生突然大聲吆喝，讓耿太太吃了一驚，不禁低聲抱怨：

「看你這麼粗聲大氣，也不怕嚇了孫子。」

「怎麼能不教人生氣！妳聽聽看，我們幾千年來都是黃帝子孫，是堂堂正正的中國人。

而我們耿家，到我是獨子單傳，我們也只生了望凱一個，可是，沒想到現在我們唯一的、嫡嫡親親的長孫，卻是個華裔美人！」耿敬軒激動得聲音都變岔了，握著椅把的手痙攣地一緊一放，指甲都泛著白。「妳知不知道，那不是妳的孫子，是美國人！」

「別胡扯了，不管怎麼說，孫子總歸是我們的孫子。」

「我真不懂，血管裡明明流著中國人的血，從皮到骨，每一寸每一分都是中國人，為什麼就因為在那兒出生，就要算那兒的人？」

「那是人家國家的法律嘛！」

「就算是人家的法律，自己還不是有選擇權？望凱真混帳！一出去就忘本。」

「這事也不能怪望凱一個人。不是常常聽說有人有了身孕，還想法子趕去美國生產，只要孩子取得美國國籍，父母也可以獲得居留權。」

「我說那簡直是數典忘祖，沒有出息，沒有骨氣。只可惜生下來還不是黑頭髮，黃皮膚。唉！等將來回大陸，我有什麼顏面攜著別個國家的孩子回去祭祭祖先，拜宗祠。」

「到那時候，再改回國籍不就得了？」

耿敬軒就有一發不可收拾的牛脾氣，根本不理別人說什麼，而什麼裔，什麼籍，這些空洞名詞離耿太太都太遠，太隔膜了。她現在全心全意要去愛、去疼還來不及的，是身邊那個有血有肉、實實在在、活活潑潑的孫兒。

「好啦，天熱，生氣傷肝。還是去看看你孫兒，人人都誇他將來有造化哩。」

「妳去疼妳的吧！我得先寫封信給望凱，好好訓他一頓。還有，孫兒的名字叫華特。什麼約翰、華特、大衛之類，都是拾人家美國人的牙慧。我給他重取個名字叫振華。留著那個華，而是振興中華。嗯！耿振華，不錯！」耿敬軒在那裡吮墨展紙，唸唸有詞；耿太太卻全沒聽見，人早溜進那房裡去了。

寫完一封措詞嚴厲的信，滿懷憤懣已稍稍卸下一部分在對兒子的譴責中；頹然擲下筆，覺得尚有份沉重感堵在胸際。抬起眼睛，望凱戴方帽子的照片，正神采奕奕的在對面牆上向他注視，那濃濃的眉毛、炯炯有神的眼睛，直鼻寬額，完全是他年輕時的翻版；只有唇角那點俏皮屬於他母親，不笑時顯得剛毅，笑的時候透著俊俏。他還清楚的記得他戴方帽子的那天，一清早，他娘就緊張得連早餐都吃不下，催著他僱車去台南成大，正趕上學生繞場一周。在黑鴉鴉一群寬袖長袍的行列中，一眼就找到了頎長的他。他也看到母親向他揮手示意，就展示了那個很俊的笑容，那情景彷彿就在眼前。就連那年陪他去參加聯考，看他一堂一堂在蒸籠般密封的教室裡考下來，臉色沉重，汗水滲透了厚厚的卡其布制服，自己殷勤地遞水揮扇，只是置若罔睹；帶去的水果和他娘特製的加工便當，又原封不動，重甸甸地帶回家來，這彷彿都是不久以前的事，但是，記憶猶新，人卻遠了。而如今這距離，更不止是空間的——空間的距離僅是形式上的一種，最怕是觀念上的。養育一個孩子，你給他生命，給他血肉之軀，給他受教育，分明是你所熟悉的、了解的，恍惚只那麼一放手一轉背，才知道原來還有許多陌生的成分，許多不了解的因子……但不管怎樣，現在是第三代開始，只要孩子留在台灣一天，就得從小一點一滴地灌輸他民族意識。

由激怒轉為沉重，轉為落寞，太太似乎全不重視他所為大逆不道的事，忙不迭去疼孫兒了。窗外飄進來一陣啾啾唧唧的鳥語，由於樹多，鳥兒就像豢養在自家院裡，只要靜下來總能聽到牠們互相唱和、彼此呼應的聲音。但這一刻的鳥語中，卻摻和著另一種悅耳的新聲，不在窗外而在屋內，他循聲尋進隔壁房間，只見他太太正俯身在小牀上逗弄著小孫兒。透過葡萄架那柔和的光線中，嬰兒穿一身淺粉，躺在潔白的牀毯上，白胖的小腿高高翹起來又砰然打著牀墊，小手揮舞著，清澈明亮的眼睛望望逗他的人又望望有鳥叫的窗外，嘴裡也咿咿呀呀地說著唱著，軟軟地、輕緩地聲音比鳥聲還好聽。他一走過去，他就靈活地轉過臉來看他，他伸出手去觸到他的小手，那白嫩的小手馬上收攏來握住他一隻食指，握得緊緊的，只感到有一股暖暖的熱流從指尖通向心臟，使他深深地覺得畢竟是自己血脈相承的嫡親，一點沒錯！這鮮活的小生命中有他的血液，有古老的、中華民族的血液。這一個新奇的觸覺，給他的感覺是完全真實的。

綠藤飄垂的窗下，左右兩個白髮摻半的頭顱，彎腰在小牀上作成一個拱門，拱衛著那個手舞腳蹈的小小嬰兒。三個人全咿咿呀呀學說著童語，這又是一幅多麼神妙生動的圖畫！

三

自從有了孩子的哭和笑，兩老平時一板一眼的生活秩序頓時亂了譜，一向冷靜的耿家宅院也有了生氣。孩子已成了兩個人的生活重心，守著小生命成長過程中的點點滴滴，都像發現了創世的奇蹟。儘管撫育嬰兒已經歷過一次，也不知是事隔二、三十年淡忘了，抑是那時太年輕漫不經心；一切的一切都是那樣新鮮而美妙，牽制著人的心神，支配著人的感情，統轄著人的意念。這跟花草樹木又不同，花草也萌發新芽，透露嫩葉，一天天成長，但卻是靜靜地進行；嬰兒卻是鮮跳活蹦的，不停地搖著小手，踢著小腿，轉動著柔髮披覆的頭，就在這搖著、踢著、轉動著之間日長夜大，花木也抽枝展葉含苞結蕾，一日日茁壯，但只是默默地進行；嬰兒卻不住的笑一會，哭一會，又咿咿唔唔唱他的歌兒唱半天，就在這笑、這哭、這歌唱中，智慧漸開。於是，兩老充滿喜悅的聲音，不住在屋裡屋外一遞一喝地呼應著：

「小華今天都會爬了！」耿太太掘到了金礦般，忙不迭告訴剛進門的耿先生：「爬起來真好玩，一曲一弓的像條大蚯蚓。」

耿敬軒氣咻咻地擱下一大疊簿本，也來不及喝口水解渴，便走進來看大蚯蚓是怎麼爬的，看那小屁股撅起多高，圓滾滾的小身子慢慢拱起弧形，頭昂得高高地望著前面的目標——一隻布狗。小手那麼一划，腳那麼一蹬，便一拱一撅地爬行了好幾步。幾曾見過這樣可愛的大蚯蚓！

「快來看，小華自己會站起來了！快，快來！」耿敬軒在房裡突然發現了新行星似的高聲嚷嚷，嚷得廚房裡忙著炒菜的耿太太，顧不得油鍋冒煙，關掉電爐三腳兩步趕進去，小傢伙正抓緊了牀欄杆，試探地一腳先踏實，接著腳跟用勁一蹬，便巍顛顛地站了起來。自己高興得張開了四個牙齒的嘴笑得樂呵呵地。這一著，比人類爬上喜瑪拉雅山的頂峰還了不起！

「小華今天真乖！都會叫奶奶了。來，乖，再叫一聲奶——奶！」耿太太抱孫兒在門口迎著耿敬軒，好不得意的炫耀，一面呶嘴捲舌哄勸。孩子果然撮起花兒似的嘴，出個「奶……」字，聽在耿太太耳中，卻像是蜜糖澆的音符，甜甜地溶化在心坎裡。

「哎！小華自己會走路了，快，妳在那頭蹲著。嗯，腳提起來……不怕，有爺爺護著哩……開步走！」耿家兩夫婦相隔不到三尺，面對面蹲著，向前伸出了雙手，就像小時候玩搭轎子遊戲。孩子站在耿先生這端，向他奶奶那邊跨了一步，顛頓一下，換隻腳又跨一步，再一步，便撲進了耿太太懷中。立刻引發了一疊歡呼聲，比阿姆斯壯一步踏上月球還熱烈。

但生命成長的過程是很少走直線的，多少總有點曲折，生個病，發生點意外什麼的，尤其是那樣稚嫩柔弱的小生命，儘管兩老像守護神般謹謹慎慎日夜護衛著，也還是有逃過封鎖線的病菌細菌。只要小華不小心，染上點傷風咳嗽，兩人就焦急得茶飯無心，小華偶然得個消化不良，兩人更是六神不安，把個小兒科醫生敬若神明。最嚴重的一次，是歲半的時候忽然發燒，一燒一個多月，忽高忽低就是不退盡。醫生診斷是叫「台灣熱」的小兒病，由於空氣濕熱，體質異常，針藥根本無法退燒，除非是住進有冷氣的房間。裝冷氣！這在一輩子克勤克儉從軍而教的耿家來說，是太奢侈了。可是為了孫兒的健康，說什麼也得裝，費用當然不能向半工半讀的兒子要，由耿太太邀約友好鄰居起了個會。看來這台灣熱真還是現代化的富貴病，冷氣一裝，小華的燒果然漸漸減退，人也就比較活潑有精神了。只是苦了不屬於現代富貴命的兩老，輪流在冷氣房裡陪孫兒，原來有風濕症的耿太太，成天腰疼、腿疼、胳膊疼、又是撒隆巴司，又是德國辣椒膚藥，滿身貼得像打補釘；還有阿利那命F，僂麻脫什麼的藥丸藥片換著吞。一向氣管就過敏的耿敬軒、被冷熱氣交互刺激，不住咳咳喘喘的，口袋裡，枕頭邊，隨身攜帶著過敏藥、止咳丸。一個人生病，倒有三個人打針吃藥。幸好不久秋涼了，冷氣不開，居然也不再發燒；孩子病一好，在細心調理下，很快就壯健得像頭小犢，只是做奶奶的衣服卻件件都嫌寬鬆了。

一個正在成長中的孩子，他那慢慢能自己運用的身體充滿了動力，他那漸漸由懵懂啟明的智慧，對周圍的一切都發生好奇；什麼都要用自己的眼睛看個清楚，什麼都想用自己的手去感觸撫摸。小華剛剛蹣跚地學步，便跌跌衝衝，滿房子亂竄亂跑，儘管耿太太早就把所有能砸破的、碰壞的零零碎碎全收好擱高，可是誰也料不到他下一步要闖什麼禍。一轉背，他會把書桌五屜櫃的抽屜拉開當梯子，爬上去跌碎了石膏像，打翻了紅墨水；一轉眼他便溜進洗澡間放一浴盆水，拖鞋皮鞋全成了沉船，屋子裡幾乎氾濫成災。再不就是走進廚房，醋碰倒，油碰翻，米和糖撒一地，把自己染成個白髮白眉的麵粉人……小華如在屋子裡闖禍，耿太太就得提心吊膽，掃帚抹布的跟在後面轉；小華要去院子裡搗亂，耿先生又得傷透腦筋，他把支架花枝的竹桿拔起來當馬騎，花朵花蕾摘著玩，嫩芽幼苗倒轉來看看在土裡怎麼長根，小池裡的魚兒優哉遊哉，抓牠不住索性連鞋襪跨進去……

耿敬軒究竟當了幾年老師、懂得隨機教學。他知道小華最愛吃荔枝，當鮮甜的荔枝汁沾滿小嘴時，他從苗圃裡移來一株荔枝樹，帶著小華一面挖土種植，一面仔細的解釋給他聽；花木怎麼喝水、曬太陽長大，就跟孩子喝牛奶，穿衣服長大一樣。等種下去的小樹長大、開花，就會結許多許多好甜的荔枝給他吃。

他讓小華鏟下兩鏟土，又給他一把小水壺。

「這是小華自己的樹，要好好照顧它喲！」

於是，每天清晨黃昏，院子裡總有一大一小兩個身影，他澆水時他也澆，他剪枝時他拾葉片，他整理花圃時他便和稀泥，拔野草。跟在旁邊嘰嘰咕咕，問長問短。

「花為什麼會香？」

「玫瑰為什麼不結好吃的果子？」

「草為什麼不許它長？」

「蟲為什麼喜歡吃葉子？」

小嘴巴裡就有那麼多為什麼，常常難倒了爺爺，為這個還去翻自然課本，到圖書館看園藝書。孩子原是最容易接受影響的，潛移默化的效果，他慢慢地由任意摧折花草，變得知道愛惜花木了，而且認得不少它們的名字。耿敬軒對這一點非常得意，常向太太說：

「小華這麼小，就懂得種花的樂趣，懂得領略大自然造物的美，生命成長的奇妙。長大後不說做個出色的園藝家，至少也知道怎樣自我陶冶心情。在未來越來越趨向只著重物質的工業社會裡，這種修養是很難能可貴的。」

耿敬軒在牆上刻劃了尺寸，每當小華急不容待地追問：「我的樹要什麼時候結荔枝哪？」就叫他靠在牆上比比自己長高了多少，看看是樹長得快還是他長得高。

「記住，等你快上小學的時候，它也就結荔枝了。」

四

小華頂喜歡唱歌，照現代的說法就是有音樂細胞；咬字還咬不清，一個人玩得起勁時就東拉西扯地唱起來。那天耿敬軒豎起耳朵仔細辨認，刁著嘴在那裡呻吟似的竟是：

「我高高舉起苦酒一杯，你心裡明白……」

一會又換上賴皮叫化子嘶喚：

「我愛你，我要你我要你來……」

耿敬軒忽然覺得汗毛孔一陣陣發痲，起雞皮疙瘩。

「哎喲，太太，妳有沒有聽見小華在唱些什麼？」

「唱什麼！流行歌曲嘛，他學得可像呢。」

「看妳還得意，這種靡靡之音，平常一天到晚聽那些唱歌吃飯的唱得迴腸盪氣，就夠倒胃口的了；現在出自一個小孩子嘴裡，更不像話！明兒他去父母那兒要讓客人聽，我們連小孩子都只會唱這種無聊的靡靡之音，準笑話我們是個粗俗的沒有音樂的國家。」

「你也別跟我說教，這些歌原是從收音機和電視機裡學來的。」

「那以後有哼哼唱唱的節目就關掉。」

「簡直是因噎廢食嘛！」耿太太在心裡嘀咕著，究竟也有幾支歌蠻好聽的，卻懶得跟他爭論。

可是小華並不理會祖父這番用心，仍然熱中於他的哼哼唱唱，不過唱詞腔調都換過了：

「綠油精，綠油精，爸爸愛用綠油精……」

或是吆吆喝喝：

「骨節痛、腰痠背痛……

轟達、轟達……」

耿敬軒聽著實在刺耳：

「真糟糕，我們的孫兒怎麼又當起免費的活動廣告來了！」

「還不是電視上學的。」

「以後我們約法三章。」耿敬軒鄭重的宣告：「以後除了我愛看的平劇，妳愛看的幾個電影以及兒童節目，別的時間都不許開！」

在為了怕影響孩子心理健康的大前提下，耿家的電視機幾乎瘓瘓了。可是這一來，做爺爺的又怕太忽略了孫兒愛音樂的天性，在自己貧乏的腦藏中搜搜搲搲，也只搲到一支空軍軍歌和一支〈滿江紅〉，冷藏了那麼多年，唱起來荒腔走調的。聽小華把〈滿江紅〉唱成：

「奴花、沖、官，瓶爛去、小小、魚、蟹……」

覺得很不是味道。這對孩子究竟太深奧了些，繼則求之太太，耿太太年輕時倒是能唱好些歌曲，但給油煙蒙蔽的已忘了，記得的幾支也支離破碎，她最喜歡的那兩支：

「天上，飄著些微雲，地下，吹著些微風……」

「快樂幻影，像金色的夢，常在我的心……」

教給小孩子實在太不對勁了。最後還是她想到個好主意，用她最拿手的水果蛋糕和豆沙包做為束修，聘請隔壁上幼稚園的小莉莉做小老師，來教小華唱兒歌和童話。於是，每當家家戶戶開響電視，這邊大賣其樂，那邊迴腸盪氣，互相較量時，獨有耿家屋子裡飄揚出一陣陣清脆、甜蜜十足的歌聲，像一股清新的微風，吹拂在污染的空氣中。

五

「國、際、牌，你看，國際牌！」

那天耿敬軒正捧著一張報紙在看，小華卻在這一邊用手指指指點點，嚷著要別人分享他的新發現。耿敬軒連忙把報紙一翻，可不是，下半欄就刊登著國際牌的廣告，他不由得驚奇的叫起來：

「奇怪，小華怎麼會認識國際牌三個字，誰教他的？」

「沒有人教他嘛，誰說他認識？」耿太太不信。

「小華快指給奶奶看。」

「國、際、牌。」小華得意地指那個方形中一個圓圈的圖案一字一頓的唸。又再指上面另一個長方形二個圓圈的圖案說：「那還有大同。」

原來他認的是商標，真虧他記的，可不容易，我們天天看見也沒有他記得清。」

「聰明，真聰明！可以教他認字了。」

「三歲認字不太早了一點？人家說腦筋用得太早要受傷的。」

「每個人天賦不同，智商亦有高低，不能一概而論；人家外國還有十三歲的大學生，十九歲的教授哩。」別的都可以聽從太太，唯有對教育孫兒這一點，總是執著自己的計畫：「我自己得先有個準備。」

「你做準備？真好笑，啟蒙也不過教幾個字罷了，有什麼好準備的？」

耿敬軒對太太的疑問只是含笑不語，一副莫測高深的樣子。但三天，五天，一個多星期過去了，也不見他開始教，卻自己一個人關在房裡唸唸有詞。那天耿太太進去一看，忍不住發笑，原來他老先生正認真地在那兒默誦著ㄅㄆㄇㄈ、ㄉㄊㄋㄌ哩。

「這是做什麼？要考老童生，倒回去了？」

耿敬軒一本正經地按著注音課本解釋給太太聽。

「妳知道我的國語嫌鄉音太重了，這都是因為從前的小學不注重注音，老師是什麼地方人，就用什麼地方的土音教的緣故。國語是一個國家代表性的語言的音，非準確不可。所以要教小華認字，我自己必須先練習發音。」

「這就怪了，你中學都教了這些年，又怎麼混的？」

「嗨，太太這個混字妳可不能隨便亂用，我教學一向是以認真著名的。」耿敬軒大不以為然地糾正她：「我的學生在念小學時，都早就學得一口標準國音了。重要的是跟他們講解，有生字，我可以先查好注音，寫在黑板上，然後叫班上發音最標準的學生拼出來，我再加以解釋，這樣還比較容易記牢，至於一般講解他們都能聽得懂就行了。」

準備工作第二步，買來厚挺的重磅道林紙，裁成一張張整整齊齊的小斗方，蘸上濃濃的墨汁，一筆不苟，端端正正的寫下簡單的字，自己先用拼音唸，唸熟了，再教給孫兒；小華記得很快，帶著清純童音的國語更是好聽。接著，他告訴他日常生活中的事情，所有事物的名稱都慢慢改用標準發音。講慣了，連奶奶講什麼，他都要糾正。耿太太給他唸故事書說：

「黃的花，綠的葉……」

「不是王的花，落的葉；是黃的花，綠的葉。」

奶奶叮囑他：

「小華，出去要穿鞋子。」

他會調皮地回答：

「我不穿孩子，我要穿鞋子。」

耿太太只是又笑又搖頭：「這孩子真是……」

耿先生卻十分驕傲自己苦心教學的成績，喜歡自個兒腰裡掛秤：「怎樣，我有資格做國語推行委員吧。」

六

在親切的照料中、在愛的灌溉中，孩子健康地成長，猶如樹苗在陽光的照耀中，雨露的滋潤下，欣欣展揚；孩子的智慧，如正琢磨的鑽石漸露光芒。幼樹也結蕾、開花、孕育果實，當小華量量劃在牆上的尺寸已經三呎五寸高時，站在比他高了一倍的荔枝樹下，卻必須要仰起頭來才望得到赭紅色的葉梢上，已綻開了一簇簇小小的花朵。

「爺爺，荔枝已開花了。一朵，一朵……好多朵。」他伸著手指數來數去數不清。

「噢，開花就要結果了。」

「爺爺不是說過，等我上學時，荔枝也快結果實了。現在荔枝就要結果實，我怎麼還沒有去上學？」

「那是荔枝長得快，趕在你前頭。等這個學期結束，再過完暑假，你就可以去上學了。」

「哈！好開心，好開心！」小華拍著雙手歡呼。奶奶在窗口插嘴問：

「是有荔枝吃開心，還是上學開心？」

「吃荔枝開心，做小學生也開心。」

一天多少次，小華都嬲著爺爺去探望荔枝樹，盼望著花落，盼望著結荔枝，更盼望著快快做小學生。望著、等著，花落了；青青的果實還只有花生米那麼大，美國卻來了信。

平常美國一個月總要來十幾封信，只是份量都不及這一封拿在耿敬軒手裡那樣沉重，那樣壓手。兒子信上說他已得到學位，獲得待遇較好的工作，媳婦可以暫時不做事在家看孩子，這些年麻煩雙親帶孩子，實在過意不去，不能再勞累他們了；正好趁姻親暑假返國省親之便，來接他赴美……

儘管一直都知道孫兒遲早總要回到他父母身邊，儘管是意料中的事，驟然來這一紙通知，還是震撼了兩顆慈祥的心。耿太太握著信紙的手簌簌發抖，心裡像被一根無形的繩索絞緊抽縮，幾乎支持不住。耿先生忙扶持住她，強自忍著感傷勸慰他說：

「這有什麼，孩子麼總是要在父母身邊的，我們本來就是盡盡義務而已。」除了傷別離，他心裡卻還有件更大的憾事；那就是在計畫中，小華應該在台灣接受一個時期的國民小學教育，不想那麼快就來接了。

耿太太是滿懷離愁，盡想著怎樣多寵些孫兒，多親親孫兒。耿敬軒也忙著動腦筋，盡想要怎樣多給點孫兒，多教點孫兒。為了原則上達到目的，他不惜打破自己一向不求人的作風，去拜會附近國民小學的校長，把小華的情形告訴他，懇求他，容納孩子做個短時期的隨班借讀生。

「這樣，至少可以讓孩子孩子在進美國學校之前，先接受一下祖國的教育。那怕只是很短的時期，也可以多少學到一點規矩和禮節。」

那位樸實的老校長起初感到十分為難，學校從來沒有過這樣的例子，旋即被耿敬軒懇摯的請求和光大的理由所感動，而慨然應允了。

小華高高興興地穿了整齊的白襯衫、黃短褲，背著藍底白字的大書包，讓爺爺騎著腳踏車送他上學去。一有空，耿敬軒便逗留在學校裡，看他跟著許多小朋友恭敬地向老師說早安，看他跟同學排著整齊的隊伍，在初升的陽光中，向冉冉升起的國旗致敬，合唱升旗歌，千百個童稚的聲音揉合成一片嘹亮雄壯的歌聲，青天白日滿地紅美麗的鮮明的旗幟，便在歌聲中飄揚在蔚藍的天空。看他循規蹈矩的隨大家一起進教室上課，級任導師是一個年輕的女老師，有一張純淨可親的臉，穿一身明朗大方的衣裙，說一口標準流利的國語，在耿敬軒唸起來那樣聱牙結舌的字句，從她嘴裡吐出來竟是那樣悅耳動聽。講起課來還帶表情做動作，難怪一個個小學生都坐得端端正正地，聚精會神的傾聽著。老師輕輕說一聲：

「小朋友們說對不對？」

立刻數十個聲音一起高聲回答：「對！」

老師含笑問一聲：「小朋友知不知為什麼？」

馬上幾十支手臂同時舉起來，爭著回答問題。那一聲「對」裡面有著小華的聲音，那舉起的手臂中也有著小華的手臂。看他在休息時跟同學一起踢皮球、玩遊戲；看他下了課跟同學一起灑掃清潔，處處都表現得十分勤勉和合群，平時一點一滴教他的有關生活禮儀，應用到實際生活中，竟如此得體。放學後回到家裡，便急著向奶奶、爺爺報導一天在學校裡的事情；又是寫字得到了「甲」，又是老師誇獎他，還有同學請他吃糖。晚上，看他在柔和的燈光下打開課本，朗朗地吟幾遍新教的課文：

我愛我們的國旗，
我們的國旗真美麗。
我愛我們的國旗，
向我們的國旗敬禮。

耿敬軒看著、聽著，一次次深深地受到感動，感到驕傲，他的愛孫已經是中華民國國民小學的學生了。

七

小華去國的日期漸近，耿家兩夫婦又忙著為小孫兒準備行裝。耿太太忙的是添製衣服，從夏天到冬天，自成衣到定做，一應俱全，自己還兩手汗沾沾的，趕著編織一套毛衣，針針密密地織進去她的關懷、她的愛心，和她的無限祝福。耿敬軒煞費苦心準備的，是有關孫兒最重要的基本教育和精神糧食，而其中最珍貴的是兩卷錄音帶。

給他靈感製作錄音帶的，也就是小華的導師——那位年輕的蕭老師，是她那一口流利動聽的標準國語，引起了他的動機，他親自鄭重地跑去請求她把第一冊國語課本唸一遍，生字拼一拼，讓他錄下音來。

「妳知道，孩子去了美國就沒有機會念自己的書，做父母的可能也忙得不會教他。一個孩子不能接受祖國的教育，不懂祖國的歷史文化，是非常可悲的，長大更是一個沒有國家觀念和民族意識的人。國家每年要輸出好幾千留學生，多半留在那邊結婚生子，成家立業；但是，好像從來就沒有人注意過這個影響我們下一代民族尊嚴的嚴重問題。」耿敬軒發現自己在一位小姐面前越說越激憤，不禁歉疚地一笑，「對不起，我扯遠了。我想我家耿振華也是妳的學生，如果妳肯幫忙這樣做，不但他在國外繼續可以受教，也許將來受益的還不止我孫兒一個人。而是許許多多生長在國外的下一代。」

「我們從事教育工作的人，非常樂意盡這點義務，何況耿振華又是我的學生。」那位可敬的蕭老師，不但自己欣然答應，還幫他邀請了另外一位音樂老師，錄下了好幾支兒童歌曲和民謠。

當人們盼望著時，日子往往慢得像蝸牛；而當人們祈求時間慢一點過去，卻又偏偏像長了翅膀。小華要走的那天終於來了！在那一段日子裡，兩老也不知費盡多少口舌，哄勸著不肯離開爺爺、奶奶去美國的孫兒：

「不是去別處，是去爸爸、媽媽那裡。」

「你可以回國來看爺爺和奶奶，爺爺、奶奶也可以去美國看你。」

許諾又許諾，才勉強說通了。

在機場，耿敬軒還在一再叮囑孫兒：

「記住你祖父母、你父母都是中國人，你到哪兒都是中國人，別忘記講國語。」

「你一定要按時念國文，爸媽要沒有時間教你，就自己聽錄音，念完一冊，我會陸續給你寄來。」

「要學好寫中國字；想念爺爺和奶奶，就可以用中文寫信來。」

小華偎在奶奶身邊，一句一句只是默默地點頭應承。彷彿遭遇到生命中第一遭別離的悲傷，使他一下長大了不少。看他那懂事的樣子，更是教人愛得心疼。

催客聲中，小華讓那個舅媽牽著手，另一隻手提著他重要的小提包——裡面裝的是幾冊國語課本、故事書、小字典、二卷錄音帶、一面國旗，和幾樣他心愛的玩具，一步一回頭地走向入口處。耿太太早已梗塞得語不成聲。耿敬軒猶自一疊聲低啞的嘶叫：「小華、小華，不要忘記爺爺囑咐你的話！」忽然他在樓梯口停下來，掙扎著想跑回頭，卻被舅媽緊緊地挾持著拖下樓梯；僅僅是幾步樓梯，卻已經天涯阻隔了。

耿太太擠在月台欄杆邊，一眨不眨地睜大眼睛，望著寬廣的停機坪上那個小小的、穿紅上裝灰短褲的身影，慢慢走近那架停著的飛機。可是淚水卻不住湧上來，模糊了視線，已擦濕了自己和耿先生的兩塊手帕。飛機終於越出了視線，送行的也散了，耿先生陪著她留下來，讓風吹乾滿面淚水。想起五年前也是在這座月台上盼望，那時又是懷著怎樣歡欣的心情？五年前，從機上接下來的是一個柔弱的嬌嫩的嬰兒；如今送回他爸媽的是一個健康活潑、能說會唱、會淘氣也會哄人的乖孩子。五年的心血精力沒有白費，五年的關愛如今又從何求得慰藉？

載一車沉甸甸的離愁，回到家裡那二間小屋，忽然變得空空洞洞；那一院花草，忽然變得沉沉寂寂。耿太太在壓下去裡東轉轉西摸摸，灰塵污垢她全不見，到處只是小華留下來的東西：牆上有弓箭、圖畫，窗台上丟著積木和電動坦克，牀上有脫下的襪子、汗衫，屋角冷落了的三輪車。噢，五斗櫃上怎麼還忘了他最心愛的玩具熊？她溫柔地把它抱在手裡……

耿敬軒在小院中踱來踱去，花壇前站站，小池畔停停；新栽的黃玫瑰開了一朵，他沒有注意，移植的蘭花萌了新葉他不加理會。猛一抬頭，卻見荔枝樹朝著太陽的那一叢上，一串渾圓的荔枝已綠裡透紅。

「小華，看荔枝成熟了！」他幾乎驚喜地叫起來，旋即頹然咽住了。回過頭去，只見他太太抱了那隻玩具熊默然佇立在窗前。

老榕樹投下一片濃濃的蔭影，在屋脊，在院中。寂寞的陰影，像一抹薄霧，悄悄地灑落在兩人的眉睫、髮際。薄暮掩攏下，荔枝的紅邊彷彿黯淡了。

編註：本文原刊於《中央月刊》第三卷第三期，一九七一年一月一日，頁六十四～七十七。

一百五十元

保長拿著張名單，熟悉地從這家走到那家，也不看名字，就向屋裡嚷：

「三爺你家的二妞要進識字班！」

「根祥，叫你媳婦上識字班去。」

這一嚷，被叫的、聽到的，一起趕出屋來，大家圍住了保長，你一句我一句的搶著問：

「做嗎幹？保長？」

「口子杯是嗎幹東西？」

「識字班是縣府叫辦的，專門教女人去認字，可曉得？」

「認字？認得字當得飯吃？我不認字也活的這樣大了。」

「我家二妞要做田，唔得閒去扯淡。」

「女子人都要認字！好笑！」

東一句，西一句，大家都不願意去，保長把個臉都急紅了，一面向他們解釋識字的好處，一面又說這是上面的命令，他也沒有辦法，結果大家給他說軟了心，都吞吞吐吐地答應了，只有賴三爺不屑地披一披嘴，硬不肯讓二妞去。

「什麼認字不認字，姑娘家跑得野頭野腦的，我不許。」

隔不了幾天，鄉公所貼了一張××婦女認字班的長字條，當人們走過門口時，總要給那咿咿唔唔的聲音引得回過頭去，二妞望著脅下也像學生子般挾著一些書本的姑姊，心裡說不出的豔羨，她去河下挑水的時候，總愛歇在鄉公所門口，偷偷地聽和看，但一當她們望她一眼時，她又馬上不好意思地裝著在看別處，她覺得就連平常□無用的阿牛姑都比她高明得多了，她不禁暗暗地恨起三爺來。

趕過墟，二妞照例提著只空籃子回家，把緊密地包在手巾裡的鈔票交給三爺後，剛轉身想去喝水，三爺卻老虎般在後面咆哮起來。

「還有錢呢？」

「一起在這裡。」

「那麼妳偷了。」

「沒……沒沒有，我偷了會遭雷公打死。」二妞又氣又怕，急得眼淚都迸出來了。

「妳看，十個雞蛋只賣得一百五十花邊。二十五元錢一個，也得賣二百五十花邊，這賤胚不曉得怎麼搞的。」三爺氣咻咻地將六張鈔票——一張五元的□金五張十元的——拿給進來問訊的根祥看，順手抓起了牆角的一根竹片。

「那個先生交給我就只六張，他說是兩百五十花邊。」二妞嚇得臉都變了，畏縮地退到了牆邊。

「妳怎麼不看一下呢？」根祥調解地說。

「我，我又不認得字。」給這一問，二妞終於委屈地哭出聲來，三爺怔了一怔，不知不覺地讓那根竹片掉在地下了。

第二天二妞眼眶還有點紅腫哩！高興的笑意卻忍不住從那裡揚射出來，跟村裡的孩子一樣，□脅下亦不大習慣地挾了一疊書本，向鄉公所走去。

編註：本文未明出處。

橋

報曉雞剛剛唱過頭道，天還黑得看不清一個手有幾隻手指，便有人在阿石頭家的兩扇板門上擂鼓似地敲起來，一個破啞的聲音拚命地在門外叫喚：

「石頭哥，快點跳起趕路囉，二十零里路□好攬，應□到名又要駝保長話。」

阿石頭睡得正甜甜地，給這一叫便忽地扯去被蓋跨下牀來，順便給了他老婆一腳，嘴裡恨恨地咒罵著：

「懶婆娘，睡個死，人家要去趕路築橋，妳還躺著挺屍。」

阿石頭在水瓢裡抹了把臉，胡亂吃了頓他老婆給他熱的陳飯，便兜起一包冷餐，挑起畚箕開出門去。月亮披掛樹梢哩，坪上已集了好些人，都挑著畚箕，有的嘴裡還在嚼著鍋巴，點過名，大家就走上到城裡去的鄉道，阿石頭吐了口口水，又叨叨地罵起來：

「×其個？今日築路，明日造橋，派木頭，派民工，老子欠他個？」

「是囉！」走在後面的□頭祥福換一換肩接上說：「差使百有份，好事輪不到，替公家做事，就是這一套。」

「那也不要講！憑良心說，我們雖然出了力，卻也方便得多，就說這條鄉道吧！要不築起來，進城起碼要多繞幾里山路，橋要是造好了，不但省錢省事而且也不要花一兩袋煙的時間來等渡船，你能說這對我們一點好處都沒有嗎？」阿發趕在頭裡搶出來說。大家聽他說得有理，便再不開口了，只有阿石頭給他搶白了一頓，一路都不大高興。

一天一天的過去，橋在大家的分工合作下終於造好了，修長的橋身靜靜的跨在河上，鄉村和城市聯起來了，只要一下子，便從這邊到了那邊，赴墟的再不怕等船誤了早市，趕路的也不怕晚了過不得河去。

阿石頭挑著擔蔬菜，第一次踏上橋板時，看到橋上來來往往的行人，想到造這大橋也花過自己的力氣，心事不禁感到一種喜悅和驕傲，阿發這鬼仔講得不錯，「與人方便，自己方便」。

因為今天到得早，阿石頭的白菜在圩上很快就買完了，他收給起空籮筐，買好油鹽回家時，他老婆正在搓麻。看到他回來，吃了一驚，飯這沒有上灶哩！

「怎麼就回來了？」

「早去就早回囉！」阿石頭放下籮筐，將一角包鹽和半罐子油交給他老婆，便抽出煙桿來就她搓麻的木椿上坐下，他感到今天心中有一種說不出的輕鬆和痛快，悠悠地抽出兩袋煙後，回過頭去看見他老婆正蹲在灶前給煙迷了眼睛，他忽然覺得她可憐起來。

「呃，罐裡有多少雞蛋？」

「連黃母雞在生的，有十五個了。」

「那麼下過圩該有十八個了，給你捎去吧！也讓妳過過大橋。」

他老婆感激地看了他一眼，咧著嘴笑了，縷縷的青煙從後屋頂上升起來，一隻母雞在□裡「咯打打」地報告著喜訊。

編註：本文未明出處。

一顆珠子

何可立是一個漁夫，他父親傳給他一隻舢板船，一張舊漁網，他便每天駕著舢板船，到河裡去捕魚。然後把捕得的魚換了錢，又買來生活必需的柴米油鹽。一年、二年、三年……好幾年的歲月就那麼平淡的在河上過去了。何可立也沒有作什麼別的打算，他只希望河上沒有風浪，可以多捕點魚，積點錢，娶一個妻子，妻子又給他生個兒子，過幾年兒子長大了，又把舢板船和漁網傳給他。

有一天，河裡起著霧，何可立駕了舢板在霧裡東衝西遊，撒了好幾次網收上來都是空的，他覺得十分懊喪，而霧又越來越濃了。

「今天出門不利。」他喃喃地自言自語，「收了這一網回去休息算了。」

於是他懶洋洋地收起網來；網裡還是靜靜的沒有捉到了魚那種「潑刺」的掙扎聲。可是等網完全收上來時，卻見一隻大蚌石頭似地沉在網底。

「嚇，請來了你這麼一個笨傢伙！」何可立氣鼓鼓把大蚌抓在手裡用力向艙底一丟。

「拍！」蚌殼打開來了，有什麼亮晶晶的東西從蚌殼裡骨碌碌滾出來，一直滾到何可立腳跟前，他彎了腰去一看，嚇，原來是一個又圓又光的大蚌珠！

「啊，啊，天保佑我！這下我何可立可發財發定了。」何可立撿起蚌珠來，捧在手裡又是叫又是跳，高興得發了瘋似的。他連忙把船搖回家裡，舢板也忘了繫住，魚網也顧不得晾曬，匆匆忙忙地跑進他那間茅屋裡，便把門閂緊，把窗子關得嚴嚴的，連牆上一二個小洞也用泥堵塞了。然後掏出珠子，一個人望著它胡思亂想起來。

「這顆珠子大概抵得五千，噢不！一萬……就算是二萬吧……我把二萬塊錢買幢房子，娶個妻子，生個兒子……兒子當然不捕魚了，要他做一個很大很大的大官，我自己呢？就在家裡做老太爺，吃人家捉來的魚。還要，還要，還要……」何可立東想西想，已經過了該睡覺的時候，可是他不敢睡，他不曉得把珠子收藏在哪裡才妥當。結果，他還是緊緊地把珠子捏在手裡，眼睜睜的等到天亮。

天一亮，他便帶著珠子進城去找珠寶商人，第一個商人一看見珠子眼睛就發亮，但他馬上又裝出一副不注意的神氣用輕蔑的口吻說：

「哈，那裡弄來這麼一顆假珠子，糯米做的吧！」

「什麼？假珠子！明明是我昨天從蚌殼裡弄來的。」何可立憤憤地叫起來，馬上一手奪回珠子說：「不賣了！」

「噢，朋友，也許我沒有看清楚，我再看看！」珠寶商人拚命在後面喚他回去，可是他已經跨進了第二家珠寶店。

「哦！珠子麼，這個，你請等一等，讓我仔細看看。」第二家珠寶店的胖老闆接過珠子看了一眼，又從眼鏡框裡抬起眼睛來把何可立打量了一番，這才踱到窗前，又是放大鏡，又是戥子的忙了一陣，嘴裡說著「等一等，等一等」，自己便挪著二條矮胖腿走到裡面去了。何可立等著，等著，正感到等得不耐煩起來，卻見胖老闆走了出來，後面跟著一個面貌兇惡，又高又大的壯漢。他拿過何可立的珠子看了一眼便說：

「不錯，真是這一顆！」接著惡狠狠的瞪著何可立同胖老闆說：「看住他，我馬上去叫人！」

「等一等，有話慢慢商量。」胖老闆故意作好作歹的拉住壯漢，又回過身來悄悄的對何可立說：「他是公爵家裡的管家，上個月公爵家裡失竊，就偷去了這麼一顆珠子，今天給他認出來了。不過……這位管家和我是好朋友，我們可以斟酌斟酌，不把你押起來，只要你繳出珠子……」

「你這都是胡說，珠子明明是我從河裡撈來的。」何可立把臉都氣青了。

「你說你在河裡撈到的，你說不說得出是什麼地方？什麼時辰？有沒有人證？珠子有多少重？」壯漢搶著問他。

何可立答不上來。

「哼！還說不是偷來的，告訴你，這顆珠子重七錢八分三厘，上面有一個小針眼。是外國一個宰相送我們爵爺的。」

何可立又氣又急，他一眼看到桌上的戳子，忽然明白過來；指著他們罵了一聲：「你們都是串通好的騙子！」便拔起腳來就跑，他們還在後面追著喚著：抓小偷！跑著，跑著，眼看前面一條河擋住了，何可立把珠子含在嘴裡，一躍身便跳進河裡，看到兩人站在岸上頓腳劃手，心裡覺得好笑。他在水裡游了一會，突然一條魚在他面前竄過，尾巴正好拂著他的鼻子，他頓時覺得鼻子裡癢癢難熬，猛的一個噴嚏，嘴裡含著的珠子直射出來，等他游到珠子落下去的地方時，早已消失得無影無蹤了。

何可立懊喪的回到家裡，好像做了個夢，一場空歡喜。第二天還是恢復他的打漁生涯，可是魚網因為沒有打開來晾，已經浸爛了，魚船又因為沒有繫住，漲潮時沖到岩石上撞裂了幾個創口，不得不花費二天工夫來修補。

編註：據艾雯手記，本文原刊於《新生報・兒童之頁》，未明時間。

生日禮物

張玲玲是個聰明溫柔的好孩子，每年她的生日，她媽媽總要送她一份禮物。今年自然不會例外，在她生日的前一天，她媽媽對她說：「玲玲，妳今年想要一樣什麼禮物，想到了告訴我。」

玲玲想要的東西多著哩！她想要一件像文文那樣有花邊的、美麗的衣服，想要一個跟美娟那樣大的洋娃娃，想要一部兒童文庫，想要一串項鍊……她想要的東西太多了，可是媽媽只答應她送一樣，因此她躊躇不決，不知究竟該選擇那一樣？那天她放學時，就這麼一路走，一路想著，突然，她的眼光為一家玻璃櫥窗吸住了，那裡正擱著一雙新穎美麗的紅絨鞋，襯著綠絨墊，銀色架子，更是誘人。玲玲看看腳上油漆剝蝕的皮鞋，又望望樹窗裡的那雙紅絨鞋，心裡想這雙鞋穿在腳上一定很暖和，很舒服，「決定要媽媽送我這雙紅絨鞋！」當她做這樣的決定時，忽然聽見一聲嚶嚶的哭聲，在風裡吹送過來。她覺得很奇怪，順著這哭聲找去，原來就在皮鞋店隔壁的一條小巷子裡，一個跟她差不多大的女孩子蜷縮在黑地裡嗚咽著，冷風掀起她身上單薄的衣服，露出凍得發紫的皮肉。

「小朋友，妳能告訴我為什麼哭麼！」玲玲也蹲下身子，輕輕地問她。她抬起那張塗滿了眼淚的臉，望了一眼玲玲，重新又把頭埋在手裡，哽咽地說。

「我掉了東西——是給媽媽買藥的錢。」

「妳媽媽病了？」

「嗯，我們家裡沒有錢，我媽媽替人家洗衣服，她累病了，我把爸爸留下來最後一件衣服當了給媽買藥，沒想到——」那女孩子把手插進口袋裡，手指在下面鑽了出來。「這個口袋漏的——」說著說著女孩子又哭出來了。

「我的家就在這裡不遠，妳在這裡等我一下，我給妳想個辦法好不？」玲玲想了一下對女孩子說，女孩子默默地點了點頭，沒有說什麼。

玲玲一口氣跑到家裡，在廚房找著了媽媽，便說：

「媽媽，我想到我要的禮物了。」

「是什麼？告訴我，我晚上給妳去買。」媽媽說。

「不，給我錢。」

「為什麼？」

「我要，我要……」玲玲吞吞吐吐地望著自己的腳尖，想說又不敢說，最後想著那女孩還在等她，才鼓著勇氣說：「我不是給自己買東西，我是想當作禮物送給別人——妳不會怪我吧？」接著，她把那女孩子的事告訴了母親，母親聽了就把玲玲要的錢交給她說：「這原是預備給妳買生日禮物的，妳願意怎樣用就怎樣用好了——妳有這份好心，上帝會保佑妳！」

玲玲拿了錢，又一口氣跑到小巷中，把錢塞在女孩子懷裡。

「噢，妳替我找到了錢？」那女孩子驚喜地抬起頭來，像獲至寶一把攫住了那幾張鈔票。

「那是，那是……」玲玲喘息著不知該怎樣說，那女孩子狐疑著重新審視著鈔票……忽然像給小蟲螫了一口似地叫起來！

「不！這不是我失掉的錢——那一定是妳的，媽媽說，不能隨便接受人家的東西。」

「不要這樣說，小朋友，」玲玲一手按住她推託鈔票的手，誠懇地說，老師講過的話清楚的浮上腦中，「我們的老家都在大陸上被共匪毀了，我們大家都在苦難中，在苦難中的人們本來應該互相幫助，互相合作，像兄弟姊妹一樣——這點錢本來是我媽媽預備給我明天買生日禮物的，但我不一定要禮物，只是給妳媽媽買藥……噢！快去買吧！再見！」玲玲覺得自己說得太多了，一下子很不好意思，把手一揮便預備走開去，不想衣服卻給拉住了。

「那麼，請告訴我……妳叫什麼名字？」女孩子兩頰飛紅，眼睛裡閃爍著兩顆晶瑩的淚珠，嘴唇抖慄著說，她是太感動了。

「張玲玲。」玲玲說完，拔腳就跑，女孩子一直站著，目送她遠遠的走進一幢綠色的房子，才匆匆地離開小巷。

第二天——就是玲玲生日的那天，一清早，玲玲家的門鈴就「叮鈴，叮鈴」，響起來，玲玲的媽媽打開門一看，門外靜靜的，一個人也沒有，正想關上門，一低頭卻發現石階上擱著一大束美麗的鮮花，用一根洗過熨平的蕾絲帶繫著，上面還插了一張卡片。

「玲玲，有人給妳送花來啦！」媽媽向房裡喚。

「真的？媽媽。」玲玲披著睡衣跑出來。媽媽笑著把花和卡片交給她，那上面用鉛筆歪歪扯扯地寫著：

我敬愛的玲玲：

我不曉得要怎樣謝謝妳——但我永遠記得這一天，就是今天，每年的今天，我要給妳送花，給妳祝福！

祝妳

過一個快樂的生日！

希望永遠是妳的朋友　羅小真

玲玲看了信，感動的幾乎流出眼淚來，把臉深深埋進芬芳的花裡。

這天玲玲上學沒有穿新的紅絨鞋，但她覺得這一個生日比哪一個生日都過得愉快！

編註：據艾雯手記，本文原刊於《新生報・兒童之頁》，未明時間。

願望之星

一個夏天的晚上，陣陣涼風吹散了陽光留在大地上的炎熱，青蛙樂隊高興地演奏著牠們的大合唱，螢火蟲也點亮了牠們的小燈籠，沒有雲的天那麼藍，又那麼深。一彎新月，像一隻小船停泊在海裡，滿天星星，一閃一閃地，彷彿在輕輕絮語，如同地下乘涼的小朋友們在說說笑笑一樣。只是，沒有人聽得見星星的聲音，也沒有人聽得懂青蛙的合唱。坐在門口草地上乘涼的藍蘭和洪紅，說話說累了，便都抬起頭來，默默地望著彎彎的小船，和閃爍的星星出神。

「有人說，星星裡面有一顆是專管人間願望的，找到它，說出自己的心願，便可以達到願望。」藍蘭輕輕地說。

「我猜那一定是最大最亮的一顆，我們來找找看。」洪紅說。兩個人都把下巴翹得高高的，四隻眼睛在數不清的星星中搜索著。忽然，藍蘭指著東邊的一角天空發出一聲歡呼：

「看那邊那顆星好亮！它的光是藍的。」

「對了，那一定是願望之星，讓我們來祈求吧！」洪紅說，於是，兩個人都學著大人做禱告的樣子，凝望著那顆她們心目中的願望之星，虔誠地訴出她們的心願。

「但願我有最美麗的容貌，讓每個人都讚美我，羨慕我。」這是洪紅說的。

「但願我有一顆完美而充滿智慧的心。凡是我要做的事情都能做，使每個人都喜歡我。」這是藍蘭說的。

那顆星好像真的聽到了兩人的訴願，驀地亮了一亮，放射出更藍的光芒，但等她們再仔細看時，卻還是同原來一樣，悄悄地擠在群星中閃爍著。

漫長的暑假，便在孩子們游泳的水流中，歡笑中，歌唱聲中一天一天地溜走了。新的學年開始，藍蘭和洪紅忙著準備新功課，也就忘記了那一回事。

藍蘭和洪紅原是一對好朋友，她們住在一條街上，在同一個班級念書，同一張課桌上課，兩人的功課也都差不多，在中等以上。平常同出同進，做什麼都在一起。唯一有一點差別的，就是一個性情比較謙和，一個長得比較標緻。可是，那並不影響她們的友誼。慢慢地，她們同時從小學畢了業，又同時考上了中學，就在這幾年中，她們那一點差別卻越來越顯著了。洪紅長得一年比一年漂亮，在學校裡，同學替她題了個「小美人」的外號，她喜歡聽別人說她漂亮，讚美她，也喜歡出風頭。每天，她花在照鏡，做表情，看刊有電影明星和美女的畫刊上的時間越多，對功課也就更生疏了。逐漸地，成績單上有了紅字。她並不在意，初中畢了業，沒考上高中，她也滿不在乎。她認為美貌勝過一切，學識並沒有什麼用處，美才是最雄厚的資本。她正在替自己編織一個美麗的夢，一個做電影明星的夢。

相反地，藍蘭在外表上似乎沒有什麼變化，性情也還是那樣謙和。使人驚異的是她的學業忽然突飛猛進，從中間的名次直線上升，超過那些功課比她好的，壓倒了原來的第一名。這以後，她便一直保持了全班第一的優良成績，同時還是模範生。初中念完，便直升高中。除了功課樣樣好，她更對美術發生了興趣。因為她覺得世上一切美好可愛的情景和事物消失得太快，變化得厲害，只有用彩筆一一畫下來，才能使美好的永遠保留。於是，她用心描繪著天邊的彩霞和晨曦，描繪著母親臉上慈祥的微笑和嬰兒臉上晶瑩的淚珠，描繪著自然的豐美和生命的瑰麗……

時間一年一年地過去，由於她的智慧和學習不倦的精神，藍蘭已逐漸達到了她的理想。她把一切容易消逝的美留住在她的畫布上，而這些永恆的美，又散布到各個城市，印在各種刊物上，使所有的人一同欣賞、領略。藍蘭的名字，也由於畫的存在，深深地印在人們心頭——她已成為一位卓越的畫家。

洪紅呢，她一直以為憑恃著自己的美麗，一定可以實現做明星的夢想。她夢想著那時將有更多的人崇拜她、奉承她，她的美麗，將征服所有的人，她的美麗，將似太陽炫耀在天空。她更認為像她這樣的美麗，應該享受世上最華麗的衣飾，最精美的食物。她想盡方法為的是滿足她的虛榮心——終於，她找到了一個機會，拍了電影，上了銀幕。只是這機會並沒有讓她成為光燦燦的明星，曇花一現，夢又碎了。別人叫她作「木頭美人」。因為她除了美麗，什麼也不懂，什麼也不會。她遭受了這次失敗，卻仍未醒悟，依舊想憑她的美麗在社會上闖；但是，她得到的是越來越多的蔑視和譏笑——無知的美麗，就像一只外面漆髹得鮮豔華美的洋鐵罐頭，裡面卻是空的。歲月的剝蝕，外面的漆也就逐漸失去光鮮而褪色了。最後，只落成一片廢鐵——

又是一個夏天的晚上，洪紅和藍蘭不約而同地回到了她們幼年居住的小城。孤苦而又寂寞的洪紅，帶著顆殘破的心，想在小城裡找一角安身之處，藍蘭卻由她的孫女和學生伴著，重遊舊地，想一回一些兒時的歡樂。她們兩人在門前那塊納涼的草坪上碰了頭。

時光是最不饒人的，美和不美的，成功或失敗的，都將老去。藍蘭和洪紅，站在兒時遊樂的草坪上，卻都是一樣的老人：臉上一樣地布滿了密密的皺紋，頭上一樣地飄拂著銀絲似的白髮。只是洪紅看起來比較衰弱、頹喪，一副無依無助的可憐相。藍蘭卻顯得精神矍鑠，彷彿有一種什麼光彩，從她瘦瘦的身體內散發出來。

兩人走近了，在月光下，依稀認出了早年的好友。

「妳，妳可是藍蘭？」洪紅猶疑地說。

「啊！妳一定是洪紅！」藍蘭驚喜地說。

兩人為這意外的重逢，高興得流出了眼淚。

「想不到我們又會在這裡見面。」藍蘭抹著眼淚笑起來，「可還記得有一個晚上，我們就在這草坪上對著『願望之星』訴說心願？」

「記得。」洪紅沒有笑。

「我猜那天我們一定找對了那顆星，我覺得自己好像從那時起，真的變得更聰明了。我高興我說得對，今天如果要我再說，我還會重說一遍那時的願望。」藍蘭望著天空愉快而感激地說。

「我恨死了那顆星！我更願意那時沒有那樣的願望，一定是從那天起，便註定了我一生倒楣的命運。」洪紅無限怨恨地詛咒著。藍蘭驚奇地想問她為什麼，但看到她那副潦倒可憐的樣子，一時卻想不出用什麼話來慰問她。

星星沉默著，月亮沉默著，藍蘭和洪紅也沉默著。只有螢火蟲提著牠的小燈籠，在草叢裡晃來晃去，不知是在尋那短暫的、青春的美麗，還是永恆芬芳的、智慧的花朵？

親愛的小朋友，如果你也找著了那顆最亮的「願望之星」，你又準備向它訴說怎樣的願望呢？

編註：本文未明出處。

小凱利

一

一只方方的紙盒子擱在桌子中央，上面鬆鬆地繫著一個紅緞結，看來像是一份禮品。不過裡面卻有兩隻善於聽聲音的大耳朵。

這兩隻耳朵的主人曾被一種「啵、啵、啵」的節奏聲，和有規律的顛簸催眠著昏昏睡去，此刻卻從安靜中矇矓地醒過來，迷迷糊糊地一時弄不清楚自己是在什麼地方？好黑，好黑！又是晚上了嗎？後腿蜷得有點發麻，伸展一下……哎！那硬邦邦的不像是媽媽的胸懷，也不像是弟弟妹妹的身體，原來四面都是牆，好小的黑房子，又多麼悶氣！這是什麼地方呀？我要出去，我要媽媽……小腳爪舉起來預備抓爬忽然有人說話的聲音。

「保華，這是送你十歲生日的禮物，祝你生日快樂！」

——猛然想起來：就是這個聲音說話的「人」，把牠從媽媽懷裡抱開，關進黑屋子——屋頂上有悉悉索索的響動，隨著一大片亮光罩下來，同時，在牠頭上炸開了一聲熱烈的歡呼：

「喲！好可愛的小狗！爸爸，謝謝您！謝謝您！」

強烈的光線和高聲呼喊使牠有點暈眩，也有點害怕。迷惑地將腳爪搭住屋簷，伸出頭來，怯生生地向四面張望；這是個完全陌生的地方，那邊站著帶牠來的那個人，和另外一個頭上有長毛的人。挨近牠面前，一張可親的笑臉和一對黑亮的眼睛熱切的注視著牠，在那黑亮的瞳仁裡也清晰地映著牠自己的影子，一身白底灑淺咖啡色花斑的柔細長毛，搭在屋簷上的腳又寬又扁，毛茸茸的尾巴蜷在背上，兩隻咖啡色大耳朵軟軟地垂在頰旁。短短的臉上是四個黑圓點，遮蓋在長毛下的眼睛、圓圓的小鼻子、和掩映在鬍子裡的小嘴，而最黑最亮的是兩隻圓眼睛，像兩顆透明的黑葡萄。——黑亮的圓眼睛和黑亮的長眼睛在空中相遇了。眼光脈脈交流，圓眼睛裡的惶惑、畏怯，被長眼睛裡的友善、眷愛，緩緩觸化著。

「你知不知道你是世界上最漂亮的小狗，不要怕，這兒就是你的家，來，讓我抱抱你。」

當牠的小身軀被懸空拎起來時，不由得微微顫慄著。但那兩隻抱牠的手動作是那樣輕柔安穩，那個懷裡雖然狹窄了些，卻也溫暖。頭上被輕輕地撫摸著，摸得根根毛都順順伏伏的，好舒服！要不是心裡還像繃緊了的弦線一樣緊張，真想闔上眼睛睡去。

「牠是六隻小狗中最大的一隻，下面還有五個弟妹。」

「噯，小不點，原來你還是老大呀！」

「牠系出名門，爸爸是西藏的鐵黎亞種，媽媽有英國血統。牠的毛色比較像父親，而模樣兒卻像牠母親。」

「不管牠是什麼血統，我就喜歡牠這副模樣——喔，爸，牠叫什麼名字？」

「牠還沒有名字，現在是你的了。你可以替牠取一個。」

「那牠就叫凱利！好早好早我就想，如果我有一隻狗，牠的名字便叫凱利。喂，凱利。這是你的名字，曉不曉得？以後你就叫凱利，凱利！」

一面在牠耳畔重複地喚著「凱利」這個聲音，一面頻頻拍著牠的頭，好像要把這聲音敲進牠小腦子裡去。接著，孩子的臉貼在牠頰上輕輕摩挲著，牠聽到他喃喃地喚聲，也感到他暖暖的呼吸，溫柔地，親暱地，不由得使得牠繃得緊緊的神經鬆弛下來。為回報那友好的表示，牠本能地伸出小舌頭，舔了舔那個光滑的，帶點鹹味的臉。

「牠舔我！牠喜歡我了，哦！乖凱利，凱利是個乖狗狗！」怎麼樣的親暱呀！簡直喘不過氣來嘛。

「保華，牠還小，不要摟得牠太緊了。」頭上有長毛的人說。

「牠還在吃奶吧！」

「嗯，還在吃奶。」

「牠恐怕餓了，我馬上替牠去沖牛奶。」

為什麼又把牠擱進冷冰冰的盒子裡？牠立刻扶著盒子邊沿站在後腿上，不甘心地在喉嚨頭小聲咕唧著……可是，有股什麼香味竄進了牠靈敏的小鼻子裡，有點熟悉又彷彿陌生。但牠知道那味道是好吃的味道，有人把牠從黑屋子裡拎出來放在地下。牠心急慌忙地循著那股香味尋去，尋到了，就在一隻小盆子裡，不管三七二十一猛地一低頭伸下嘴去……哎！鼻子給堵住了，又是咳嗆，又要打嚏，好不難受！那些人還都在嘿嘿哈哈笑牠：

「小狗好饞喲！」

「怕是餓慌了。」

「人家根本不會在盆裡吃嘛！來，慢慢地，不要慌。」有人把牠從盆子裡拉開來，牠卻反抗地用力要衝上去前去，就同跟弟弟妹妹們爭著往媽媽懷裡擠一樣，兩隻前腳也使勁向前推……

「小心牛奶踩翻了！」

可不是，潑得地上一大堆，四隻腳全濕了。媽媽的奶可從來不會流出來那麼多，六張嘴要不搶著吮還吃不到哩。又堵了幾次鼻子，嗆了兩回，牠總算摸索到一點訣竅，那就是用舌頭舐著吃，而且必須挺著脖子，要不頭一低又浸一鼻子。

吃得好飽好脹呀！小肚皮好像要爆開了。四肢軟綿綿的，眼皮直往下瞌。牠要偎依在媽媽溫軟的懷裡甜蜜蜜的睡一覺。可是哪裡是媽媽的懷抱呢？牠實在太睏了，不知不覺讓小鼻子抵著淹過牛奶的地板，身體便像餳糖般軟癱下去……

與其說是睡夠了，不如說是給憋醒的。小肚子實在憋得慌，牠睡眼惺忪地爬起來便一路嗅著打轉轉，一個圈圈比一個圈圈小，怎麼辦？嗅不到「老味道」，又沒有鬆鬆的泥土，顧不得媽媽教過的規矩了。

「糟糕！凱利在地板上拉小便。」果然有人大驚小怪的嚷著。

「阿英，快拿布來擦一擦。」

「三個月以內的小狗還不知道自己找地方大小便。以後看到牠睡醒過來，或是在地上打轉轉，就把牠抱出去。要不在牆角裡鋪一疊舊報紙，放牠在上面。」

人在哇啦哇啦講些什麼，牠一點都不懂，一覺睡醒了，精神抖擻，活力充沛。膽子也壯了些，該認識這個新環境。牠聳動著短短的小鼻子，一樣一樣仔細牠嗅過去，竟沒有一點熟悉的氣味，地板上光光滑滑的，卻有不少高高低低的柱子。人便坐在矮柱子頂上望著牠。忽然，牠感到一股強烈的風猛吹著牠，接著也聽到了「呼呼呼」的響聲，一抬頭，只見對面一個怪物不停地旋轉著、扭動著，扭向牠時，只吹得牠鬈毛飛揚，大耳朵像翅膀般展開。直衝著牠「呼呼呼」地怒哮，好像馬上要追過來，嚇得牠夾著尾巴轉身就逃——人在牠後面哈哈哈地笑著，牠覺得有點不好意思，停下腳步。再偷偷地回頭窺探，怪物仍在扭動，仍在怒哮，卻沒有追上來。牠放下了心，但還是避得遠些為妙，這不知是什麼怪獸，從來沒聽媽媽說過。

聚精會神地，牠正研究著一個光溜溜的盆兒，裡面是潮濕的泥土和一株青青綠綠的東西，那味道似乎很好聞，牠用小鼻子輕輕觸著涼涼的葉子。動呀動的，滿有趣兒……驀地，頭上一陣「悉立沙拉」的聲音，接著是鐺的一響，震盪在靜靜的空氣中，不由得震得牠一跳；抬起頭來，還沒有找到聲音的來源，又是「鐺」的一響，緊接著又響了好幾下，就像突然間響起來一樣，又寂然無聲了。

編註：本文為艾雯未刊手稿。

酷戀

一

我下決心不再去雅妮她們那個「家」了。雖然她曾經是我很密切的朋友，她那堅決果敢的性格正與我相融洽，她那古希臘女神似的美麗，也使我因為有這麼一個友人而感到驕傲，可是現在，她竟變得那麼……嗯，我不曉得該怎麼說，她甘心受著一個醜男子的折磨和凌辱，使我像看到有人把嬌豔的玫瑰揉成片片，把污泥沾上聖潔的維娜斯雕像般感到難受和不憤。但她自己卻坦然處之，依然赤誠相向，曾經是個那麼驕傲自負的人！

二

記得雅妮第一次將「擘靈」（註一）——金達人介紹給我時，我就覺得看著不大順眼，他有一副〈霸王妖姬〉中霸王的魁偉身材，夏天裡當他站在面前時，準教人有透不過氣來的感覺。他的臉，說不上是什麼形狀，只見那些骨骼全是各逞其能地向外單獨發展，繃在那些骨骼上的，是一張粗斜紋似的肌膚，隱隱潛伏著一種桀驁暴戾之氣，據說他是一座什麼野雞大學裡的體育皇帝。

他直著那兩隻灼灼發光的眼睛緊瞧著雅妮，就像餓狼眈視著牠的獵物。而雅妮在他面前，也正如一匹溫柔的兔子，一隻嬌小的來亨雞。

「怎麼在妳的羊群裡摻進了一匹狼來？」當只有我同雅妮兩人時，我打趣她說。羊群，那是我們一直用來稱呼那些匍伏在她旗袍角下的男人的。

「狼？」眉毛一挑，笑像鵓鴿在喉際咕嘟。「可是，我覺得狼還可愛些不像那些沒骨氣的綿羊。」

「妳說他是不是像一個『擘靈』？」

「雄偉剛壯，我說他最富於男性美。」

「他有一副類似斯巴達的形態（註二）。」

「意志力、體力和自由的個性，這三項正是男性應有的氣質。」

「這麼說，他還是妳心目中的標準男子！」

無言的笑，是一個默認的符號。從來，就不曾對一個男子有這般傾倒。

註一：為神話中兇惡的巨人。

註二：極端專制威嚴。

「妳是不是有點愛他。」

「有什麼不可能?」她勇敢地反問我，倒是我在她的質詢下顯得有點囁嚅。

「我是說，雅妮，妳知道兩個個性強硬的人不宜結合。」

「不，妳的觀念錯誤。」她搖著頭，抵緊的嘴角浮著一絲揶揄的淺笑，「銅與鋼如果經過烈火的鑄鍊，將融成更堅固的一塊。」

我說過她是堅決果敢的，當她決定了做什麼時，一切勸告就像是撞在岩石上的水波，不但不為吸收，更自碰得粉碎。一月後，我收到了他倆的喜柬。

三

新婚的家庭照理應該整潔、雅致而洋溢著恬美的氣氛，然而雅妮家卻不然，那天，我去了，推開虛掩著的門，首先映入眼中的是些凌亂的事物，彷彿有人曾借了這房間比武。牀上，好像還有人在睡覺。

「雅妮!」我站在門口喚了一聲，沒有回音。我看看牀前擺著她的拖鞋，便大膽地走過去推動那朵被山，「好意思嘛，這時候還在睡覺!」

「唔!」那束蓬鬆的鬈髮慢慢地轉移過來，露在被外的是一個白皙的額角和一對夢惘似的眼睛，帶著沉緩鼻音然窒息在被裡。「我頭痛，感冒。」

「發燒嗎？」我伸手去摸摸她的額角，很正常。抽還手來時，卻無意間碰落了她蓋在臉上的被子。

「這是怎麼搞的？」我被呈現在眼前景象嚇了一跳。在那雙美麗的夢惘似的眼睛下，白玉雕塑似的臉頰上，赫然印著銀元大一塊青裡泛紫的疤痕。

「就是昨天不小心摔的嘛，摔在那邊的桌子角上。」她一手沒拉住被子，索性就將它推落在胸前。聲音依舊清朗得像小溪流水，沒摻一點雜音。

我隨著她的指示望望那張桌子，是張圓桌！

「準是撒旦妒嫉上帝的精心傑作，故意造成破壞。」

「別幸災樂禍的。」她推開被子一骨碌下牀，我不由得看著她那塊青紫色疤痕笑得喘不過氣來。

「原來，原來妳是裝病！」

她給我笑得扯下髮上那塊紗巾來往臉上一繫。長髮鬆鬆地披落肩上，衣領袒開著露出一角潔白的胸脯，站在我面前的，像是西部武打片中的豔麗女盜。

可怖的青疤隱蔽了，但就是這片刻漏光，已在我心的底片上留下了陰影。

有一天，我正伏案構思，櫥裡的電話響了。

「……喂，我是金太太的房東。她出了點事情，金先生又不在，請妳馬上到省立醫院來一趟……」

「好，我馬上就來。」擱下電話，我來不及換衣服，便喚了一輛三輪車趕去，一路上不住惴惴地猜測著出了什麼事，得了急病嗎？會不會是服毒！一進醫院，我忙不迭的抓住一個護士探詢。她沒說什麼，卻轉彎抹角的把我領去產婦科病房。

慘白，虛弱，雅妮緊闔著眼躺在白被褥中，像一個沒有生氣的蠟人。一個護士正在替她打針，醫生在一旁督促，病房裡有一股不大好聞的氣味。

「唔，妳來了。她才從昏迷中醒過來。可真把我嚇死了。四個月的孩子，還是男的……」站在牀前的黃太太連忙拉住我悄悄地說。

黃太太的聲音，使雅妮慢慢地睜開眼來，她看見我，還勉強掀起嘴唇想作一個微笑，眼角卻隱隱嵌著二顆晶瑩的水珠。

「雅妮……」

「沒想到……」失血的嘴唇微微顫動看，微弱的聲音像蚊子叫。

「怎麼回事？」

「摔了一跤……」又是摔了一跤，敢情她結了婚反變成學步的孩子了呢！

「請不要同她講話，她失血過多，還需要靜養。」醫生嚴厲地告訴我們。

黃太太惦念著家裡沒人照顧，我也想到走廊上去換換空氣。一出病房，黃太太又一把拉著我怫怫地說：

「她告訴妳摔了一跤是嗎，嘿，才不是那麼一回事呢！就是她先生硬給打下來的。」

「啊！他們打架來著？」

「可不是。」

「那妳們怎麼不勸阻呢？」

「他們關著門打，誰又勸得著！再說打架在他們也是家常便飯，我們也司空見慣，不足為奇！金先生那個大個子打起來可兇哩，著著實實就是幾拳。金太太從來不回手，他要不打了，她還用話去激他，奇怪的是打過架後，第二天看來總是反而更親熱。昨晚上他們好像又打了一架，今天一清早金先生就出差去台北了。金太太吃過早飯後喊肚子痛，就這麼痛了下來，她自己也暈了過去，哎呀，妳沒看見流的那些血，嘖嘖！」

「竟有這樣的事！」我怒喊道，不管黃太太有沒有講完，就像氫氣充著汽球般，按捺不下的憤懣激著我向病房跑。醫生跟護士都走了。雅妮呆呆地在望著天花板。

「雅妮！」我俯下身去握住了那隻擱在被外的手臂。「妳說我能不能，算得妳最密切的友人？」

她睜大了眼睛望著我點點頭。

「那麼，告訴我，這次造成這樣的不幸，當真是妳自己不小心摔了一跤？」我的眼光銳銳地釘進她深邃的眼裡，用充滿誠懇的聲音問。

「是的。」鬱長的睫毛閃了閃，微弱的聲音顯得那麼肯定。「起初我跟達人在鬧著玩，忽然這麼一岔腳——只怪我自己太大意了。」

我倒抽了一口冷氣，委實沒有第二句話好問。便辭了出來，從此我的足跡也疏淡了。

四

是一個困人的春天，午後的陽光薰得人昏昏欲睡。我隨手拿了本雜誌懶懶偎在窗前藤椅裡，眼珠在鉛字的軌道上轉動的越感越生澀。

房門輕輕地打開了。

「妳把那邊的窗子打開。」我說。眼睛沒有離開雜誌，以為進來的是下女阿香。

待我猛然抬起頭來凝立在門檻上的是雅妮。綠衫長裙，一手扶著門框，一手提著皮包隨便地懸在身前，眼睛望著我嘴角漾著個淡漠的微笑。那悃慵的神態配著雕花的紫檀色門框，恰如一幅仕女畫像。只是那個畫家落筆時才抹了一筆紅潤青春的嬌豔，因此看來像一枝未沾雨露的薔薇，顯得那麼委頓。

「喲！是妳，怎麼像一個病西施似的，是不是生病來著？」

「別咒人，」她懶懶地將自己擲進沙發裡。「就是這討厭的天氣困人得很。」

「過去，春天不是一直是妳最活躍的季節？」

「現在是切切實實的現在，幹嘛要與過去並提？」

「妳似乎還是過去的妳，為什麼不能並提？」

她瞥了我一眼。

「不要這樣招待妳的客人。」

「那麼，這裡是我最隆重的敬意。」我笑著為她倒了杯開水。

「沒有煙嗎？」

「噢，妳學會了抽煙！怪不得現在的妳已不是過去的妳。」

「人活著本來就為嘗試和享受。」她撚著我遞過去的香煙，背靠著沙發，熟練地噴了口煙。在灰色的氤氳中，我窺見了藏在她眸子深處的憂鬱。

「雅妮！」我過去坐在靠手上，一手環繞著她的肩頭。「妳是不是遭遇了什麼不平凡的事？」

她依奮荷矜地瞪眼望著一圈連一圈的煙圈，但我卻覺出她的肩胛在我肘下微微顫慄。

「達人離開了我。」聲音是淡淡的。

「你們鬧翻了？」

「沒有鬧翻。他只是……」她吞嚥著不願說出口的字句，像吞嚥著一枚苦果。

「他要離開妳，乾脆就跟他離婚好了。」

「離婚？」她又重複了一遍，彷彿從未想到，也不了解這兩個字的含義。

「雅妮，妳不用瞞我！」我憤激地說，過去那些憤懣充溢了我對雅妮的友情。「過去他怎樣對待妳，我完全知道。那時候因為妳自己既然樂於容忍，旁人也不便怎樣。現在他既是這樣，妳還有什麼值得依戀？」

「不過，我知道他不能沒有我，我將等他回到我身邊。」

「天！妳的果敢，妳的堅毅，妳的倔強的性格，現在都去了哪裡？」

「它們依然存在呀！可是，愛情比它更偉大。所以它們始終支持我向愛情服膺。」聲音是那麼明朗。

「他那樣無情地毒打妳，凌辱妳，也是為了愛情？」氣極了她那癡情的態度，忍不住揭露了她的隱私。頓時，她蒼白的臉紅到了頸後，眼睛裡灼爍著惶惑的淚光。

「不要說下去了，我來這裡並不是要獲取你的同情。」

「我也不會把同情隨便施予甘願受辱的人。」

這句話太重了，她倏地站了起來，將煙蒂朝窗外一擲，一手拾起桌上的提包。紅暈褪去了，蒼白的臉更襯得眼睛大而深邃，直視著我就像二支冰刃。嘴唇微微顫動著，冷冷地說：

「我不想為這事傷了我們的友誼。再見！」

她昂然走了。

我不曉得我怎麼會使她生那麼大的氣，我覺得自己有點傻。他離棄了她，那她豈不成了棄婦？「棄婦」這頭銜，與驕傲倔強而美麗的雅妮似乎不大配合。然而她分明默默地承受著這命運，像駱駝承受牠的負重一般。

但不管怎樣，她總是我的朋友。人在患難中更需要溫暖和鼓勵，雖然她不接受任何同情。我深悔我自己說話太苛厲了一些。

「去看看她吧！」我自己對自己說，可是這念頭一直擱延了一個多星期才實踐。

一支輕快的旋律伴著輕鬆的動作，在春陽氾濫的房裡，美麗的女主人正綻放著浴後的煥彩，愉快地對著鏡子梳理波浪似的長髮，那正是修飾，煥發光輝，全然不是上次見她時的情緒。看見我，她像一隻小鳥般飛迎上來，一面很快地放下捲得高高的衣袖。就在那一瞬間，我瞥見她右臂有一塊比銀元還大的青紫色。

「雅，看妳那樣容光煥發，就像一個新嫁娘似的。告訴我，妳究竟用的什麼駐顏術？」

我裝作端詳她，故意伸出手去握住她的雙臂，一面審視她的神色。當我的手才把握住她的右臂時，她果真驟然的往裡面一縮，臉上掠過一陣痛苦的痙攣。

「怎麼？」我佯作驚惶地放下了手。「又是摔了一跤嗎？」

「這……不……」她紅著臉含糊不清地說。

「那麼，是我捏得太重了，給妳揉一揉。」

「不不，沒有什麼。」她連忙退後一步，將手臂藏在身後。「妳坐著，我給妳倒茶。」在談話中，我們都不曾提起那天的事。雖然我看得出她正矜持著壓抑一樁難以言說的喜悅，而我也猜得到她的喜悅是什麼。

「今天的天氣可真不錯。」我的視線從她臉上移到窗外。一片金光耀眼。

「可不是！」她也看著附和。

「天宇澄清得沒一絲雲翳，陽光熱烈得似戀人的擁抱。而且，而且一點也不『困人』。」

「又不叫妳作詩！」她似乎在我的說話裡辨出了弦外之音，忸怩地瞥了我一眼。

「幸福的人眼裡，現實也便是詩。」我看了看手錶，站起來說，「可是我還得去烏托邦找詩哩。」

「達人說今晚仙宮放映〈范倫鐵諾傳〉，在這裡吃了飯一塊去看好吧！」她終於說出了他。

「不，我不是那個『詩』裡的材料。妳的『擘靈』別來無恙否？」

「別來無恙。」她笑著回答。做夢似的眼睛揚射出一片幸福的光輝，古希臘女神般美麗的臉上，洋溢著一層柔和的韻采。嫵媚豐潤，閃閃奪目，猶如一枝迎著朝陽綻放的紅蓮。

這是最近也是最末一次，雅妮留給我的印象。

編註：本文未明出處。

待產記

張先生被關在門外，望著門上三個紅漆的「產婦室」發了一會怔，耳畔依稀還聽得嬌妻掙扎呼痛的呻吟，只隔了一扇門，那聲音便彷彿來自遙遠的地方，但還是一樣的緊扣著他的心。

他緊瞅著紅字，不禁有點恨起那扇關得嚴嚴的門來，一個做妻子的在痛苦中轉輾掙扎，卻不許做丈夫的陪她在一起，分擔她的痛苦，給她安慰與鼓勵，這是哪一個不近人情的缺德鬼訂下的規矩！他側耳傾聽了一下，房內仍除了傳出斷斷續續的呻吟，沒有別的動靜。他看看手錶，多悠長難捱的時間！沒奈何，只得捺住焦慮，離開產房在長廊上踱起方步來。從產房門口踱到走廊盡頭，是一排敞開的窗戶，張先生不經意的停下來向窗外瞥了一眼，好一個輝朗澄亮的藍天，忽然一道喜悅像一道新的曙光，流過張先生憂喜交集的心頭：這輝朗的天氣，一定是象徵著順利生產，母子平安。

「母子平安」，是的，一點不錯，是母「子」。張先生雖然不是先知，也不曾發明那種可以分辨胎兒性別的X光。但根據種種因素，不知不覺已在心理上形成了對待一個兒子的準備。這因素是根據富有生育經驗者的推測；據說懷男胎的都高高地聳在上腹部，像一座山峰，背後看起來也不顯得腰肢臃腫，懷女胎的卻滿腹高隆，像一座山巒，而在背後看起來粗壯有如水桶。張太太懷孕的徵象便正符合前者，這是其一。根據一位朋友的科學計算法，從懷孕的月份加上四十九、再加十九，然後減去母親的年齡，如果總數成雙，便是女的，成單便是男的。而張太太加減的總數正好逢單，當是男的無疑，這是其二。還有，還有就是張先生望子心切，根據他自己體會得到而說不出的種種預兆，這一切都使他確信太太腹中準是一個白胖兒子。

想著自己馬上有一個克承箕裘的兒子，張先生又不由得心花怒放，一瞬間忘記了太太慘白的臉，痛苦的呻吟，只記得有個兒子。他早便決定給兒子取個名字叫張振國，是的，張振國，這名字多麼有氣魄，多麼響亮！振國，振國……張先生瞇著眼凝視著樹巔一朵靜止的白雲，嘴裡親暱的低喚著。在他的凝視中，那朵雲忽然變作一個嬰孩的形象，這形象逐漸移近他眼前而顯得更清晰更熟稔，噢，一點不錯，他看清了那嘴臉，完全是他小時候的複製品，正咧著嘴，手舞腳蹈的向他撲過來——不知怎麼一晃眼，那嬰兒已大得會騎在他背上當馬騎了。小拳頭擂鼓似地落在他背上，還口齒不清地刁著舌頭吆喝：

「爸爸是匹馬，噢噓，噢噓！」

「馬來了！馬來了！」張先生附和著兒子，忍住膝蓋骨頂的痠痛，在地板上爬行。一會兒孩子卻又換了個方式，跨在他肩背上，兩腿正挾住他的頸頦，手便擰住他的耳朵，說是騎駱駝，張先生也便小心翼翼的頂承著兒子，蹣跚著在屋裡裝駱駝躑躅。可是孩子卻一擰耳朵，一條鰻魚似的溜下來站在窗台上，手一伸，作一個要跳的姿勢。

「跳不得！」張先生驚惶的喝止，迫切間一把沒抓住，眼看孩子已聳身一躍，電光一閃——一同投出去的是他的心，他的心像被一隻無形的巨手揑住，又抓起來使勁往前一摔，骨的折斷，血的迸濺……

張先生緊張的喘了口氣，一幅景象才過去，又呈現了另外一幅，孩子又長大了些，手裡揮舞著棍子刀劍什麼的，空中的電燈、地下的痰盂、桌上的花瓶、几上的煙缸全遭了殃，張先生彷彿剛從外面回來，一進門兒子可就朝著他一個衝刺，他機警的往旁邊一閃，但孩子卻收不住衝勁，連人帶劍直衝到玻璃門上，「嘩！」一起被碎玻璃劃破的又是張先生的心，又是碎裂的皮肉，迸出的血……

張先生一手按在胸前，兀自覺得那顆心在手掌中急劇跳動，一串歲月，一串驚險鏡頭，孩子已上小學了，一個鏡頭，孩子放學回來，一身泥漿和著血跡，額上一個洞，離太陽穴不到一指寬，與同學打架被石子擲的。一個鏡頭，放學回來衣服撕破，青腫了一隻眼睛，又是打架傷的——只是孩子一上學，張先生就提心吊膽，怔忡不寧。一直要等他放學回來，不，一直要等他上牀睡了，才能安下心來，但第二早晨又開始煩憂了，他覺得自己的神經緊張得像扯得太滿的弦，再一繃就斷，心臟衰弱得像蛀空的，再一受刺激就會遽然停止跳動，就會碎裂。

孩子在不斷的生長，張先生兩鬢的白髮也在滋長，他感到自己一下子變老邁了，而孩子還剛進中學。

兒子進了中學，眼前立刻又浮現另一幅形象：瘦長個子，沙喉嚨，像隻正在換毛的小公雞。花襯衫、牛仔褲，腳踏車坐墊頂得老高老高，張先生告訴兒子把車墊放低些，但他只是吹著口哨，滿不在乎的聳聳肩膀，一跨上車子便像長了翅膀。

「慢一點，不能騎這樣快！」張先生大聲警告兒子，但兒子只當他的叮嚀是耳邊風。

「告訴你慢點，這樣太危險！」張先生急得跟在後面直嚷。說時遲，那時快，一部十輪卡車倏地打從橫街裡飛馳出來，一個一陣風，一個一股勁，誰也煞不住車，「碰！」金的星，紅的光……

「啊！」張先生驚喚一聲，雙手掩住眼睛，一剎那感到世界在面前覆滅，大地在面前崩潰，他那虛弱的心裂成片片，幾乎昏厥……

「張先生，張先生！」一隻手搖撼著他的肩頭，張先生昏亂地睜開眼睛，只見站在面前的是一位白衣護士。恍惚間他以為是撞傷的兒子抬來了醫院，一把抓住護士驚惶地問：

「他、他還有救沒有？」

「我看你準是第一次做父親，」那位護士小姐摔脫他的手，一半憐憫，一半嘲笑地望著他說：「告訴你太太生了，大小平安。」

「生了、生了什麼？」張先生這才恍然領悟，只覺得臉上訕訕的。

「一位千金。」

「哦，一個女孩子！」張先生鬆了口氣，悄悄地摸出手帕來拭去額上的汗水，彷彿從重圍中解脫出來。望望窗外，依舊是澄藍的天，輝朗的陽光，女孩子並不在他盼望期待中，然而一種新的、解圍的喜悅沖淡了剛才一幕幻覺留下的怔忡不安。他跟著護士向產房走去，腦中又幻生了另一幅形象：一個整潔可愛的小女孩，有著他太太的大黑眼睛，淺酒渦，雙辮垂在胸前，臂彎裡抱著個大洋娃娃，臉上有一種溫柔的神情，恬靜地坐在小椅子裡——張先生帶著一絲寬慰的微笑，輕輕推開產房的玻璃門，耳畔首先接觸到的便是一陣清脆的啼聲。

編註：本文未明出處。

牆上的臉譜

喬琪帶著剩餘的興奮和些微疲乏，躺在牀上，以滿意的眼光向新居巡視了最後一眼。然後，一伸手掀了掀牀頭開關，小室立刻沉入黑暗中。但也只是片刻的事，慢慢地，室內的輪廓、家具又在一種朦朧的光線下呈現出來——那天不知是月半還是十四，月亮正好，月光透進窗戶，給小室鍍上一層銀輝。

「多美，多有詩意……」喬琪在心裡讚歎著。眼光在窗上駐留了一會，又緩緩地掃過牆壁……忽然，他微微一怔，視線就似黏住了捕蠅紙的蒼蠅，困惑的凝集在牀頭。牀頭的牆上在對著他，懸著一張鏡框，鏡框裡是一個女人的剪影，頭向上揚著，高隆的鼻樑，雙唇微啟，長髮披在肩上——他記得清清楚楚沒有掛這樣的鏡框，更不認識那個女人。而搬進來時，也並未見到這個相框——他忙又擰亮了電燈，在耀眼的燈光下，相框像銀幕似地黯淡了，但並沒有消失。那白的框，大概是從前的住戶掛相框的痕跡，而那女人的剪影，卻原來是一處白堊剝落後露出來的泥磚。他不禁啞然失笑，又把燈關了。然而雖然只那麼一瞥，那女人的影子留在腦中，就像花紋印在布上，卻是再也磨滅不掉了。

房間一浸入朦朧的光線中，那人影又清晰的呈現在牆上，清晰得連那羽扇般微翹的一排睫毛都隱約可辨。喬琪想像著那睫毛的蔭蔽下一定是一雙深邃而明亮的眸子，正翹望著藍天，翹望著星空，翹待著一個心上人？那微啟的唇畔，浮著淡淡的一絲輕愁——喬琪不能使自己的眼光離開那牆上的剪影，直到眼簾倦澀地蓋下來，意識逐漸模糊上升……而第二天早晨他一睜開眼睛，第一件映入他眼中的又是那幅剪影，雖然它在陽光中如同在燈光下一樣：看得出是一塊白堊剝落的磚牆，但它在喬琪眼中卻依舊是一個完美的剪影。他深深地保有那印象，像攝影底片保留著一個鏡頭。

每天，每天，喬琪從來不會忘記向牆上的側影望上幾眼，而望的時間一天比一天長。彷彿那上面有一種吸力，執拗地吸引著他的眼睛。忽然他覺得自己並不是孤單單一個人住在這屋子裡，當他從外面回來時，總是匆匆地加快腳步，就像家裡有誰等著他似的。等打開房門，望見牆上的側影依然無恙，這才鬆了一口氣。起初，他對她說一兩個字，好像孩子對他的洋娃娃似的，後來他有了對她傾訴的習慣，他把二十幾年來心底的祕密，喃喃地向她細訴。當他發洩怨憤時，他彷彿看見她睫毛低垂，同情地俯視著他。當他訴說一些愉快的事情時，他似乎又看見她在半啟的嘴畔，曳著一絲微笑。他給她取個美麗的名字——薔。早晨，他剛一醒來，便望著她說：「薔，早安！」晚上，當他將入睡時，又望著她說：「薔，祝妳有個好夢！」每天出去時，他從不忘記向她告別；每天回來時，他總是先走到她面前悄然說：「薔，我回來了，回來伴妳解除寂寞。」

他把她當作幻想中的戀人，他不知不覺地深深愛上了自己的幻想。

一天，喬琪的一個朋友在酒家請客，當一個穿淺綠長裙的侍應生過來為他斟滿空杯時，他猛然一驚，把手裡一杯酒全潑翻了。

那微微上翹的睫毛，那高隆的鼻子，那半啟的雙唇，還有那長及肩胛的髮式，不正是牆上的側影重賦了新的生命！

「喬琪看入迷了麼？」他耳畔彷彿聽見一個遙遠的聲音在喚他。這才發覺主人在向他敬酒，同桌的人全望著他，那侍應生也被他盯視得羞紅了臉，瞟著他微微一笑，走到別桌上去。

這晚上，喬琪躺在牀上凝視著牆上的側影，恍惚覺得她曳著綠裙，冉冉從牆上下來，步入他夢中——

第二天喬琪一個人去那酒家，他記得昨天他們叫那個侍應生三號，便指定要三號陪酒。他叫了菜，也叫了酒，但一點也沒吃。

「你不喝杯酒嗎？」三號側著身子坐在他旁邊，笑意掩不了眼底的哀愁，卻帶著職業性地殷勤勸酒布菜。

「我不會喝酒。」

「用點菜吧。」

「我才吃飽了來的。」

「那你？……」

「我是專門來看妳的。」喬琪話一出口又覺得唐突了，忙補充說：「因為妳很像……很像一個人。」

「像你的朋友？」

「嗯。」

「在不在台灣？」

「不。」

「那是在大陸？」

「也不是。她是在——那只是——」喬琪因找不到適當的解釋，而感到十分困窘，「以後，以後再告訴妳。」沒有喝一口酒、吃一筷菜，他便站起來付鈔走了。

這以後，喬琪情不自禁每天一定得去一趟酒家。他在三號身上發掘「薔」的靈魂；在「薔」那裡祈待著三號的生命。他奔走於兩者之間，像筍子被一層一層的剝殼，他一天比一天的憔悴。

「我很榮幸被你當作你的朋友。」一天，三號憐憫地望著他說：「但你只為了看我一眼，每天跑來未免損失太大了。下午三點鐘以後，我有二小時休息，我可以捐給你一小時由你支配。」

「阿！謝謝妳了三小姐，我不知該怎樣報答妳！」

「報答倒不必，只要告訴我你那神祕的朋友究竟是誰？」

「誰也不是，實在並沒有這樣的一個人。」喬琪忸怩地說，「請不要說我荒謬，那實在只是牆上一個影子，石灰掉下後留下的痕印，那痕印很像一幅剪影，而那剪影像妳。」

「荒謬！」三號笑著搖搖頭，「但我已經答應你捐獻一小時，我願意用這一小時去證實你的話。」

一輛三輪車在喬琪新居門口停了下來。他下了車，伸手去攙扶三號，忽然發現她臉色驟然變成蒼白，身體搖搖欲墜，他驚慌失措，忙扶她在石階上坐下。

「你挖了我的瘡疤。」她喃喃地說：「這原是我從前住過的地方。」

「有這樣巧！」喬琪瞪大了眼睛。

「當我還住在這屋裡時，我是個財主。」她接下去說：「我擁有像天仙化人般的高貴、驕傲、純潔、美麗。但我一味昂著頭走路，卻忽略了腳下的泥坑。我愛慕虛榮，我被愛情絆跌了。我喪失了我的財富，一貧如洗。我墮落沉淪，我深陷入泥窪中已不能自拔。偏你又來揭穿我回憶的瘡疤。」她掩住臉，沉痛的聲音從指縫隙迸出來。

「傻子，失足絆跌了就不能再爬來嗎？」

「我已無力掙扎。」

「如果妳不嫌棄，我願助妳一臂之力。」

「不怕沾污了你尊貴的手？」

「是火，我不怕炙，是水，我不畏溺。只要是為妳。」他誠懇地說，但還有一句話他沒有說出來，因為她像他的「薔」。

「謝謝你！」她感激的望著他，淚光晶瑩的眼中閃爍著一縷喜悅：「進去，讓我們去看你牆上的神蹟吧！」她親切地挽住他的手臂站起來。

「妳看——」他一手推開房門，帶著炫耀的神情，向熟悉的方向伸出指示的手，但那伸出的手忽然僵直了，臉上的表情凝固了，他手指的地方只是一塊灰泥斑駁的牆，連人的影子都沒有半點。

「你要帶我來看的便是這塊破牆麼？」三號疑惑地問。喬琪卻無暇理會，撇下三號逕自向牆腳奔去，地下有一堆零亂的、落下不久的白灰。跪下去諦視片刻，他忽然撿起一塊灰泥來按在胸前，悲痛地呻吟：

「我的薔，我可憐的薔，妳一直是我孤獨的伴侶，如今，失去了妳我便失去了安慰。

唉，薔……我的薔。」喬琪浸入深沉的悲哀中，他把自己的情感賦予了「薔」，忘了握著的只是一塊沒有生命的泥土，也忘了房裡還有個人。

兩隻手溫柔的擱在喬琪肩上：

「傻子，你告訴我跌入泥窪裡可以爬出來。你自己卻忽略了真實，為一個幻滅的想像墮入悲痛的深坑！」

「我，我忽略了真實？」喬琪緩緩地抬起頭來，眼睛正接觸到兩道溫柔、鼓舞的視線，脈脈含情地望入他的眼中。他的心猛然一跳，彷彿又停止了。他站起來，手裡的泥塊不自覺的跌掉在地上，把空出來的手握住她的雙臂。他們相互的凝視著，四隻眼睛濕漉漉的，四片嘴唇緊緊地結合在一起，四隻腳在那棄置的泥塊上踐踏著……

編註：本文未明出處。

艾雯全集10

小說卷五

未結集劇作

出路

人：李大嫂：農婦

小　娟：李女

阿　祥：青年農夫

大　傻：青年農夫

黑　勇：游擊隊小隊長

周　苟：漢奸

野　村：日軍官

日　兵：甲乙

景：一間普通的鄉下起居室，向外放著一張方桌，三條板凳，桌上有一把茶壺，幾隻茶杯，左邊是一張板鋪，牀頭是通內的小門，牀對面即大門。

幕開時李大嫂坐在牀上雙手捧頭，蹙眉深思，小娟臉紅紅地靠在牀旁，不住地捻著衣角，阿祥、大傻均氣憤憤地坐著。

大傻（以下簡稱傻）：（陡地拍一下桌子站起來）他媽的！那混帳東西越弄越不要臉啦！什麼勾當都做得出，等老子看見非揍死他不可。

阿祥（以下簡稱祥）：（嚇了一跳）喂！老弟你不要光是罵人啊！咱們該替李大媽想個辦法才對，吵又有什麼用呢？

傻：唉！祥哥！你不知道，我因為實在氣不過了，所以罵幾聲那賤狗賊出出胸中的悶氣，像我這樣的飯桶，又能想什麼辦法呢？

祥：我看這事只有用武力來解決才行，娟妹你說對不對？

小娟（以下簡稱娟）：哦！不錯，但這事是由我一人而起的，應該由我來解決，怎能連累各位呢？

祥：請別說這話吧！娟妹！我們大家都是中國人，眼見自己的同胞受著敵人肆意的蹂躪，誰又能坐視不救呢？老實說，只要我有一份能力，我都能夠毫不吝嗇地貢獻給國家與民族。

傻：（拍手）對啊！對啊！祥哥說得一點都不錯，只要能手砍萬惡的東洋鬼子，死了也甘心的。

娟：你倆如此的熱心，我是非常地感激，但我如不手刃敵人，心中的怨氣怎能發洩乾淨呢？這還要請祥哥為我想個妥善的辦法。

祥：很好！娟妹的志氣實在可敬，可惜勇弟不在這兒，這事需和他商量一下才好。

傻：（站起來）讓我去把黑勇找來。

（黑勇入，結壯的身軀，一望而知是個有毅力的青年）

黑勇（以下簡稱勇）：（恭敬的）大媽！娟妹！你們都好！……

傻：阿彌陀佛！你來得真巧，我剛要來找你哩！

勇：咦！你倆也在這兒，找我有什麼事嗎？

傻：事嗎？多著呢！你不看見大嫂的臉色？

勇：大媽！什麼事使你們這樣憂愁？請快點告訴我吧！或許我能跟你們效一點勞。

李大嫂（以下簡稱李）：（痛苦地搖著頭）唉！勇哥兒！這日子真不是人過的，昨天那該殺的漢奸周苟，又跑到我家裡來，他說……（嗽）……你……你的女兒生得很漂亮，我們的總司令野村看中了，要她做個臨時太太，（咬牙）當時被我同娟兒將他辱罵了一頓，因此他惱羞成怒，臨走時說不識抬舉的賤東西，明天叫你們好看，現在……今天……（大嗽）。

娟：（輕輕地拍著她的背）媽！你老人家不要太悲傷了，還是讓我到鬼子那兒去吧！我可以帶把鋒利的剪刀去，把鬼子刺死了不就得了嗎？

李：（搖頭）不！娟兒，妳千萬不能去，假使你萬一有個不測，那不是只剩了我一個孤老太婆嗎？（哽咽）自從妳父親去世後，就只我們母女倆相依為命，如果妳再被鬼子奪了去，那我也活不成了，那我也活不成了，把這條老命去同鬼子拚了罷！

祥：（見狀不忍）勇弟！你是素被人稱為智多星的，今天這事你看該怎麼辦呢？

勇：唔！讓我想想看，（拿起茶來喝了一口坐下來深思著，一下，忽然站起來喜形於色）有了，待我去拿樣東西馬上就來。

（眾望著他寬闊的背影消失在門口，全場暫時靜默）

李：（烈嗽）娟兒！倒杯茶給我！

娟：（雙手捧了杯茶）媽！妳請放心吧！我想勇哥一定有辦法的。

傻：（焦急的）怎麼黑勇這傢伙還不來呢？別遇到了閻王老子。

祥：（按他的嘴）別胡說！

（勇匆匆上，手上拿了兩支手槍）

勇：快點準備，鬼子們就要來了，（以槍分遞於祥、傻）現在我們且到屋外去分頭埋伏，等鬼子來了給他們一個包圍。

（祥、傻握好手槍與眾一起退出把門帶上）

（門外槖槖的靴聲與人聲上）

周荀（以下簡稱荀）：（聲）報告司令！這兒便是小娟的家。

野村（以下簡稱野）：（聲）趕快把他們叫出來！

苟：（聲）是，是，是，司令！一定照辦，（大聲）李大媽！快點來開門，帶妳的女兒同來迎接大司令（叫了一遍，見內無動靜又嘶聲叫了一遍，仍無動靜）司令！恐怕那老婆子睡著了，等我打門進去。

野：（聲）快點滾進去！

苟：（聲）是，是，是。（砰的一聲，門被衝開，苟第一個，接著便是野村及二日兵，魚貫著走進來）

野：（貪婪的目光向四面掃射著）那裡有什麼花姑娘？你這該死的東西竟敢在我面前說誑，把他捆起來！

（日兵拉苟）

日兵：是！（兩人過去拖周苟，嚇得他連忙跪下）

苟：（顫抖）小人不敢……小人不敢，報告大司令，小人不敢說誑，想是那小姑娘怕羞，躲在裡面去了。

野：放手！給我到裡面去搜一搜。

日兵：是！（放周往裡面走去，不久又跑出來）報告司令！裡面鬼都沒有一個。

野：嘿！（惡狠狠的對周）給我去找出來，當心些你這狗命！

苟：（站起）是！是！是！司令，我馬上就去。（彎腰退出）

（突然一聲槍聲起於門外）

野：（驚慌）什……什麼聲音？

兵甲：像……像是……是槍聲。

（又是一聲）

野：你快去……快去看是……是什麼東西？

兵甲：是（向乙）你去看看……是什麼東西？

兵乙：我……我腳痛，還是你……去吧！

（周踉蹌衝入，臉無人色，不住地氣喘著，三人一起嚇了一跳）

野：是……是誰？（見是苟氣憤地踢了他一腳）狗養的，你要嚇死我嗎？

苟：（喘氣）是！是！不敢！不敢！報告司令，游擊隊來了。

野：真的！在哪裡？

苟：就在這屋子旁邊，我剛才去找小娟時，走到那屋後的稻草邊，忽然聽到一聲槍響，我立刻回過頭去，瞥見兩個人影往裡面一閃，接著又是一槍，我就逃進來了。

野：你有沒有看清是什麼人？

周：哦！好像是兩個鄉下人。

野：有沒有看到那個游擊隊的小隊長黑勇。

周：不曉得，我沒有看到。

野：糊塗蟲，滾開！

周：是！是！是！

（砰的一聲，黑勇握槍出現在門口，野嚇得倒退了兩步，雖拿好了槍，仍想從小門逃出）

勇：站住！你這惡賊，你也有今天，撞到老子手裡來送你的狗命。

野：（勉強作色）誰怕你這支那小鬼，兵士們，開槍！

（一陣紛亂的槍聲中，野與兩兵均從小門退出，勇與祥、傻相繼追入，槍聲漸遠，周瑟縮地躲在牆角裡蠕動著，李手拿劈柴刀入，走到周面前）

李：你這賣國賊！你這喪盡天良的漢奸，你這禽獸不如的走狗，你這辱沒祖先的畜生啊！（將刀向周斫去，周慘叫一聲倒地，野賊頭賊腦地進來，李未見）哈！哈！哈！我今天居然能親手殺死這賣國賊，真痛快！（野給了她一槍，痛得她震了一下）哈！哈！原來是你這倭鬼，不要緊，我死了還有我的女兒，你這鬼子當心一點吧！

野：老太婆快死吧！別嚕哩嚕嗦，（用手推李倒地，突然勇的聲音在外面嚷起來，野連忙轉過身來握槍以待）

勇：（自遠而近）咦！奇怪啦！鬼子逃到哪裡去了？（隨說隨進，剛走進大門，野從旁邊跳出，陡地放了一槍，勇迅速地一閃，接著第二槍又來了，勇躲閃不及，被打在手上，手槍隨著落地，野正想開第三槍時，娟從外入，見這情形忙從衣內拔出剪刀，用力向野後頸刺去，野頹然倒下，還想掙扎，娟更加刺了他幾剪刀）

娟：哼！你這惡魔活該死在姑娘手裡，（用腳踢野屍身）剛才的凶威呢？怎麼動都不動了？睡著了嗎？

勇：娟妹！謝謝你，倘使你不來，我的性命早送在這惡魔手裡了。

娟：說那裡話，別這麼客氣吧！你受了傷嗎？要緊不？

勇：不要緊，一點兒傷怕什麼，啊！（用手指向李倒地的地方）娟妹！你看這不是李大媽嗎？

（兩人同時跑過去）

娟：媽媽！媽媽！你怎麼樣啦？（見血自李腰部流出，驚哭）媽……媽你……你受了傷嗎？

李：娟兒！妳不要哭，不要緊的，那個鬼子殺了沒有？

勇：李大媽！你放心吧！那個日軍官已被娟妹殺死了。

李：（微笑）好！這才是好國民，好女兒，為國殺了賊，為母報了仇。（祥、傻上）

傻：這些鬼子真是膿包，好沒有用，一殺就完了。

祥：是啦！那些飯桶有什麼用，咦！李大媽怎麼樣啦？

李：沒有關係，你們這些年輕人真勇敢，敵人都殺光了吧？

祥：是的，一起殺光了，李大媽你覺得怎麼樣？

李：我嗎？我覺得很快活，我活了這麼大的年紀，一生中都未曾有過的快活，能夠親自殺死賣國賊，能夠親自看見你們殺死了敵人，真痛快！（氣短促）現在我要與各位永別了，願……你們永遠……的年輕勇敢（咳）娟兒！妳……妳不要哭，這……有什麼……悲傷……妳跟……勇哥他……們……去吧！不要……以……死了……的……老母為……念，最後祝你……們勝……利！（舉手大呼）打倒日本帝國主義！殺盡漢奸走狗！中華民國萬歲！（呼畢含笑而逝）

娟：媽媽！媽媽！你真的捨了妳孤零的愛女不顧嗎？（伏李身慟哭）

眾：李大媽！李大媽！

娟：媽媽！我叫妳妳聽見嗎？為什麼不睬我呢？媽媽！妳丟下我這無爹娘的女兒就不管了嗎？（哭唱）親愛的媽媽！妳去了，丟下我這個孤零兒，兒命真苦，無媽又無爹，此後有誰來疼愛我，保護我？親愛的媽媽！永別了，何日再得聚一堂？兒心痛死，你知否？永別了我的媽媽！我的媽媽永別了。（痛極暈去）

眾：娟妹！娟妹！醒來！娟妹！醒醒！

娟：（慢慢地甦醒）唉！媽媽！妳竟永不睬我了嗎？

祥：娟妹！別太悲傷了！人死了是哭不活的，不要反哭傷了自己的身體，那李大媽在九泉之下也不得安樂。

勇：真的，光是哭有什麼用呢？恐怕還有敵人來哩！娟妹！你得打一個主意才好。

娟：唉！我此刻心亂如麻，打得定什麼主意呢？（想了一下）勇哥！……我跟你去當游擊隊吧！

勇：（驚喜）真的？妳有這樣的勇氣嗎？

娟：（堅決的）真的，我已決意跟你們去，多殺些敵人，好讓先母的靈魂也含笑九泉，請不要遲疑，時候已不早了。

祥：嘖嘖嘖！好一個熱血女兒，真不愧為巾幗英雄，教我又佩服又慚愧，好！勇哥！我亦跟你去吧！

勇：很好！很好！歡迎之極，大傻！你怎麼樣呢？

傻：我嗎？當游擊隊有沒有鬼子殺呢？

勇：有！你要殺多少有多少。

傻：（高興地叫起來）我也要去！我也要去，我得去殺幾個鬼子頭玩玩。

勇：好極了，我們走吧！聽！似有大隊鬼子的嘈雜聲音呢！走罷！

娟：（將牀上的被蓋在李身上）媽媽！再見！待我們打了勝仗再來好好地安葬妳。

眾：李大媽！再見！（眾唱游擊隊歌下）

（幕慢慢閉）——完——

編註：據艾雯手記，本劇為獨幕劇，寫於一九四一年八月，為未刊手稿。

燕爾劫

時間：一九四一年十二月

地點：香港

人物：鄒曼倩：二十四歲外秀而內剛的少婦

韓其德：二十八歲英俊而誠懇，鄒夫

徐康明：三十二歲詼諧，樂觀

陳文瑜：二十六歲幹練俐落的主婦，鄒的老同學

姜維經：二十一歲性情燥急的熱血青年，韓友

程　琪：近四十歲膽小又想發財，業醫，韓友

程太太：半解放的女性，頗嚴厲，三十三歲

楊慕泰：四十餘歲，老奸巨滑，發國難財的奸商

宋伯軒：三十五歲貪小，善阿諛，楊的尾巴

葉愛娜：約二、三十歲，浪漫，風騷，交際花

老　王：三十多歲，韓的僕人，忠厚而帶幾分傻氣

來賓甲乙丙……

茶房甲乙

日本軍官兩人

第一幕

十二月六日下午，一個風和日暖的好天氣。

某大旅社一間華麗的會客室，室內散放著幾張單雙沙發、茶几，一張大餐桌橫放在中央，左右兩排窗上掛著紫紅的窗簾，正中稍右有一門通禮堂，垂著紫紅的絲絨門簾，左牆有一門可通大門。這天是韓鄒借此舉行婚禮，這裡暫作來賓室之一部分，幕開時已有好些人坐著吃瓜子、談天，煙蒂、瓜子殼、果皮滿地狼藉，桌上几上凌亂地放著碟子、茶杯、煙缸等，講話的人分作幾派，楊占著左方正得意洋洋的同程、宋談著舞經，徐同姜在右邊討論著戰事，陳則同程太太在向外的沙發坐著，低低地講話。

楊慕泰（以下簡稱楊）：（噴了口煙）百樂門張莉莉的身段很好，維也納的王娟娟也還可以，林妹妹那張嘴真甜得迷人，就可惜胖了一點，最好還要推大新周曼麗，身段、姿勢、步

法，一切都合標準，臉龐也生得很漂亮，抱在臂彎裡輕飄飄的，啊！那真教人說不出的愜意。（閉著眼有點飄飄然）

宋伯軒（以下簡稱宋）：（阿諛的）你老人家的眼光的確不錯，不過周曼麗的架子很大，算得大新頂紅的台柱了，要不是你牌子大，別人真不在她眼裡哩！

楊：（高傲的）我舞女也不知玩過多少了，不管她紅得發紫，那一個又不乖乖地倒在我臂彎裡。

宋：那當然。你老人家賞識她們，她們還敢不受抬舉嗎？

程琪（以下簡稱程）：（望了一眼太太低低的）麗都新來了一個黃麗芬，很不錯！昨天我去跳了幾趟，步法稍些生澀一點，要是好好地練習練習，將來很有希望。

楊：那麼你老兄去提攜提攜囉！

程：（又望望太太）我不大方便，還是你出馬吧！

楊：（也望了一眼）唔……我竟忘了你老兄有季常之癖，嘿嘿嘿……

（宋也附和著大笑）

程：（局促不安的）輕些，輕些……

姜維經（以下簡稱姜）：（鄙夷地瞥了一眼，提高聲音）要是香港免不掉要開戰的話，這到也好，讓炮火來喚喚醒那批醉生夢死，神經麻木的傢伙。

陳文瑜（以下簡稱陳）：這兒真會有戰事嗎？

姜：很有可能性。

程：（搭訕的）報上說「日美談判頗為微妙」，局勢也許有好轉的希望。

姜：報紙上總是那一套，你想美國提出的條件日本會接受嗎？萬一不能妥協，那只有訴諸武力，邱吉爾不是宣稱，如果日本對美宣戰，英國於兩小時內也對日宣戰，這裡當然免不掉一場戰爭。

楊：（大不以為然）老兄這話未免說得太輕鬆了吧！什麼對日宣戰，英國人只有擺架子的氣派，囤糧食啦、築防線啦，都是他媽的神經戰，不足為信。

徐康明（以下簡稱徐）：（冷冷地）國際風雲，變化莫測，你根據什麼來下這樣的判斷呢？

楊：（賣弄的）那我當然憑可靠方面得來的判斷，老實說：我們幹這項買賣的，要是消息不靈通，萬一真的開戰斷絕了交通，那我們的物貨豈不成了廢物？不瞞你們說，我現在還預備再囤一批綿紗哩！要照姜先生剛才說的那樣危險，大事豈不完了。嘿嘿嘿……

姜：（譏嘲的）那麼你的所謂可靠方面，究竟是指那一面呢？

楊：（得意地）那是我一個朋友，他在報界裡工作。

姜：什麼報？

楊：《民華日報》。

姜：（冷笑）那算得什麼報紙，日本仔的應聲蟲，漢奸主辦的東西。

楊：（勃然）什麼？你侮辱我的朋友，為什麼你可以隨便給人加頭銜。誹謗人家名譽你知道該判什麼罪名？真是豈有此理！

姜：（挑戰的）為什麼？就憑我是中國人，說是罵漢奸的人有罪，那親漢奸的人更有罪，做奸商的人還要罪加一等，十惡不赦。

楊：（跳起來）誰是奸商？講話口齒清楚些。

姜：（冷冷地）誰做奸商自己肚裡明白，裝什麼腔！

楊：（捋袖）你這小子，等老子來教訓教訓你。

姜：（亦捲袖）你配教訓我？你是什麼東西，國家的蠹蟲，準漢奸！

楊：（氣極）你，你。（衝過去）

姜：（一拳）做了你這老賊！

（兩人扭作一團，被眾人拆開，房門口已擁著好些看熱鬧的人）

徐：（拉姜）算了，算了，今天人家做喜事，你們還來套全武行湊湊熱鬧。

楊：（被宋拉開氣喘喘的）豈有此理，你這王八羔子，乳臭未乾竟敢到太歲頭上來動土，你當心點，總有一天揍你個半死。

姜：哼！我怕你？除奸鋤惡是我們青年人的本分，壟斷市場，提高物價，都是你們這批害得老百姓受累無窮，都是你們這批貪婪的奸商，總有一天要肅清你們。

楊：（氣得說不出話來）豈有此理，豈有此理！

宋：好了，好了，閒話越講越多，糞缸越攪越臭，大家誤會說開了就算了。（向門口）沒有什麼好看的，各位請便吧，茶房，你站在那兒發什麼呆？還不絞兩把手巾來。（茶房與眾下）

陳：康明，你陪維經到外面去走走吧！這裡空氣不大好。

徐：（挽姜臂）來，我們去看看其德。

（姜狠狠地盯了一下楊，與徐下）

程太太（以下簡稱太）：（搖頭）年輕人脾氣真暴燥！

楊：（氣勢又壯）這小畜生，竟敢這樣放肆，我活了這把年紀，倒他奸商長、奸商短的來教訓我，真是豈有此理！

宋：年輕人血氣旺，說出話來不知輕重，你老人家計較他怎什？

（茶房遞手巾給楊）

楊：（氣稍退）年紀輕，說出話來可不輕。要不是你們拉開，我真要給點苦頭他嚐嚐。

（外面鬧哄哄的，來賓數人擁葉愛娜入，葉裝束入時，鮮豔奪目，年齡約在二、三十歲之間，無法確定，一進門一片愛娜密司葉的招呼聲，宋為她接過皮夾，楊連忙去脫大衣，也

有招呼她坐的，房裡頓時亂成一團）

葉愛娜（以下簡稱葉）：（用握手、媚眼、微笑向房裡的人招呼）你們都躲在這裡作樂。（看到程太太與陳）程太太、徐太太，好久不見了，你們都好吧。

太：（站起強笑）託福還好。

陳：（握手）妳好吧！

葉：（倩笑）我還不是老樣子。

程：哪裡，妳是越長越漂亮，越長越年輕了。

葉：（瞟他一眼）喔唷！程先生，你少罵我幾句好吧！

楊：阿琪說的倒是老實話，妳真的越來越美了，我剛才還是一肚子的氣，現在妳這個美人兒一來，把我的氣都從肛門裡趕跑了。

葉：（戳他一下額角）你哪，狗嘴裡總掉不出象牙來！

楊：（涎著臉）為了保留你這一戳的光榮，我將三個月不洗臉。

葉：（刮臉）啐！

陳：（看不順眼向程太太）不曉得新娘子來了沒有？我們去看看吧！

太：（望著程那副情急的樣子，滿肚子不快）唔……好吧……

陳：那麼葉小姐請坐坐，我們少陪了。

葉：好，回頭見！

（陳、程太太相偕走出門口，程太太又不放心的回過頭來）

太：阿琪，你來，我有話同你說。

程：唔！（望一眼葉，趑趄而出）

葉：（坐下，楊敬煙宋點火）慕泰，我剛才進來的時候，你氣得像隻癩蝦蟆似的，幹麼呀！

楊：不要說起，為了談日美開戰，竟被姓姜的那小子搶白了一頓，你說氣不氣人？

葉：噯，你們說香港真的會不會打仗？

賓甲：這誰也不能斷定，過幾天我想飛一趟重慶，愛娜你想不想去？到了重慶一切都包在我身上，不用妳操心。

葉：重慶有沒有這兒好？

楊：（拍胸）愛娜，我保險這裡不要緊，管他日本來英國來，香港反正是殖民地，到內地去苦都會苦死了，尤其像妳這樣嬌滴滴的人兒，吃的、穿的、玩的那一樣及得上這裡，我第一個反對到內地去。

葉：（嬌笑）我也這樣想，不過要是真的打起來，飛機大炮轟隆隆的，那可受不了。

賓甲：（慫恿的）那麼還是到重慶去吧！

賓乙：最好還是到加爾咯得去。

葉：（做作的）啊呀，給你們這麼一說，我都拿不穩主意了。

楊：（不耐煩）事情還沒有那樣緊急，不談這些鬼事。（討好的）愛娜，明天請妳到國際飯店去小酌，能不能賞光？

葉：（悠悠地噴著煙）什麼時候？

楊：（賊脫嘻嘻）請小姐吩咐。

葉：（向賓甲瞟了一眼）晚上吧！

楊：（喜極）好好！我叫阿福開車來接妳。

（葉婀娜地站起來轉了個圈子，將煙蒂拋去）

賓甲：（趨前）愛娜，來一個華爾滋。

葉：不興，我的腳。（舉起一隻套著銀色高跟鞋的腳）

楊：（貪婪地注視著）脫了跳，脫了跳。

葉：（笑著逃開）不興，不興。

（外面傳來爆竹聲、人聲）

賓乙：舉行婚禮了。

（大家蜂擁而出爆竹聲停，鋼琴奏著悠揚的婚禮進行曲，宋又返身進來，將桌上的香煙全數裝入口袋而去）

（前廳傳來熱烈的鼓掌聲）

（程琪背著手進來，若有所思的在房中踱著方步，半晌，掀起門簾向外望望，蹙眉，喝茶，楊入）

楊：對不起，老兄久等了。

程：沒有關係。

（大家等對方先發言，坐下）

楊：（含意的）老兄這一陣生意如何？

程：（誤會）還不是那幾個病人。

楊：（奸笑）不是指那個。

程：唔，你是說藥品，（皺眉）上次的一小批倒很快就銷出去了，可是近來卻不興得很，你介紹給我的那批奎寧，現在還擱在那兒。

楊：那麼那批貨你還要不要呢？

程：（躊躇）那個……唏……那個的話，目前我想……我想不要。

楊：（一驚，仍不露聲色）為什麼？

程：這幾天風聲很不好，聽說日美事件已非常嚴重。如果開戰的話……那可不是好玩的。

楊：（一陣假笑譏嘲的）你老兄真是「拾到雞毛當令箭」，庸人自擾，你不要去信那批毛頭小伙子的瘋話，他們懂得什麼？

程：（分辯）不光是他們……

楊：（不聽他）他們只曉得胡英國人的調，放放空氣，我就不信有那麼嚴重。老實說，（像煞有介事地壓低了聲音）這時候真是進貨的好機會，別人拋出，我們就賤價買進，等過一陣神經戰平定下來，市面上一缺貨，那我們的貨就吃香了。

程：（疑惑的）依你說不要緊？

楊：（肯定的）當然不要緊。

程：（猶疑不決）不過……

楊：不過什麼？（慫恿的）我們幹這項買賣的手段第一要辣。如果都像你這樣吞吞吐吐，好買賣早給別人搶光了。

程：（下決心）好，我買下來，那錢？……

楊：（拍拍程的背）那大家都是老交情，總好商量的，婚禮快完了，我們走吧！（得意洋洋地偕程下）

（外面一陣陣地歡呼聲叫囂聲，大概是禮成了）

（茶房甲入，從桌上撿到一根遺留下的香煙撚著抽）

茶乙：（聲）阿丙！阿丙！

茶甲：（連忙將煙藏在背後）神旺鬼叫做什麼？
茶乙：（掀門簾入）你這陰死鬼，叫你半天不出氣，倒躲在這裡享福。
茶甲：（索性靠在沙發裡抽起煙來）老子一天忙到晚，就不作興休息休息？
茶乙：誰叫你忙？要享福就不要吃這碗倒楣飯。（在杯碟叢中找了一頓）他媽的，香煙抽的一根都沒有（對茶乙）拿來哈夫哈夫。
茶甲：讓我再抽二口。（貪婪地抽著）

（前面傳來猜拳鬧酒的喧譁聲）

茶乙：（想起來）唔！差一點忘了，老闆叫你到前面去幫忙，
茶甲：（抱怨的）早又不說，回頭又挨罵。（將煙授給乙下）

（茶乙閉著眼抽了一頓，外面有腳聲，連忙開左門下）

楊：（聲）愛娜，喝這一杯，只一杯。
葉：（聲）不，我不能再喝了。

（愛娜臉紅紅地從右門奔進來，楊捧了一杯酒趺趺衝衝地進入，後隨來賓數人，大家都有點醉醺醺）

楊：喝這一杯，喝這一杯。
葉：（繞著桌子跑）我不，我不。

（兩人互相追逐著笑作一團，葉的一隻高跟鞋忽然掉下。楊捉住了她）

楊：（將酒杯送到葉嘴邊）我的好愛娜，好小姐，請乾了這一杯吧！

葉：（將頭一扭）我不嘛！

楊：（一個踉蹌順勢跪下）妳再不賞光，我可要跪一天了。

（眾譁然）

葉：（穿好鞋接過杯子直著喉灌下，將空杯用力向空中一拋，狂笑而下）哈……嘿……

（眾跟下）

（不多時眾擁新郎新娘入，新郎眉目間洋溢著一股喜氣，英氣勃勃，笑嘻嘻地隨眾人擺布著，新娘身材婀娜容光煥發，鬈髮柔滑的垂在背上，臉微黑帶圓形，透露著一種秀美，眼睛黑而晶瑩，裡面蘊藏著無限的熱情，此刻卻含著幾分羞怯。客人們有些已將大衣等挾在手臂，似要告辭的樣子）

賓甲：時間還早哩，再來一個節目。

眾：贊成？

徐：（看錶）五點三十五分，還有二十五分鐘就要熄燈了。

程：不要緊，再來一個短的。

太：（瞪他一眼）等下不能通行看你怎麼辦？

賓乙：聽說新娘的歌喉很好，請他們合唱一個。

眾：好！

楊：要唱得甜甜蜜蜜的。

鄒曼倩（以下簡稱鄒）：（含羞地推辭）我不會唱。

賓乙：那是騙人的話，我曉得你還上過台。

眾：一定要唱，一定要唱

韓其德（以下簡稱韓）：（低低的對鄒）那麼我們合唱一個定情歌吧。

鄒：（點頭默許）

我愛你，我愛你；
你我同在一條戰線，
縱海枯，石爛，
也毀不掉我倆的貞堅。
休在花晨，月夕，
留連，留連，
便忘了責任在雙肩。
為大眾的幸福，

要奮勇向前，
為民族的存亡，
要肉搏當先，
任人海風狂，
駭浪掀天，
我倆手兒相攜，
步兒相聯，
那時愛的精誠才見，
愛的精神才見！

（兩人合唱畢，眾鼓掌嚷著再來一個，茶房乙匆匆上）

茶乙：各位先生，馬上要燈火管制了。

（眾這才放開了新人們，亂哄哄地穿戴帽從左門下，主人殷勤地送至門外，只聽得一片再會與汽車叭叭聲，半晌，韓挽著鄒進來）

韓：（溫柔地俯下頭去）曼倩，你疲倦嗎？

鄒：（抬起頭來甜甜的）不，你呢？

韓：（微笑）不，我當然也不。

（從眼睛裡傳達了彼此的情愫，會意的一笑）

韓：現在是我們的時候了。

鄒：（以微笑作答）

（慢慢地韓的左臂摟住了鄒的腰，鄒的雙手擱上了他的肩頭，四隻眼睛深情的對視著，幕急下）

第二幕

距第一幕二天後的清晨。

一間布置得美麗而簡潔的小客廳，正中稍左有一個通外的門，看得到一截走廊與一塊蔚藍的天空，當中有一扇開向走廊，每一個出進的人必須從這裡經過，窗下擱一只雙人沙發，左端是一只茶几，右端置一座新式的收音機，右壁有一門進臥室，靠壁放了些椅子茶几，壁角裡立著一座衣架，左邊一窗子，一只沙發斜斜的放在窗下，中間一張鋪了檯布的小圓桌，供著一只空花瓶，窗上釘著蘋果綠的抽花簾子，幾個永結同心等的鏡屏掛在牆上，一切都顯得簇新的樣子。

房中靜肅肅的，一隻不知名的鳥在窗外迎著晨曦歡唱著，初升的陽光從左窗射進來，半晌臥室裡傳來喚曼倩的聲音，韓披著睡衣拖了拖鞋走出來，軟軟地伸了個懶腰，用眼睛向四周一掃，往沙發上一靠，又一個哈欠。

韓：（咕噥著）一清早便跑出去了，也不怕受寒。（隨手拿起旁邊的畫冊翻了翻，又不耐煩地放下，站起來向後窗看看，踱了幾步方步，又搓搓手坐下）。

（走廊裡高跟鞋咯咯，韓連忙回過頭去，鄒輕輕地哼著歌曲進來，穿了一件紫紅鑲花邊的絲絨旗袍，一條白色的絲圍巾鬆鬆的披在頸背上，頭髮裡綴著金黃色的緞帶，捧了一束鮮花進來）

鄒：（見韓微笑）你就起來啦，幹嘛不多躺一會？（去桌邊插花）

韓：一個人躺著冷冰冰的，有什麼意思。（關切的）你這一早跑那兒去了？看你大衣都不穿一件。

鄒：我一點都不覺得冷，在太陽裡就像春天一樣，這兒的天氣真迷人，你沒有看見花園裡的那些花，開得真美麗極了，可惜這兒沒有梅花，要在家鄉，再過一陣就可以去踏雪尋梅了。（欣賞著瓶裡的花）其德，你看這樣插還可以吧！

韓：（瞇著眼端詳）很美，很自然，經你的手布置的，還有不好的嗎？

鄒：（嬌嗔）你哪！真是！（在他沙發靠手上坐下）

韓：（握住她的手貼在自己臉上）

鄒：（嬌憨的）今天已經是八日了，這三天過得真快！

韓：不，這快字下面應該再加一個樂字。

鄒：（深摯地）快樂嗎？是的，我彷彿重新又做了一次人，你的摯愛與熱情，溫暖了我那創痕累累的心靈，它燃起了我生命的火焰，使我又嚐到人生的甘味。其德，你真是我再生的恩人。（將臉溫存的靠在韓頭上）

韓：（感動的）曼倩，別那麼說，妳瞧這小小的家是多麼的甜蜜，要沒有妳，我哪裡來這安舒的生活呢？妳才是我的天使，我的安琪兒。（將頭親暱地偎在鄒膝上，鄒溫柔地撫摸他的頭髮）

鄒：（憧憬的）有這麼一個小小的家，真是太幸福了，可是，其德：我更希望這幸福能建築在自己的土地上。香港，有人說那是天堂，我卻過不慣這種委靡的生活，更看不慣這種荒淫、奢侈的風氣；我懷念著可愛的祖國，那偉大的土地曾產生了耐勞淳樸的農夫，培養了英勇衛國的戰士。我們的父母在那兒生長，我們的祖、曾祖也在那兒生長，我們回去吧！只要讓我踐到那自由的土地，那怕只一方寸，我都會高興得從夢中笑醒來。

韓：（渲染了她的情感）一定回去，聽人家說祖國英勇的戰蹟，連誠樸的老百姓都揹起了武器，為保衛自己的土地，幹著殺敵的工作。可是我，一個中堅分子，卻躲在這享樂地點，連祖國戰鬥的英姿都沒有見到，這真是件慚愧的事。我們一定要回去，雖然不能去前線殺敵，至少亦能在後方為祖國做一點工作，你說是嗎？

鄒：（驚喜地用手托起他的下頦）你說這話是真的？
韓：（慈祥地微笑）我幾時騙過妳？
鄒：你捨得放棄你事業的基礎？
韓：（詼諧而認真的）小傻瓜！我既然有能力創造第一次，難道就不能努力第二次嗎？
鄒：（高興得孩子般歡躍起來，熱情地吻著韓的額角）其德，你真好，你真好！
（外面皮鞋聲咯咯，鄒霍地站起來，徐陳已挽著手進來）
鄒：（臉上略帶紅暈）你們兩位真早！（握手）
徐：（假癡假呆）妳說誰真好呀！
韓：（緊一緊睡衣）I'm sorry，你們請坐坐。我去換衣服。（入內）
鄒：請坐，請坐，老王，倒二杯茶來！
（客人在沙發上坐下，老王送茶來）
鄒：你們的寶寶怎麼沒有帶來？
陳：小孩子煩人，讓奶媽帶到公園裡去了。
（韓換了西裝皮鞋出來，一個領結打得歪歪扯扯的，手還在上面摸索著，鄒連忙過去重打）
徐：其德，你真是越縮越小了。

韓：（扮了個鬼臉）喂！老徐，這二天有沒有什麼好消息？

徐：（懶懶的）還不是那樣半死不活，今天充實軍備，明天疏散僑民，攪得烏煙瘴氣，又沒有一個確實的決定，要打就打，老這樣打瘧疾似的冷一陣熱一陣，生活都不得安定。

陳：昨天我們去看電影，開演到一半的時候，銀幕上忽然映了幾行英文，說是召集兵士歸隊，看樣子似乎很嚴重。

韓：（激動的）要是馬上打起來也好，老是響雷不下雨，可真把人悶死了。

鄒：（向徐陳）如果真的打起來你們預備怎樣？

徐：（苦笑）打起來還不是聽天由命，一個人多負一種責任，彷彿就多一副索鏈，它牢牢地絆住了你，動都動不得。

陳：（感慨的）這世界也是，簡直找不一塊安樂土，老是兵荒馬亂的，過不到幾天安靜日子，（對鄒）記得我們在中學時，生活過得多有意義！無憂無愁，整天嘻嘻哈哈的，對什麼都感到興趣。頂有味的是在你家西湖別墅度過的那一個暑假，多熱鬧，多美麗，現在想起來好像隔了一個世紀似的。

鄒：（給陳引入回憶中）那時還有瑞芸和淑嫻，記得有一天我們到西湖去划船，忽然下起大雨來，風又大，我們的划子只在河心裡打轉，四個人就像四隻落湯雞，後來我回去病了一個多月，媽就不准我再划船了，為了這件事，我還跟媽拌了嘴哩！（對自己孩子氣的往事浮上

一個甜蜜的微笑）

陳：（輕的接過來）可不是，妳病得那麼厲害，真把我急壞了，飯也不願吃，玩也不願玩，一直等你全好了，我才放下這條心。

徐：虧得韓太太好得快，要不然一個沒病死、一個倒要急死了。

（大家笑起來）

韓：杭州倒的確是個好地方，

徐：（插嘴）因此有這樣的好太太。

（大家又笑）

鄒：你這張嘴哪！

徐：能吃又能講。

韓：真的，人家說：「上有天堂，下有蘇杭。」我想去了好久，可是總沒有機會，現在那美麗的西子不知給敵人蹧蹋得怎樣了？

鄒：（感傷的）杭州是完了！

陳：（一聲長吁）往事不堪回首！

（大家不禁黯然）

（徐搖搖頭站起來去開收音機，發出嘈雜聒耳的聲音）

（走廊上腳聲橐橐，由遠而近）

楊：（聲）……懂吧！這就是做生意的門檻。

程：（聲）承教承教。

陳：（憎厭的）那討厭東西又來了。

（楊、程家夫婦、宋魚貫而進）

楊：（誇張的）哈！你們這兒真熱鬧，我也來湊一個。

韓：（向大眾招呼）歡迎！歡迎！

（老王送茶，主人敬煙，客人隨便坐下）

楊：（猥褻的）小韓，新婚的滋味怎樣？（見韓窘迫）不可為外人道也！是嗎？哈……

陳：（厭惡的）曼倩，我還沒有參觀過你們的新房哩！（邊說邊站起來往內室走）

鄒：（謙虛的）啊呀！亂七八糟的，什麼新房？（站起來招呼太）程太太，進去坐坐吧！

太：好得很！我正想見識見識你們摩登人布置的房間哩！

鄒：程太太你別罵人了，我稱得上什麼摩登？（兩人下）

程：（眨眨眼）慕翁，看你一句話把太太們都趕跑了。

楊：（解嘲地）女人的臉皮總要嫩些，嘿嘿嘿……

宋：（附和著笑）所以有男人的地方，女子只好退避三舍。

韓：（換過話頭）楊先生，我聽得你一路都在談生意經，想必是生意很發達？

楊：（得意的）靠福、靠福。雖然說不上一本萬利，總算有點小進帳。

徐：（呼招後一直都在收音機面前捩著準音器，一下是尖聲尖氣的青衣，一下又是靡靡之音的歌曲，這時停了一下，挖苦的）這次各商家都往外拋貨，你又可以搨進不少便宜貨囉！

楊：也沒有多少。（對韓）那些生意人也真傻，聽到一點風聲就嚇得往外拋貨，我就看準了那是神經戰，用不著跟他們發神經病的，你說是嗎？

韓：（莞薾）抱歉得很！我對於生意經簡直一竅不通。

楊：你是辦工業的，人家說工商合一，那有不曉得的道理。

韓：的確不曉得。

（姜興沖沖地走進來，一看到楊馬上變了臉色，氣憤地將自己擲在沙發裡，一聲不響）

韓：維經，船票買到了沒有？

姜：（不睬他，逕自拿起煙來點燃）

韓：（奇怪的）怎麼啦，什麼事不高興？（記起姜進來時怒視楊的樣子，便向他瞥了一眼，見他亦滿臉慍色，故作鎮定地與宋絮絮低語）

（台上空氣非常硬化，只有徐依舊自得其樂地玩著收音機）

韓：（逗引的）維經，要不要我告訴你一個好消息？

姜：（依舊不響，從口袋裡掏出一份報似看非看的遮著臉）

宋：（諂媚的）那當然，你老人家親自出面，還有不馬到功成？

楊：（乾笑）嘿……

姜：（忍無可忍地將報紙往地上一摔，倏地站起來）到處都是不要臉的奸商，王八蛋！

楊：（勃然變色，強自鎮定著看了看錶）我還有約會哩！（向莫名其妙的主人告辭）打攪打攪，（向外走）出門最倒楣就是碰到神經病。

姜：（搶過去）誰是神經病。你說。

楊：（英雄不吃眼前虧，加緊腳步就跑）

宋：（趕出去）慕翁，等一等。

姜：（想想不甘心往外追）誰是神經病？今天非要你說清楚。（韓趕緊去攔阻，鄒等三人從內室跑出來）

鄒：（瞠目不知所以）做什麼？做什麼？

太：（一目瞭然）又要來一齣全武行了。

陳：這傢伙也實在討厭！

韓：（將姜推在沙發裡）維經你這是幹什麼？

姜：（又跳起來指著韓）還問我？你不是一個糊塗人，怎麼去認識那種混帳東西？

韓：誰說我要認識他？那天在老黃家裡，他找到我攀同鄉什麼的，但那於你有什麼關係呢？

姜：（掉頭）於我沒有關係，你要去認那王八蛋做朋友，我姓姜的就跟你絕交。

徐：（悠悠的）真是冤家見面，分外眼紅。（對韓）你結婚的那天，要不是我們拉開，也許現在還在打官司哩！

韓：究竟為什麼？

姜：就為他是奸商。（對程）程先生，你是做醫生的，你說這種喪心病狂的奸賊，有沒有藥救？

程：（面赤，吶吶地）這個……我……

鄒：（向姜走來）維經，別生這些閒氣，來，我來問你。（對一個小弟弟似地招呼他坐下）你打聽的船票怎樣了？告訴你，我們有可能同你作伴回去。

姜：（出乎意外的）真的？

鄒：（肯定的）當然！

姜：（高興得跳起來，熱情地抓住了韓）那真好極了，我們大家一起回內地去，讓那批壞蛋留在這鬼地方。

韓：（微笑地）那麼你打聽得廣州灣的船幾時有呢？

姜：（略為沮喪）那個，我打聽了幾天都沒有頭緒，昨天去問又說還要過個把禮拜。（又興奮起來）不過不要緊，要是真的沒有辦法，我們走也要走回去，大嫂，你說是嗎？

鄒：（點頭）是的，只要有路可走，我們總要回去的。

陳：（望一眼徐感歎的）還是你們好，個個都有出路。

（突然淒厲的警報聲破空而起）

程：（吃驚的）怎麼？一早就來防空演習。

徐：昨天並沒有看到公告。

（遠處斷續的轟隆轟隆）

太：（變色）聽！在炸了。

韓：（在窗口驚叫起來）看那邊起火了，好大的黑煙！

（大家擁至窗前驚惶地向外看，轟的一聲，房子震得發叫，大家本能地縮回來）

姜：（激昂的）終於打起來了。

程：（氣餒地跌入椅中）完了，什麼都完了！

（砰砰砰的高射炮彷彿就在頭頂上響起來，飛機聲由遠而近）

徐：（提醒大家）看情形不大好，還是進防空洞去吧！

（經他一提，大家才記起還有躲避的地方。）

程：唉！我的藥品，我的藥品！（跌跌衝衝第一個跑出去）

陳：啊！小寶還在公園裡，那怎麼辦呢？（奔出去）

太：阿琪，阿琪！

徐：文瑜，文瑜！

（大家叫著嚷著慌慌張張出去，台上空洞洞的寂無一人。小鋼炮聲、高射炮聲、炸彈聲，混合成一支驚天動地的交響曲，死亡之神按著音拍瘋狂的舞蹈著，跳躍著。韓又匆匆忙忙地奔進來，鄒的聲音遠遠地在喚他）

韓：（向內室跑去）馬上就來，我拿一件緊要文件。

（就在他進內室的一剎那，轟隆一聲，紅光一閃，台上頓時漆黑，幕急下）

第三幕

聖誕節中午至傍晚。

鄒家被炸後新搬的房子，一間很小的房間還是徐家讓給她的，房裡的擺設很簡單，右邊是一只單身牀，牀角落裡立著一座五斗櫃，一只半新舊的雙人沙發置在中央，稍左是通外的門，左牆有一扇窗，深藍的窗簾沉沉的低垂著，壁上幾張原是精緻的掛畫，現在已歪歪扯扯地跌了下來。屋角裡凌亂的堆著一些從彈燼裡搶救出來的箱件等，五斗櫃上供了一張韓的放大相。微弱的陽光從窗簾外透進來，室內的光線顯得很黯淡，炮彈帶著刺耳的鬼嘯聲落在不遠的附近，有時還夾雜著連珠般的機關槍聲。

鄒悲慘地站在五斗櫃前，以一種絕望的神情凝視著韓的相片，形容憔悴而蒼白，舉止沉滯，過度的悲哀使她增加了好幾歲年齡。穿一件深灰色的旗袍，髮際帶了一朵白色的絨花，她抖抖地捧起相片盯住了半晌，突然兩串熱淚似斷線珍珠般滴在相上，她一往情深地將相片貼在胸前，沉痛地俯下了頭。

房門輕輕地推開，陳進來，樣子亦比上幕瘦了些，長髮用夾子向外捲成了一條，未敷脂粉，見狀難過的搖頭。

陳：（柔聲）曼倩！

鄒：嗯。（回過頭來，臉上還閃爍著晶瑩的淚珠）

陳：（眼眶亦潤濕）妳又在傷心啦！

鄒：（放下相片，緩緩地在沙發上坐下，捧著臉無限哀怨的歎了口氣）

陳：（撫著她的肩頭坐下）曼倩，妳不能這樣老是一個人躲在房裡傷心，妳的身體已經比從前壞得多了，死的是已經死了，那是沒有辦法的事，但活的仍舊要活下去。

鄒：（哽咽的）連最後一個親人都死光了，活下去又有什麼意思呢？

陳：（寬解的）可是話不能這麼說，一個人活在世上總有他的責任與義務，如果每一個被日本仔殺害的人，他的親屬都不想報仇而去殉情，那豈不是更讓那批魔鬼如願以償！所以妳不但要活下去，還要活得更堅強，更勇敢。

鄒：（淚痕斑駁地抬起頭來，堅決的）是的。我要活下去，為死者的仇恨活下去。（沉痛的）日本鬼永遠是我的死對頭。他們的大炮轟毀了我的老家，當我們一家三口從鐵蹄下逃出來的時候，弟弟走散了，媽媽又在路上給磨死，現在他們又從我身邊把其德攫去，這刻骨的仇恨，我化成灰燼也忘不了。

（隔壁傳來孩子的哭聲，與徐的哄拍聲）

陳：（含蓄著無限同情與憐憫）妳的遭遇真太不幸了。

（孩子倔強地啼哭著，徐的哄拍失了效驗）

徐：（聲）文瑜！文瑜！

陳：（沒奈何地站起來）就來！就來！（向鄒）你想開點吧！我等下再來陪你。（匆匆下）

（鄒惘然地浸入沉思中，房裡的空氣頓時又沉悶起來，只有炮彈的尖嘯聲支配了一切）

（門砰的被衝開，姜穿了一身短裝，背了個包袱進來）

鄒：（吃驚地跳起來）誰？

姜：是我，大嫂！

鄒：維經，是你。（打量著他的裝束）

姜：（憨笑）我這身裝束漂亮吧？（嚴肅地）你上次不是說我們作伴回內地去嗎？現在是時

候了。

鄒：（喜色開展了愁容）真的？怎麼走呢？

姜：（低聲）今天晚上等兩邊休息的時候偷過海去，有兩個人帶路，明天就可以到那邊了。

鄒：就可以到我們自己的地方？

韓：是的。

鄒：（高興的）啊！我告訴……（突然記起韓已不在了，頹喪地跌進沙發裡）

姜：（焦急的）快揀東西，時候已不早了。

鄒：……

姜：怎麼啦？

鄒：（輕聲地）我不走了。

姜：（詫異的）怎麼又不走了？

鄒：（做夢般幽幽的）我怎麼能讓其德一個人留在這裡呢？

姜：（從心底泛上一股辛酸，半晌無語，但堅強的理智馬上又克服了他）但是，大嫂，日本仔說不定就會上岸，難道你願意留著做順民嗎？

鄒：（猛地抬起頭來）誰說我做順民？（深意的）我要留在這兒陪其德，永遠，永遠地陪著他。

（姜無可奈何地搔著頭皮，走到其德相片前，老王拐著一隻木腳拐進來，他的左腳亦在這次炸掉了。）

老王（以下簡稱王）：（羨慕地望著姜）姜先生你回中國去嗎？

姜：（點頭）你想不想去？

王：（用木架敲著地板）俺這樣子怎麼能去呢？他媽的，日本孫子真不是肉做的，轟隆一聲，就死傷了一大堆，他們管那個叫下蛋，這蛋可真狠！俺只吃到一些蛋殼，就去了這一截（揮動半截腿），可是俺頂好的韓先生卻炸死了，老天爺真沒有眼睛，好人反而活不長，想起韓先生死得那樣慘，俺心裡不知多難受。（以袖管拭眼）

（兩人都被這憨摯的悲痛感動了，不禁黯然神傷）

（炮聲漸稀）

姜：（驚醒過來）時候不早，我得走了。

王：（急阻止）姜先生，（紅著臉在口袋裡掏摸）俺聽人家說，俺們中國亦在同日本仔打仗，說是蔣委員長帶著打，打得頂好。這……（掏出一包方方正正的紙包授給姜，吶吶地）這是俺幾年來積下的錢，請你帶給打仗的好漢，叫他們買一點東西吃，告訴他們俺們大家都等他們打勝仗，打了勝仗再來打這裡的日本仔。

姜：（感動得抓緊了他的手）老王，你真不錯，有你們這班可愛的老百姓在擁護，中國抗戰的前途一定很樂觀。當然的，我一定會把你的誠意傳達給弟兄們，這點錢你還是留著自己用吧！

王：（給他友善的態度與誇獎，弄得他的臉更興奮得紅起來）不，俺不要用，過去有幾個廣仔向俺捐過錢，說是捐給英蘇，俺不願意，俺是中國人，俺的錢要給中國人用，姜先生，請你帶了去吧！

鄒：（噙著淚）維經，你就給他帶去吧！這也是他的一番誠心。

姜：（收下擱在包袱裡）那麼我先代表弟兄們謝謝你。

王：（不好意思的）不要謝謝，不要謝謝。

鄒：（勒下手上的訂婚戒）我除了光光的一身之外，一無所有，這一點點小意思亦請你帶回去吧！

姜：（套在自己指上）你真的不去了？

鄒：（決絕的）是的。

姜：（惋惜地）那麼我要走了。

鄒：（誠懇地握著他的手）祝你一路好運！

姜：（感動地）願如你所言，（與老王握手）再見！（留戀地向屋內掃視一周，踏著有力的腳步出去）

（鄒悵惘地目送他寬闊的背影消失在門口，還沒把眼光收回來，陳已抱著孩子進來）

陳：剛才出去的是誰？

鄒：姜維經。

陳：是他？怎麼那樣的裝束？

鄒：他要回國去了。

陳：（感慨地）啊！還是他有辦法，我們待在這兒擔憂受驚，這罪不知那天才受得了！

王：（神秘的）昨天有人從銅鑼灣逃來，說是那邊已發現鬼子了。

鄒、陳：（同時）真的？

王：起初俺也不相信，可是那人他親眼看見的，藍塘道還有幾家人家讓鬼子摸了進去，有一家給殺死一個車夫，一個廚子，跟一個當差的；還有一家所有的男子都給殺光了，可真慘！

鄒：啊！

（徐進來）

陳：（像得到救星似的）康明，你說怎麼辦？說是鬼子已經上岸了。

徐：（不信）誰說的？沒有這回事。

陳：（指王）是老王講的。

王：（聲明）俺亦是聽人家說，鬼子到了銅鑼灣。

徐：別信它，那都是第五縱隊放的空氣，攪亂人心，人家英國是持久戰，好傢伙還沒使出來哩！

陳：（心稍寬）但願它是謠言。

徐：（撫著肚子）日本飛機不來，我這裡倒下起炸彈了。還是上午吃的一點點麵包，這下早就消化了十萬八千里。

陳：我不是跟你一樣的，有什麼辦法呢？麵包，麵包買不到，煮飯，煮飯又沒有水，一天炮聲都沒有停過，誰又敢冒險去搶那一點水？

王：這下炮聲倒停了，等俺去打點水來煮飯吃。

鄒：（關切的）當心點！

王：俺曉得。（一蹺一蹺下）

徐：這下總算耳根清淨了。（伸個懶腰往牀上一靠閉目養神）

（鄒低垂著眼簾，支頤凝思）。陳輕輕的拍著孩子，小聲哼著催眠曲，空氣一下變得非常沉寂，蒼茫的暮色逐漸占據了每一個角隅。

（門推開，程太太像個幽靈般走進來，向四面看了一眼）

太：阿琪在不在這裡？

（大家被這意外的聲音嚇了一跳，孩子哭起來，陳連忙站起拍著、顧著）

（徐起來捩亮了電燈，昏暗的黃光模糊的照出了人物）

鄒：哦，是程太太，程先生不在這裡。

太：（失望的）又是不在。

鄒：有什麼事呢？

太：（滿腔怨憤的）唉！不要說起，你們曉得阿琪一向是很老實的，自從認識那個姓楊的以後，忽然想發起洋財來，兩個人一天到晚鬼鬼祟祟、嘰嘰喳喳，不知搗什麼鬼，拿幾年來一點積蓄，一起都偷偷地花光了。好！這次一打仗，什麼都完了，阿琪就像癡了一樣，不是一個人喃喃的自言自語，就是整整的一天不開口。今天從防空洞出來，一下就不見了，我跑了好幾家都不見他，你們想，滿天飛著炮彈，街上多危險；可真把我急死了。

陳：（安慰她）我想程先生不是小孩子，大概在那裡耽擱了。你先別著急，在這兒坐一下吧！

太：不坐了。（忽然想起）你們那個曉得姓楊的住在那裡？也許到他那兒去了。

陳：（向徐）你曉得吧？

徐：（搖頭）不曉得。

鄒：你去問問宋先生看，他一定曉得。

太：對啦！我去找他。（慌慌張張下）

徐：（搖頭）發財沒發成，倒發了神經病。（又想倒在牀上）

王：（急得滿頭大汗地拐進來）不好了！日本仔來了！

陳：（失色）啊呀！那怎麼辦呢？

徐：老王，你先去鎖門。（對陳鄒）你們快去躲起來！

（老王急下）

陳：（走到門口）你們快來！（徐隨下）

（鄒迷亂地望著他們一個個的走出去，緊緊地咬著下唇，眼睛閃爍著憤恨的火焰，握著拳站在台中央）

（遠遠傳來粗暴的撞門聲、狗吠，間或有幾聲冷槍）

鄒：（走到五斗櫃前，拿起相片，聲音抖抖地）其德，鬼子快要來了，你放心，我一定跟你報仇。

（外面沉重的撞門聲，夾雜著生硬的罵人聲）

鄒：（倏地放下相片，從褥子下抽出一把雪亮的手刃，用手指在上面拭了拭，一手拿起相片）鬼子真的來了，其德，你等著瞧我的勝利。

（大門嘩啦一聲給衝倒，接著什麼東西碰浪落地）

王：（聲）不准進去！強盜，土匪！

（砰的一聲，老王一聲慘叫，隨即寂然，轟轟的腳聲漸近，鄒急忙收起手刃想用什麼來抵門，兩個日軍已一前一後進來）

日甲：（撫著血殷殷的右頰）八格牙魯！支那狗好厲害。

日乙：（提著手槍）哈！有花姑娘。（低低地同日甲咬著耳朵）

日甲：（貪婪地看了看鄒）好！我去隔壁找找看。（下）

日乙：（猥褻地走近鄒）花姑娘，現在只我們兩個人，好得很！

鄒：（含怒退後）

（隔壁突然一個孩子的哭聲，接著什麼東西笨重地墜地，哭聲驀地中斷，接著是東西摔地的聲音、徐的怒責聲，砰然一聲槍響後，一切寂然，只有剩下一個女子掙扎著的詈罵聲，鄒咬著牙退到牀邊）

日乙：（收起槍去拉她的臂膀）來來來，我們來親善親善。

鄒：（倏地從背後抽出手刃向日乙刺去，日乙在她手裡掙扎著去腰中掏槍，兩人扭作一團，一起滾在地上，一顆子彈射進了鄒的左胸，同時手刃亦刺進了日乙的咽喉，渾身一陣痙攣，便寂然不動了）

鄒：（氣喘喘地截著他）親善，親善，讓閻王跟你去親善！

（一陣急促的腳步聲向門跑來，鄒連忙撿起日乙的手槍，伏在他屍首邊，日甲持槍進

來，驚惶地望著地下兩人，突然砰的一聲從屍首上發出來，日甲晃了晃倒下）

鄒：（慢慢地探起頭來，見日甲已真的不會動彈了，她放膽想爬起來，但一陣劇烈的創痛，又使她跌了下去，下意識地按住了左胸，試了幾試，她以手肘撐著地面，像一條蛇般游行到五斗櫃下，顫慄地舉起手來探索著：踣跌了幾次，最後終於以絕大的努力取得了韓的相片，她深情地注視了片刻，喃喃地）其德，你……等著……我，……我們……一起……一起去。（雙手捧住相片，力不支，倒下）

——幕下

脫稿於一九四三年五月九日

編註：據艾雯手記，本劇為三幕劇，為未刊手稿。

二十五孝

一間光慘澹的房間，壁上糾纏著蛛網與塵灰，幾片篾席與爛布塊遮著一張板牀，一個憔悴的老頭子蜷縮在破棉絮裡奄奄待斃，旁邊恭敬地站著他的兒子——一個面黃肌瘦的老少年。

老：（有氣沒力地）兒啊！我覺得頭昏眼花，四肢無力，肚裡說不出的難過，恐怕是不行了。

子：（憂愁地）爸爸，我跟你請個大夫來瞧瞧吧！

老：不用。要是有錢去塞那個無底洞，還不如買點葷腥給二個孫子吃吃，孩子們營養要緊，而我只是個腐朽的老骨頭，要了還不是讓他了。

子：（不安地）爸爸，不是那樣說法⋯⋯

老：什麼？我說話還要你教？

子：（無可奈何地低下頭來，這時牀頭小爐子上煮的東西嗤嗤地滾起來）你老吃點麥糊吧！

老：又是那淡出烏來的麥糊！（略頓悠悠地）唉！你拿來吧！

子舀了一碗黑黝黝像漿糊似的東西，小心翼翼地餵給老頭子吃。

老：（嚥了二口厭惡地把頭一側）不要吃了，一點滋味都沒有，（半晌）阿兒，你可記得我們最後一次吃肉是哪一年？（憧憬地）那還是二孫滿月的時候，距現在已三年多了。孔子三月不知肉味，感慨不已。如今我三年不知肉味，竟連肉的滋味都忘了。唉！

子吞嚥著剩下的麥糊，一臉無能為力的悲哀。猛地一個思想閃過腦海，擱下碗，捋起左袖拭了一頓，拿起菜刀毅然割下塊臂肉來，血淋淋投入鍋中，連忙抓一把塵灰敷在創口，用破布包紮起來。

老：（睜開眼來）什麼東西好香？（向空中亂嗅）有點像肉味。

子：（痛得嘴唇發白）是的，我賒了點肉來給你餵湯吃。

老：（精神為之抖擻）真的？快拿來我吃。

子倒一碗湯，搖搖晃晃地預備餵他。

老：我自己來！（掙扎著坐起來，子連忙將衣被等墊在他背後，老頭子抖抖地捧起碗來，貪婪地吹著呻著，兩個四五歲的襤褸孩子一路上嚷著進來。）

大：什麼東西好香？

小：（看到老手裡的碗連忙跑過去）爺爺！你吃什麼香的？我要吃？

子：（趕緊攔阻）不要胡鬧！這是爺爺有病吃的。

兩個孩子盯住了老頭子的癟嘴，大的不住價嚥口水，小的饞涎已掛到了襟上。

老：（打了個飽噎，病霍然脫體）好鮮！（舐著嘴唇對孫）還剩點肉你們分了吧！

兩個孩子已不得這一句，接過碗來你搶我奪地撕著肉往嘴裡亂送。

子下意識地撫著左臂，嘴角上浮漾著一個辛酸的苦笑，大顆的眼淚沿著臉頰淌下來。

編註：據艾雯手記，本劇原刊於《青年報》，一九四四年三月。

她們都去了

時間：一九五〇年，夏，台灣

人物：羅燕斐：二十七歲，有點憂鬱性的少婦

許綺韻：二十三歲，摩登、愛熱鬧的銀行小姐

許曼韻：十八歲，天真富於愛國熱忱的中學生

許震華：三十二歲，誠懇、苦幹的建築工程師

黎　蘋：二十五歲，練達樸實的小學教員

王　媽：四十上下，忠實、儀態可掬的老傭人

景：中等人家的一間客廳，正中一道拱門，門外是走廊。左首通廚房，右首通外。拱門上懸紫紅的布幔，分繫二邊，走廊外一抹藍天襯著赭色欄杆，色調很和諧。

廳左首的牆上是一扇通燕斐夫婦寢室的小門，門側一只茶几上放著收音機，茶几底下擱了二份報紙雜誌。茶几側頭一只雙人沙發斜斜地擱向拱門口，沙發後面擺了一盆棕櫚盆景，

綠影婆娑，直披拂過沙發背。

廳右首一扇小門是通綺韻姊妹的臥室的，門上手散放著二只沙發，沙發後面貼著拱門的牆壁是一張半桌，上面放了茶具和電話。靠著二張沙發之間，有一張小圓桌，鋪著白色鏤花桌布，上一瓶蝴蝶蘭，四周還散放著二三張圓凳子。牆上點綴著二三幅油畫風景片之類。

幕啟時客廳中寂然無聲，羅燕斐穿著睡衣，獨自一人懶洋洋地斜倚在長沙發上看小說。一會兒摸摸頭髮，一會兒伸伸腰肢，樣子十分嬌娜。

羅燕斐（以下稱斐）：（打個呵欠）王媽，王媽！

王媽（以下稱王）：來啦，來啦！（兩手塗滿了濕麵粉，撳著褲腳紮得緊緊的半大腳，從廚房裡蹬蹬蹬跑出來）太太，要什麼？

斐：（看著書眼也不抬）倒杯茶給我。

王：（不以為然地望望桌上的茶具，又看自己二手麵粉，嘟著嘴擬出）

斐：怎麼，沒有聽見嗎？

王：（將二手一攤）我手上有麵粉嘞！（下）

（斐翻過一頁書，咳嗽）

斐：王媽，王媽，快點！

（王在圍裙上抹擦著手匆匆地進來，倒了杯茶遞給斐，剛轉身走到門口……

斐：（呷了二口）唔，王媽，不要了。

王：（不接杯子卻去端了張椅子放在她面前）哪，擱這兒，省得人家才擀上麵，又叫王媽王媽。（下）

（右室內有人哼著輕鬆的拍子，門啟，許綺韻以電影明星的姿態出現門口。她穿著一身五色繽紛的香港衫，淺灰色半短西裝褲，平底白皮鞋，顯得瀟瀟嫵媚，眼睛向一瞥，說話前眉毛先抬一抬）

許綺韻（以下稱綺）：怎麼，今天沒有打牌？真是難得！

斐：（放下書，懶聲懶氣地）戒賭了。

綺：（端祥瓶中的插花，揶揄）怕是荷包輸空了。

斐：（臉一紅）哪裡，我當真要戒賭了。輸錢還小事，可教人嘔氣哩！

綺：妳真要戒賭，我倒想著了一個比喻。

斐：怎麼講？

綺：這叫「狗對毛廁缸發誓」。

斐：（氣惱地抓起身上的書向綺擲去）妳這個狗嘴裡總拔不出象牙來！

綺：（笑著避過書，走過去捩收音機）我就不曉得打牌有什麼趣味，要讓我那麼腰瘦背直地坐上一天，可要了我的命了。

斐：（反譏）像妳那麼蓬拆蓬拆，汗淋脊背地跳上一晚又受用！

綺：當然，跳舞又藝術，又衛生，又廣交際……老早我就邀妳一同去遛達遛達，妳偏死守住二張牌不放。（捩著一支爵士樂，全身本能地扭起來）嫂嫂，我新學會了現在最時髦的桑擺，跳起來很活潑，我來教妳好不？

斐：（滿腹牢騷地）我學它幹嘛！妳曉得妳那位哥哥，他成天就是忙畫圖，忙設計，就像全國的建築工程師讓他一個人包攬了似的。他還有功夫陪我去跳舞！（歎一口氣，無限哀怨地撫弄著瓶花）我從前沒有結婚時，還不是喜歡在外面活動！可是結了婚的女人，究竟不好像小姐一樣。再一個人到處去玩。要不待在家裡實在悶不過了，我也不會去摸上幾張麻將。

綺：得啦，得啦，又要惹妳一肚子牢騷來了。（走著舞步）蓬拆拆，蓬拆拆。

（電話響，斐去接）

斐：噢，林太太嗎……三缺一，太晚了吧……好好，我就來。

綺：（停步）不是我說了「狗對毛廁缸發誓嗎！」

斐：（搭訕著撿起地上的錢）三缺一，傷陰騭。人家全等著，怎好意思不去！（進左室）

綺：（聳肩一笑，繼續跳）蓬拆拆，蓬拆拆……

斐：（換上旗袍拾著皮包出來）少陪了，（走到門口又向右首。吩咐）王媽，晚上我不回來吃飯。

王：（粗聲粗氣）曉得了！

（斐出，許曼韻匆匆進來，兩人在門口撞了個滿懷）

斐：（俯身拾起皮包）看妳走路，老像有土匪殺得來似的。

許曼韻（以下簡稱曼）：（不服氣地瞪她一眼）我為的是爭取時間。

（曼穿著白襯衫、白鞋、黑裙，頭髮剪得短短的，完全是一個中學生打扮，她將手裡的一卷腳本擱在沙發背上，倒了一杯茶，一喝而乾。當她喝茶時腳本滑下椅背沒發覺）

曼：姊姊，（又喝茶）姊姊，請妳停一下蓬拆拆好不？我有件事要請妳幫忙。

綺：（停，眨一眨眼）什麼事啊！

曼：我們學校裡為著響應大陸救災運動，要……

綺：（打斷她）又是什麼救災運動？

曼：（詫異地）姊姊，我看妳硬是跳舞跳糊塗了，報紙上那麼大幅大幅登著妳都沒看見？妳還不曉得大陸上因有共產黨不斷地徵兵徵糧，再加上災荒嚴重，老百姓餓得連樹皮草根都快啃光了。蔣總統便發起了一個大陸救災運動，我們這次演戲要賺了錢，完全買米用飛機投回大陸去。

綺：（漫不經心地坐在沙發上翻著雜誌）是麼，那麼演什來戲？

曼：戲是新編的，叫〈怒吼的山城〉（記起腳本，找）咦，姊姊，妳看見我的劇本沒有？

綺：（搖頭）沒有。

曼：（到處找）真奇怪，我記得帶回來了，又去了那裡？（敲著腦穴想了想）我一進來便吃茶，吃茶就……（奔到小桌前）哈，原來躲在這裡。（從沙發後撿出來）

綺：（二手枕著頭笑）看妳這份記性！

曼：（起勁地講劇情）故事是講山城裡一群淳樸忠厚的老百姓，起初聽了共產黨花言巧語，以為窮人真要翻身了，高高興興地把解放軍迎得來。那曉得不到一個月，共匪的真面目全露了出來，強徵強借，參軍慰勞，老百姓這才曉得受了騙，氣憤之下，全上山當了游擊隊。我扮一個鄉下姑娘，卻有雙槍王八妹那麼勇敢。

綺：（笑著打量曼）那妳還是主角哩！幾時演出？

曼：（高興）後天。噢，姊姊，妳一定來跟我們化裝！

綺：（敷衍地）好吧！（看一眼手錶，倏地站起來進內）

曼：（兀自熱烈地唸著台詞，做看表情）現在我們都明白了，共產黨什麼「解放」，什麼「翻身」，全是欺騙！他們把我們種的糧食「解放」了，把我們的房子搜得翻了身，還是不斷地要支前、要獻糧、要參軍，連我們窮人身上一根筋、一張皮都要剝了去。（頓）我們要活下去，就不能再坐著等他們來宰割，我們要跟他們拚……

（綺換了一身鮮豔的長旗袍，紅色高跟鞋，紅色皮包，娉婷地出來）

曼：（不以為然地瞟了她一眼）又是去跳舞！

綺：嗯。

曼：又是同妳們銀行裡那個小鬍子張經理！

綺：差不多。（看看手錶，又坐下來打開皮包，重添脂粉）

曼：（天真而懇切地）姊姊，妳這樣不大好。

綺：怎麼不好，趁著年輕，不跳跳舞玩玩，當真還待在家裡修行做尼姑。（搽口紅）

曼：可是人家會說妳墮落，說妳在當花瓶！

綺：胡說！拿工作去換報酬，怎麼叫花瓶？

曼：妳做工作就做好了，誰又讓妳天天伴著經理跳舞！

綺：上了班是經理職員，下了班就是朋友。跳跳舞又算得什麼！真是少見。

曼：嘿，朋友，我就沒見妳同小職員一起玩過。

綺：（撲粉）我就覺得他姓張的更合胃口嘿。

曼：什麼合胃口，還不是他的金錢配上妳的虛榮！（氣鼓鼓地將自己投在沙發裡）我真不懂，妳本來念師範學校念得好好的，怎麼一下又想著搞到銀行裡去。

綺：（畫眉毛）說起念師範來我還要怪媽呢？當上個猴了王又有什麼意味，要那時給我學了音樂多好！

曼：（譏諷）好讓妳到麥克風前出出風頭，讓那些臭男子叫叫好！

綺：（微慍，收拾皮包）二妹，妳的嘴怎麼學得這麼尖利？（外面汽車喇叭響，她站起來邊說邊走）我不跟妳拌嘴，回頭到說我做姊姊的欺侮妳。（下）

王：（濕著二手趕出來）大小姐，妳回不回家吃飯？

綺：（聲）不回家了。

王：（啜咕著）又一個不在家吃飯。

曼：（憤憤地將腳本用力一擲）跳舞的跳舞，打牌的打牌，共產黨快要來攻台灣，老家裡又在鬧饑荒，還這是麼醉生夢死的，（回首見王，想起了什麼）哦！王媽（跑過去接她的衣服）妳這身上的衣服還有沒有，借一件給我，還要一條褲子，一塊包頭布，一……

王：（驚恐）怎麼，二小姐，共產黨又打得來了。

曼：（愕然）誰說的？

王：妳要這些衣服，不又跟從前逃日本鬼子一樣，扮個鄉下姑娘。

曼：胡說，人家是演戲穿的（操她），快去，快去。

王：我說呢？是唱戲。（下。一會捧著一套短衫褲，一塊花布包頭上）

曼：（拿褲子比比，又拿衣服試試）哦，王媽，還少根束腰帶。

王：（搖頭）我可沒有這玩意兒。

曼：（想了想，進左室拿了根領帶出來，往腰裡束了束）王媽，妳看這興不興？

王：（笑）興。

曼：（將王東西丟在一堆）快給我摺一摺，我馬上要帶去。

王：（摺衣）妳也不在家吃飯？

曼：嘸，今晚要趕著彩排，回頭吃二個饅頭算了。（包起衣物下，又回頭）嗨！劇本差點又忘了。（拿腳本下）

王：（悔惜）唉中午吩咐的晚上吃餃子，讓人家忙了一下午，又統統出去了。蹧蹋了材料又蹧蹋了工夫。（下）

（暮色四沉，光線漸暗。許震華挾著一大卷圖表上，走進左室，一會子又出來）

許震華（以下稱華）：王媽，王媽！

王：（上）先生回來了，開飯不？今兒個包了肉餃。

華：（不經心地）唔，太太打牌沒有回？

王：沒。

華：大小姐又出去跳舞了！

王：可不是。

華：二小姐呢？

王：她也說唱戲什麼的去了。

華：（蹙眉，搓手）好吧，我累得很，還不想吃飯，你去吃好了。（進內）。

（王搖頭，下）

（夜色更濃，闃無人聲，遠遠傳來三二聲狗吠，已是午夜過後了）

（一個長長的人影像幽靈般走進來，依稀綺韻的身材，腳步有點搖晃，她在門口靠一靠，又在桌畔扶一會踉蹌地走進右室，室內傳出嘔吐，輕微的啜泣聲，片刻後復歸寂然）

（天空逐漸現出魚肚白，傳來晨雞報曉聲，片刻天色放明，斐浴著晨曦，顯得極端疲困地進來，剛走到房門口，華推門出來）

華：回來了！

斐：（歉疚地笑）嗯。

華：（憐惜而帶著譴責）又熬了一夜，我看妳簡直在蹧蹋自己的身體。

斐：（俯首無語，撫弄著皮包）

華：（緩緩地踱過去）妳回家來，我要上班了。我下班回來，妳又不在家。同住在一個屋簷下，不想見面那麼難。

斐：（依然不響）

華：（看錶）燕斐，難得今天還早，我們來談談好不？

斐：（望一眼華，強笑）好吧。（將皮包往沙發裡一擲，坐下）

華：（合著二手，回憶地）燕斐，還記得我們第一次認識不？那是在王家的一個宴會中，妳那天穿一件銀色的禮服，那麼文雅，那麼高貴，在那許多花花綠綠的女人中，就像薔薇叢中一朵白玫瑰，我第一眼看到妳，眼睛就再不能離開。

斐：（也在回憶中興奮起來）那時你恭恭敬敬地走到我身邊，我以為是請我跳舞，那曉得是請我去花園裡散步。

華：我把我的願望，全都告訴了妳。我說我願意做一個舵手，乘長風破萬里浪、妳說妳也喜歡。

斐：我說我喜歡在山明水秀的地方，用薔薇結一幢茅舍，種幾畝鮮花青菜，養一些小雞小羊。（溫柔地站起來作勢）你說你也願意。

華：我們曾經爬上高山之巔，大聲歌唱，喚太陽出來。

斐：我們曾經駕一葉小舟，徜徉在湖面上，看星兒歸去。

（兩人情不由已的並著肩，緩步走上走廊）

華：後來結了婚，我倆的志趣更是相投，白天，各人站在各人工作的崗位上。

斐：晚上，便是我們最甜蜜的時間，你拉著凡亞琳，我便唱著歌兒，有時我們一起唸一本美麗的詩，有我們在月下流漣，直至深夜。

（兩人親密地相偎）

華：那時的生活多麼融洽，多麼甜蜜！（溫存著舊情）可是，後來共產黨來了，我們就只好拋棄了那幸福的家，來到台灣（兩人緩緩分開，轉過身來）而來到了台灣，一切都變了。妳失去了工作，而我的工作卻更加忙碌，甚至忙得不能陪妳看一場電影，蕩一回馬路。

斐：（黯然低下頭）

華：我知道妳的苦悶，妳的寂寞，這是我非常同情和抱歉的，可是，（沉痛地）我不願意我們會走上相反的路。（懇摯地）燕斐，不要因為既是來到了泥窪邊，就由它沉到泥窪裡去。也許當妳再環顧一下四周，又能發現新的路徑，雖然，那或許是艱辛的，但它總能通到比較光明的一面。（看錶，過去撫著斐的肩頭）燕斐，振作一點，希望妳能想想我說的話，再見！（下）

斐：（愧感交集，頹然跌坐在沙發裡。二手支撐著臉腮）

（片刻沉默）

綺：（聲）王媽，王媽，（不見答應，自己穿著晨衣拖鞋出來，神情寂寞，顯得有點憔悴，抬頭見斐有點意外）嫂嫂這麼早！

斐：（掩飾地一笑）也不早了，怎麼，大妹，妳的氣色很不好看，是病了嗎？

綺：（倒茶）有點頭痛。

斐：跟銀行請個假吧！

綺：（突然氣憤）請什麼鬼假，我死也不去了。

斐：（驚奇）為什麼？妳不幹得好好的。

綺：（不響）

斐：妳不是跟那個張經理很熱嗎？

綺：（憤然將茶往桌上一頓，就手將自己擲進沙發裡）不要講了，真氣死人！就是那個姓張的混帳東西，衣冠禽獸，昨晚他……（氣極了，接不上聲）

斐：他怎麼啦！

（這時曼同著黎蘋悄悄地進來，見狀又做手勢，躲在門後）

綺：（羞憤交集）昨晚噻本來在李家開派對，跳了幾個舞後，那姓張的便說好說歹地敬我吃酒，哪曉得一杯酒下肚，我便醉得支持不住了。他就用汽車送我回家，一會兒他便告訴我到家了。我人雖然恍恍忽忽地，心裡卻還有點清楚。下車一看，哪裡是到家，霓虹燈亮炯炯的，不道是一家旅館！

斐：一家旅館？

綺：哼！起初我還不知道他的用心，問他來這兒幹嘛？哪曉他一抹臉就說出一大堆不要臉的話，欺我酒醉，還來扶我進去，我氣極了，順手就給了他一記巴掌……

曼：（忍不住拍著手竄出來）這一記巴掌打得好，這下當花瓶可也當得好！

綺：（氣極，猛然回過頭去）不用妳管！（乍見黎蘋驚疑）

黎蘋（以下稱蘋）：（淺藍布旗袍，白鞋，拖著兩根長辮子，樸實煥發，看樣子很練達）綺韻，燕斐，妳們都好！

斐、綺：（驚喜）哦，黎蘋！

（大家親熱地握手，半晌說不出話來）

綺：（緊握住蘋）蘋，真想不到我們會在台灣見面！

蘋：可不是！一個月以前我還在杭州哩。來這裡後又不曉得妳們住在哪裡，要不逢著曼韻，我正預備登報找妳呢？（推開綺打量）妳的小姐派頭可越來越足了。聽曼韻說，妳在銀行裡做事？

綺：（慚恧地）我不幹了。

斐：（打岔）大家坐下來談吧。

（大家就坐）

曼：妳們談妳們的，我可有事呢。（下）

斐：大陸上的情形怎樣？

綺：當真在鬧饑荒嗎？

蘋：（歎息）又何止鬧饑荒！共匪對老百姓的種種欺騙手段，壓榨行為，要說起來說上幾天都說不完。最苦的是沒有自由，從前總說言論不自由，現在連不說話也不自由。從前我們要爭取行動自由，現在連坐在家裡不動也不給你自由。你要有一分錢財產，都是屬於國家的。你的性命又是屬於人民的。而所謂「人民」也只是共產黨拿來作掩飾的幌子罷了。

斐：（半信半疑）竟有這樣的事！從前他們不說得滿嘴仁義道德的。

蘋：那都是騙人的話！就拿我的遭遇來說吧，起初我以為教書是神聖的工作，與世無爭。共產黨來了又有什麼關係呢？可是他們一來，首先就把待遇調整。一個人一天發二十四兩糙米。另外一些錢一個月還不夠買一斤豬肉。這還不去說他，他們什麼文化教育委員會還派來學校個別作一番思想檢查，檢查的結果說是我的思想有問題，要進「小學教師訓練班」重新學習，教了五六年的書還教我學習！我一氣就上辭呈不幹。妳曉得上面怎麼批？他說就是不幹，也等完成了訓練再說。

綺：真是豈有此理！

蘋：可不差點把我氣得嘔血，可是還有更糟的事啦，綺韻，妳還記得莊美琳不？

綺：莊美琳！妳早先不是我們學校裡的校花，又漂亮，又能幹。

蘋：真是她，同我一起在育英小學教書。有一天她上街去買東西，一去就失蹤了。她父親急得到處尋找也沒音訊，後來才有人偷偷告訴他們，說是親眼看見給二個俄國大鼻子架走了。

他父親連忙託人向當局打聽。當局裝佯說是絕不會有這種事情，還說你們侮蔑友軍，就是侮辱人民政府，以後絕不寬貸。他父親嚇得只敢躲在家裡偷偷哭泣。後來過了一個多星期，是一個陰雨的晚上，莊家聽見有撞門的聲音，開出門去，卻見莊美琳昏迷地橫在門口，蹂躪得簡直不成人的樣子，三個人抱頭痛哭了一頓，第二天中午鄰居撞門進去，只見三個人都掛在樑上，已經沒有氣了。

斐、綺：天哪，多慘！

綺：（急切地）哦，蘋，我家裡現在怎樣了？

蘋：覆巢之下，那有完卵！妳家開的那爿百貨店，因為擔負不起共匪的「工商稅」、「公債」、「支前」早就倒閉了。倒閉了還欠什麼稅局裡什麼「營業利得稅」好幾千萬。現在許伯父只是靠擺地攤過活。

綺：（痛心地）咳，他老人家這把年紀，還受這個苦。

蘋：他讓我給你們帶信說：他把一切希望都放在你們身上，還有妳家……（目視斐，欲言又止）

斐：哦！我家裡怎樣了？快告訴我。

蘋：我那天也是去她（指綺）家裡，聽許伯伯偷偷地告訴我的。妳父親他老人家因為繳不出糧，現在還關在監牢裡。

斐：（悲痛欲絕）哦！爸爸……

（大家浸沉在悲憤、仇恨的氛圍裡）

蘋：（抑壓著悲憤）多少人給共匪害得家破人亡，多少人受著共匪的迫害，受著俄國人的奴役，可是，流眼淚、傷心，又有什麼用？（激昂沉痛）我們要記著這筆血債，我們忘不掉這刻骨的仇恨，我們要以他們的血，償還我們的血！

綺：（激動地）蘋，妳說得對。流眼淚、傷心，又有什麼用！我們要以行動來報復。（激昂地緊握著手，仰望雲天。一歇，又歉仄慚愧地）我真慚愧，我真對不起期望著我的父親。來台灣以後，我呼吸著自由的空氣，我過著安定的生活。我卻忘記了大陸上的人民正在受苦受難。忘記了戰士們為著保衛這一份自由在拚命！（語聲越來越低沉）這一年來，我一直過著醉生夢死的生活，我始終沒有為苦難中的國家做過一點事……

斐：（仰起淚痕斑駁的臉，難受地）我，我何嘗不是一樣。我父親坐在監牢裡，我在這裡過著安定的生活，還要嚷苦悶，嚷寂寞，啊……（又伏在椅背上啜泣）

（曼亢奮地喧嚷著飛跑進來，沖破了沉鬱的空氣）

曼：看妳們，盡躲在屋裡愁眉苦臉的，人家街上多熱鬧，說是蔣夫人領導組織什麼中華婦女反共抗俄聯合會。婦女們都要組織團結起來，參加反共抗俄工作。

綺：真的，什麼時候？

斐：女人都可以參加嗎？

蘋：是什麼性質範圍？

曼：（給一連串的問題弄昏了）這個我已弄不大清楚！我曉得會已開上了。

蘋：既是這樣的盛會，一定有廣播。（趕去捩收音機）

（片刻，一個清晰、沉著的女中音突破了沉寂，有力地迴盪在室內。大家立刻屏聲息氣地圍攏來諦聽。一會兒王媽也拿著一只正在紮的鞋底進來）

聲：……現在大陸上的民眾，被共匪的徵兵徵糧，清算鬥爭，再加上災荒嚴重，飢餓死亡，全生活在水深火熱中。我們真正僥倖，能在反攻基地的台灣，吸著自由的空氣，過著安定的生活。可是我們不能忘掉大陸同胞的苦難。他們天天盼望著我們反攻，天天盼望我們去拯救他們。現在我們的軍隊，正為著反攻大陸，英勇作戰，我們婦女同胞，也應該動員起來，獻出我們的力量，為國家服務，為戰士服務。這是我們應盡的義務，亦是我們應負的責任。

我們婦聯會的工作，分宣傳、慰勞、組訓三種。人人可以參加。例如共匪的種種暴行虐政，毛澤東在怎樣出賣祖國，我們務必要使民眾了解。英勇作戰的將士，傷病的官兵，我們應該隨時隨地去慰勞服務。還有各種勞軍運動，如為將士新兵縫襯衣，做布鞋。組訓方面更要訓練急救防空，肅清奸諜等都是現在迫切需要的。

自由中國，現在只剩這一小塊立足點。我們只有向前搶做工作，再不能觀望退後。國家存亡，千鈞一髮，全仗我們有沒有實在犧牲的精神，要知道沒有國家，就沒有個人。物質的快樂，抵不過精神的痛苦。我們要爭取個人自由，就得要支持國家反共抗俄，假如大家都能團結起來，貢獻出每一個人的力量，我相信我們一定可以復興中國，一定可以打回大陸去！

（大家在聽講的過程中時而相視示意，時而熱烈握手。詞畢，大家全浸沉在亢奮激昂地情緒中）

蘋：（神往地反覆誦念）我們的義務，我們的責任，對！國家興亡，人人有責，我們婦女同胞占全國人口的半數。男人可以獻身為國，我們照樣也可以參加反共抗俄的陣營。

綺：（喜悅地）這真好給我一個自新的機會，我想我可以去當一名護士，為那些受了榮譽之傷的將士們服務。哦，說真的，我馬上換衣服去。（進內）

斐：別的我不敢說，替將士們縫上征衣什麼的，我自問還可以擔任。

蘋：我願意參加宣傳工作，我要把我親眼親身在匪區經歷的、種種共匪的罪惡向人民報告，我也要把戰士們如何英勇作戰，淪陷區的人民怎樣盼望自由的日子，告訴大家。

曼：（熱烈地）不管她們讓我做什麼，只要是反共抗俄的工作之我都願意幹！走走，我同妳們一路簽名去。

斐：好，我們去！

蘋：綺韻，快點，別打扮了。

綺：來啦，來啦！（就在睡衣外加一條素淨裙子，一路扣著扣子跑出來）走吧，走吧！

（曼、韻蹤跳著帶頭，嘴裡還愉快地哼著歌曲，四人連袂而出）

王：（追到門口）太太！大小姐！二小姐！（急）她們都去了，都去了。（欲追出又退回來打量自身，突然想起了什麼，高興地一拍手中的鞋底）那個話盒子裡不是說：給他們縫衣服，做布鞋。別的我王媽不敢誇口，這個紮鞋底可我家太太也趕不上我。我也是女人。我準要做好多好多紮紮實實的布鞋，送給替我們打仗的英勇好漢！

——幕急下

編註：本劇為獨幕劇，原刊於《中華婦女》第一卷第十期，一九五一年四月，頁十九～二十；第一卷第十一、二期，一九五一年六月，頁二十七～二十九。

艾雯全集10【小說卷・五】

作　　者　艾雯
編輯顧問　張瑞芬　陳芳明　應鳳凰（依姓氏筆劃排序）
主　　編　封德屏
執行編輯　王為萱
美術設計　不倒翁視覺創意

編輯製作　文訊雜誌社
10048台北市中山南路11號6樓
02-2343-3142
出　　版　朱恬恬
11147台北市忠誠路二段50巷8號
02-2832-1330

排　　版　浩瀚電腦排版股份有限公司
印　　刷　松霖彩色印刷事業有限公司
初　　版　民國101年（2012）8月
定　　價　全10冊（不分售）平裝新台幣4,600元整
ISBN　978-957-41-9328-8（第10冊平裝）
978-957-41-9318-9（全套平裝）

◎財團法人|國家文化藝術|基金會贊助
台北市文化局 Cultural Affairs Bureau of Taipei 贊助

國家圖書館出版品預行編目資料

艾雯全集 / 艾雯作. -- 初版. -- 臺北市 : 朱恬恬, 民
101.08
冊 ; 公分

ISBN 978-957-41-9318-9(全套 : 平裝). --
ISBN 978-957-41-9319-6(第1冊 : 平裝). --
ISBN 978-957-41-9320-2(第2冊 : 平裝). --
ISBN 978-957-41-9321-9(第3冊 : 平裝). --
ISBN 978-957-41-9322-6(第4冊 : 平裝). --
ISBN 978-957-41-9323-3(第5冊 : 平裝). --
ISBN 978-957-41-9324-0(第6冊 : 平裝). --
ISBN 978-957-41-9325-7(第7冊 : 平裝). --
ISBN 978-957-41-9326-4(第8冊 : 平裝). --
ISBN 978-957-41-9327-1(第9冊 : 平裝). --
ISBN 978-957-41-9328-8(第10冊 : 平裝)

848.6 101013788